Douloureuse Russie

DU MÊME AUTEUR

Voyage en enfer,
traduit du russe par Galia Ackerman et Pierre Lorain,
Robert Laffont, 2000

Tchétchénie, le déshonneur russe,
traduit du russe par Galia Ackerman,
Buchet/Chastel, 2003

La Russie selon Poutine,
traduit du russe par Valérie Dariot
Buchet/Chastel, 2005

Anna Politkovskaïa

Douloureuse Russie

Journal d'une femme en colère

Traduit du russe et annoté
par Natalia Rutkevich, sous la direction
de Galia Ackerman

BUCHET ✿ CHASTEL

un département de Meta-Éditions, 2006
7, rue des Canettes, 75006 Paris
ISBN 2-283-02100-6

PREMIÈRE PARTIE

La fin du parlementarisme russe

[Officiellement, d'après le recensement d'octobre 2003, la Russie est le septième pays le plus peuplé au monde. Elle compte 145,3 millions d'habitants, dont environ 109 millions d'électeurs. Depuis le 26 mars 2000, elle est présidée par Vladimir Poutine. Ce dernier sera reconduit à son poste le 14 mars 2004. Mais sa réélection avait été assurée dès le 7 décembre 2003. Le jour des législatives.]

7 décembre 2003

Ce matin, Poutine est apparu à la télévision. Il était sur le point d'entrer dans son bureau de vote. Lui qui affiche d'habitude en public une mine grave et compassée semblait, cette fois, étonnamment joyeux et de bonne humeur. On eut rapidement l'explication de cette allégresse : avec un grand sourire, le président annonça à ceux qui étaient là... que sa chienne favorite, le labrador Connie, venait d'avoir une portée. Derrière l'épaule de son époux, la première dame du pays babillait : « Vladimir Vladimirovitch était tellement inquiet, tellement inquiet... » Un peu plus tard, madame la présidente déclara que cet heureux événement était forcément un bon présage pour Russie unie, le parti pro-Poutine qui allait largement remporter les élections.

Ce même matin, Essentouki, une petite ville balnéaire située dans le Caucase du Nord, enterrait plusieurs des treize victimes de l'attentat qui avait, la veille, frappé le « train des étudiants ». C'est ainsi que l'on nomme le premier train du matin dans ce district où les étudiants, dispersés sur un territoire très vaste, utilisent en général le chemin de fer pour aller assister à leurs cours.

Quand, après avoir voté, Poutine s'approcha des journalistes, tout le monde pensa qu'il allait présenter ses condoléances aux familles des victimes et leur demander pardon pour ne pas avoir su protéger leurs enfants. Mais pas du tout. Connie avait eu sa portée et, le jour des funérailles des victimes d'un énième attentat, le président n'avait de mots que pour ses chiots nouveau-nés.

Des amis m'appelèrent, surexcités : « Voilà, Poutine vient enfin de révéler son vrai visage ! Maintenant que les gens ont vu à quel point il est froid et insensible, ils ne voteront pas pour Russie unie ! »

Mais aux alentours de minuit, quand la télévision se mit à donner les premiers résultats – en commençant, comme toujours, par l'extrême est du pays, avant la Sibérie, puis l'Oural, etc. –, nos espoirs s'effondrèrent. Nous nous téléphonions, incrédules, et ne pouvions que répéter : « C'est impossible... »

Certains d'entre nous avaient voté en faveur de Iabloko, le parti démocratique de Grigori Iavlinski * [1], un homme réputé intègre mais qui n'a jamais réussi à imposer ses idées au sommet de l'État. D'autres avaient penché pour son frère ennemi, le SPS (Union des forces de droite), une formation dirigée par un trio hétéroclite : Boris Nemtsov *, un leader charismatique jeune et ambitieux ; Anatoly Tchoubaïs *, patron de l'immense complexe énergétique d'État RAO EES (Systèmes énergétiques unis de Russie) et très impopulaire dans le pays pour avoir été l'un des architectes de la « thérapie de choc » des années 1990 ; et l'économiste Irina Khakamada *, l'une des très rares femmes à avoir percé dans la politique russe. Mais ni Iabloko ni le SPS n'obtinrent les 5 % de voix nécessaires pour entrer à la douma [2]...

Le matin venu, il n'y eut aucune protestation. Le pays s'était silencieusement offert à Poutine. Les élections avaient été largement remportées par cette coquille vide appelée Russie unie, un

---

1. Les noms propres suivis d'un astérisque font l'objet d'une notule dans le glossaire des noms propres à la fin du livre *(N.d.E.)*.

2. La douma est la Chambre basse du Parlement russe. La Chambre haute est le Conseil de la Fédération.

parti croupion créé il y a deux ans et dont le programme consistait uniquement à soutenir le président. Naturellement, cette formation politique avait attiré les bureaucrates professionnels, les anciens apparatchiks et d'innombrables ex-dirigeants des Jeunesses communistes (Komsomol) reconvertis en fonctionnaires de diverses grandes administrations. Tous ces braves exécutants avaient dépensé des sommes gigantesques et utilisé toutes les ressources du pouvoir pour financer la campagne mensongère de leur pseudo-parti et, finalement, lui garantir une victoire électorale éclatante.

Il suffit de voir comment la campagne s'est passée sur le terrain pour avoir un aperçu des méthodes employées par les autorités. Prenons, par exemple, la ville de Saratov, située au cœur du bassin de la Volga. Le 7 décembre, à deux pas de l'entrée de l'un des bureaux de vote, une femme était installée à une table sur laquelle était placée, bien en évidence, une plaquette portant l'inscription « Vote Tretiak ! ». La femme distribuait de grandes rasades de vodka à tous ceux qui le souhaitaient. Dans cette circonscription, Tretiak, membre de Russie unie, fut élu sans problème. Ce n'est qu'un exemple parmi tant d'autres : dans toute la région, la main de fer de l'administration locale a procédé au remplacement des anciens candidats par des hommes de Russie unie. Les plus malins des sortants y avaient adhéré peu avant les élections, ce qui leur permit de conserver leur siège.

À Saratov, la campagne s'est également caractérisée par sa violence. Des candidats récalcitrants et leurs partisans furent tabassés par des « inconnus ». Et finalement, il ne resta pratiquement plus un seul adversaire de Russie unie : ils avaient abandonné la partie « de leur plein gré ». Dans l'une des circonscriptions, un candidat a longtemps résisté avec opiniâtreté. On lui a lancé par la fenêtre des organes humains emballés dans des sachets en plastique. La première fois, des oreilles. La seconde fois, un cœur.

Bien entendu, en apparence, la légalité était respectée. La commission électorale de la région avait mis en place une « hotline » destinée à recevoir les appels signalant des infractions commises lors de la campagne et du vote proprement dit. Mais 80 % des appels reçus relevaient du chantage le plus simple exercé sur les autorités communales, et non de quelque préoccupation politique que ce soit. Il faut bien dire que les gens de chez nous ont un don pour tirer bénéfice de toute agitation politique. Les citoyens exigeaient qu'on fasse réparer leurs canalisations percées, qu'on installe enfin le chauffage chez eux, etc. Sinon, laissaient-ils entendre, nous n'irons pas voter... Eh bien, ils eurent gain de cause : les habitants des quartiers Zavodskoi et Leningradski de la ville de Saratov obtinrent eau chaude et eau froide ; non loin de là, dans certains villages du district d'Aktarsk, on rétablit enfin l'approvisionnement en électricité. Le téléphone, qui avait été débranché des années auparavant, remarcha comme par miracle. Et les électeurs s'adoucirent. La participation fut de plus de 60 % dans la ville de Saratov et de 53 % dans l'ensemble de la région. Un niveau suffisant pour que les résultats des élections soient validés... Et non seulement les électeurs s'apaisèrent, mais ils se montrèrent même prêts à défendre bec et ongles le mensonge qui leur avait été imposé. Une observatrice démocrate présente dans un bureau de vote de la petite ville d'Arkadak (toujours dans la région de Saratov) avait remarqué que chacun y votait à deux reprises : une fois dans l'isoloir et une autre fois en remplissant un bulletin directement sur le bureau du président de la Commission électorale de district, sous les instructions de celui-ci. Elle courut appeler la « hotline » : n'avait-elle pas pris les autorités en flagrant délit de manipulation des votes ? Eh bien, on l'attrapa littéralement par les cheveux pour l'empêcher de parvenir jusqu'au téléphone.

Viatcheslav Volodine, l'un des dirigeants de Russie unie, candidat dans la ville de Balakov (région de Saratov), écrasa ses adversaires en obtenant 82,9 % des suffrages. Un succès fantastique pour ce politicien dénué de charisme, connu seulement pour quelques vagues discours pro-Poutine ânonnés à la télévision, et qui n'avait jusque-là jamais rien fait pour ses concitoyens. Au total, dans la région de Saratov, les listes présentées par Russie unie obtinrent 48,2 % des voix (rappelons que les candidats de ce parti ne se sont jamais donné la peine d'élaborer un programme, se contentant de répéter à l'envi : « Votez pour moi, car je suis pour Poutine. ») 15,7 % des voix se sont portés sur les communistes (KPRF, Parti communiste de la Fédération de Russie). Le parti ultranationaliste de Vladimir Jirinovski *, le LDPR, réussit à séduire 8,9 % des électeurs. Et Rodina (Patrie), une formation chassant à la fois sur les terres des communistes et des nationalistes, attira 5,7 % des votants. Seule ombre au tableau pour le pouvoir : le vote « contre tous » – une option permettant de traduire son rejet de tous les candidats en lice – atteignit 10 % des suffrages exprimés. Ce qui signifie qu'un électeur sur dix s'est rendu aux urnes, a bu un verre ou deux de vodka... et a décidé d'envoyer tout le monde au diable.

En Tchétchénie, une zone placée sous un contrôle militaire total, la réussite des élections fut telle qu'il y eut... 10 % de votants de plus qu'il y avait d'inscrits sur les listes électorales !

Comment expliquer la défaite des démocrates ? Les autorités ont une réponse toute trouvée : d'après elles, ces derniers ne devraient s'en prendre qu'à eux-mêmes. Ils se seraient détachés du peuple. À présent, le peuple et le pouvoir seraient unis. Mais voici quelques extraits de rédactions de lycéens de Saint-Pétersbourg, écrites à cette époque et dont les sujets étaient : « Le rapport de ma famille aux élections » et « La nouvelle douma aidera-t-elle le président dans son travail ? » :

> « Ces dernières années, plus aucun membre de ma famille ne va voter. En fait, ils ont tous été déçus. Quant à la politique du président, les élections n'y changeront rien. Ils promettent tous que le niveau de vie des gens va s'améliorer mais hélas... Tout ce que je souhaite, moi, c'est que l'on nous dise la vérité... »

> « Les élections, je m'en fous. Je pense que la situation dans le pays ne changera pas quelle que soit la composition de la douma. La vérité, c'est que nous n'élisons pas des hommes qui vont améliorer la situation dans le pays, mais des brigands qui vont nous voler... Ces élections n'aideront personne : ni le président ni les simples mortels... »

> « Ma mère dit que tout est arrangé d'avance, que le résultat est déjà joué avant même que les gens aillent voter. Je pense que voter est complètement inutile. Quand j'étais petite, je croyais que plus une personne était célèbre, plus elle était intelligente et sensée. Mais en grandissant, j'ai compris que même quelqu'un de parfaitement stupide était capable de parvenir au gouvernement. Alors, aller voter, pour quoi faire ? D'autant plus qu'aucun être sain d'esprit ne

pourrait déclarer qu'" il faut buter les Tchétchènes jusque dans les chiottes [1] "... »

« Est-ce que les élections serviront à quelque chose ? C'est une question intéressante. On verra bien... Mais le plus probable, c'est qu'elles n'apporteront rien de nouveau. Je ne suis pas un homme politique, je n'ai pas fait les études nécessaires pour cela. Mais s'il y a bien une chose dont je suis certain, c'est que la priorité des priorités devrait être la lutte contre la corruption. Aussi longtemps que, dans notre pays, il y aura des bandits au sein des instances de pouvoir, la vie des citoyens ne s'améliorera pas. Par exemple, avez-vous la moindre idée de la situation dans l'armée ? C'est un bizutage permanent et extrêmement violent. Avant, on disait qu'après avoir fait son service un enfant devenait un homme ; à présent, il devient non pas un homme mais un invalide ! Mon père dit qu'il n'enverra pas son fils dans une armée qui mutile ses recrues. " Pourquoi devrais-je envoyer mon fils à l'armée ? Pour qu'il se retrouve handicapé après son service ou, pis, qu'il se fasse tuer quelque part en Tchétchénie en combattant pour permettre à je ne sais qui d'y prendre le pouvoir ? " Tant que le gouvernement actuel sera au pouvoir, je ne vois aucune issue. Je ne le remercie pas pour mon enfance malheureuse [2]... »

On a l'impression que ces lignes ont été écrites par des vieillards. Est-ce cela, la « nouvelle Russie » ? Tel est le véritable prix de notre cynisme politique : nous avons perdu nos jeunes.

---

1. Le 24 septembre 1999, Vladimir Poutine, récemment nommé Premier ministre, promettait de « poursuivre les terroristes là où ils se trouvent, et s'ils se cachent dans les chiottes, de les poursuivre et de les buter jusque dans les chiottes ». Tenus quelques jours après une vague d'attentats ayant frappé des cibles civiles en Russie – des attentats que les autorités ont attribués aux Tchétchènes, mais dont de nombreux observateurs estiment qu'ils ont été commis par les services secrets russes pour déclencher une nouvelle guerre contre la Tchétchénie –, ces propos lui ont valu d'apparaître aux yeux de la population comme un homme à poigne. Une réputation qui explique sans doute en partie son triomphe à la présidentielle de mars 2000... *(Ici et plus loin, notes du traducteur).*

2. Cette formule est un détournement ironique d'un célèbre slogan des années 1930-1950 : « Merci au camarade Staline pour notre enfance heureuse. »

8 décembre

Au matin du 8 décembre, le tableau était parfaitement clair. Si le pouvoir avait obtenu le triomphe escompté, si les communistes, les « patriotes » de Rodina et les ultranationalistes de Jirinovski avaient plus ou moins réussi à tirer leur épingle du jeu, les démocrates, eux, avaient été complètement balayés. Iabloko n'avait pas réussi à atteindre les 5 % nécessaires pour entrer à la douma. Son chef, Grigori Iavlinski, avait perdu son mandat de député. L'Union des forces de droite et ses leaders Boris Nemtsov et Irina Khakamada avaient connu la même débâcle. Les listes qu'ils avaient présentées et leurs candidats au scrutin uninominal avaient été rejetés par les électeurs. Au final, il ne restait au Parlement plus personne qui soit capable de défendre les idées démocratiques et de présenter une opposition constructive et intelligente au Kremlin.

Mais il n'y avait pas seulement la victoire de ce parti bureaucratique qu'est Russie unie, loin de là. Au soir du 8 décembre, quand furent connus des résultats à peu près définitifs, il devint clair que les électeurs avaient également été très nombreux à voter en faveur de nationalistes purs et durs qui promettaient publiquement qu'une fois au pouvoir ils allaient « pendre tous les ennemis de la Russie ».

Bien sûr, c'était effrayant. Mais à quoi fallait-il s'attendre de la part d'un pays dont 40 % des habitants vivent en dessous du seuil de pauvreté, pourtant extrêmement bas ? Les démocrates n'avaient jamais réellement essayé de nouer des liens avec cette partie de la population. Ils avaient toujours consacré leurs efforts aux représentants fortunés de la classe moyenne naissante. Ils étaient devenus les défenseurs de la propriété privée et des nouveaux propriétaires. Or les miséreux ne sont pas des propriétaires. Du coup, les démocrates ne se sont pratiquement jamais adressés à eux. Les nationalistes, en revanche, en avaient fait leur cœur de cible.

C'est ainsi que cette partie du peuple s'est détournée des démocrates. Quant à ces nouveaux propriétaires sur lesquels les libéraux avaient fondé tant d'espoirs, ils ont abandonné sans aucun remords Iabloko et le SPS pour rejoindre Russie unie, dès qu'ils ont compris que Iavlinski, Nemtsov et Khakamada étaient en train de perdre de leur importance politique au Kremlin. Ils ont donc rejoint le parti *du* pouvoir, le parti des hauts fonctionnaires. Il n'y a là rien d'étonnant : les hauts fonctionnaires jouent un rôle de premier plan dans l'évolution du business russe, corrompu et corrupteur. Sans eux, aucune affaire n'est possible.

À la veille des élections de décembre, les hauts fonctionnaires de Russie unie avouaient dans des conversations privées : « Nous avons tellement d'argent, le business nous a tellement enrichis que nous ne savons même pas comment digérer tout ça ! »

On aurait tort d'y voir de simples vantardises. Ces hommes avaient réellement reçu d'importants pots-de-vin de la part d'innombrables hommes d'affaires qui souhaitaient seulement leur dire : « Ne nous oubliez pas après les élections... »

On pourrait se poser la question : à quoi Iavlinski a-t-il donc servi, avec les grands principes de probité qu'il n'a cessé de proclamer depuis quinze ans ? Et à quoi a donc servi le SPS, qui voulait tant instaurer une économie de marché à visage humain ? Pour l'instant, rares sont ceux qui définissent la liberté de la même manière que ces deux partis. Pour les riches de chez nous, être libre, c'est avoir des vacances réussies. Et plus on est riche, plus on part souvent en vacances. Pas en Anatolie, trop accessible au petit peuple, mais à Tahiti. Ou à Acapulco. Ces gens-là ne songent même pas à la vraie liberté. Pour l'immense majorité d'entre eux, seul compte l'accès au confort. Dès lors, pourquoi ne promouvraient-ils pas leurs intérêts en corrompant les partis bien en cour au Kremlin ? Il faut bien comprendre que la plupart sont corruptibles d'une façon très primitive : chaque question y a son propre « prix ». Qui est prêt à payer ce prix obtiendra le projet de loi dont il a besoin. Ou bien « son » député pourra attirer l'attention du parquet général sur les activités de tel ou tel de ses concurrents (un moyen très usité par les hommes d'affaires pour se débarrasser de leurs adversaires).

La corruption est l'engrais sur lequel a poussé le Parti libéral-démocrate de Russie (LDPR) dirigé par Vladimir Jirinovski. Cette prétendue « opposition » populiste n'a, à la vérité, rien à voir avec une véritable opposition. Même s'ils sont prompts à piquer des crises d'hystérie au moindre prétexte, les jirinovskiens soutiennent toujours, *in fine*, la ligne du Kremlin. Par ailleurs, ils n'ont jamais cessé de recevoir, en échange de leurs services, des sommes tout à fait considérables de la part d'hommes d'affaires cyniques qui se moquaient éperdument de leur orientation politique et qui ne leur demandaient qu'une chose : qu'ils servent les entreprises qui les payent, qu'ils défendent leur cause auprès du Kremlin et des organisations attenantes (parquet général, ministère de l'Intérieur, FSB, ministère de la Justice, tribunaux).

Bref, en ce matin du 8 décembre 2003, Jirinovski avait réussi à faire entrer son parti à la douma, comme il y était déjà parvenu au cours des trois scrutins législatifs qui s'étaient tenus depuis la chute de l'URSS (en 1993, 1995 et 1999). De surcroît, il avait fait un excellent score : 38 sièges. Les démocrates, eux, étaient passés à la trappe.

Une autre organisation « patriotique » connut un franc succès lors de ces élections : le bloc Rodina, une formation créée par le Kremlin spécialement pour ces législatives. L'objectif confié à Rodina était clair : attirer les nationalistes « éclairés » ainsi qu'une partie des nostalgiques de l'URSS qui, jusqu'alors, votaient pour les communistes. Eh bien, Rodina s'en est très bien sorti : 37 sièges.

L'idéologie du nouveau Parlement reposait bien plus sur le « facteur russe » que sur le facteur pro-occidental. Au cours de la campagne, tous les candidats et partis proprésidentiels avaient usé et abusé de la rhétorique nationaliste la plus éculée. Ainsi, Russie unie a tenu un discours ouvertement antioccidental et anticapitaliste en se posant en défenseur du « peuple russe humilié par l'Occident ». Il faut y ajouter le lavage des cerveaux opéré par la télévision : impossible d'échapper aux interminables émissions consacrées aux « traditions réellement russes ».

Les trois grands partis nationalistes s'étaient partagé les rôles. Rodina incarnait un patriotisme « noble »; Russie unie, un patriotisme modéré; et le LDPR, un chauvinisme primaire. Au final, on trouve au Parlement des patriotes pour tous les goûts. Et, bien sûr, tous rivalisent de bigoterie : au cours de la campagne, les candidats proprésidentiels, dès qu'ils voyaient passer une caméra, se mettaient à exécuter de grands signes de croix, à prier à voix haute et à embrasser goulûment les crucifix des popes qui se trouvaient à proximité.

On pourrait en rire, si n'était la réalité : le peuple a avalé tous ces mensonges. Les organisations politiques pro-Poutine ont obtenu la majorité absolue au Parlement. Les bureaucrates de Russie unie ont raflé 212 sièges (auxquels il faut ajouter soixante-cinq députés prétendument « indépendants [1] » mais *de facto* parfaitement soumis au Kremlin). En fait, la douma est régie par un parti et demi : une grande formation qui est celle du pouvoir autour de laquelle gravitent plusieurs satellites partageant la même orientation politique.

Le projet d'instaurer en Russie un véritable multipartisme, caressé par les démocrates et promis par Eltsine, a vécu. La répartition des sièges à la douma est telle que toute confrontation réelle y est exclue. Peu après les élections, Poutine expliqua que le Parlement était un lieu voué au travail législatif et non aux discussions politiques. Le président ajouta qu'à sa grande satisfaction la nouvelle douma allait justement travailler, au lieu de perdre son temps en vaines disputes.

Ironie de notre histoire : ce sont les communistes, avec leurs 41 sièges (53 si l'on ajoute les élus au scrutin uninominal), qui sont devenus les politiciens les plus modérés et les plus rationnels de la quatrième douma. À peine douze ans auparavant, les communistes avaient été renversés, à l'image de la statue de Dzerjinski dressée sur la place de la Loubianka [2]. À la fin de l'année 2003, ces mêmes communistes étaient devenus l'espoir de tous les démocrates de Russie.

C'est difficile à admettre. C'est même difficile à écrire. Mais c'est ainsi.

Plus tard, la répartition des sièges à la douma a quelque peu évolué, puisque certains députés ont changé d'affiliation. Mais ces modifications n'ont guère eu de conséquences sur la direction générale prise par la vie politique. À ce jour, le Parlement adopte sans ciller tous les projets de loi voulus par l'administration présidentielle. Même si les élections de décembre 2003 n'ont pas permis à

1. Lors de ce scrutin, les 450 députés de la douma ont été élus à moitié à la proportionnelle sur des listes présentées par des partis dûment enregistrés, et à moitié par scrutin majoritaire simple dans des circonscriptions uninominales. Parmi les députés élus au scrutin uninominal se trouvait un grand nombre d'« indépendants », c'est-à-dire de politiciens qui n'étaient affiliés à aucune formation. Une fois au Parlement, une grande partie d'entre eux s'est ralliée de fait au « parti du pouvoir ».

2. Félix Dzerjinski (1877-1926) a fondé la Tcheka, la première police politique des bolcheviks, après la révolution de 1917. Son lointain successeur, le KGB – aujourd'hui rebaptisé FSB – avait son siège sur la place de la Loubianka, à Moscou, au centre de laquelle se trouvait, à l'époque soviétique, un monument dédié à Dzerjinski, qui ne fut abattu qu'en août 1991.

Russie unie d'obtenir les 301 sièges nécessaires pour modifier la Constitution, peu importe : avec cette douma-là, le Kremlin s'est fabriqué, dans les faits, une « majorité constitutionnelle ».

Fabriqué, c'est bien le terme : cette majorité, qui lui permettrait s'il le désirait de modifier la Constitution, le Kremlin l'a bel et bien créée de toutes pièces. La campagne n'a pas été équitable. D'innombrables violations ont été commises. En un mot, ces élections ont évidemment été falsifiées. Mais toute contestation était vouée à l'échec : les bureaucrates avaient pris le contrôle de l'intégralité du pouvoir législatif. Malgré les preuves indiscutables présentées par les plaignants, aucun tribunal, y compris la Cour suprême, ne remit en cause les élections – officiellement, pour « ne pas déstabiliser le pays ».

À cette occasion, les « ressources administratives [1] » ont été mises au service des représentants du pouvoir aussi largement à l'époque soviétique qu'au moment de la réélection d'un Eltsine, vieux et malade en 1996, ou de la première victoire de Poutine en 2000. Mais, cette fois, toutes les limites rationnelles ont été allégrement dépassées. L'administration a adhéré à Russie unie avec autant d'enthousiasme qu'au Parti communiste d'Union soviétique en son temps. De ce point de vue, Poutine a ressuscité le système disparu comme aucun de ses prédécesseurs – ni Gorbatchev ni Eltsine – ne l'avait fait avant lui. Tout son savoir-faire s'est manifesté à cette occasion : les hauts fonctionnaires rejoignaient avec joie les rangs de Russie unie, ce nouveau PCUS. Il était clair qu'ils étaient heureux de retrouver un « papa » qui réfléchirait pour tout le monde.

Mais le peuple également rêvait de retrouver un « petit père ». C'est pourquoi il n'y eut pratiquement pas de protestations à l'issue des élections. Les slogans de Russie unie – avant tout, ceux portant sur les « richards suceurs de sang qui ont pillé nos richesses nationales et nous ont laissés dans la misère » – avaient été volés aux communistes. Ils connurent un grand succès dans la population, précisément parce que, cette fois, ce n'étaient plus les communistes qui les scandaient.

---

1. La formule « ressources administratives », fréquemment employée en Russie, recouvre tous les moyens dont le pouvoir dispose pour influencer la vie politique du pays (pressions diverses, menaces, lobbying, gratifications, etc.).

De la même manière, il y a deux mois, la majorité a applaudi à l'incarcération de Mikhaïl Khodorkovski *. Bref, même si les ressources administratives ont été utilisées à plein par Russie unie lors de la campagne, elles n'ont fait que renforcer les certitudes des électeurs. En fait, le pouvoir a surtout minimisé les risques d'imprévu. Mais le soutien de la population lui était déjà acquis.

Le 8 décembre, tôt le matin, l'émission *Liberté de parole*, sur la chaîne NTV [1], avait invité des politologues pour débattre des résultats des élections. C'était l'une des dernières fois que cette émission était diffusée. Elle allait être supprimée quelques semaines plus tard. Poutine commentera sa disparition ainsi : « À quoi peut bien servir une émission qui invite des perdants ? » faisant référence à Iavlinski, Nemtsov et à d'autres libéraux et démocrates pour lesquels *Liberté de parole* était l'un des derniers moyens de s'adresser à un large public. En attendant, ce 8 décembre, la tension était palpable sur le plateau. Igor Bounine *, le directeur du Centre des technologies politiques, l'un des principaux instituts d'analyse politique du pays, expliqua que le libéralisme russe était en crise et rappela que « soudain, au beau milieu de la campagne, un nouvel aspect est apparu : la chasse aux oligarques, avec l'incarcération de Khodorkovski », une chasse « soutenue par une large partie de la population ». Bounine prévoyait que « le président offrirait néanmoins quelques postes aux libéraux au sein de l'élite du pouvoir ».

Selon Viatcheslav Nikonov – un expert qui se transformera, quelques mois plus tard, en défenseur zélé de Poutine (il ne sera pas le seul politologue à connaître une telle évolution) –, « la jeunesse ne s'était pas rendue aux urnes, ce qui expliquait largement la défaite des démocrates... » Et il ajoute : « Nos concitoyens se sentent proches d'Ivan le Terrible et de Staline. »

---

1. NTV (« La chaîne indépendante ») est une chaîne privée fondée en 1993 qui a longtemps appartenu à l'oligarque Vladimir Goussinski *. À l'époque de Boris Eltsine, elle a toujours fait montre d'une grande liberté de ton, grâce à ses émissions politiques sans concession et à ses programmes satiriques corrosifs, comme les célèbres *Koukly* (les « Marionnettes », l'équivalent russe des « Guignols » français). Mais en juillet 2000, après l'élection de Vladimir Poutine, Goussinski a quitté la Russie par crainte de poursuites judiciaires. Les entreprises publiques et les oligarques proches du Kremlin se sont partagé ses avoirs. La chaîne a ensuite été progressivement ramenée dans le giron du pouvoir et se montre désormais beaucoup plus sage

Dans le droit fil de la soirée électorale qui avait duré toute la nuit, l'émission était sinistre. Une ambiance d'enterrement. L'air du temps était porteur d'orages, et les gens réunis dans le studio semblaient soucieux de se mettre à l'abri. Et certainement pas de se battre. Guéorgui Satarov *, qui avait été le conseiller politique de Boris Eltsine au début des années 1990, insistait sur le fait que le pouvoir avait gagné car il avait réussi à mobiliser « les électeurs nostalgiques de l'Union soviétique ». Tout le monde s'en prit aux démocrates. L'écrivain Vassili Axionov se montra particulièrement mordant. « Les libéraux n'ont pas profité de l'affaire Ioukos [1] pour montrer à la société ce qu'il arrive quand des oligarques ont affaire à des oligophrènes. » L'écrivain avait parfaitement raison.

Revenons en arrière. Le 25 novembre, deux semaines avant les élections, nous avions été plusieurs journalistes à interviewer longuement (pendant près de cinq heures) Grigori Iavlinski. Ce leader historique des démocrates de Russie était très sûr de lui. Il ne doutait pas un instant qu'il allait entrer à la douma. Cette attitude était dictée à la fois par une certaine arrogance et par la certitude que le marché qu'il avait passé avec le pouvoir allait, cette fois encore, lui sauver la mise. Le « deal » était simple. Le Kremlin mettait au service de Iabloko, le parti de Iavlinski, suffisamment de ressources administratives pour qu'il passe la barre des 5 % et puisse former un groupe à la douma. En échange, Iabloko abandonnait certains de ses slogans les plus véhéments visant les autorités. Mais Iavlinski comprenait bien qu'au fond, même s'il parvenait à sauver son siège de député et son groupe parlementaire, il avait perdu la partie.

Voici quelques extraits de ses propos.

« Depuis la réélection d'Eltsine en 1996, il est complètement illusoire d'espérer créer une opposition politique en Russie.

1. La société Ioukos, propriété de l'oligarque Mikhaïl Khodorkovski, était la plus importante compagnie pétrolière de Russie. Ce dernier s'est démarqué des autres grands hommes d'affaires russes en s'efforçant de rendre plus transparente la gestion de son groupe, et en soutenant diverses forces de la société civile. Visiblement, ce souhait d'introduire un nouveau comportement dans la vie politique russe a déplu aux autorités. En octobre 2003, le pouvoir a attaqué cette société en justice pour fraude fiscale à grande échelle, lui réclamant de gigantesques arriérés d'impôts. Khodorkovski a été arrêté et condamné, en 2005, à huit ans de prison. Quant à la compagnie, elle a été démantelée : ses avoirs ont été soit directement saisis par l'État, soit rachetés à bas prix par des compagnies publiques et semi-publiques.

Premièrement, parce que l'État est dépourvu d'un système juridique indépendant. Du coup, si elle se sent lésée par le pouvoir, l'opposition ne peut en appeler qu'à une justice qui se trouve à la solde de ce même pouvoir ! Deuxièmement, parce que nous n'avons pas de médias de masse indépendants. Je pense bien sûr aux deux premières chaînes de télévision, les seules qui émettent sur tout le territoire. Elles sont complètement inféodées au Kremlin. Troisièmement, parce qu'il n'y a pas de sources de financement indépendantes. Il est impossible de financer quoi que ce soit en Russie sans en passer, à un moment ou un autre, par les pouvoirs publics.

« En l'absence de ces trois éléments fondamentaux, il est par définition impossible de mettre sur pied une opposition politique efficace. Selon moi, il s'agit là d'une preuve éclatante que la Russie n'est pas une démocratie. Car il n'y a pas de démocratie sans opposition. Tous les facteurs indispensables à la démocratie ont été supprimés en 1996. Aujourd'hui, où que ce soit en Russie, il est inconcevable d'organiser une manifestation qui rallierait ne serait-ce que 100 000 participants. C'est rigoureusement impossible.

« Et pourtant, avec une telle manifestation conduite par les leaders de deux ou trois partis politiques, le pouvoir serait bien forcé d'écouter la voix de la rue ! Mais les gens ne sortiront pas de chez eux. Ils ne croient plus en la possibilité de faire bouger les choses. Ils y ont cru, mais ils n'ont rien vu venir. Le système actuel, à l'inverse de ce qui se passait à l'époque soviétique, ne se donne pas la peine de démanteler brutalement toute sorte d'opposition. Au contraire, il intègre tous les groupes de la société civile à son propre projet, en leur proposant de s'adapter. C'est seulement lorsqu'une organisation refuse de s'adapter que les autorités se déchaînent contre elle. Mais c'est rare... »

[On connaît la suite. Iabloko n'obtint que 4,3 % des voix et se retrouva sans représentation parlementaire.

Dès lors, peut-on considérer que le parlementarisme russe est en crise ? Non, il n'est pas en crise, il est tout simplement mort sous les coups de boutoir de l'administration Poutine. L'important, ce n'est pas la disparition de la fraction Iabloko des bancs de la douma. Il y a deux éléments bien plus décisifs.

Premièrement, « les branches législative et exécutive du pouvoir se sont fondues en une verticale unique », comme l'a très bien dit notre meilleure politologue, Lilia Chevtsova. Le résultat, c'est un remake du système soviétique. Suite à cette fusion de fait des pouvoirs exécutif et législatif, la douma est devenue une simple chambre d'enregistrement des décisions du Kremlin.

Deuxièmement – et c'est la raison essentielle pour laquelle on doit parler de « fin » et non de « crise » du parlementarisme russe –, le peuple a accepté l'évolution de ces dernières années sans broncher. Personne n'a bougé quand Poutine a établi sa fameuse « verticale du pouvoir ». Il n'y a eu ni manifestations, ni protestations de masse, ni actions de désobéissance civile. Le peuple a tout « avalé » et il a consenti à vivre non pas sans Iavlinski, mais sans démocratie. Un chiffre est particulièrement parlant à cet égard. D'après une enquête d'opinion de l'institut d'études sociologiques « Vtsiom-A [1] », à la question : « Au cours des débats organisés à la télévision à l'occasion de la campagne électorale, les représentants de quels partis vous ont semblé les plus convaincants ? », 12 % des Russes ont répondu : « Les représentants de Russie unie. » Or ceux-ci avaient refusé de prendre part à quelque débat télévisé que ce soit, arguant que « leurs actions parlaient pour eux » !

La population a donc entériné la restauration d'une nouvelle Union soviétique – une URSS légèrement retouchée, relookée, modernisée, mais une URSS tout de même, dotée d'une sorte de capitalisme bureaucratique dans lequel les hauts fonctionnaires ont remplacé les oligarques des années 1990.

Dès lors, l'élection présidentielle de mars 2004 était jouée d'avance. Comme l'Union soviétique nouvelle avait été adoubée par les électeurs, il était évident que Poutine allait être réélu haut la main. L'administration présidentielle le comprit parfaitement. Jusqu'au jour même du scrutin, le 14 mars 2004, elle décida que tout lui était permis et elle fit du peuple ce que

1. Le Vtsiom-A est un institut de sondage fondé en octobre 2003 par l'un des plus célèbres sociologues de Russie, Youri Levada. En 1988, Levada avait fondé le Vtsiom, un centre de recherche public qu'il dirigea pendant quinze ans. Mais les enquêtes irrévérencieuses du Vtsiom – spécialement ses sondages de l'été 2003, qui ont démontré que Russie unie était créditée de moins d'intentions de vote aux législatives de décembre que le Parti communiste – ont eu le don d'irriter le Kremlin. Ce dernier a alors procédé à la privatisation du Vtsiom. La première décision des nouveaux dirigeants fut de licencier Levada. Mais celui-ci fonda alors un nouvel institut, qu'il appela « Vtsiom-A ». Depuis lors, le Vtsiom-A, indépendant et souvent critique à l'égard des autorités, se trouve en concurrence avec le Vtsiom, lequel est désormais entièrement soumis au pouvoir.

bon lui semblait. Les derniers contre-pouvoirs s'effondrèrent. Il n'en resta qu'un seul : la conscience du président. Mais celle-ci ne se manifesta pas : à supposer qu'elle existât, elle avait été « professionnellement » circonscrite depuis des années [1].]

9 décembre

Ce matin, à Moscou, précisément à dix heures cinquante-trois, une femme kamikaze s'est fait exploser près de l'hôtel National, qui est situé juste en face de la douma, à cent quarante-cinq mètres du Kremlin. Elle a demandé à un passant : « Où se trouve la douma ? » Et aussitôt après, elle a actionné sa bombe. Un touriste chinois, qui se trouvait à proximité, a été décapité sur le coup. Longtemps sa tête est restée sur le trottoir... Les gens hurlaient et appelaient au secours ; mais la police, omniprésente dans ce quartier, a attendu vingt minutes avant de s'approcher de l'endroit de l'attentat, de peur d'une nouvelle explosion. C'est seulement vers onze heures vingt que les ambulances sont arrivées sur les lieux et que la circulation dans la rue Mohovaya, où se trouve le National, a enfin été interrompue.

Une blague est très à la mode à Moscou en ce moment : « Un chahid [2] n'a besoin que de sa ceinture pour sortir. »

10 décembre

On parle peu de l'attentat d'hier. En revanche, la nouvelle campagne électorale vient de commencer : le Conseil de la Fédération a fixé la date de la réélection de Poutine.

Celui-ci s'est aussitôt attelé à la tâche. À chaque commémoration, à chaque journée dédiée aux travailleurs d'un secteur d'activité donné (depuis l'époque soviétique, il est de coutume de glorifier régulièrement telle ou telle profession en y consacrant une

1. Les commentaires *a posteriori* de l'auteur, à la relecture de son journal, sont toujours présentés entre crochets *(N.d.E.)*.
2. Chahid est le terme usuel, d'origine arabe, pour désigner les extrémistes musulmans auteurs d'attentats suicides pour devenir des martyrs.

date précise du calendrier), on apprend que notre président est un spécialiste reconnu de la question. Le Jour de l'éleveur, il s'est proclamé éleveur en chef du pays. Le Jour de l'ouvrier du bâtiment, il a été propulsé premier bâtisseur du pays. Et ainsi de suite. Cette mégalomanie peut paraître ridicule..., mais Staline se comportait exactement de la même façon.

Aujourd'hui, le 10 décembre, on célèbre – ironie du sort – la journée internationale des Droits de l'homme. Poutine a donc invité au Kremlin une dizaine de défenseurs des droits de l'homme parmi les plus connus de Russie, qu'il a personnellement sélectionnés.

Après cette rencontre, Svetlana Gannouchkina, l'une de nos « droits-de-l'hommistes » les plus intègres, membre de la fondation pour la défense des droits de l'homme « Mémorial », m'a fait part de ses impressions :

« C'est seulement quand les problèmes dont nous parlons les touchent personnellement qu'ils comprennent qu'il faut agir. Pendant que Poutine parlait au téléphone avec George Bush, je suis allée voir Victor Ivanov, l'un des chefs de l'administration présidentielle et le président du groupe de travail interministériel pour le développement de la législation sur les migrations. Nous avons discuté des problèmes des migrants et, soudain, j'ai découvert que lui aussi était opposé au système de *propiska* [1]. Il se trouve que quelques jours plus tôt, son épouse venait de passer cinq heures d'attente à la mairie pour enregistrer temporairement chez eux des amis venus pour quelques jours, et qu'elle était rentrée excédée... »

Voilà comment le président du groupe de travail interministériel pour le développement de la législation sur les migrations s'était enfin rendu compte du caractère injuste de la *propiska* et décida de plaider pour son abolition. C'est uniquement grâce aux difficultés rencontrées par sa femme que lui, un général du FSB, a pris une décision d'ampleur nationale : il a proposé à Svetlana

1. La *propiska*, héritage de l'époque soviétique, est un acte administratif attestant la domiciliation de chaque individu. Celle-ci est précisée sur la carte d'identité et attache tout Russe à la localité où il vit. Ce système empêche les citoyens de s'installer où bon leur semble à l'intérieur du pays sans accomplir des formalités complexes et coûteuses. De plus, même pour un séjour de courte durée dans une autre ville, ils doivent s'enregistrer auprès des autorités locales. La *propiska* est dénoncée par les organisations de défense des droits de l'homme, qui y voient une atteinte à la liberté de circulation.

Gannouchkina de créer un groupe de travail sur la réforme du système de domiciliation...

Autre exemple de prise de conscience personnelle, et non institutionnelle, des horreurs de la vie russe par nos hommes politiques. Lors de cette même rencontre, Valéri Abramkine *, qui s'est spécialisé dans la défense des droits des détenus, a raconté à Poutine l'histoire de deux jeunes filles mineures qui avaient été condamnées par erreur à des peines de prison. Ni le tribunal ni la prison ne s'étaient aperçus qu'elles étaient mineures. Ce n'est qu'à leur arrivée dans une colonie pénitentiaire que les autorités ont compris qu'elles avaient envoyé des mineures dans une prison pour adultes... À la surprise générale, le président réagit très vivement à cette histoire. Il confia à ses interlocuteurs que sa propre famille avait été confrontée à un cas semblable : là aussi, deux mineures avaient été condamnées par erreur et l'épouse du président les avait prises sous sa tutelle. Bref, dans notre pays, seuls les sentiments personnels des dirigeants peuvent faire bouger les choses. La famille de Poutine aide deux jeunes filles victimes de notre système pénal, et voilà que le président se met à combattre l'arbitraire, voilà qu'il comprend Abramkine ! Est-ce de cette manière que doit fonctionner un État normal ?

Au final, cette rencontre s'est soldée par une suite de monologues des défenseurs des droits de l'homme au sujet des difficultés qu'ils rencontrent dans leurs rapports avec l'appareil administratif, monologues suivis de brèves réponses des représentants des structures concernées et de quelques répliques du président. La plupart du temps, Poutine se contentait d'écouter en silence. Mais lorsqu'il prenait la parole, c'était pour essayer d'apparaître comme un démocrate, n'hésitant pas à reprendre à son compte les exigences de ses interlocuteurs. Pourquoi s'en serait-il privé ? Puisque les partis démocratiques – le SPS et Iabloko – ont été balayés, le président peut à présent se permettre de récupérer une partie de leur fonds de commerce... Les prévisions que les analystes politiques faisaient la nuit suivant les élections législatives se sont réalisées.

C'est sans doute pour cette raison que Poutine a voulu rencontrer les défenseurs des droits de l'homme : pour leur montrer qu'il était, au fond, sur la même longueur d'ondes qu'eux. Poutine est un imitateur de grande classe. Il sait prendre toutes les apparences et nombreux sont ceux qui se font berner. Y compris parmi ses convives du jour. Une partie de son auditoire a vraiment cru à son déguisement de démocrate. Malgré la différence fondamentale qui existe entre la manière de voir les choses de Poutine et celle de ses invités, certains d'entre eux se sont laissé prendre au piège.

Quelqu'un s'est exclamé : « Vous nous comprenez bien mieux que les fonctionnaires des structures de force [1]. » Poutine a répliqué sans vergogne : « C'est parce que je suis un démocrate dans l'âme. »

Dès lors, naturellement, la satisfaction mutuelle a monté encore d'un cran. Le pédiatre Léonid Rochal, qui s'était fait connaître de la Russie entière lors de la prise d'otages de *Nord-Ost* en 2002 [2], a demandé la parole « juste pour une minute ».

« Vladimir Vladimirovitch, je vous aime », déclara-t-il. Vladimir Vladimirovitch baissa les yeux. Le bon docteur continua : « Par contre, je n'aime pas Khodorkovski ! » Le président se crispa; où Rochal voulait-il donc en venir ? Ses craintes se justifièrent : le médecin se lança droit sur les récifs. « Eh bien, même si je vous aime et si je n'aime pas Khodorkovski, je ne suis pas heureux de le voir derrière les barreaux. Ce n'est pas un assassin. Il ne s'enfuirait pas si on le mettait en liberté conditionnelle ! »

Le président fronça les sourcils. Cela suffit pour que tout le monde se morde la langue. Khodorkovski ne fut plus mentionné devant Poutine, comme si ce dernier était un vieux père malade et l'oligarque déchu son enfant prodigue. Les défenseurs des droits de l'homme ne passèrent pas à l'offensive. Bien au contraire, ils battirent en retraite. Il ne se trouva qu'une seule personne, Svetlana Gannouchkina, pour oser aborder l'autre sujet explosif (hormis l'affaire Ioukos) dont nul n'osait parler au président de crainte de le faire enrager : la Tchétchénie.

En terminant sa brève présentation consacrée aux problèmes de migration, Gannouchkina déclara qu'elle voulait transmettre au

1. La notion « structures de force » (*siloviki*) recouvre tous les services de la police, de l'armée et du renseignement.

2. Le 23 octobre 2002, un commando tchétchène a pris en otages les 800 spectateurs d'un spectacle de music-hall intitulé *Nord-Ost* représenté dans le théâtre de la rue Doubrovka, à Moscou. Les terroristes, qui disaient avoir miné l'immeuble, réclamaient le retrait des troupes russes de Tchétchénie. Le 26 octobre, les troupes spéciales russes dissipèrent dans la salle où se trouvaient les otages et leurs ravisseurs un gaz soporifique, puis prirent le bâtiment d'assaut. Tous les membres du commando, sauf un, furent abattus. On dénombra près de 130 morts dus au gaz parmi les otages.

président un livre récemment publié par l'association Mémorial intitulé : *Des gens vivent ici. Tchétchénie : chronique de la violence.*

C'était complètement inattendu. L'entourage du président ne pouvait plus rien filtrer. Poutine accepta le livre et, à la surprise générale, parut s'y intéresser. Il le feuilleta d'ailleurs jusqu'au bout de la réunion. Finalement, il parla lui-même de la Tchétchénie.

« D'abord, se rappelle Gannouchkina, il s'est dit convaincu que dans une guerre contre le terrorisme, il est acceptable de violer temporairement les droits de l'homme. Il a dit qu'il existait des situations dans lesquelles on pouvait négliger la loi. Ensuite, tout en parcourant le livre, Poutine a fait la remarque suivante : “ Vous n'écrivez pas comme il faut. Si vous écriviez d'une façon simple, d'une façon accessible au grand public, le peuple vous suivrait et vous pourriez vraiment faire pression sur le pouvoir. Mais vu la façon dont vous exposez le sujet, c'est impossible. ” »

Profitant de l'occasion, Lioudmila Alexeïeva *, directrice du groupe Helsinki de Moscou et doyenne informelle des défenseurs des droits de l'homme russes, suggéra d'organiser, avec les mêmes participants, une table ronde consacrée exclusivement à la Tchétchénie. Poutine lui répondit : « On y pensera. » Ce qui voulait dire : cela n'aura pas lieu.

Effectivement, par la suite, il n'aborda plus ce sujet avec les défenseurs des droits de l'homme. Ce qui n'a pas empêché une partie de ceux-ci d'accepter, après l'effondrement des partis démocratiques aux législatives de décembre 2003, le remplacement de Iavlinski et de Nemtsov par un Poutine « démocratisé ».

Plusieurs journalistes célèbres se sont rangés à cette vision des choses. Des réputations d'intégrité forgées pendant de longues années se sont effondrées. Vladimir Soloviev, un très célèbre animateur à la radio et à la télévision, en donne l'un des exemples les plus frappants. Lui qui était encore récemment un journaliste libéral, un démocrate convaincu qui n'avait pas hésité à critiquer le pouvoir pour l'attaque chimique commise lors de *Nord-Ost*, s'est mué en un poutinien farouche, prompt à défendre les prérogatives du Kremlin.

Comment expliquer un tel revirement ? C'est très simple. Soloviev a été « rapproché » du Kremlin. C'est ce qui l'a si brusquement changé. Les choses se sont toujours passées ainsi en

Russie. Plus un homme est près du pouvoir, moins il a de scrupules et moins il est capable de dire « non ». Le Kremlin en a pleinement conscience. Il sait parfaitement serrer ses détracteurs dans ses bras au point de les étouffer. Proposer de l'argent à un opposant pour l'« apprivoiser » n'est pas la meilleure méthode. Il est bien plus efficace de le rapprocher des autorités.

Bien sûr, ce n'est pas la première fois dans notre histoire récente que les défenseurs des droits de l'homme se rangent au côté du pouvoir [1]. Mais jamais les ex-dissidents n'ont eu à faire face à un dilemme si crucial : qu'adviendra-t-il du peuple si une partie de l'opposition est éliminée et l'autre se soumet ?

11 décembre

Poutine a reçu les chefs des groupes parlementaires : c'était la dernière journée de travail de la troisième douma, élue en 1999. Ensuite, le Parlement sortant s'est réuni une dernière fois en face du Kremlin. Ils étaient presque tous là. Les membres de Russie unie ne cachaient pas que, pour eux, c'était jour de fête. Et pourquoi ne se seraient-ils pas réjouis ? Chaque jour, de nouveaux députés appartenant à d'autres partis annoncent qu'ils rejoignent leurs rangs. Grâce à tous ces politiciens soucieux de se rapprocher de Poutine, Russie unie est en train de gonfler comme un ballon dirigeable...

Iavlinski se tient à part, sans se mêler à la foule. Il est muré dans un silence renfrogné. Il est vrai qu'il n'a aucune raison de rire. Le parlementarisme russe a été détruit dix ans après l'élection de la première douma, la « douma eltsinienne ». Demain, le 12 décembre, c'est la Constitution russe adoptée le même jour qui aura dix ans.

Nemtsov, quant à lui, essaie d'accorder le plus d'interviews possible, pendant qu'il intéresse encore les médias. Il fait ce qu'il peut pour convaincre ses interlocuteurs que tout n'est pas perdu : « Le SPS et Iabloko essaient de réaliser quelque chose qui semblait

---

1. En octobre 1993, la plupart des démocrates ont soutenu le président Boris Eltsine dans sa lutte contre le Conseil des députés du peuple (le Parlement hérité de l'URSS, dirigé par une alliance entre communistes et ultranationalistes). Cette confrontation entre les pouvoirs exécutif et législatif s'est achevée par un bain de sang : Eltsine ordonna à l'armée de tirer sur l'immeuble où siégeait le Conseil, dans lequel de nombreux députés qui lui étaient hostiles s'étaient retranchés avec leurs partisans. Il y aurait eu plusieurs dizaines de morts.

impossible avant le 7 décembre : nous tentons de nous unir. » Personne ne le croit vraiment. Et comment le pourrait-on ? Tous les démocrates du pays avaient espéré une telle union avant le 7 décembre, mais les leaders de ces deux partis n'avaient rien voulu entendre. Au nom de quoi faudrait-il leur faire encore confiance ?

Guennadi Seleznev, le président de la douma sortante, prononce un discours d'adieu, mais personne ne l'écoute. Il ne sera pas reconduit à son poste. Il le sait. Le Kremlin a déjà décidé de tout. Dorénavant, le président de la douma ne sera plus élu par les députés, mais nommé par le président. Et tout le monde sait qui a été désigné pour occuper le perchoir de Seleznev : Boris Gryzlov *, ami personnel de Poutine et l'un de ses partisans les plus fidèles, l'actuel ministre de l'Intérieur.

Même s'il n'y a aucun suspense, nous vivons une journée historique. La fin de la troisième douma signe, sans conteste, l'adieu à toute une époque. Poutine est entré au Parlement sur un cheval blanc.

La politique est une chose ; l'argent en est une autre. L'attaque contre Ioukos continue. Le dépeçage est en cours. Le tribunal d'arbitrage de Iakoutie a donné satisfaction à la compagnie Sourgoutneftegaz qui contestait l'attribution, en mars 2002, de l'exploitation de la partie centrale du gisement de pétrole et de gaz de Talakan (en Iakoutie) à la compagnie Sakhaneftegaz. Le tribunal a imposé au ministère des Ressources naturelles et au gouvernement de la république de Sakha [1] d'octroyer immédiatement une licence permanente à Sourgoutneftegaz. Pourquoi ? Tout simplement parce que Sakhaneftegaz avait été rachetée par Ioukos. À présent, avec cette décision du tribunal d'arbitrage, Ioukos a définitivement perdu le gisement de Talakan (réserves de pétrole : 120 millions de tonnes ; gaz : 60 milliards de mètres cubes).

Autre chose : il y a neuf ans, jour pour jour, qu'ont commencé les guerres tchétchènes modernes. C'est le 11 décembre 1994 que les premiers tanks sont entrés à Grozny et que les premiers soldats et officiers russes ont brûlé vifs dans ces cercueils ambulants. Aucune chaîne de télévision n'a mentionné cette date aujourd'hui.

---

1. C'est le nouveau nom de la Iakoutie.

Le pays ne se souvient même plus du début de la première guerre tchétchène.

Ce silence de toutes les chaînes de télévision ne peut pas relever du hasard. Il s'agit sans aucun doute d'un ordre de l'administration présidentielle. On peut en conclure que la campagne électorale de « Poutine II » se fera sans la Tchétchénie. C'est typique de sa manière d'agir : comme il ne sait pas quoi en faire, ce sujet ne sera tout simplement pas évoqué. S'il n'y a pas d'opinion sur un événement, alors cet événement n'existe pas.

Ce soir, dans son émission, Vladimir Soloviev organise un débat entre Valéria Novodvorskaïa *, une démocrate jusqu'au bout des ongles, et Vladimir Jirinovski. Les téléspectateurs votent pour dire qui leur plaît le plus. Jirinovski gagne par 40 000 voix contre 16 000. Elle a parlé de la cauchemardesque épopée tchétchène, de sang et de génocide. En réponse, Jirinovski hurlait hystériquement : « Foutez le camp de notre pays ! Nous ne baisserons jamais la tête ! » Et le peuple était derrière lui.

12 décembre

C'est le jour de la Constitution. Elle a dix ans. Jour férié. Moscou grouille de policiers en uniforme et en civil. On voit beaucoup de chiens qui cherchent des explosifs. Le président a organisé au Kremlin une grande réception pour des politiciens et des oligarques triés sur le volet. Il en a profité pour prononcer un discours sur les droits de l'homme : à l'en croire, ils triomphent en Russie. Il y avait là Eltsine, une expression béate figée sur le visage. Il est physiquement en forme, il a l'air rajeuni, mais il semble avoir des problèmes intellectuels. Il a été invité parce que notre Constitution a été adoptée sous sa présidence. Eltsine est très rarement invité au Kremlin par son successeur.

D'après de récents sondages, seuls 2 % des Russes savent ce qui est écrit dans notre charte fondamentale. 45 % des citoyens estiment que le plus important, c'est l'affirmation du droit au travail. 6 % seulement ont déclaré que la liberté de parole était quelque chose d'essentiel pour eux.

18 décembre

Le président répond aux Russes à la télévision ! Grandiose : Poutine va à la rencontre de son peuple *via* des émissions télévisées. Au cours des dernières semaines, les organisateurs du show Poutine ont demandé à la population de leur adresser des questions qu'ils poseraient à leur prestigieux invité. Ils affirment avoir reçu plus de un million de questions diverses. Ce sont les présentateurs favoris du président – Sergueï Brilev de la chaîne Russie et Ekaterina Andreeva de la Première chaîne – qui ont l'honneur de jouer les Monsieur Loyal.

Andreeva : Monsieur le président, c'est la troisième fois que nous organisons ensemble une telle émission. Avez-vous le trac ?

Poutine : Non. Si l'on ne promet pas l'impossible et l'on ne ment pas, on n'a rien à craindre.

Brilev, *rouge d'émotion* : Voilà qui ressemble à notre travail...

Poutine : Tout ce que la Russie possède, elle l'a obtenu au prix d'immenses efforts. Mais aujourd'hui, le monde entier sait que notre pays est stable et se développe rapidement. J'aimerais vous communiquer quelques chiffres. En 2002, notre croissance a été de 4,3 %. Cette année, nous espérions une croissance de 5 %. Eh bien, elle sera de 6,6 %, voire de 6,9 % ! Le service de la dette extérieure a baissé : nous avons déjà remboursé 17 milliards de dollars, et les habitants ne l'ont même pas ressenti. Nos réserves d'or et de devises s'élevaient à 11 milliards de dollars en 2001. En 2003, elles avaient augmenté de 20 milliards et cette année, elles sont de 70 milliards ! Ces chiffres sont importants. Si nous continuons à conduire la même politique économique, il n'y aura plus jamais de défaut de paiement... Il n'en reste pas moins que, début 2003, 37 millions de nos concitoyens vivaient en dessous du seuil de pauvreté. Au troisième tiers de l'année 2003, ce chiffre avait baissé à 31 millions. Même s'il y a là un progrès dont il faut se féliciter, cette situation est humiliante pour le pays. Le seuil de pauvreté est estimé à 2 121 roubles [1]. C'est très peu. Et 31 millions de personnes vivent avec moins que cela !

Les questions affluent. Elles sont tout sauf spontanées. Tout comme les réponses, d'ailleurs. On voit à l'œil nu que ces échanges

---

1. Soit un peu plus de 60 euros.

ont été soigneusement préparés à l'avance. Quand on l'interroge sur telle ou telle région lointaine, Poutine, sans se démonter, sort de sa poche un papier contenant des tas de chiffres et lit soigneusement sa réponse, alors même que la discussion est censée avoir lieu en direct... Bref, il répond aux questions qui lui conviennent et dont il a discuté par avance avec les présentateurs.

Brilev : Votre portrait est accroché dans toutes les administrations du pays. Qu'en pensez-vous ?

Poutine : C'est le symbole de l'État, je n'y vois rien de négatif. Il faut seulement connaître la juste mesure des choses. C'est quand cette juste mesure est dépassée que des problèmes se posent...

À la fin de cette émission languissante, Poutine choisit lui-même une question parmi toutes celles envoyées par Internet.

Question : Que pensez-vous de l'idée d'allonger la durée des mandats présidentiels ?

Poutine : J'y suis défavorable.

Comment interpréter cette « rencontre du président avec le pays » ? Était-ce la présentation de la plate-forme électorale du favori à la course présidentielle ? Pas vraiment, puisqu'il n'y a rien dit de nouveau ou de programmatique. Il s'est contenté de répéter une énième fois ce que tout le monde savait déjà. Cette émission, c'était plutôt une adresse du souverain à son peuple, dans la plus grande tradition soviétique, voire tsariste.

Après avoir « parlé au peuple », Poutine discuta un peu avec les journalistes. « Chez nous, l'État n'est pas encore entièrement consolidé. C'est pourquoi il est particulièrement important que je dialogue directement avec les citoyens. »

Voici la dernière chose que Poutine a dite ce jour-là, révélant peut-être la vraie raison de l'organisation de cette émission : « En Russie, la consolidation de la démocratie doit être appliquée dans les faits. La situation actuelle est unique, elle doit nous permettre d'instaurer un véritable système pluripartite. Ce système sera fondé sur un parti de centre droit puissant. À sa gauche, il y aura les sociaux-démocrates. Il pourra compter sur des alliés des deux côtés. Quelques partis et groupes marginaux subsisteront sans doute. On peut y arriver. »

Étrange déclaration, bien éloignée de la réalité...

Néanmoins, si l'on étudie cette émission du point de vue de la campagne électorale, on peut penser que les slogans essentiels du candidat Poutine tourneront autour des thèmes qu'il a sélectionnés aujourd'hui : la lutte contre la pauvreté, la défense de la Constitution, la création d'un vrai pluripartisme, la lutte contre la corruption, la lutte contre le terrorisme.

Trois « luttes », une « défense » et une seule « création »...

Nous avons un président virtuel aux thèses brutales.

19 décembre

Aujourd'hui, c'est le Jour du tchékiste. Ce glorieux service de police politique qui s'est successivement intitulé Guépéou, Tchéka, MGB, KGB et FSB fête ses quatre-vingt-six ans. Tous les journaux télévisés s'ouvrent sur cette information. Quelle horreur ! Le pire, c'est le ton très serein des reportages qui rappellent l'histoire de ces services. Comme si des millions de vies n'avaient pas été détruites au cours de ces décennies sanguinaires. Mais peut-il en aller autrement dans un pays dont le président admet ouvertement qu'au poste qu'il occupe au Kremlin il se trouve « en réserve active du Bureau [1] » ?

Les résultats définitifs des législatives viennent de tomber. 37,55 % (120 sièges) pour Russie unie ; 12,6 % (40 sièges) pour le Parti communiste ; 11,45 % (36 sièges) pour le LDPR de Jirinovski ; Rodina a obtenu 29 sièges. À partir d'aujourd'hui, les partis peuvent présenter leurs candidats à l'élection présidentielle de mars. Mais dans trois circonscriptions (l'une dans la région de Sverdlovsk, l'autre dans celle d'Oulianovsk et la dernière à Saint-Pétersbourg), le 14 mars, jour du premier tour de la présidentielle, les électeurs revoteront pour élire leurs députés : dans ces trois circonscriptions, c'est le vote « contre tous » qui a obtenu le plus de voix...

Les députés continuent de rejoindre Russie unie. Nouvelle désillusion : Pavel Kvachennikov, un homme connu de tous les

1. Vladimir Poutine a fait une longue carrière au KGB, puis au FSB, qu'il dirigea de juillet 1998 jusqu'à sa nomination au poste de Premier ministre, en août 1999.

électeurs pour avoir longtemps été un libéral convaincu et un membre du SPS, élu député en tant que candidat indépendant, vient à son tour de tomber dans leur escarcelle. La douma tout entière est en train de se transformer en un gigantesque groupe parlementaire RU...

21 décembre

Iavlinski a décidé de ne pas se présenter à l'élection présidentielle. Un congrès de Iabloko, tenu à Moskovski, un village près de Moscou, vient d'entériner cette décision. Iavlinski a déclaré que lui et ses camarades allaient s'atteler à créer un « grand parti démocratique »... mais il l'a dit avec la même expression hautaine qu'il arborait avant d'être éjecté de la douma le 7 décembre. Qui peut suivre un homme si orgueilleux ? Cela devient plus clair chaque jour : la démocratie russe a besoin de nouveaux leaders. Ses leaders actuels ne sont tout simplement pas capables de diriger une opposition démocratique.

Irina Khakamada estime elle aussi qu'il est impossible que le SPS présente un candidat à la présidentielle. Son argumentation est plus clairvoyante que celle de Iavlinski : « À l'occasion des législatives, les gens ont montré qu'ils ne voulaient pas de nous pour diriger le pays. »

Les communistes non plus ne souhaitent pas participer aux élections. Mais ils finiront par y aller.

La question est posée : après les législatives, l'opposition (de gauche comme de droite) a-t-elle une autre option que de boycotter la présidentielle ?

22 décembre

Poutine a déposé auprès de la Commission électorale centrale (CEC) la liste des personnes chargées de collecter les signatures en faveur de sa candidature. Le Vtsiom [1], l'institut d'études inféodé au Kremlin, a publié les résultats de ses dernières enquêtes : 72 %

1. Voir note 1, p. 23.

des électeurs seraient prêts à voter pour Poutine si les élections avaient lieu aujourd'hui.

Qui s'oppose à lui ? Pour l'heure, le seul autre candidat déclaré est Guerman Sterligov, un entrepreneur de pompes funèbres. Il fabrique des cercueils. Il n'a pas de parti, seulement de l'argent et l'« idée russe ». Un marginal absolu. Un autre marginal, mais qui a déjà apporté la preuve de son dévouement au pouvoir, fait aussi un peu d'ombre à Poutine : Vladimir Jirinovski, qui a annoncé que son parti, le LDPR, présenterait un candidat à la présidentielle.

Évidemment, de tels adversaires ne conviennent pas à Poutine. Il serait ridicule d'avoir à débattre avec eux. Le plus probable, c'est qu'au cours des semaines à venir l'administration présidentielle soutiendra discrètement plusieurs candidats « potables », pour essayer de rendre ce scrutin un peu plus crédible.

Personne ne croit vraiment que Khodorkovski sera condamné. La plupart des gens pensent que les persécutions dont il fait l'objet ne sont qu'un jeu du Kremlin, qui cessera après la réélection de Poutine. Sa détention provisoire était censée prendre fin le 30 décembre. Mais ce soir, on a appris que le parquet général avait obtenu que Khodorkovski soit maintenu derrière les barreaux jusqu'au 25 mars. C'est-à-dire qu'il verra la réélection de Poutine en prison. Aujourd'hui, Khodorkovski a été amené au tribunal à seize heures. Mais c'est seulement à dix-huit heures – quand tous les juges, les huissiers, les plaignants, les témoins, etc., non concernés par son affaire, eurent quitté les lieux – que les portes du tribunal ont été fermées et que l'étude de son cas a pu commencer.

De quoi ont-ils si peur ? N'y a-t-il personne de plus dangereux que Khodorkovski en Russie ? Même les terroristes ne sont pas jugés avec de telles mesures de sécurité. Or l'ancien patron de Ioukos est accusé d'avoir enfreint... sept lois économiques. Vers vingt-deux heures, il a été ramené dans sa prison, la « Matrosskaïa Tichina ». Le tribunal avait donné satisfaction au parquet.

Enfin, ce soir, on a appris les résultats de plusieurs élections de gouverneurs qui se sont déroulées dimanche dernier. Très révélateur. Dans la région de Tver, c'est le vice-président du Comité national du sport, Dimitri Zélénine, qui a été élu. Mais le vote « contre tous » a recueilli 9 % des suffrages. Dans la région de Kirov, victoire de Nikolaï Chakléine. Et 10 % de « contre tous »...

Dans la Russie actuelle, le vrai démocrate, c'est celui qui vote « contre tous ». Cet électeur-là accomplit son devoir de citoyen. Il se rend aux urnes, et il fait part de son dégoût pour tous ceux qui se trouvent au pouvoir.

23 décembre

Plusieurs assassinats rituels ont été commis à Moscou. On vient de découvrir une deuxième tête décapitée en l'espace de vingt-quatre heures. Cette fois, elle se trouvait dans une poubelle de la rue Altaïskaïa, dans l'arrondissement de Goulianovo, à l'est de la capitale. Hier, une tête, placée dans un sac en plastique, avait été déposée dans une cour du 3, rue Krasnoïarskaïa. Les victimes avaient été tuées vingt-quatre heures avant ces macabres découvertes. Leurs signes distinctifs sont très proches. Il s'agit de deux hommes originaires du Caucase, âgés de trente à quarante ans, aux cheveux noirs. Leur identité n'a pas encore pu être déterminée. Les têtes ont été trouvées à un kilomètre de distance. La rue Altaïskaïa croise la rue Krasnoïarskaïa.

Il s'agit sans aucun doute des conséquences de la propagande raciste déployée lors de la campagne législative. Les Russes sont particulièrement perméables aux discours fascistes et ils y réagissent au quart de tour. Il ne faut pas oublier que le parti arrivé en tête à Moscou, c'est Rodina, de Dimitri Rogozine *, avec 15 % des voix. Dans la capitale, toutes les autres formations politiques, y compris Russie unie, ont fait moins bien.

Personne ne s'intéresse à ce qu'il advient des démocrates.

Poutine a rencontré l'élite du business russe. Officiellement, il a été invité à une session du directoire de la Chambre de commerce et d'industrie (CCI) de la Fédération de Russie.

Il est important de noter que Poutine s'est rendu à une session de la CCI, et non de l'Union russe des industriels et des entrepreneurs (URIE) considérée comme le syndicat des oligarques. L'URIE est dirigée par Arkadi Volski. Anatoli Tchoubaïs, membre de l'URIE, avait pris la défense de Khodorkovski après son arrestation, avec des termes très durs pour le pouvoir : « On assiste à une escalade des actions du pouvoir et de la justice à l'encontre du business russe. [...] Le business n'a plus aucune confiance dans le pouvoir. [...] Aujourd'hui, le business russe ne fait plus confiance aux institutions de justice et à leurs dirigeants. » Bien entendu, c'était un véritable ultimatum adressé par le « syndicat des oligarques » à Poutine, accusé de profiter de son pouvoir pour déstabiliser la société. Tchoubaïs a appelé Poutine à « prendre clairement position ». Jamais encore le business n'avait pris le pouvoir à parti si ouvertement. Poutine réagit en conseillant de « cesser cette crise d'hystérie » et en recommandant au gouvernement de « ne pas se mêler de ce débat ». Il ignora également le fond des requêtes des oligarques et déclara qu'il faisait pleinement confiance aux institutions de la justice.

[Plus tard, en janvier, après l'élection de Gryzlov, le ministre de l'Intérieur, au poste de président de la douma, il nommera à l'Intérieur Rachid Nourgaliev, l'un des chefs de la police les plus odieux. Mais peut-être faut-il voir dans cette nomination non seulement une réponse à la déclaration de Tchoubaïs, mais aussi la volonté de montrer à ceux qui commençaient à douter de la détermination de Poutine qu'il était prêt à renforcer encore davantage les ministères de force...]

La rencontre avec la CCI s'est passée dans une ambiance très détendue. Poutine apprécie la CCI, et ne manque pas une occasion de la distinguer de l'URIE. Le président de la CCI, le vieux renard soviétique Evgueni Primakov *, lut un discours dans lequel il cita cinq fois Poutine, dans le genre : « Comme le dit si justement Vladimir Vladimirovitch... ». Il rassura le président : « Un oligarque et un grand entrepreneur, ce sont deux choses très différentes. Aujourd'hui, les relations entre le business et le pouvoir parviennent à un niveau de confiance réciproque jamais vu auparavant... Le terme " oligarque " est insultant. Qu'est-ce qu'un oligarque ? C'est un homme qui se remplit les poches grâce à des escroqueries, y compris en fraudant le fisc ; c'est un requin qui estime que les autres businessmen sont des adversaires qu'il doit vaincre par tous les moyens ; c'est un arriviste qui essaie grossièrement de se faire une place en politique, qui n'hésite pas à corrompre les fonctionnaires, les partis, les députés... » Et ainsi de suite.

Le discours de Primakov, rédigé dans le plus pur style soviétique, plut beaucoup à Poutine.

Ensuite, les entrepreneurs posèrent des questions au président. Bien entendu, un sujet les intéressait au plus haut point : la remise en question des privatisations. Même si la CCI n'est pas le « syndicat des oligarques », chacun a tiré les conclusions qui s'imposaient de l'affaire Ioukos.

Poutine s'énerva soudain et se mit à hurler comme un marchand des quatre-saisons au bazar ou un garde-chiourme en prison : « Il est hors de question de revenir sur la privatisation ! Oui, les lois étaient compliquées, mais il était possible de s'y conformer ! Ceux qui voulaient agir dans le respect de la loi y parvenaient très bien ! Et s'il y a eu cinq ou dix individus qui n'ont pas respecté la loi, il ne faut pas en faire une généralité ! Ceux qui respectaient la loi dorment aujourd'hui d'un sommeil profond, même s'ils ne sont peut-être pas devenus aussi riches que les autres ! Évidemment, ceux qui respectaient la loi ne doivent pas être traités de la même manière que ceux qui la violaient ! »

À propos, en russe, l'expression « dormir d'un sommeil profond » signifie « être mort »...

Après cette saillie, tout le monde se tint coi. Les chefs d'entreprise ont continué à rendre leur rapport à Poutine en prenant devant lui des engagements typiquement soviétiques. Quant à Primakov, il s'est remis à faire ce qui était devenu honteux depuis le début de la *perestroïka* : toute honte bue, il s'est prosterné devant le numéro un, répétant à l'envi qu'on ne saurait imaginer des mots plus justes que ceux que Poutine venait de prononcer...

[Il faut dire qu'en décembre 2003 on n'était pas encore habitué à une telle idolâtrie autour de Poutine, et nombreux furent ceux qui se montrèrent profondément déçus par Primakov. Mais, plus tard, il apparut clairement qu'il avait seulement senti le sens du vent avant les autres. Bientôt, tous ceux qui eurent à parler en public en présence de Poutine se mirent à le citer à foison dans leurs discours, exactement comme au temps de Brejnev, et plus personne n'osa lui poser de questions dérangeantes.]

Valéria Novodvorskaïa, qui dirige le parti Union démocratique, a été décorée à Saint-Pétersbourg d'un prix récompensant sa

« contribution à la défense des droits de l'homme et au renforcement de la démocratie en Russie ». Ce prix porte le nom de Galina Starovoïtova *. Cette dernière, l'une des dirigeantes du parti Russie démocratique, avait été assassinée le 20 novembre 1998 dans l'entrée de son propre immeuble. Certains voient là l'œuvre des forces spéciales de l'état-major de l'armée. Lors de la remise de ce prix, Valéria Novodvorskaïa a déclaré : « Nous ne sommes pas dans l'opposition au pouvoir actuel, mais dans la confrontation. Nous ne participerons pas aux prochaines élections. Nous avons décidé de boycotter ces élections. Même s'il est peu probable que cela change quoi que ce soit. »

La vie de l'opposition russe se nourrit avant tout de mots. Novodvorskaïa est toujours celle qui trouve les mots les plus justes. Et elle n'hésite jamais à défier le pouvoir...

24 décembre

Première session du Conseil démocratique uni (CDU), une nouvelle instance qui réunit Iabloko et le SPS. Tout le monde se demande si cette structure a un avenir politique. En attendant d'y voir plus clair, la question de la présentation d'un candidat unique a été retirée de l'ordre du jour. Quelques extraits de ma conversation avec Grigori Iavlinski :

« Pourquoi Iabloko a-t-il décidé de ne pas présenter de candidat à l'élection présidentielle ?

– Parce que les élections ne sont même plus un tant soit peu démocratiques. En l'absence de structures judiciaires indépendantes du pouvoir, d'une presse indépendante et de sources de financement indépendantes, il ne peut pas y avoir de réelle concurrence politique. Or c'est cette concurrence qui doit se trouver à la base de toute élection.

– Pourtant, vous avez bien participé aux élections législatives...

– C'est justement le déroulement de ces élections, et les doutes qui planent sur leurs résultats, qui nous ont démontré qu'on ne pouvait pas continuer ainsi. À l'occasion de ces élections, le pouvoir a détruit les entrepreneurs désireux de s'impliquer en politique. À présent, plus personne n'osera investir de l'argent en politique sans une autorisation expresse du Kremlin...

– Quel sera l'avenir de Iabloko, selon vous ?

– Un avenir à l'image de celui qui attend le pays. Le pouvoir pourrait très bien essayer de récupérer notre électorat en créant un parti décoratif qui serait le jumeau du nôtre, sauf qu'il serait, lui, inféodé au Kremlin. Ou alors, les autorités peuvent tout simplement décider de nous détruire, et ce sera une lutte à la vie à la mort... Ce qui est sûr, en tout cas, c'est que nous n'aurons pas la possibilité de préparer sereinement les prochaines élections.

– Quel jugement portez-vous sur la composition de la nouvelle douma ?

– Formellement, il s'agit d'une douma pluripartite. Mais prenez cinq députés de chacun des groupes parlementaires, placez-les dans des chambres séparées, et posez-leur des questions clés pour l'avenir du pays : " Que faire de la Tchétchénie ? " ; " Comment réformer l'armée ? " ; " Comment gérer la santé et l'éducation ? " ; " Quelles doivent être nos relations avec les États-Unis et l'Europe ? " Eh bien, ils vous donneront tous les mêmes réponses ! Ce que nous avons, c'est un Parlement pseudo pluripartite, des pseudo-élections, une pseudo-justice, des médias pseudo-indépendants... À tous points de vue, c'est un village Potemkine. »

Si je m'intéresse encore à ce que raconte Iavlinski, c'est par habitude. Les autres s'en moquent éperdument.

À Moscou, Russie unie tient congrès. Boris Gryzlov a démissionné de son poste de ministre de l'Intérieur, il sera le président de la nouvelle douma : « Plus de 37 % des citoyens (soit plus de 22 millions de personnes) ont voté pour nous. Nous sommes le premier groupe parlementaire à la douma, ce qui nous confère de grandes responsabilités. Je n'ai pas pour habitude de fuir les miennes. J'ai donné ma démission du gouvernement à Vladimir Poutine, pour pouvoir présider la douma. Il a accepté. Permettez-moi d'exprimer ma gratitude au président Poutine. C'est en suivant le cap qu'il nous a fixé que nous avons remporté la victoire. Chacun sait qui sera notre candidat à la présidentielle : le président Vladimir Poutine. Il est de notre devoir de lui garantir une victoire convaincante. »

Après le congrès, il y a eu la première session du groupe parlementaire de Russie unie. Gryzlov a fait part de sa vision de la vie parlementaire. D'après lui, toute discussion politique n'est que perte de temps. Pour Gryzlov, si la douma veut se montrer efficace, elle doit se passer de débats.

26 décembre

Quinzième Congrès du LDPR à Moscou. Leur slogan est un grand classique : « Les Russes en ont assez d'attendre ! » Jirinovski ne sera pas candidat à la présidentielle. « Notre candidat sera un parfait inconnu. Mais c'est moi qui dirigerai la campagne du parti », a-t-il expliqué. Le Congrès a décidé que le porte-drapeau du parti à la présidentielle sera un certain Oleg Malychkine, de la région de Rostov, entraîneur de lutte et garde du corps de Jirinovski. Un abruti fini. Lors de la première interview qu'il a accordée à la télévision après sa désignation, le candidat n'a pas été capable de citer un seul livre qu'il ait lu...

Pour l'instant, Poutine n'a donc toujours pas un seul adversaire digne de ce nom. Les autres candidats déclarés sont effrayants de médiocrité, ils sont dénués de toute logique, de toute capacité de raisonnement et, bien entendu, de tout programme politique. Il est absolument impossible d'organiser un débat politique avec de tels clowns...

Mais nous devons nous y faire. Notre candidat numéro un sait mieux que quiconque ce qui est bon pour tout le monde. Il n'a besoin d'aucun conseil. Jamais, depuis la fin de l'URSS, la Russie n'était tombée si bas.

27 décembre

La Commission électorale centrale (CEC) vient de rejeter la candidature à la présidentielle du croque-mort Sterligov. Mais immédiatement, un nouveau candidat est apparu : Viktor Anpilov *, un bouffon issu du Parti Russie laborieuse. Pas sûr qu'on gagne au change...

28 décembre

Enfin quelques adversaires plus ou moins présentables pour Poutine. Le président du Conseil de la Fédération (la Chambre haute du Parlement), Sergueï Mironov *, membre du Parti de la vie, s'est porté candidat. Voici sa première déclaration : « Je suis pour Poutine. »

Le KPRF est en plein congrès. Les communistes ont décidé de présenter à la présidentielle Nikolaï Kharitonov, un homme étrange et bavard, ancien officier du KGB. Charmant.

Autre candidat déclaré : Ivan Rybkine *, une créature de Boris Berezovski *, le principal ennemi émigré de Poutine. Rybkine est l'ancien président de la douma et l'ancien chef du Conseil de sécurité. Qui est-il aujourd'hui ? On l'apprendra bientôt.

Pendant ce temps-là, les rues de Moscou se sont vidées. Les riches sont en vacances. Or Moscou est très riche. Tous les restaurants, y compris les plus chers, sont pleins à craquer, réservés pour des soirées d'entreprise. Les tables plient sous des mets raffinés dont le pays ignore jusqu'à l'existence. Des milliers de dollars sont jetés par les fenêtres. Assiste-t-on à la fin de la NEP [1]de la période politique actuelle ?

29 décembre

Première session de la nouvelle douma. Poutine s'est adressé aux députés : « Nous ne devons pas oublier un instant que le pouvoir provient du peuple. Voici nos priorités : avant tout, nous devons nous concentrer sur les problèmes liés au niveau de vie des habitants. La douma actuelle, grâce à vos efforts, est une assemblée constructive qui sera plus efficace que la précédente où régnait une confrontation politique permanente. [...] Il est impératif de progresser dans toutes les directions pour renforcer le parlementarisme russe... Nous sommes en droit d'appeler la phase qui s'ouvre aujourd'hui “ période de renforcement du parlementarisme russe ”. Tous les débats sont superflus. »

Il y avait là, aussi, Vladislav Sourkov *, le numéro deux de l'administration présidentielle, responsable des partis politiques. C'est à ce spécialiste en technologies politiques que Russie unie

1. La NEP (Nouvelle politique économique) avait été décidée par le gouvernement bolchevik en 1921 pour remettre le pays d'aplomb après la guerre civile. Elle autorisait la création de petites entreprises privées dans un pays où toute la propriété avait été nationalisée au moment de la révolution. Certains hommes d'affaires, appelés les « NEPmen », en ont profité pour s'enrichir. Vers la fin des années 1920, Staline a mis fin à cette expérience.

doit d'avoir obtenu la majorité au Parlement. Cet homme est un véritable boa constrictor. Menteur et dangereux.

Vladimir Ryjkov *, un député indépendant élu dans le district de l'Altaï, a annoncé qu'il avait l'intention de contester en justice les ralliements à Russie unie de députés élus en tant qu'indépendants. D'après lui, « l'électeur n'a pas donné mandat à RU pour détenir une majorité constitutionnelle [1] ».

C'est vrai, les électeurs n'ont pas donné un tel mandat à RU. Et alors ? Le pouvoir n'en a cure.

Sergueï Choïgou *, ministre des Situations d'urgence et dirigeant éminent de Russie unie, un homme loin d'être sot, a soudain déclaré ceci : « Russie unie doit contrôler le fait que les décisions du président sont bien appliquées dans le pays. » *(Sic !)* Ils vont nous surveiller pour vérifier que nous vivons bien comme Poutine l'a ordonné.

Finalement, Irina Khakamada se présentera peut-être à la présidentielle, en indépendante. Tous les démocrates et les libéraux la critiquent déjà : sa candidature serait le fruit d'un accord passé avec l'administration, qui souhaite qu'il y ait au moins un candidat démocrate et intelligent dans cette farce.

Viktor Gerachtchenko, ancien directeur de la Banque centrale, aujourd'hui député et membre de Rodina, pense également se présenter...

30 décembre

Demain, 31 décembre, est la date butoir des dépôts de candidature auprès de la CEC. Irina Khakamada a fini par accepter de se lancer dans la course. Elle a réfléchi vingt-quatre heures après avoir reçu une demande en ce sens d'un « groupe d'initiative ». Piloté par le Kremlin ?

---

1. On dit qu'un groupe parlementaire dispose de la majorité constitutionnelle quand il compte suffisamment de députés pour pouvoir modifier la Constitution (pour qu'un amendement à la Constitution soit adopté, il faut que les deux tiers des élus l'adoptent). Si Russie unie a remporté les législatives, elle n'en a pas pour autant obtenu une telle majorité. Mais les ralliements de nombreux candidats indépendants lui ont permis d'arriver à la majorité constitutionnelle... ce qui l'autoriserait, par exemple, s'il lui en prenait l'envie, de modifier l'article de la Constitution qui stipule qu'un président ne peut effectuer plus de deux mandats.

En tout cas, d'ici au 28 janvier, elle va devoir amasser deux millions de signatures d'électeurs. Viktor Gerachtchenko participera également à la présidentielle, en tant que représentant de Rodina. Il n'aura pas à s'occuper de recueillir des signatures, puisque Rodina dispose d'un groupe parlementaire à la douma (Rodina, c'est ce parti fantoche créé par Vladislav Sourkov pour prendre des voix aux communistes. Le parti a été financé par des oligarques proches du pouvoir : Oleg Deripaska *, patron du géant de l'aluminium Rusal, et Suleyman Kerimov *, propriétaire du groupe pétrolier « Nafta-Moskva » et copropriétaire de la banque Alphabank).

Sergueï Glaziev *, en bisbille avec ses camarades de Rodina, se présente également, mais en tant que candidat indépendant.

Poutine a besoin d'adversaires. Et il en a obtenu plusieurs en guise de cadeau de Nouvel An. Tous ces nouveaux candidats se sont empressés de déclarer que l'important, pour eux, ce n'était pas de gagner, mais seulement de participer.

31 décembre

Triste année que celle qui s'achève. Les élections législatives se sont soldées par un triomphe de l'absolutisme poutinien. Mais la Russie n'en a-t-elle pas assez de bâtir des empires ? L'empire est synonyme de répressions et, en fin de compte, de stagnation. C'est bel et bien ce qui se profile. Mais qui, chez nous, est prêt à s'y opposer ? Nos concitoyens, épuisés par toutes les expériences politico-économiques dont ils ont fait l'objet, aspirent ardemment à vivre mieux... mais ils ne sont guère désireux de se battre pour cela. Ils attendent tout « d'en haut ». Et quand « d'en haut », ce sont des répressions qui s'abattent sur eux, les Russes les acceptent sans broncher. Une blague circule sur Internet : « Le soir tombe sur la Russie. Les nains ont des ombres immenses. »

Sur la chaîne NTV, dans l'émission « Liberté de parole » [le premier talk-show politique du pays, qui sera bientôt interdit], les spectateurs ont élu la « personnalité de l'année ». Parmi les personnalités proposées : Vladislav Sourkov (le père de la victoire écrasante de Russie unie) ; l'académicien Vitaly Guinzbourg (prix Nobel de physique 2003) ; le réalisateur de Novossibirsk Andreï Zviagintsev (dont le premier film, *Le Retour*, a remporté le Lion d'Or au Festival de Venise); Guéorgui Yartsev (l'entraîneur de l'équipe nationale de football, qui a pris la sélection en main en août et l'a qualifiée pour le championnat d'Europe 2004); et Khodorkovski, qui a créé la compagnie la plus transparente de Russie, est devenu l'homme le plus riche du pays et s'est retrouvé en prison.

Les spectateurs ont voté pour Guinzbourg. Sourkov a obtenu le plus petit nombre de voix : c'est bel et bien le vrai niveau de la popularité de Russie unie et de Poutine.

À la fin de l'émission, le présentateur, Savik Chouster *, a révélé les cotes de popularité de chacun des « candidats », calculées par un sondage effectué au préalable par l'institut d'études ROMIR. Là aussi, Guinzbourg arrive en tête et Sourkov, en dernière position. Ce n'est pas un symptôme, c'est un diagnostic. Il y a un écart gigantesque entre le résultat des élections et les vrais sentiments de la population.

Le monde virtuel des chaînes de télévision est tout aussi déconnecté de la réalité. « Le Temps », la principale émission d'information du pays, a également réalisé un « top 2003 ». Premier : Poutine. Deuxième : Choïgou. Troisième : Gryzlov. Et voilà tout !

4 janvier 2004

Congrès du Parti de la vie, l'une de ces formations fantoches au service de l'administration Poutine. Encore une création de Sourkov, soit dit en passant. Le Parti de la vie confirme que son candidat à la présidentielle sera Sergueï Mironov. Mironov déclare qu'il ne veut qu'une chose : que le prochain président soit Vladimir Poutine.

Mironov est là uniquement pour donner l'illusion que le scrutin est pluraliste. Le pouvoir fait tout pour assurer ses arrières. Mais que craint-il réellement ? Des protestations de masse ?

Dans le village tchétchène de Berkat-Iourt, des militaires russes ont kidnappé Hasan Tchalaev, un collaborateur de la police tchétchène. On ignore tout de l'endroit où il se trouve...

5 janvier

Poutine a rencontré les membres de son cabinet. Il n'a cessé de répéter : « Il faut bien expliquer aux députés quelles sont les priorités du gouvernement. » Il est d'une humeur massacrante : en Géorgie, la révolution de la rose vient de s'achever par la victoire totale de Mikhaïl Saakachvili, qui aurait remporté près de 85 % des suffrages. Toute la Géorgie sait que « Micha » est le président du pays. Son triomphe est un signal donné à tous les autres pays de la CEI. L'entourage de Poutine l'a bien compris. Quand le peuple veut vraiment que les choses changent, le pouvoir en place est balayé. C'est sans doute pour cela que le Kremlin prend toutes les précautions possibles pour verrouiller le pays...

6 janvier

Dernier jour pour déposer sa candidature à la présidentielle. Kharitonov, Malychkine et Gerachtchenko sont présentés par des partis qui ont obtenu plus de 5 % des voix aux élections législatives. Ils n'ont donc pas besoin de recueillir de signatures. Il y a sept candidats « indépendants » : Poutine, Mironov, Khakamada, Glaziev, Rybkine, mais aussi deux francs-tireurs complètement marginaux, Aksentiev * et Bryntsalov *. Les « indépendants » devront, d'ici au 28 janvier, soumettre à la Commission électorale centrale une liste de deux millions de signatures de soutien. Khakamada doit faire avec l'hostilité de ses « amis politiques » : ni le SPS ni Iabloko ne semblent pressés de soutenir sa candidature (ils ne le feront pas, d'ailleurs) et de l'aider à recueillir les signatures nécessaires. Cette hostilité fait d'elle une paria. Ce n'est pas forcément négatif : en Russie, on aime les parias. Et certains électeurs sont sans doute capables de voter pour elle uniquement parce qu'ils la percevront comme une paria. Mais les Russes aiment aussi les vainqueurs... Et comme Poutine a réussi à mystifier tout le monde, ils voteront pour lui. En fait, il n'y a qu'une catégorie de personnes que les Russes n'aiment pas : les centristes, les mous, les indécis.

Aujourd'hui, c'est la veille du Noël orthodoxe. Ce jour-là, les orthodoxes doivent faire des cadeaux à leur entourage, ou réaliser quelque bonne action. Mais pas en public, sinon on estime qu'ils ne sont pas sincères. Qu'a fait Poutine, ce grand orthodoxe ? Il a pris un hélicoptère pour aller à Souzdal. Il est en pleine campagne électorale. Du coup, tout ce qui est censé être personnel et intime est monté en épingle afin que le peuple voie bien à quel point son président est humble et bon... À Souzdal, l'un des joyaux de l'Anneau d'Or que forment les vieilles cités qui entourent Moscou, il a visité des églises anciennes, assisté au concert d'une chorale de religieuses et, surtout, veillé à ne jamais sortir du champ des caméras qui le suivaient pas à pas. La messe de Noël a été filmée de façon à ce que Poutine apparaisse comme un simple croyant, venu seul, sans le moindre garde du corps, et qui communie entouré de villageois – des enfants, des vieux, des paysannes vêtues de leur foulard traditionnel... Tout au long de la messe, il faisait assidûment le signe de croix. Soit dit en passant, il a fait des progrès : avant, il se signait d'une manière particulièrement maladroite. Aujourd'hui, il a appris à effectuer ce geste correctement.

Mais le président a beau se mêler au peuple, la vie de ces gens ne sera pas améliorée pour autant. En Russie, les élites et les bas-fonds sont aussi éloignés que deux galaxies. J'ai décidé d'aller voir tout en bas, là où les élites ne s'aventurent jamais. J'ai visité une clinique spécialisée dans les maladies psychoneurologiques de l'enfant, rue Elitskaïa, à la périphérie de Moscou.

Les banlieues de la capitale n'ont rien à voir avec le centre-ville qui est extraordinairement riche ; il y règne une effervescence permanente. Les banlieues, elles, sont silencieuses et pauvres. À regarder l'orphelinat dans lequel je me suis rendue, il serait impossible de croire que Moscou est une ville où vivent des gens très riches. On n'y voit pas l'ombre de quelque bienfaiteur aisé distribuant jouets, cadeaux, livres ou même couches-culottes. Y compris à la veille de Noël.

« Suivez-moi, je vais vous présenter le groupe », me propose Lidia Slevak, la directrice de la section des tout-petits, comme si le mot « groupe » suffisait à tout expliquer.

Une éducatrice porte Daniel dans ses bras. L'enfant ressemble à une minuscule bougie en train de s'éteindre. Il paraît ailleurs, profondément seul. Il tient son dos fluet bien droit, comme un yogi. Sa ressemblance avec une chandelle qui brûle dans l'obscurité est encore renforcée par ses cheveux blonds et bouclés. Il suffit qu'un courant d'air passe dans la pièce et ses boucles soyeuses volettent comme des flammèches. Une vraie vision de Noël. Heureusement, nos orphelinats ont cessé de raser la tête de leurs pensionnaires.

Mais à qui appartient-il, ce miracle ? Personne au monde ne peut adopter Daniel, à cause de nos lois idiotes. Juridiquement, le petit garçon n'est pas un orphelin : sa mère l'a abandonné sans se démettre officiellement de ses droits sur lui ; maintenant, elle est en cavale et la police ne semble pas pressée de la retrouver. Voilà pourquoi personne ne peut recueillir cet angelot. Quant à l'État, il se moque de savoir que plus tôt l'enfant quittera l'orphelinat pour une famille d'accueil, plus il aura de chances d'avoir une existence normale.

Dans le bâtiment, il fait chaud et sec, comme dans une bonne école maternelle. Le groupe auquel appartiennent Daniel et onze autres enfants a été tendrement surnommé « les oisillons ». Les éducatrices et nourrices qui travaillent ici sont fatiguées mais très gentilles. En fait, il fait bon ici...

... sauf que les enfants ne pleurent pas. Ils hurlent.

Et quand ils ne hurlent pas, ils se murent dans le silence. On ne les entend pas babiller, chantonner, rire. Daniel, par exemple, est parfaitement silencieux, hormis le fait qu'il ne cesse de grincer des dents, tout en regardant les inconnus droit dans les yeux. C'est très étrange : il n'examine pas les gens de la tête aux pieds, non, il les fixe droit dans les yeux et son regard est celui d'un enquêteur des services de sécurité, pas celui d'un enfant de quelques mois.

La nuit de Noël, un petit nouveau a été amené rue Elitskaïa. Il s'appelle Dimitri et souffre d'une sévère maladie du foie et des reins. Il est né en décembre 2002. En mai 2003, sa mère l'a « oublié » dans l'entrée même de son immeuble. Étonnamment, la police a réussi à la retrouver. Elle a alors rédigé une lettre dans laquelle elle expliquait qu'elle « demandait qu'on la prive de ses droits parentaux ».

Dimitri arrive tout droit de l'hôpital : il a passé la moitié de sa vie dans un service de réanimation. Une fois dans le groupe, il a été installé dans un fauteuil spécial pour les enfants qui ne savent pas marcher. Il étudie attentivement l'espace alentour. On lui a donné des jouets et des colifichets, cependant il a l'air plus intéressé par les gens qui l'entourent. La médecin chef monopolise toute son attention. Il a envie de la voir de plus près. Mais il n'arrive pas à ordonner à ses petites jambes, encore ankylosées après son long alitement, de pousser suffisamment pour faire tourner son fauteuil vers Lidia.

« Allez, Dimitri, l'encourage-t-elle. Bats-toi ! Tu peux y arriver ! »

Et Dimitri se bat, il se bat de toutes ses forces. Quelques minutes plus tard, il a gagné : il a réussi à se tourner vers Lidia. Ce qui est terrible, chez Dimitri, c'est son regard. Cet enfant âgé de treize mois a le regard d'un vieillard russe. Un regard où une profonde connaissance de la vie se mêle à un grand effroi face à l'avenir.

« Comment vous sentez-vous ici ? Avez-vous l'impression d'être mère Teresa ? Ou une nettoyeuse des déchets de la société ? Ou bien êtes-vous là simplement parce que vous avez pitié de ces enfants ?

– Nos enfants n'ont pas besoin de pitié, explique la médecin chef. C'est la chose la plus importante que j'ai apprise : ils n'ont pas besoin de pitié. Ils ont besoin d'aide. Nous tous ici, dans cette école maternelle – nous ne parlons pas d'" orphelinat " en leur présence, mais seulement d'" école maternelle " pour que dans leur prochaine vie, s'ils sont adoptés, ils ne se souviennent jamais, même inconsciemment, qu'ils avaient été placés dans un orphelinat – , nous les aidons à survivre. Grâce à notre travail, ils peuvent espérer trouver des parents adoptifs.

– C'est-à-dire que le but de votre travail, c'est de leur permettre d'être adoptés ?

– Bien sûr. C'est la meilleure chose qui pourrait leur arriver.

– Que pensez-vous de l'adoption des enfants russes par des étrangers ? Nos politiciens qui se disent patriotes exigent d'y mettre fin.

– Pour ma part, j'y suis très favorable. Ceux qui s'y opposent mettent en avant quelques faits divers de maltraitance d'enfants russes adoptés à l'étranger. Il y a eu des cas semblables chez nous aussi... mais personne n'en parle. En ce moment, il est question de retirer la garde de l'un de nos anciens pensionnaires à sa famille d'accueil. Le petit va revenir chez nous. De plus, les familles russes ne prennent pas plusieurs enfants d'une même famille. Les étrangers, si, et avec plaisir, ce qui permet de garder les frères et les sœurs ensemble. C'est très important. On a eu une famille de six frères et sœurs, ici. Ils sont tous partis en Amérique. La plus petite d'entre eux, une fillette qui s'appelle Natacha, avait été apportée chez nous enveloppée dans un rouleau de papier peint. C'est son frère – âge de quatre ans – qui l'avait recouverte, pour qu'elle ne prenne pas froid. Il n'y avait tout simplement rien d'autre, dans leur maison, susceptible de servir de couverture. Alors, je vous le demande : qu'y a-t-il de mal au fait qu'ils soient maintenant tous les six aux États-Unis ? Je regarde leur photo – on me l'a envoyée depuis là-bas – et je me sens bien. Aujourd'hui, personne ne me croirait si je racontais dans quel état ils sont arrivés ici... L'année dernière, vingt-six pensionnaires de notre orphelinat ont été adoptés, dont quinze par des étrangers, principalement des Américains et des Espagnols. Parmi ces enfants, il y avait trois " couples " de frères et sœurs. Il ne s'était pas trouvé de Russes pour les prendre...

– Pourquoi ? Parce que les Russes ne le veulent pas, ou parce qu'ils n'en ont pas les moyens ?

– Ils ne le veulent pas. Quant aux riches, il est très rare qu'ils adoptent des enfants... »

La situation est critique. La seule solution serait qu'un large mouvement en faveur des orphelins, dirigé par des hommes politiques en vue, voie le jour dans le pays. Mais nos hommes politiques sont occupés à autre chose : ils consacrent toute leur énergie à être admis à la cour de Poutine.

Ils ne font rien d'autre. C'est pour cela que, la nuit de Noël, ils boivent du champagne dans de superbes restaurants, mangent du caviar à grandes cuillerées et oublient d'apporter des cadeaux aux orphelins.

La vague de charité qui submergeait la Russie a brusquement reflué en 2002, quand l'administration Poutine a supprimé les avantages fiscaux dont les donateurs bénéficiaient auparavant. Jusqu'en 2002, chaque pensionnaire d'orphelinat possédait plusieurs montres et recevait pour le Nouvel An une bonne trentaine de cadeaux. Des wagons entiers d'huile végétale étaient livrés dans les établissements d'accueil et de soins. À présent, il ne se trouve plus beaucoup de riches pour couvrir les enfants de cadeaux. Il ne reste guère que des retraités qui amènent leurs vestes rapiécées vieilles d'une vingtaine d'années... Certains offrent leurs vieux pianos : non qu'ils souhaitent spécialement contribuer à l'éducation musicale des enfants, mais c'est le meilleur moyen d'être gratuitement débarrassé d'un objet encombrant. Inutile de chercher en Russie l'application des standards en vigueur aux États-Unis, où il est de coutume que des familles aisées invitent les orphelins au restaurant le dimanche. Une telle idée ne viendrait pas à nos riches. En Amérique, il existe également un programme intitulé : « Embauche un orphelin. » Rien de tel dans notre pays. Chez nous, si quelqu'un décide malgré tout d'adopter un enfant, il devient immédiatement suspect. Ses voisins essaient de deviner quel avantage les parents adoptifs peuvent tirer de leur nouveau statut. Bref, les orphelins ne peuvent compter que sur eux-mêmes. La jeune Nadia, trop grande pour rester à l'orphelinat, s'est vu allouer une chambrette par les autorités (la loi les y oblige). Eh bien, elle a immédiatement accueilli chez elle quatre de ses anciens camarades. Ces derniers avaient également obtenu des chambrettes mais, comme ils n'avaient pas du tout été préparés à vivre à l'extérieur, ils les avaient rapidement échangées... contre des téléphones portables. Et ils s'étaient retrouvés à la rue.

À présent, ils vivent chez Nadia, qui se débrouille tant bien que mal pour leur trouver à manger. Mais ils n'ont pas un sou, car aucun d'entre eux n'arrive à trouver du travail. La générosité de Nadia, qui donne un toit et de la nourriture à quatre gamins dans le besoin, voilà la vraie charité. Elle estime que faire la tournée des banques et des autres institutions opulentes dont Moscou fourmille serait une perte de temps : on ne la laisserait même pas entrer.

Pendant ce temps, nos nouveaux riches skient à Courchevel. C'est désormais la mode de partir aux sports d'hiver à Noël. Au pays, le bon peuple dévore les reportages diffusés à la télévision sur la vie rêvée de ces compatriotes inaccessibles. On a calculé qu'à cette époque de l'année – qu'on appelle maintenant la « saison russe » – les Alpes voyaient déferler plus de deux mille Russes qui gagnent en moyenne 20 000 dollars par mois. Ils dînent dans des restaurants dont les menus proposent huit types d'huîtres différents. La carte des vins comporte des bouteilles à 1 500 euros. Chacun de ces nouveaux riches possède une véritable cour où se bousculent de hauts fonctionnaires. Ce sont eux qui permettent à nos deux mille *happy few* d'engranger des fortunes colossales. Mais dans les reportages retransmis à la télévision, il n'y aura pas un mot sur la façon dont ils se sont enrichis. On se contente de s'émerveiller de leur succès et on laisse entendre qu'ils sont proches du pouvoir. La « charité » du pouvoir – c'est-à-dire la corruption –, voilà le meilleur moyen de se retrouver à Courchevel. C'est clair pour tout le monde : paie le Kremlin, et tout ira pour le mieux.

7 janvier

À minuit, la CEC a cessé d'enregistrer les dépôts de candidature à l'élection présidentielle. Il y a en tout dix candidats. Six indépendants et quatre présentés par des partis.

La Russie fête Noël. Dans deux semaines, ce sera l'Épiphanie.

8 janvier

Malychkine (LDPR), le garde du corps de Jirinovski, est le premier candidat officiellement confirmé par la CEC. Magnifique.

Dans la région de Krasnoïarsk, les paysans sont payés en... veaux malades. Et le fait que la région soit gouvernée par l'oligarque le plus proche de Poutine, Vladimir Potanine * (officiellement, c'est l'un de ses hommes de paille qui occupe le poste), n'y change rien. Les voilà, les succès tant vantés de l'économie de Poutine : depuis plus de trois ans, les employés de la ferme Oustiug, dans la banlieue de Krasnoïarsk, ne reçoivent pas d'argent. À la place, ils récupèrent des veaux. La ferme n'a plus aucun équipement. Tout a été vendu ou saisi par les huissiers en guise de réparation de dettes. Le vétérinaire a démissionné depuis longtemps. Il ne reste personne pour soigner les veaux malades...

9 janvier

Des adolescents orphelins font la grève de la faim. Même chez nous, c'est une première. Les grévistes sont les pensionnaires de l'Interdom de la ville d'Ivanovo (Orphelinat international d'Ivanovo, qui a été fondé en 1933 pour accueillir les enfants dont les parents étaient détenus dans les prisons des « États aux régimes réactionnaires et fascistes »). Ils exigent que les autorités laissent l'Interdom tranquille : qu'elles ne le réforment pas, qu'elles ne le privatisent pas, qu'elles ne vendent pas le bâtiment. Au final, les enfants auront gain de cause, et l'orphelinat continuera de fonctionner.

10 janvier

Dans le village tchétchène d'Avtoura, des inconnus ont enlevé à son domicile le défenseur des droits de l'homme Aslan Davletoukaev. Les kidnappeurs sont arrivés avec cinq véhicules blindés. Le 16 janvier, le corps d'Aslan, portant des traces de torture et de mort violente (il a été tué d'une balle dans la nuque) sera découvert dans les environs de la ville de Goudermès. L'enquête ne mènera à rien, malgré l'intervention de plusieurs organisations étrangères.

Pour une raison mystérieuse, on ne montre pas Poutine à la télévision. Il doit être en train de faire du ski...

13 janvier

Aujourd'hui, le pays célèbre le « Jour de la presse ». Hier, l'institut de sondages ROMIR a demandé aux Russes : « À quelles organisations publiques faites-vous le plus confiance ? » 1 % des sondés ont répondu : « aux partis politiques » ; 3 % : « aux syndicats » et « aux autorités locales » ; 5 % : « aux forces de l'ordre » ; 9 % : « au gouvernement », « aux médias » et « à l'armée » ; 14 % : « à l'Église » ; 28 % : « à personne » ; et 50 % : « à Poutine ».

Pendant ce temps-là, le groupe Russie unie à la douma ne cesse de s'agrandir. Grâce aux transfuges des autres partis et aux candidats « indépendants » élus au scrutin uninominal qui se sont ralliés au parti du pouvoir, celui-ci détient désormais la majorité constitutionnelle. En termes clairs, il peut modifier la Constitution à sa guise car il dispose de plus de deux tiers des députés. Aujourd'hui encore, Guennadi Raïkov a rejoint Russie unie. À présent, les poutiniens détiennent 301 des 450 sièges de la Chambre basse.

Tout le pays est de plus en plus apathique. Personne ne croit que les élections peuvent changer quoi que ce soit. D'ailleurs, il n'y a qu'à la télévision que l'on en parle encore. Alors que la présidentielle a lieu dans deux mois, personne ne s'en préoccupe, personne ne se dispute à ce sujet, personne n'aborde la question entre amis.. Tout le monde sait déjà comment tout cela va se finir.

Plusieurs victimes ou parents de victimes des attentats terroristes ayant frappé la Russie au cours de ces dernières années (explosions d'immeubles d'habitation en 1999, prise d'otages de *Nord-Ost*...) ont adressé une lettre ouverte à tous les candidats à la présidence.

> « L'élection du président doit permettre de faire le bilan de l'équipe sortante. Il est peu probable qu'il y ait en Russie des gens pour lesquels la période qui est en train de s'achever ait été plus tragique que pour nous. Nous avons perdu des proches lors des explosions des immeubles d'habitation en 1999 et lors de la prise d'otages du théâtre de la Doubrovka en 2002. C'est pourquoi nous vous demandons d'inclure dans vos programmes électoraux la promesse de mener une enquête approfondie sur ces attentats.
>
> Nous souhaitons savoir ce que chacun d'entre vous a l'intention de faire à ce sujet s'il est élu. Allez-vous ordonner une enquête réellement indépendante et impartiale ? Allez-vous mettre fin au silence complice qui plane sur la mort de nos proches ? Nous avons essayé en vain d'obtenir des explications claires du pouvoir. Le président actuel de la Fédération de Russie doit nous répondre. Pas uniquement en vertu de sa fonction, mais aussi en vertu de sa conscience. Car la mort de nos proches est étroitement liée à sa carrière politique et aux décisions qu'il a prises. Ce sont les explosions d'immeubles qui ont incité la population à soutenir la ligne dure que Vladimir Poutine a défendue lors de sa campagne électorale de 2000. Et c'est lui qui a personnellement donné l'ordre d'employer le gaz lors de la prise d'otages de la Doubrovka. »

Les signataires ont ajouté à leur lettre dix questions : cinq sur les explosions d'immeubles et cinq sur la Doubrovka. Ces mêmes questions qu'ils n'ont cessé de poser à Poutine, sans jamais obtenir de réponse. Voici quelques-unes de ces questions.

Sur les explosions d'immeubles : « Pourquoi le pouvoir a-t-il fait obstacle à l'élucidation des événements de Riazan, où des membres du FSB ont essayé de faire exploser un immeuble d'habitation [1] ? » ; « Pourquoi l'avocat Mikhaïl Trepachkine * – qui a

1. En septembre 1999, des attentats ont détruit plusieurs immeubles d'habitation dans différentes villes russes, avec un bilan humain très lourd, spécialement à Moscou et à Volgodonsk (sud du pays). Immédiatement, le pouvoir a accusé les combattants tchétchènes de se trouver derrière ces attaques. Or, un peu plus tard ce même mois, les habitants d'un immeuble de la ville de Riazan ont aperçu trois individus qui déposaient dans le sous-sol d'un immeuble d'habitation des paquets suspects. La milice de la ville, appelée sur place en urgence, a constaté que ces paquets contenaient

découvert l'identité de l'agent du FSB ayant loué le local où a été déposée la bombe qui a fait sauter l'immeuble de la rue Gourianov – a-t-il été arrêté [1] ? »

Sur la Doubrovka : « Pourquoi a-t-il été décidé de prendre le théâtre d'assaut en utilisant le gaz, alors même qu'il semblait possible de libérer pacifiquement les otages ? » ; « Pourquoi tous les terroristes, y compris ceux qui avaient été mis hors d'état de nuire par les effets du gaz, ont-ils été exécutés sur place et non pas arrêtés ? »

« Peut-être nous écouteront-ils », soupire Pavel Finogenov, dont le frère Igor a trouvé la mort à la Doubrovka. Mais il n'y croit guère.

Comme prévu, ils n'ont pas répondu. À part Ivan Rybkine et Irina Khakamada. Cette dernière avait soutenu les « Nord-Ostiens » dès le début. Et elle continue de le faire. D'une manière générale, elle apparaît comme la plus correcte de tous les candidats. Jusqu'à présent, tout ce qu'elle dit est digne d'attention. Elle explique inlassablement que sous Poutine, le pays ne peut pas se développer.

Khakamada a publié une lettre ouverte « aux citoyens de Russie victimes du terrorisme d'État » :

---

suffisamment d'explosifs pour détruire entièrement l'immeuble en question. Le détonateur avait été réglé pour cinq heures trente le lendemain. La section locale du FSB a alors lancé une enquête express. Elle était apparemment sur le point d'arrêter des suspects... mais le QG du FSB de Moscou lui a alors donné l'ordre d'interrompre l'enquête. Explication : toute cette opération avait été conduite par les services secrets dans le cadre de mystérieux « essais secrets », et les terroristes présumés n'étaient autres que des agents du FSB ! Selon le chef du service, Nikolaï Patrouchev, les paquets retrouvés au sous-sol de l'immeuble ne contenaient pas un vrai explosif mais une poudre inoffensive, et l'analyse qui avait démontré le contraire était erronée. Depuis cet épisode, de graves soupçons planent sur le rôle du FSB dans les explosions des immeubles en Russie, et cela d'autant plus que ces explosions ont servi de prétexte pour le déclenchement de la deuxième guerre de Tchétchénie...

1. Trepachkine était initialement lui-même enquêteur du FSB. Il a quitté l'organisation en 1996 en l'accusant d'être profondément corrompue et de procéder à des assassinats extrajudiciaires. Après les attentats de septembre 1999, il s'est fait l'avocat de plusieurs victimes de l'explosion de l'immeuble de la rue Gourianov, à Moscou (bilan officiel : cent six morts, plus de mille blessés). Il a été arrêté le 22 octobre 2003, quelques jours avant l'ouverture du procès des auteurs de l'attentat, au cours duquel il avait l'intention de faire toute la lumière sur les événements. Le 19 mai 2004, il a été condamné à quatre ans de prison pour divulgation d'informations classées secrètes et pour « port d'armes illégal ». Cette dernière accusation, clairement fabriquée de toutes pièces, sera d'ailleurs levée quelques mois plus tard.

« Il est de notoriété publique que pendant que le président Poutine et son entourage, au Kremlin, tremblaient non pas pour les vies des otages mais de peur de perdre le pouvoir, il s'est trouvé plusieurs personnes pour aller rencontrer les terroristes afin d'essayer de sauver au moins les enfants. Je remercie Dieu de m'avoir donné la force, à moi qui suis une femme et mère de deux enfants, de m'avoir donné le courage de négocier avec les terroristes.

Jusqu'ici, je n'ai jamais révélé la plupart des choses que j'ai vues au théâtre, tout comme j'ai gardé le silence sur la manière dont le président et son administration ont réagi à ma tentative de sauver la vie des otages. Si je n'en ai rien dit, c'est parce que je croyais, à tort, qu'un jour le président Poutine finirait par dire la vérité et qu'il se repentirait d'avoir donné l'ordre d'utiliser un gaz mortel. Mais Poutine s'est muré dans le mutisme et ne répond pas aux interrogations légitimes des proches des victimes. Le président Poutine a fait son choix : dissimuler la vérité. J'ai fait le mien : dire la vérité. Suite aux discussions que j'ai eues avec les terroristes le 23 octobre 2002 et aux événements qui ont suivi, je me suis convaincue de deux choses : les terroristes n'avaient pas l'intention de faire exploser le théâtre ; et le pouvoir n'a pas tout fait pour sauver la vie de tous les otages.

Le chef de l'administration présidentielle, Alexandre Volochine, m'a menacée et m'a intimé de ne pas me mêler à cette histoire. Rétrospectivement, je ne vois qu'une seule explication au comportement des autorités. La prise d'otages a donné un coup de fouet à l'hystérie antitchétchène ambiante ; elle a justifié la poursuite de la guerre en Tchétchénie ; et elle a permis au président de conserver une cote de popularité très élevée. Je suis persuadée que le comportement du président Poutine dans cet épisode relève du crime d'État.

Chers concitoyens ! Si j'ai écrit cette lettre, c'est aussi parce que, ces derniers temps, mes amis ont essayé de me dissuader de me présenter à l'élection présidentielle. De plus, ils déclarent en public qu'en participant à cette élection, c'est à peine si je ne trahis pas les intérêts des démocrates qui appellent à boycotter le scrutin. Et dans nos discussions privées, ils me disent que je risque tout simplement d'être assassinée si je dis la vérité. Mais je ne crains pas les terroristes au pouvoir. J'en appelle à vous tous : vous non plus, n'ayez pas peur ! Nos enfants doivent grandir dans un pays libre. La dictature ne passera pas ! »

[Mais la dictature est passée. Et Khakamada, non.]

Ivan Rybkine a également répondu aux questions des familles des victimes.

« Les explosions des immeubles et les événements de la Doubrovka sont les conséquences directes de l'opération contre-terroriste – ou, pour appeler les choses par leur nom, de la seconde guerre tchétchène qui se déroule dans le Caucase du Nord. C'est cette guerre qui a permis au président Poutine de se retrouver au Kremlin. Il a été élu sur sa promesse de rétablir l'ordre, mais il a échoué. Résultat : des milliers de soldats et d'officiers russes, et des milliers de civils, ont été tués. Les gens meurent dans des attentats terroristes... Cette guerre est interminable... Les coupables, ce sont Poutine lui-même et son entourage proche. Quant aux tragédies en question, il reste énormément de zones d'ombre...

Pour ce qui est de la prise d'otages de *Nord-Ost* :

– Il est clair que dès l'instant où une réelle possibilité de libérer les otages est apparue, les autorités ont décidé de donner l'assaut. Tout Moscou et toute la Russie ont bien compris que le pouvoir a décidé de détruire toutes les pistes qui mènent vers lui dans cette affaire.

– À ce propos, je me souviens que pendant les événements de Boudennovsk [1], j'ai participé à une réunion secrète avec des représentants des ministères de force. Ils m'avaient alors expliqué qu'il est absolument hors de question d'utiliser du gaz et d'autres armes chimiques dans le cas d'une prise d'otages qui se produit dans un lieu clos et miné. Pour deux raisons : le recours à ces produits augmente le risque de voir les terroristes actionner leurs charges explosives ; et en sentant les premiers effets des gaz soporifiques, les preneurs d'otages peuvent se mettre à tirer des rafales de

1. Le 14 juin 1995, en pleine première guerre tchétchène, un commando de combattants tchétchènes, conduit par le chef islamiste Chamil Bassaev *, attaque la ville russe de Boudennovsk, dans le sud du pays. Après une fusillade dans les rues de la ville, le commando s'empare d'un hôpital. Pendant plusieurs jours, il retient les patients et le personnel en otages. Bassaev exige du Premier ministre russe de l'époque, Viktor Tchernomyrdine, l'arrêt des opérations militaires en Tchétchénie. Après six jours de négociations, Bassaev et ses hommes libèrent la plus grande partie des otages et parviennent à quitter la ville dans des cars, « protégés » par quelques dizaines d'otages qu'ils ont emmenés avec eux. 146 personnes ont été tuées dans l'opération. Depuis ce coup d'éclat, Bassaev est activement recherché par la police fédérale russe, mais n'a toujours pas été capturé et continue à perpétrer des attentats. Il a notamment assumé la responsabilité de la prise d'otages de l'école de Beslan en septembre 2004.

mitraillette dans tous les sens. La conclusion s'impose : si, cette fois, le pouvoir n'a pas hésité à employer ces méthodes, c'est qu'il savait bien qu'il n'y aurait pas d'explosion...

Si tous les terroristes ont été abattus dans leur sommeil, c'est parce qu'ils auraient pu raconter beaucoup de choses... Imaginez s'ils avaient révélé tout ce qu'ils savaient de leur mission à des enquêteurs indépendants. D'ailleurs, tout le pays se demande s'il était vraiment nécessaire d'exécuter des gens endormis d'une balle dans la tête... »

Ce soir, à Moscou, les plus célèbres défenseurs des droits de l'homme de Russie ont fêté le Nouvel An orthodoxe. À leur façon à eux, bien sûr. Ils se sont réunis au Centre Sakharov [1] * pour essayer de s'assembler en un « Front démocratique » (ou « Club démocratique », d'après la formule du député Vladimir Ryjkov) qui existerait en dehors des structures traditionnelles du SPS et de Iabloko.

Ils ont échoué. Sergueï Kovalev *, Lioudmila Alexeïeva, Valéri Abramkine et Konstantin Borovoï * se sont catégoriquement prononcés contre une telle idée. Les meilleurs arguments en faveur de l'union ont été avancés par Evgueni Iassine * : « Pour réunir un front très large, nous devons nous entendre sur une plate-forme aussi étroite que possible. C'est-à-dire que si nous voulons séduire le plus grand nombre, il faut se fixer une seule tâche : la défense des droits de l'homme et la nécessaire résistance à l'égard d'un régime autoritaro-carcéral. »

Vers la fin de ce débat âpre et tendu, l'avocate Karina Moskalenko est arrivée dans la salle, en provenance de la prison de la « Matrosskaïa Tichina », où elle venait de rencontrer son client Mikhaïl Khodorkovski. Elle a transmis à l'assistance les salutations de l'ancien patron de Ioukos. Celui-ci a tenu à faire savoir qu'une seule chose l'intéresse aujourd'hui : la défense des droits de l'homme ; et que dès sa libération, il se consacrera à des activités publiques. Voilà où en est arrivé le pouvoir : même le plus grand des oligarques en vient à défendre la société civile. Il a été applaudi à tout rompre.

---

1 Ce bâtiment abrite le musée et l'organisation civique d'Andreï Sakharov.

14 janvier

Chez nous, les tribunaux sont complètement inféodés au Kremlin. Surtout le tribunal de la rue Basmannaïa [1]. Les lois sont appliquées d'une manière pour le moins sélective. L'important, ce n'est pas la loi, c'est l'accusé. Si cet individu est un adversaire de Poutine, les juges se montreront inflexibles. Mais s'il est un proche du président, il n'a rien à redouter. Non seulement il n'y aura pas d'investigation sérieuse, mais il ne sera même pas convoqué au tribunal...

Ce qui s'est passé aujourd'hui illustre parfaitement cette triste réalité. Le tribunal (sous l'autorité du juge A. Voznesenski) a étudié la plainte de Nadejda Bouchmanova, de la région de Riazan, à propos du sort de son fils Alexandre Slesarenko, soldat tué pendant la seconde guerre tchétchène. Il était membre des forces spéciales du ministère de l'Intérieur, dans un détachement de la ville d'Armavir. En septembre 1999, dès le début de la seconde guerre tchétchène, dans le cadre d'une opération spéciale, ce détachement a été inclus dans un « groupe tactique » commandé par Viktor Kazantsev, qui était à l'époque le commandant en chef du district militaire du Caucase du Nord. Kazantsev a commis une erreur et Alexandre a été tué, ainsi que plusieurs de ses camarades. Voici comment les événements se sont déroulés.

Tout a commencé le 5 septembre, premier jour officiel de la guerre. Ce jour-là, Poutine publiait un décret lançant l'« opération antiterroriste ». Des villages daghestanais étaient le théâtre de combats violents [2]. Vers dix-sept heures, les combattants tchétchènes (les *boïeviki)* ont occupé le village daghestanais de Novolakskoé, à la frontière de la Tchétchénie. Un détachement de l'OMON [3] s'est retrouvé bloqué dans le bâtiment de la mairie. Il

1. Ce tribunal est devenu célèbre car c'est là qu'ont été jugés les accusés de l'affaire Ioukos.

2. En août 1999, un commando tchétchène envahit le territoire de Daghestan, une république caucasienne appartenant à la Fédération de Russie, voisine de la Tchétchénie. Les combattants s'emparent de plusieurs agglomérations et déclarent que, désormais, elles se trouvent sous la loi de la charia. Après des combats violents, l'armée fédérale réussit à repousser les envahisseurs qui quittent le Daghestan. Cet incident servira de prétexte à la présidence russe pour réintroduire l'armée en Tchétchénie. C'est le début de la deuxième guerre tchétchène.

3. Le sigle OMON signifie « détachement de la police chargé de missions spéciales ». Les membres des OMON sont entraînés pour faire face à des situations particulièrement dangereuses. Ce sont ces hommes qui sont appelés pour neutraliser les terroristes

fallait le sauver. Ce soir-là, le 15e détachement des forces spéciales du ministère de l'Intérieur, basé à Armavir et composé de cent vingt soldats, a été mis en état d'alerte. Parmi ces soldats, Alexandre Slesarenko. Le lendemain, 6 septembre, le détachement était à Mozdok, une grande base militaire en Ossétie du Nord. Le 7 septembre, il s'est retrouvé dans le hameau daghestanais de Batach-Iourt. Et le 8 septembre, il est arrivé à Novolakskoé, où il a immédiatement été mis à la disposition de Kazantsev. Ce dernier avait été chargé de libérer les districts daghestanais de Novolakskoé et de Khassaviourt. Pour cela, l'état-major lui avait donné pleine et entière autorité sur toutes les troupes disponibles.

Le 8 septembre, Kazantsev a donné au général-major Nikolaï Tcherkachenko, son adjoint pour l'opération de Novolakskoé, l'ordre de développer un plan permettant de reprendre le point le plus élevé de la zone des combats : une colline sur laquelle était installée une antenne de télévision. Le lendemain, Kazantsev a approuvé le plan élaboré par son subordonné et ce même jour, à vingt et une heures trente, le major Iouri Iachine, commandant des forces spéciales d'Armavir et supérieur direct d'Alexandre Slesarenko, a reçu l'ordre de prendre la colline pour pouvoir mitrailler d'en haut Novolakskoé, où le détachement de l'OMON retranché dans la mairie était en train de se faire décimer. Les hommes de Iachine devaient s'emparer de ce point stratégique et le tenir en attendant l'arrivée des renforts.

Et les « Armaviriens » partirent au combat. « Nus » et « sourds », comme disent les militaires : dénués de moyens de communication sécurisés, ils n'avaient que des talkies-walkies « ouverts » (c'est-à-dire que leurs conversations pouvaient aisément être interceptées). De plus, on ne leur avait pas laissé le temps d'en recharger les batteries... Et ils n'avaient en leur possession qu'une quantité limitée de munitions : personne ne savait combien de temps ils devraient « tenir » leur position. Ils reçurent un seul ordre : « En avant ! » Rien d'étonnant : pour Kazantsev, ce détachement n'était que de la chair à canon. Et de la chair à canon qui n'était même pas « à lui » : il aurait sans doute pris plus de précautions si c'étaient « ses » hommes qu'il avait envoyés sur cette maudite colline.

---

et mener d'autres opérations périlleuses. Ils servent également en Tchétchénie pour combattre les rebelles.

La Russie mène au Caucase une guerre étrange. À première vue, on pourrait croire que tous les soldats des troupes fédérales sont des frères d'armes. Mais, en réalité, il n'en va pas du tout ainsi. Les effectifs du ministère de la Défense sont à couteaux tirés avec ceux du FSB et du ministère de l'Intérieur. Quand des officiers de l'armée disent : « Ce ne sont pas les nôtres qui ont été tués », cela signifie que ce sont des policiers ou des membres des forces de l'Intérieur qui ont trouvé la mort. Cette animosité réciproque a suscité une interminable lutte autour de la désignation du commandant en chef de toutes les unités engagées dans le Caucase du Nord. L'enjeu est de taille : chacun sait bien que si le commandant en chef est issu des rangs de l'armée, les deux autres catégories de troupes ne doivent même pas espérer obtenir suffisamment de munitions et d'émetteurs-récepteurs.

C'est ce qui s'est passé dans ce cas précis. Kazantsev, un officier de l'armée, a donné des ordres à des hommes qui relèvent de l'Intérieur.

Au début, pourtant, tout semblait bien se passer. Le 10 septembre, à une heure du matin, les quatre-vingt-quatorze combattants des forces spéciales réussirent à prendre la colline sans pertes. À six heures, le général major Tcherkachenko reçut un rapport serein du major Iachine, qu'il transmit immédiatement à Kazantsev. Décidant que tout allait pour le mieux, celui-ci alla dormir, pour ne réapparaître qu'à huit heures quarante.

Mais à six heures vingt, les hommes de Iachine furent attaqués. À sept heures trente, les *boïeviki* commencèrent à les encercler. Iachine appela le centre opérationnel pour obtenir des renforts. Mais Tcherkachenko, qui y était le numéro un en l'absence de Kazantsev, ne pouvait rien pour lui. Il savait déjà, à cette heure-là, qu'un autre détachement des forces de l'Intérieur, dirigé par le général major Grigori Terentiev, avait essayé de rejoindre les hommes de Iachine, mais avait été repoussé après d'âpres combats : quatorze combattants de Terentiev avaient été tués et beaucoup d'autres, dont le général major lui-même, avaient été blessés. Cinq véhicules blindés brûlaient sur les flancs de la colline...

Hormis le détachement de Terentiev, personne n'avait l'intention d'essayer de briser l'encerclement de Iachine. Les seules troupes disponibles relevaient de l'armée, et elles n'avaient aucune envie de risquer leur peau pour des hommes de l'Intérieur. Quant à Kazantsev, le seul qui aurait pu donner un tel ordre, il dormait. À huit heures trente, Iachine hurla dans sa radio qu'il ne restait à ses hommes qu'une seule cartouche de munitions chacun, et qu'il fallait abandonner la position. Tcherkachenko était d'accord. À huit heures quarante, Kazantsev se réveilla et entra en courant dans le centre de commandement. Il ne pouvait pas comprendre pour quelle raison Iachine se retirait. Et il lui donna l'ordre de « tenir jusqu'au bout ». Les gens de l'armée sont impitoyables envers les « étrangers ».

Mais à ce moment-là, le centre opérationnel perdit tout contact avec Iachine. Les batteries des radios étaient mortes. Le major était devenu « sourd ». Et, par conséquent, indépendant. Iachine divisa son détachement en deux groupes. Il prit le commandement du premier et confia le second au sous-colonel Gadouchkine. À onze heures du matin, les deux groupes se mirent à redescendre de la colline par deux flancs différents. C'était leur seule chance de survivre. Depuis le centre opérationnel, Kazantsev vit les deux groupes descendre... et donna l'ordre de bombarder les flancs de la colline qu'ils étaient en train de dévaler. Pourquoi ? Tout simplement parce qu'il avait déjà transmis « en haut » que son plan avait été un succès et que les fédéraux tenaient la colline.

Vers quinze heures, deux bombardiers SU-25 apparurent au-dessus du groupe de Iachine qui venait de rompre son encerclement et pouvait enfin espérer sauver sa peau. Ils exécutèrent plusieurs frappes « chirurgicales » droit sur les combattants russes. À la demande expresse de Kazantsev, le coordinateur de l'opération aérienne était le général lieutenant Valéri Gorbenko, chef de la 4e armée des forces aériennes et de la DCA. Au moment des frappes, Kazantsev et Gorbenko se trouvaient au poste d'observation du centre opérationnel. Ils virent de leurs propres yeux le groupe de Iachine se faire massacrer, alors que les survivants actionnaient leurs fusées de détresse pour montrer aux avions qu'il ne fallait pas tirer sur eux...

Pourquoi a-t-on ainsi châtié les forces spéciales d'Armavir ce 10 septembre ? Pour la même raison que celle qui les avait envoyées au casse-pipe. Le plan élaboré par Tcherkachenko et adoubé par Kazantsev était suicidaire. Alors, plutôt que d'admettre leur erreur et d'essayer de limiter les dégâts, les chefs de l'opération ont préféré que le détachement de Iachine meure en héros. Car si les hommes de Iachine avaient survécu, ils seraient devenus des témoins très gênants... Il s'agit là d'une méthode habituelle pour nos « ministères de force », une méthode qu'ils emploieront souvent à l'avenir, et pas seulement en Tchétchénie : le traitement de la prise d'otages de *Nord-Ost* est très similaire. Une méthode que Poutine a souvent bénie : si tu as survécu, tu dois être déshonoré et châtié.

L'enquête sur l'exécution des « Armaviriens », consécutive à une plainte déposée par les familles des soldats tués, a été confiée au parquet militaire du Caucase du Nord, une institution subordonnée *de facto* au commandant en chef de la région, à savoir Viktor Kazantsev lui-même. En effet, c'est le commandant militaire qui décide d'accorder aux fonctionnaires du parquet logements, avancements et autres largesses. Il n'y a pas lieu de s'étonner, dès lors, que Kazantsev ait été entièrement blanchi. Mieux : la commission d'enquête l'a présenté comme un héros, le seul à accomplir son devoir parmi des lâches. Voici un extrait de ses conclusions : « Les troupes du ministère de l'Intérieur battaient en retraite dans un grand désordre. La situation était presque critique. Kazantsev a personnellement arrêté les détachements des troupes de l'Intérieur qui fuyaient en ordre dispersé ; il leur a personnellement fixé de nouveaux objectifs, en faisant tout ce qui était en son pouvoir pour envoyer ce qu'il restait des détachements des forces de l'Intérieur bloquer les *boïeviki*... »

Bref, Kazantsev est un héros. Quant à Iachine et ses hommes, ils sont des lâches. C'est ainsi que l'histoire a été réécrite.

Oui, les soldats ont fui. Ils ont fui une mort organisée par leur propre état-major. Ils couraient pour éviter les obus que des idiots avaient donné l'ordre de leur envoyer dessus. Ils traînaient les blessés sur leur dos, ils hurlaient que leurs camarades tombés étaient restés en amont. Et Kazantsev n'a rien raté du spectacle.

La vérité, c'est que l'attaque de deux SU-25 à quinze heures a tué huit « Armaviriens » et en a blessé vingt-trois. Alors qu'ils n'avaient perdu qu'un seul soldat dans les combats avec les *boïeviki*.

Les pertes totales des forces de l'Intérieur utilisées dans l'opération des 9-10 septembre s'élèvent à « plus de quatre-vingts tués ». C'est la formule employée dans le rapport d'enquête. Certains hommes ont été réduits en charpie par les tirs ciblés des avions : on les a portés « disparus ». Les survivants du détachement décimé du major Iachine ont mis plusieurs jours à rejoindre le centre opérationnel. Et ce n'est que deux semaines plus tard que le corps d'Alexandre Slesarenko a été rapatrié dans la région de Riazan, dans un cercueil hermétiquement scellé.

Kazantsev n'a jamais reconnu sa culpabilité. Les cercueils des « Armaviriens » ont été envoyés dans tout le pays. La mère patrie leur a octroyé quelques monuments aux morts bon marché et les a immédiatement oubliés. Mais leurs parents, eux, n'ont jamais effacé leurs enfants de leur mémoire.

Un peu plus tard, séchant ses larmes, la mère d'Alexandre, Nadejda Bouchmanova, portera plainte auprès du tribunal de la rue Basmannaïa, auquel le ministère de la Défense est rattaché. Le juge Voznesenski lui accordera une compensation de 250 000 roubles (près de 7 300 euros). Mais Kazantsev ne sera jamais inquiété. Au contraire, il deviendra un personnage important dans la galaxie Poutine puisqu'il sera propulsé « représentant spécial du président dans le Caucase du Nord ». D'ailleurs, le président le couvrira de la tête aux pieds de médailles, de récompenses et de titres divers pour sa participation à l'« opération contre-terroriste » en Tchétchénie.

Le juge Voznesenski est un homme jeune, dynamique et moderne. Il n'a pas besoin de recevoir d'instructions d'« en haut » : il sait ce que l'on attend de lui. Je le connais très bien. Il a reçu une éducation brillante et aime parsemer sa conversation de citations latines, démontrant ainsi une érudition très rare parmi les juges russes. Voznesenski n'a pas perdu de temps à étudier les circonstances de la mort du soldat Slesarenko et il s'est bien gardé de citer à comparaître Kazantsev, ce « Héros de la Russie »...

D'une part, on doit bien sûr se féliciter du fait que la mère d'Alexandre se soit vu accorder une compensation. Mais il s'agit d'argent public, versé par les contribuables. Ces mêmes contribuables qui financent déjà sans broncher la guerre de Tchétchénie et ses généraux incompétents. Combien de temps encore devrons-nous accepter de payer pour tous ces Kazantsev, tous ces gradés qui ne sont jamais sanctionnés dans les tragédies dont ils sont responsables ? Combien de temps encore la justice restera-t-elle si sélective ? Combien de temps encore le seul fait d'être proche de Poutine sera-t-il synonyme d'impunité ? Depuis les élections, les représentants de Russie unie répètent à satiété qu'ils ont « endossé la responsabilité de ce qu'il se passe dans le pays ». Belle responsabilité, en vérité ! C'est précisément la seconde guerre tchétchène qui a permis aux partisans du président de monter en grade. Selon un principe simple : plus on a versé de sang, plus on obtient un grade élevé. Où est donc leur prétendue « responsabilité » ? Peu importe que Kazantsev ait envoyé bon nombre de soldats à une mort certaine. Peu importe qu'il lui soit arrivé à plusieurs reprises de prendre des décisions d'importance en étant complètement saoul, y compris sous les yeux de nombreux journalistes. Tout lui est pardonné. L'essentiel, dans la Russie actuelle, c'est la loyauté envers Poutine. Si on lui est fidèle, on bénéficie toujours de l'indulgence des autorités. Le Kremlin se moque éperdument de la compétence et du professionnalisme des cadres : seul leur dévouement l'intéresse. Bref, Poutine est en train de corrompre l'administration civile et militaire du pays bien plus profondément et irrémédiablement que les petits corrupteurs qui ont, de tout temps, trouvé des arrangements avec la machine étatique en subornant tel ou tel fonctionnaire...

J'ai décidé de rencontrer Nadejda Bouchmanova, la mère d'Alexandre. Je me suis rendue dans leur miséreux village, Zaretchnyï, dans le district Skopinski de la région de Riazan. Je voulais savoir ce qu'elle pensait de tout cela.

Le chemin est long. C'est vraiment la campagne, la « zone de la faim ». Ceux qui habitent ici sont tous très pauvres. Voici leur logis, un appartement minuscule situé au rez-de-chaussée d'une maison délabrée. Nadejda est assise sur un vieux divan élimé, nous discutons... soudain, elle retire son bonnet tricoté bleu et je me rends compte qu'en plus de quelques autres bizarreries que j'ai remarquées – des lignes dessinées au crayon sur les arcades sourcilières et des lunettes sombres qui cachent des yeux sans cils –, elle est parfaitement chauve. Il n'y a pas le moindre cheveu sur sa tête, lisse comme un ballon de baudruche.

« Touchez, me dit-elle en prenant ma main pour la passer sur son crâne. Il n'y a plus rien. Tout est mort. C'est ce qu'on appelle une alopécie totale aiguë. J'ai perdu tous mes cheveux. C'est arrivé dans les deux semaines qui ont suivi les funérailles d'Alexandre. Mes boucles tombaient par lambeaux. Mais j'étais dans un tel état que c'était le cadet de mes soucis, et je n'ai pas cherché à voir un docteur. À présent, je suis une invalide. La partie gauche de mon corps ne sent plus rien. Le matin, au réveil, je suis si faible que je ne parviens même pas à allumer la lumière. Et je marche à peine. »

Je regarde des photos d'elle, prises avant la mort de son fils. J'y vois une beauté aux longs cheveux noirs et bouclés, au regard profond. Comment croire qu'il s'agit de la femme assise à côté de moi ?

« J'étais comme ça avant, explique-t-elle en jetant un regard étonné sur sa photo, comme si elle ne se reconnaissait pas. Depuis la disparition de Sacha, je ne me laisse plus photographier. Sacha était un garçon plein d'idéal. Il ne ressemblait pas à sa génération. Dans notre hameau, il y a beaucoup de parents qui économisent pendant des années et qui, quand leur fils est appelé à faire son service, versent tout cet argent à la section locale de l'armée pour qu'ils ne l'emmènent pas... Mais Sacha, lui, ne voulait pas que nous fassions comme nos voisins. Il a dit : " Je dois y aller. " Et il y est allé. »

Les photos glissent de ses mains et tombent par terre. Nadejda ne s'en rend pas compte. Elle dit qu'elle n'arrive pas à accepter l'idée que Sacha a été tué par « les nôtres ».

« Est-ce que Kazantsev s'est intéressé à vous ?

– Non, jamais.

– Vous n'avez jamais reçu la moindre lettre ? Aucune excuse ?

– Non. Ils prennent nos enfants, et c'est tout. »

Evgueni, le fils cadet de Nadejda, rentre de l'école. Cet adolescent est en conflit avec le monde qui l'entoure. Il adorait son frère aîné, mais maintenant que celui-ci est mort, il ne veut pas voir ses anciens amis : « Ils sont vivants, et Alexandre est mort. » Il faisait de la lutte à l'école, mais il a abandonné, car le cours était assuré par un vétéran de la guerre de Tchétchénie : « Il est vivant, et Alexandre est mort. »

J'accompagne Nadejda au cimetière de Zaratchensk où son fils est enterré. Ce petit cimetière de campagne est ouvert à tous les vents. Des bourrasques arrivent de partout. Nous frissonnons. La tombe d'Alexandre est encore plus modeste que les autres, pourtant pas bien fastueuses. Le « monument » à sa mémoire a été payé par les troupes de l'Intérieur : c'est une simple plaque, dont plusieurs lettres ont déjà été effacées sous l'effet des intempéries.

« Et qu'adviendra-t-il de la plaque et de la tombe quand je ne serai plus là ? », lâche Nadejda. Elle n'a que quarante-cinq ans, mais il faut voir sa carte d'identité pour le croire. « Personne ne se préoccupe de notre sort. Les autorités ne s'intéressent qu'à nos enfants, pour prendre leurs vies. Vous voyez cette tombe, un peu plus loin ? C'est celle d'un garçon qui était dans la même classe que mon Alexandre. Vitali Koliadine. Né en 1980, lui aussi. Il s'est retrouvé en Tchétchénie, et il en est revenu vivant, lui. Vivant, mais fou. Il a fini par mourir, peu après son retour. Ses parents voulaient l'enterrer à côté d'Alexandre, car ils avaient eu des destins très similaires, mais l'emplacement avait déjà été pris. »

Nadejda estime qu'avec la mort de son fils sa vie a été détruite. Elle vit seule, dans son propre monde, et ne sort que très rarement de chez elle. Nos autorités, civiles comme militaires, n'ont que faire du sort misérable de la mère d'un soldat tué au combat. Alors elle reste à la maison et regarde la télévision. Elle y voit le général Kazantsev recevoir récompense sur récompense pour ses « succès » en Tchétchénie...

Elle m'emmène à l'école que fréquentait Alexandre : l'école Maxime Gorki du village de Zaretchnyï. Nous traversons le gymnase. Au fond, à droite, une porte mène au mémorial local. Chez nous, chaque hameau ou presque possède le sien : leur dénomination officielle est « Musée de la gloire acquise au combat »... Mais celui-ci, à la différence de la plupart de ces lieux pompeux, est un endroit sincère. Sur les murs, je vois les portraits des instituteurs et des élèves de cette école qui ont participé à la Seconde Guerre mondiale. Voici les « Afghans ». Et enfin les « Tchétchènes ». Au cours des deux guerres tchétchènes, cinq écoliers de Zaretchnyï ont été mobilisés. Trois dans la première guerre. Ils ont tous survécu. Et deux dans la deuxième. Alexandre et Vitali, qui est revenu fou et qui est mort, lui aussi.

Je lis la légende qui accompagne le portrait de Sacha :

« SLESARENKO, ALEXANDRE. Diplômé de l'école en 1996. Appelé à l'armée le 16.06.1998. Pendant son service, il a tenu un journal dans lequel il notait toutes les brimades dont il a été la victime... S'est retrouvé encerclé... A été décoré, à titre posthume, de la médaille du Courage... »

« Où est cette médaille, Nadejda? Vous ne me l'avez pas montrée...

– Evgueni l'a cachée, pour qu'elle ne me tombe pas sous les yeux

– Et le journal ?

– Pareil. Pour que je ne le lise pas et que je ne devienne pas folle. »

« Pour nous, cet endroit est très important, m'explique Irina Vinogradova, institutrice à l'école et guide bénévole au musée. Vous n'imaginez pas à quel point il est essentiel pour nous de ne pas mentir à nos enfants, de leur dire la vérité sur la guerre... »

Nadejda est épuisée, elle a fait des efforts terribles pour venir à l'école de Sacha. Nous devons partir.

« Longtemps, je me suis demandé comment vivre à présent, m'explique-t-elle pour conclure. Et voilà ce que j'ai compris : je ne pourrai jamais accepter le fait que mon fils a été sacrifié aux ambitions d'un général. Jamais. »

15 janvier

À Moscou, un nouveau manuel d'histoire suscite la controverse. Des membres de Russie unie, grisés par leur « victoire », exigent de Poutine que le manuel d'histoire du XXe siècle distribué dans les écoles présente la guerre contre la Finlande de 1939 [1], ainsi que la collectivisation stalinienne des années 1930, comme des événements dont les Russes devraient être fiers. Ils souhaitent également que la Seconde Guerre mondiale soit enseignée aux écoliers d'une manière nouvelle : il faut, d'après eux, souligner le rôle positif de Staline. Et Poutine n'y voit rien à redire... Tout cela sent l'URSS à plein nez. Dans le même temps, on a interdit un manuel d'histoire contenant une citation de l'académicien Ianov qui expliquait que « la Russie risque de se transformer en un État national-socialiste doté de l'arme nucléaire ».

1. La guerre soviéto-finnoise, connue aussi sous le nom de « guerre d'hiver », éclata avec l'invasion de la Finlande par l'Union soviétique, le 30 novembre 1939. Moscou prétexta le refus de la Finlande de satisfaire certaines prétentions territoriales soviétiques pour attaquer sa voisine. Malgré la disproportion des forces et la brutalité de l'attaque, l'Armée rouge piétina plusieurs mois sur la frontière et subit de lourdes pertes. Staline finit par conquérir la partie orientale de la Finlande. Un traité de paix fut signé entre les belligérants le 12 mars 1940. Cette campagne mitigée a mis en évidence la médiocrité du commandement soviétique et la faible motivation des troupes.

Les victimes de *Nord-Ost* ont rendez-vous au parquet de Moscou. Elles doivent rencontrer Vladimir Kaltchouk qui dirige l'enquête chargée d'élucider la prise d'otages. Les « Nord-Ostiens », comme on les appelle, m'ont demandé de les accompagner, pour... dissuader Kaltchouk de les insulter ! Car il le fait systématiquement lors de leurs rencontres : il se moque des proches de ces pauvres gens et les injurie. Mais, bien entendu, personne ne le punira jamais pour son comportement. Kaltchouk exécute un ordre direct de Poutine, lequel exige que l'enquête ne dise rien du gaz qui a été employé en ce jour funeste et qui a tué tant de gens innocents venus assister à un spectacle de music-hall...

La raison de cette rencontre est toujours la même. Les « Nord-Ostiens » redoutent de ne jamais connaître la vérité sur la mort de leurs proches.

« Mettez vos pièces d'identité sur la table ! » C'est par ce rugissement de Kaltchouk que commence la réunion. « Qu'est-ce que c'est que ça ? ! Organisation publique régionale *Nord-Ost* ? Quelle est l'instance qui a reconnu cette organisation ? !

– Parlons comme des gens civilisés, voulez-vous ? dit Tatiana Karpova, dont le fils Alexandre est mort à *Nord-Ost*, et qui dirige à présent l'organisation. Combien de terroristes ont été tués ? Combien d'entre eux ont réussi à s'enfuir ?

– D'après les données dont nous disposons, tous les terroristes qui se trouvaient à l'intérieur du bâtiment ont été tués. Mais il n'est pas possible d'en être certain à cent pour cent.

– Pourquoi ont-ils tous été tués ?

– Ce n'est pas à moi de répondre. C'est une décision qui relève des forces spéciales d'intervention. Ce sont ces hommes qui risquent leur vie, et il ne m'appartient pas de leur dire qui ils auraient dû abattre et qui ils auraient dû épargner. Je peux avoir ma propre opinion en tant qu'individu, mais la loi est du côté des forces d'intervention.

– Les images filmées le 26 octobre 2002 à six heures cinquante et une, immédiatement après la prise d'assaut du théâtre par les forces spéciales, montrent une femme en tenue de camouflage militaire qui semble viser, voire tirer sur un homme non identifié aux mains menottées dans le dos. Est-il possible que un ou plusieurs otages aient été abattus par les forces spéciales ?

– Les images auxquelles vous faites référence ne montrent absolument pas un homme en train d'être abattu. Ce sont les journalistes qui veulent présenter ces images comme celles d'une exécution. Nous avons ordonné une expertise. Voilà ce qui s'est passé : la femme armée ne faisait qu'indiquer où transporter un cadavre. D'ailleurs, nous connaissons l'identité de ce corps.

– Eh bien, qui est-ce ?

– Je ne vous le dirai pas. Je sais comment ça se passe avec vous. Chaque fois que je vous ai donné une information, vous m'avez accusé de mentir.

– Est-ce le cadavre de Guennadi Vlakh, cet homme qui a réussi à entrer dans le bâtiment par ses propres moyens pour trouver son fils ?

– Oui, c'est le corps de Vlakh. L'expertise le prouvera. »

Kaltchouk sait pertinemment que le fils de Vlakh, Roman, et son ex-femme, Galina, ont vu la bande en question, et ce qu'ils en ont dit : ils ont catégoriquement exclu la possibilité que le cadavre que la femme vise de son pistolet soit celui de Guennadi. Ni les vêtements, ni la couleur des cheveux, ni la carrure ne correspondent...

Tatiana Karpova continue :

« Est-ce que vous admettez qu'après la prise d'assaut il y a eu des cas de maraude dans la salle ?

– C'est vrai. Il y avait beaucoup de monde : des sauveteurs, des membres des forces spéciales... Eh oui, certains se sont servis en voyant des portefeuilles ou des montres. Ce sont des hommes comme les autres. Et vous connaissez notre pays aussi bien que moi, vous savez que ces hommes-là gagnent des salaires de misère...

– En ce cas, je suppose que vous enquêtez sur ces cas de maraude ?

– Vous plaisantez ? Bien sûr que non !

– Nous sommes désespérés. Nous voulons connaître la vérité sur le sort de nos proches. Plusieurs mères de victimes se sont suicidées ou ont essayé de le faire... Avez-vous l'intention d'établir la responsabilité de certains hauts fonctionnaires pour non-assistance à personnes en danger ?

– Vous savez quoi ? Si on vous avait donné, comme ils le font à l'Ouest, un million de dollars chacun en guise de compensation, vous vous seriez tus. Tous ! Vous auriez pleuré un peu, et vous vous seriez tus. »

Vladimir Kourbatov, dont la fille Kristina, âgée de treize ans, l'une des danseuses de *Nord-Ost* morte lors de l'opération, rétorque :

« Moi, je ne me serais pas tu. J'aurais continué à chercher la vérité. Où et quand ma fille est-elle morte ? Je ne le sais toujours pas. »

L'avocate Lioudmila Trounova continue :

« Pourquoi le cadavre de l'otage Grigori Bourban a-t-il été découvert sur l'avenue Lénine ?

– Qui vous a dit ça ? Je ne sais rien de tel. »

Tatiana Karpova demande :

« Pourquoi le corps de Guennadi Vlakh a-t-il été incinéré, comme les corps des terroristes ?

– Cela ne vous concerne pas. Posez-moi des questions sur votre Karpov.

– Répondez à une question sur Terkibaev. [Il s'agit de Hanpach Terkibaev, l'un des membres du commando terroriste, qui a réussi à quitter le bâtiment du théâtre encerclé par les forces spéciales ; ensuite, il a travaillé au sein de l'administration Poutine avant de trouver la mort dans un accident de la route à la fin de l'année 2003.]

– Terkibaev n'était pas là. Et j'aimerais souligner que Politkovskaïa a refusé de nous donner des informations sur lui, elle a prétendu ne rien savoir... (J'avais écrit un article dans *Novaïa Gazeta* au sujet du rôle joué par Terkibaev.)

– Avez-vous la liste de tous ceux qui sont entrés et qui sont sortis du bâtiment ? Avez-vous vérifié l'identité de tout le monde ?

– Oui, nous avons tout vérifié. Mais comprenez que si nous devons enquêter sur tout ce qui éveille votre suspicion, l'enquête ne finira jamais !

– Aujourd'hui, y a-t-il des inculpés pour cette affaire ?

– Non, il n'y en a pas. »

Kaltchouk est un représentant typique des fonctionnaires de la justice et des ministères de force de l'époque Poutine. Tous ces hommes sont invités par le pouvoir à professer le plus grand mépris à l'égard des simples citoyens.

Scandale à Magadan, dans l'extrême est du pays : début décembre, un grand nombre d'appelés sont tombés malades en se rendant sur leurs lieux d'affectation. Poutine a immédiatement réagi en dénonçant un « comportement criminel ». Voilà ce qui s'est passé : les « bleus » ont été regroupés pendant plusieurs heures sur une piste d'atterrissage en sous-vêtements. Plus de quatre-vingts d'entre eux se sont retrouvés à l'hôpital avec une pneumonie. Un soldat, Vladimir Bérézine, originaire de la région de Moscou, en est mort le 3 décembre. Bérézine était un gars costaud et en excellente santé, il soulevait en rigolant des haltères de cinquante kilos. Il était tellement grand et fort qu'il allait même être affecté au régiment présidentiel... À présent, son père souhaite seulement qu'on lui explique comment une chose pareille a pu se produire.

Qu'il ne se fasse pas d'illusions : la colère de Poutine est dictée par des préoccupations préélectorales. Rien de plus. En Russie, les soldats sont toujours de la poussière sous les bottes des officiers.

16 janvier

Grâces soient rendues à notre bon tsar ! Une enquête a été ordonnée pour établir la vérité sur le sort des soldats gelés. Il s'avère qu'ils avaient commencé à subir des traitements inhumains dès l'aéroport militaire Tchkalovski, dans la région de Moscou, d'où les recrues devaient s'envoler pour rejoindre leurs camps d'affectation à Magadan. Mais il neigeait tellement fort que leur vol a été décalé de vingt-quatre heures. Alors les autorités militaires ont tout simplement fait entrer les soldats dans un entrepôt non chauffé. Ils ont dû dormir soit sur les caisses qui y étaient stockées, soit sur le sol à moitié gelé. Les malheureux n'ont reçu aucune nourriture au cours de ces vingt-quatre heures, ni au cours du vol, le lendemain. Ils ont été transportés jusqu'à Magadan dans un avion-cargo, comme s'il s'agissait de rondins de bois. À l'intérieur de l'avion, il faisait –30 °C. Évidemment, ils étaient tous transis de froid. Lors de l'escale à Novossibirsk, on les a fait sortir sur la piste d'atterrissage, et on les a forcés à y rester pendant deux heures. Il faisait –19 °C et le vent soufflait très fort. Escale suivante : Komsomolsk-sur-l'Amour. Cette fois, ils sont restés dehors quatre heures, protégés d'une température de –25 °C seulement par des habits légers. Lorsqu'ils furent arrivés à Petropavlovsk-Kamtchatski, il était clair que plusieurs soldats étaient tombés sérieusement malades, mais les officiers ne jugèrent pas utile de réagir. Les recrues ont été installées dans des casernes où il faisait autour de 12 °C. Il y avait déjà presque cent malades. Il fallait les soigner, mais avec quels médicaments ? Les médecins militaires n'ont trouvé que des antibiotiques dont la date de péremption avait été dépassée depuis le milieu des années 1990. Il n'y avait pas de seringues mono-usage non plus. Et les médecins n'ont rien pu faire de mieux que de donner à des patients atteints de pneumonie des pilules contre le rhume...

À présent, la machine judiciaire est lancée : on a interrogé des généraux responsables du transport des troupes, des responsables frontaliers du FSB et deux cent cinquante (!) officiers. Trente-quatre soldats se trouvent toujours dans les hôpitaux de Magadan, dont quatre dans un état sérieux. Le FSB a déclaré que leurs cas seront réétudiés et que certains d'entre eux vont être réformés. Ils pourront rentrer chez eux, au lieu d'aller effectuer leur service dans des postes frontière, comme prévu. L'état-major central a rapidement fait savoir qu'il n'avait rien à voir avec cette affaire et que toute la responsabilité incombait aux armées frontalières. Enfin, les soldats se sont mis à parler...

Que deviennent les ex-démocrates ? Alexandre Joukov, qui a commencé en tant que démocrate et qui est maintenant membre de Russie unie, considère qu'il faut se féliciter d'avoir un Parlement écrasé par le parti du pouvoir. D'après lui, cela permet à l'électeur de comprendre clairement qui est aux commandes et qui répond de l'évolution du pays. Les trois doumas précédentes étaient plus équilibrées. Joukov explique que « Russie unie va soutenir une économie de marché fondée sur la baisse des impôts, le développement d'un secteur privé libre, l'allégement du rôle de l'État, la réforme des monopoles sur les ressources naturelles, l'entrée de la Russie dans le marché mondial et l'amélioration de l'aide sociale. Il ne faut pas avoir peur de cette douma. Les procédures démocratiques y sont scrupuleusement respectées, à la différence des doumas précédentes ».

Bientôt Alexandre Joukov sera même désigné vice-Premier ministre de ce gouvernement qui s'éloignera de plus en plus du peuple et qui se conduira de manière complètement irresponsable. Ce gouvernement dont la seule ambition est de plaire à Poutine. Le régime du président est bureaucratique. Les bureaucrates s'appuient sur lui et lui s'appuie sur eux. Dans ce schéma-là, le peuple est un élément gênant : il faut toujours trouver le meilleur moyen de l'escroquer, de le duper et de l'endormir pour demeurer au pouvoir aussi longtemps que possible. L'ex-démocrate Joukov est devenu un membre à part entière de ce système.

Le parquet militaire fédéral déclare que, dans le cadre de l'enquête qu'il a diligentée au sujet des soldats gelés, il va très prochainement interroger Vassili Smirnov, le chef du Service central de mobilisation et de gestion du ministère de la Défense. Cette décision est d'un courage sans précédent : elle ne peut avoir été prise qu'avec l'accord du Kremlin. L'enquête sur le scandale de Magadan a déjà provoqué les interrogatoires de vingt-deux généraux. Jamais des généraux n'avaient été interrogés pour répondre du sort de simples appelés. Le président a revêtu le costume de premier défenseur des droits de l'homme du pays. Splendide ! Mais combien de temps cela va-t-il durer ? Et gardera-t-il ce costume après sa réélection du 14 mars ?

Dans notre pays, plus rien ne dépend du peuple. Tout relève de la volonté de Poutine. Il incarne une sorte de supercentralisation du pouvoir tout en symbolisant la superfainéantise de la bureaucratie. Poutine a réanimé cette antique croyance qui date de l'époque des tsars : le maître viendra de la grande ville, il dira qui a tort et qui a raison. Et il faut bien admettre que cela plaît au peuple. Et c'est pourquoi, bientôt, Poutine va se débarrasser de ses atours de défenseur des droits de l'homme. Il n'en a tout simplement pas besoin.

17 janvier

Malgré les efforts préélectoraux du président, l'arbitraire continue de prévaloir au sein de l'armée. L'affaire de Magadan n'a pas encore été entièrement élucidée que l'on découvre que, dans la région de Toula, des soldats ont été utilisés comme des esclaves. Dans le village de Zaoksk, un officier avait « loué » un groupe d'hommes à une compagnie locale. Ils avaient été parqués dans une maison sans vitres, située à la sortie du village. Il est très courant, chez nous, de voir des jeunes qui effectuent leur service militaire travailler pour les entrepreneurs ou les responsables politiques locaux. L'argent, naturellement, va à leur commandant, qui ne leur en reverse pas un kopeck.

Cette fois, Poutine n'a rien dit. Sans doute avait-il déjà trop fait en matière de défense des droits de l'homme...

Les scissions politiques continuent et Russie unie ne cesse de voir affluer de nouveaux soutiens. Cette fois, c'est le Parti de la renaissance de la Russie – l'une de ces formations microscopiques qui ont éclos ces dernières années –, dirigé par l'ancien président de la douma, Guennadi Seleznev, qui a décidé de se rallier au panache de Poutine et d'abandonner Sergueï Mironov, le président du Conseil de la Fédération et chef du Parti de la vie, avec lequel le Parti de la renaissance avait fait bloc lors des élections législatives de décembre. Ensemble, ces deux groupes, dirigés par les présidents de nos deux Chambres, avaient obtenu... 1,88 % ! La voilà, la vraie popularité du système ! Le Parti de la renaissance, prenant acte de cet échec aux législatives, a donc couru se placer sous l'aile de Poutine, abandonnant Mironov à son sort. Mironov, rappelons-le, est ce même candidat qui a présenté sa candidature à la présidentielle en déclarant qu'il était... pour Poutine.

Pendant ce temps, le président répète une énième fois : « Nous n'avons pas besoin d'une douma criarde. » La télévision s'empresse de le citer. Les membres de Russie unie assurent que leur prise du Parlement est la meilleure chose qui pouvait arriver au pays : ce sera plus honnête à l'égard des électeurs qui, de cette manière, sauront à qui demander des comptes s'ils sont mécontents. En tout cas, la discipline qui règne au sein du parti est tout à fait militaire. Le groupe de RU à la douma est organisé comme un détachement armé. Aucun député n'a le droit d'accorder une interview en son nom propre, tout comme il leur est interdit de voter autrement que selon la ligne officielle du parti. À l'heure actuelle, Russie unie compte déjà trois cent dix députés. Grâce aux « convertis ». Les députés « indépendants » adhèrent à RU en flot ininterrompu.

La campagne électorale suit son cours bizarre. Le Kremlin n'a même pas besoin de mettre en branle une stratégie particulièrement fine : la majorité est d'ores et déjà acquise au président candidat. Même ses adversaires ne tarissent pas d'éloges à son égard. Comme vient de le faire cet idiot de Malychkine, le garde du corps de Jirinovski. La télévision passe en boucle un reportage sur la mère de Malychkine. Elle habite dans la région de Riazan, son immeuble est dépourvu de canalisation d'eau. Elle affirme qu'elle va voter Poutine, parce qu'elle est très contente de lui...

Sergueï Mironov, le président du Conseil de la Fédération, se demande encore par quel miracle il a présenté sa candidature à la présidentielle : « Pourquoi nous sommes-nous tous portés candidats à cette élection ? Comment pouvons-nous prétendre être SES égaux ? »

Même Sergueï Glaziev, le franc-tireur de Rodina, exprime son admiration : « Poutine me plaît. Nous avons beaucoup de choses en commun, lui et moi. Mais je n'aime pas la manière dont ses décisions sont appliquées. »

Bref, la tentative du pouvoir de démontrer son attachement à la démocratie en organisant ce simulacre de « présidentielle ouverte » apparaît de plus en plus comme une farce vulgaire. Quant au refus des démocrates de présenter un candidat commun, il ressemble de plus en plus à un suicide politique aussi bien pour les démocrates eux-mêmes que pour ceux qui avaient pris l'habitude de voter pour eux. Mais aujourd'hui, même les démocrates n'arrivent pas à établir un dialogue normal entre eux. La raison en est cette dépression profonde qui s'est emparée du pays entier.

À Grozny, en plein jour, des militaires russes ont kidnappé le chauffeur de taxi, Khalid Edelkhaev, né en 1956. Il a été intercepté sur la route qui conduit au village de cosaques de Petropavlosk. On ignore tout de son sort...

18 janvier

La Commission électorale centrale a commencé à enregistrer les signatures d'électeurs amassées par les candidats qui ne sont pas présentés par des partis ayant un groupe à la douma. Mais qui, parmi tous ces candidats, est vraiment un adversaire de Poutine ? Seule Khakamada, qui est allée au combat sans le soutien des démocrates. Le KPRF est déchiré par le conflit qui oppose ses chefs, Ziouganov et Sémiguine, et n'est pas prêt à livrer bataille au patron du Kremlin. Rogozine veut soutenir Poutine. Glaziev tergiverse, comme toujours.

Les candidats ont encore vingt-huit jours pour déposer leurs signatures. Il reste cinquante-cinq jours jusqu'au premier tour.

19 janvier

Le Comité 2008, une organisation qui désire contribuer à la tenue de vraies élections libres en Russie, mais qui, comme son nom l'indique, n'espère y parvenir que pour la présidentielle suivante, laquelle aura lieu dans quatre ans, a rendu public son manifeste. D'après eux, vivre en Russie est devenu non seulement difficile « mais, aussi, répugnant ». Ce n'est pas vraiment une nouveauté, hélas. Le comité est dirigé par Gary Kasparov *. C'est un homme intelligent et autosuffisant, ce qui est déjà pas mal...

20 janvier

Boris Nemtsov est devenu un membre du SPS comme les autres. Il n'en est plus le patron, ni même le coprésident (le SPS avait trois coprésidents : Nemtsov, Tchoubaïs, Khakamada). Nemtsov a déclaré qu'il allait dorénavant se concentrer sur sa participation au Comité 2008. Mais je sais d'expérience que Nemtsov est incapable de se concentrer sur quoi que ce soit pendant plus d'un an... au maximum.

La nuit dernière, dans le village tchétchène de Kotar-Iourt, des hommes armés et masqués, circulant dans des Jigouli sans plaques d'immatriculation (signe distinctif des partisans d'Akhmad Kadyrov *), ont enlevé Milana Kodzoeva de sa maison. Milana est la veuve d'un *boïevik.* Elle a deux enfants en bas âge. On ne sait rien de ce qu'il est advenu d'elle.

21 janvier

Irina Khakamada, unique représentante des forces démocratiques à l'élection présidentielle, a publiquement appelé l'élite du business russe à lui apporter une aide financière. Léonid Nevzline (dirigeant de la banque Menatep et ami de Khodorkovski) a promis de la soutenir. Tchoubaïs a refusé.

Pour célébrer les soixante ans de la fin du blocus de Leningrad [1], les survivants se voient attribuer des médailles et des aides financières, de 450 à 900 roubles (soit 15 à 30 euros) par personne. Des queues interminables sont apparues à Saint-Pétersbourg devant les administrations qui distribuent ces sommes quasi symboliques : la plupart des survivants du blocus sont pauvres. En tout, près de 300 000 personnes peuvent prétendre à ces aides. Les récipiendaires n'aiment pas du tout les nouvelles médailles : « Habitant de Leningrad à l'époque du blocus » et « Pour la défense de Leningrad ». Le fort de Petropavlovsk y est gravé sous un angle absurde, et des défenses antichars ont été représentées sur les quais, alors qu'il n'y en a jamais eu... Mais qui s'en soucie ? Comme à l'époque soviétique, ceux qui ne sont pas contents n'ont aucun recours.

24 janvier

À Grozny, des inconnus en tenues de camouflage, circulant en camionnette militaire, ont enlevé Turpal Baltebiev, né en 1980, qui attendait son bus à un arrêt. Personne ne sait où il se trouve à présent...

27 janvier

Poutine est à Saint-Pétersbourg. La campagne électorale continue sur fond de célébration du soixantième anniversaire du blocus de

1. Leningrad (nom donné à Saint-Pétersbourg entre 1924 et 1991), la deuxième plus grande ville d'URSS, fut encerclée par les troupes allemandes en septembre 1941. Hitler, qui ordonna de bombarder les entrepôts de vivres dès le début du siège, était certain que la ville allait se rendre en deux ou trois mois. Mais le siège dura presque neuf cents jours, jusqu'à ce que l'armée soviétique brise l'encerclement, le 27 janvier 1944. Au cours de ces deux ans et demi, la ville a connu les pages les plus sombres de son histoire : l'hiver de 1941 a été particulièrement rude ; l'eau et l'électricité ont été coupées dans la plupart des immeubles ; et les provisions manquaient à un tel point que des actes de cannibalisme furent signalés. Il est difficile d'établir le nombre exact de victimes ; selon des calculs approximatifs, autour de huit cent mille personnes seraient mortes de faim, de froid et d'épuisement.

Leningrad. Poutine s'est rendu dans la petite ville de Kirovsk, où son père a été grièvement blessé pendant la guerre. C'est ici que, le 18 janvier 1943, le blocus a été percé pour la première fois. Le frère aîné de Poutine est mort pendant le blocus, et sa mère a survécu par miracle. De 200 000 à 400 000 soldats ont péri sur le champ de bataille dit *Nevskiï piatatchok* en se frayant un chemin vers Leningrad encerclée. Le nombre exact des pertes, tout comme les noms des combattants, est inconnu : la plupart de ceux qui sont morts ici étaient de simples habitants de la ville, tués avant d'être inscrits sur les listes officielles de l'armée. Le *Nevskii piatatchok* est un champ d'un kilomètre et demi de long sur quelques centaines de mètres de large. Aujourd'hui encore, les arbres n'y poussent pas. Poutine a déposé quelques roses sombres au pied du monument aux morts.

À l'occasion de sa venue à Saint-Pétersbourg, le présidium du Conseil d'État a décidé d'y tenir une session. C'est un organe à vocation strictement consultative, mais très pompeux, que Poutine a créé exclusivement pour donner aux gouverneurs des régions le sentiment qu'ils pouvaient peser sur les décisions de l'État. La session actuelle est consacrée aux problèmes des retraités, qui sont plus de trente millions en Russie. On en a amené une vingtaine rencontrer Poutine. Ils sont tous originaires de la région de Leningrad, et portent des vieux costumes élimés et des pull-overs qui ont connu des temps meilleurs. Ils ont raconté au président les conditions de vie miséreuses des vieux. Poutine les a tous écoutés, sans leur couper la parole une seule fois. À la fin, il leur a répondu : « Il est indispensable de permettre à chaque citoyen de vivre dignement sa vieillesse. C'est un objectif prioritaire du gouvernement. » Poutine change d'« objectif prioritaire » en fonction de ses interlocuteurs. S'il discute avec des paysans, il leur explique que l'amélioration de leur sort est son premier souci. S'il rencontre des médecins, il leur assure la même chose. Et ainsi de suite. Un don de caméléon propre à tout KGBiste qui se respecte. Mais c'est comme si le peuple ne s'en rendait pas compte. Cette fois, Poutine promet qu'en 2004 les retraites seront indexées deux fois et qu'elles seront augmentées de 240 roubles (environ 7 euros) en moyenne. Une somme suffisante pour acheter un demi-kilo de bonne viande...

Khakamada a rendu publique sa profession de foi électorale.

« Au cours des quatre dernières années, les autorités ont écrasé toute concurrence politique digne de ce nom et supprimé tous les médias indépendants ;

– le parti majoritaire à la douma n'a ni programme ni idées ;

– si, dans quatre ans, en 2008, les forces démocratiques ne parviennent pas à faire entendre leur voix, la Russie ne pourra plus quitter la voie autoritaire sur laquelle elle est déjà engagée ;

– je défie Poutine aujourd'hui, parce que je veux entendre de sa bouche quelle Russie exactement il a l'intention de construire ;

– j'ai assemblé quatre millions de signatures d'électeurs pour soutenir ma candidature ;

– je suis prête à devenir le bouchon qui sautera de la bouteille dans laquelle se trouve enfermée la volonté des citoyens de Russie. »

C'est spectaculaire et juste. Mais Poutine n'a pas daigné réagir à cette attaque en règle, comme si elle n'avait jamais eu lieu. Personne ne lui a demandé d'y répondre. Notre société est malade, la majorité est atteinte d'une crise d'infantilisme. C'est pourquoi Poutine peut tout se permettre. C'est pourquoi Poutine est « possible » dans la Russie d'aujourd'hui.

28 janvier

Ça y est. À dix-huit heures aujourd'hui, la Commission électorale centrale a terminé l'enregistrement des signatures des partisans des candidats à la présidentielle. L'entrepreneur Anzori Aksentiev a jeté l'éponge. Poutine, Mironov, Rybkine et Khakamada ont déposé leurs listes. Les rôles sont clairement distribués : Khakamada est là pour les pro-occidentaux ; Kharitonov, le candidat du KPRF, se présente pour les communistes ; Malychkine (LDPR) est le porte-drapeau des extrémistes politiques, mais également des blagueurs en tout genre ; quant à Glaziev (Rodina), c'est le héraut des « nationaux patriotes ».

29 janvier

Le Comité 2008 s'est réuni, dans la plus grande confidentialité, dans les locaux de *Novaïa Gazeta*. Seuls les membres du comité avaient été conviés. Encore une formation qui naît en secret, loin des regards, comme si elle ne concernait que ses fondateurs et non le peuple dans son ensemble. Il n'empêche que ce comité comporte des participants très estimables : Vladimir Kara-Mourza Jr *, Dimitri Mouratov *, Viktor Chenderovitch *, Gary Kasparov, le satiriste Igor Irteniev, Boris Nemtsov... Aujourd'hui, après dix jours d'existence, le comité accueille de nouveaux membres provenant de la nomenklatura gorbatchievenne : Mikhaïl Fedotov *, Alexandre Iakovlev *, Vladimir Ryjkov, Oleg Syssouev *. Ne vont-ils pas dénaturer l'organisation ?

Vladimir Potanine continue de jouer son rôle de « bon » oligarque qui s'oppose en tout point à Khodorkovski. Il propose de réformer le « syndicat » des oligarques, l'Union russe des industriels et des entrepreneurs (URIE) : « Le business est une force constructive. Nous avons besoin d'établir de nouveaux rapports avec le pouvoir. Le monde des affaires doit se tourner vers la société, nous devons lui faire comprendre qui nous sommes. » Il dit également que les entrepreneurs doivent réduire leurs ambitions et ne pas aspirer à participer aux organes du pouvoir. Pour rendre cette déclaration publique, Potanine a eu droit à l'antenne en *prime time*. Cela veut dire qu'il agit sur ordre de Poutine. Nul n'en doute, d'ailleurs.

2 février

Cette fois, la télévision nous montre Poutine en train de baisser le prix du pain. Il s'y prend de la manière la plus soviétique qui soit : il annonce qu'il suspend les exportations de céréales. Une question s'impose : si le pays ne possède pas suffisamment de céréales pour se nourrir, pourquoi en exportait-il autant jusqu'à cette sage décision du président ? Mais évidemment, personne ne posera cette question publiquement. L'opposition et les médias, cela fait deux...

Mais tout de même, qu'est-ce qui a bien pu provoquer cette subite prise de conscience de Poutine ? C'est bien simple : l'hôte du Kremlin a été informé de la hausse fulgurante du prix du pain constatée dans certaines régions. Or la présidentielle a lieu dans un mois et demi. Comment le président candidat aurait-il pu ne pas en profiter pour apparaître comme un souverain juste et soucieux du sort de ses sujets ?

Poutine promet également de veiller personnellement au versement des pensions dues aux invalides de la Seconde Guerre mondiale. Toujours à la télévision, il annonce qu'il s'occupera aussi des retraités du clergé.

Sa campagne électorale se réduit à d'innombrables promesses. Des salaires en hausse par-ci, des primes exceptionnelles par-là... Il essaie tout bonnement d'acheter les électeurs.

Nous n'avons pas de débats préélectoraux. À la place, nous avons droit tous les jours à un feuilleton interminable : « Les déchirements de Rodina. » Rogozine et Glaziev, les deux chefs de ce parti nationaliste, se disputent comme des chiffonniers au lieu de se préoccuper de l'avenir politique du pays. Il n'y a pratiquement pas un seul candidat à la présidentielle qui avance des idées constructives. Ils ne sont là que pour faire croire qu'il existe dans ce pays une vraie opposition. En attendant, les électeurs se voient servir, en guise de discussions politiques, des sitcoms qui sentent le réchauffé...

À Moscou, la journaliste Elena Tregoubova, qui a récemment publié un livre très antipoutinien sur les coulisses du Kremlin, a échappé de peu à un attentat à la bombe. Selon certaines rumeurs, Tregoubova – qui a longtemps fait partie du « pool » de journalistes couvrant les affaires du Kremlin – aurait été, un temps, la maîtresse de Poutine, avant de tourner casaque et de se montrer très sévère à l'égard du président. On ne saura sans doute jamais le fin mot sur l'explosion qui a failli lui coûter la vie.

Quoi qu'il en soit, Tregoubova a annoncé son intention de quitter rapidement la Russie.

Poutine a été officiellement enregistré en tant que candidat à la présidentielle. Le 8 février est la date butoir pour la remise des candidatures. Ensuite, jusqu'au 14 mars, il y aura un mois de jeu de dupes. Puis sa réélection annoncée.

4 février

À Grozny, une jeune femme de vingt-trois ans, Satsita Kamaïeva, a été enlevée par des inconnus armés en tenue de camouflage. Personne ne sait où elle se trouve.

Poutine a ouvert son quartier général de campagne. Un endroit aussi virtuel que le président lui-même. L'adresse du QG est : 5, place Rouge. Quelle surprise ! Mais l'accès y est fermé. Pour diriger sa campagne, Poutine a choisi Dimitri Kozak *, l'un des hommes forts de l'administration présidentielle, spécialement chargé de la réforme des magistrats et de l'administration. Kozak a la réputation d'être l'homme le plus doué de l'administration. Tout comme Poutine, il est diplômé de la faculté de droit de l'université de Leningrad ; il a travaillé au parquet de la ville, puis à l'administration locale. Entre 1989 et 1999, il a été gouverneur adjoint de Saint-Pétersbourg. Bref, un « homme de Pétersbourg », comme la plus grande partie de l'entourage de Poutine.

L'Union des comités des mères de soldats a créé un « Parti des mères de soldats ». Chez nous, on crée des partis politiques pour trois raisons : soit parce que l'on a trop d'argent, soit parce que l'on a trop de temps libre, soit parce que l'on est en proie à un profond désespoir. Le Parti des mères de soldats qui est en train de naître sous nos yeux est un cas à part ; il apparaît au moment où les forces démocratiques sont progressivement effacées du paysage politique du pays.

« Ce n'est qu'aujourd'hui que nous avons senti le besoin de former notre propre parti, explique Valentina Melnikova *, coprésidente de l'Union des comités des mères de soldats et, depuis peu, présidente du comité exécutif du parti. Il est vrai que nous y avions déjà songé par le passé ; mais, avant, le SPS et Iabloko soutenaient nos initiatives, comme la promotion de la réforme militaire, la suppression de la conscription et ainsi de suite. Aussi longtemps que Iavlinski et Nemtsov étaient présents à la douma, nous avions à qui nous adresser. À présent, il ne reste plus personne pour promouvoir nos intérêts. Toutes les forces politiques du pays sont le prolongement du Kremlin. Nous avons l'impression que, chaque matin, les députés viennent à la place Rouge pour y prendre leurs ordres. Par conséquent, nous avons décidé de fonder notre parti à nous. »

Le Parti des mères de soldats est né du désespoir que suscite l'absence de toute alternative politique. Ce qui est remarquable, c'est qu'à notre époque où l'administration contrôle tout, ce parti s'est construit d'en bas, sans bénéficier de la moindre « ressource administrative ». Ni Vladislav Sourkov (l'autre numéro deux de l'administration présidentielle avec Kozak, et principal manager politique du pays), ni qui que ce soit d'autre n'a contribué à son apparition. D'ailleurs, même si les hommes du président avaient essayé d'instrumentaliser le mouvement des mères de soldats, ces dernières ne se seraient pas laissées faire.

Cette formation est apparue spontanément : dès le lendemain des élections législatives, le bureau moscovite de l'Union des comités des mères de soldats a croulé sous les appels des comités régionaux. Les femmes qui animaient les comités de province expliquaient aux Moscovites qu'il fallait agir. Et tout naturellement, un parti est né...

Bien sûr, il est triste de voir Iabloko et le SPS être réduits en charpie. Mais la création du Parti des mères de soldats l'a montré : de puissants mouvements sociaux travaillent le pays en profondeur et leur potentiel de protestation est immense. Poutine a beau essayer de liquider toute opposition, voilà que sur les ruines du SPS et de Iabloko apparaît un nouveau mouvement ! Et d'autres viendront à sa suite, qui lutteront contre ce régime. Pour une raison simple : quand il ne reste personne pour défendre tes intérêts, tu dois bien te lever toi-même pour t'en occuper. Et pour les mères de soldats, cela signifie défendre les vies de leurs enfants contre cette armée monstrueuse qui les dévore.

La dernière goutte qui a fait déborder le vase et décidé ces femmes à fonder leur propre parti a été l'épisode Kouklina-Poutine. Ida Kouklina est de la première génération des mères. Elle travaille au comité de Moscou de l'organisation depuis une dizaine d'années. À présent, elle appartient même à la Commission des droits de l'homme auprès du président. Ida s'est toujours démenée pour faire augmenter l'allocation accordée aux soldats qui sont revenus de l'armée avec un handicap lourd. Ces hommes qui ont été grièvement blessés au combat, qui y ont parfois perdu des bras et des jambes et qui sont aujourd'hui pour la plupart en chaise roulante, voire alités, vivotent avec une pension d'invalidité de 1 400 roubles (40 euros). Or avec un tel handicap, il est bien sûr impossible de trouver le moindre travail pour compléter cette aide de misère...

Ida Kouklina a transmis à Poutine, en main propre, une pétition réclamant l'augmentation des pensions des soldats invalides. Le président a approuvé le texte et l'a confié au gouvernement et à la

Caisse des pensions, en y portant une annotation assez vague mais apparemment positive : « Le problème est bien posé. Poutine. »

Quelque temps plus tard, la vice-première ministre chargée des Affaires sociales, Galina Karelova, a répondu à Ida que sa requête était rejetée. La raison invoquée ? Il serait injuste de verser aux invalides de fraîche date la même allocation que celle que reçoivent les vétérans de la guerre d'Afghanistan ou de la Seconde Guerre mondiale ! D'après Mme Karelova, ces derniers risqueraient de se révolter...

Ida est retournée voir Poutine. Celui-ci lui a de nouveau donné une réponse positive. Mais les fonctionnaires ont encore rejeté ce projet. Elle a recommencé. Trois fois. Sans succès. Alors, les mères ont compris qu'il ne leur restait qu'une solution : si le législateur se moque d'elles, alors elles doivent devenir elles-mêmes le législateur ! Elles espèrent que leur parti pourra entrer à la douma après les élections de 2007 ; mais, pour réussir dans ce projet, il faut commencer par construire le parti dès aujourd'hui. En Russie, c'est une affaire longue et compliquée.

J'étais justement en train de discuter avec les mères de soldats de leur avenir politique quand on a appris un nouveau drame dans l'armée. Un soldat, Alexandre Sobakaev, membre d'une division d'élite du ministère de l'Intérieur, a été sadiquement torturé et assassiné par ses supérieurs. Alexandre, qui allait sur ses vingt ans, en était déjà à sa deuxième année de service militaire. Il servait en tant que maître-chien démineur dans un bataillon du génie. Le 3 janvier, il a appelé sa famille pour dire qu'il allait bien et qu'il serait bientôt de retour à la maison. D'après ses proches, il était enjoué et semblait en bonne forme... Selon les documents qui accompagnaient son cercueil, cette même nuit, il s'est pendu à l'aide de sa ceinture sur le territoire du camp militaire. Le légiste n'a « pas relevé de traces de violences » sur son corps. Le 11 janvier, le corps d'Alexandre a été ramené chez lui, dans le minuscule village de Velvo-Baza, situé à 290 kilomètres de Perm. Les militaires qui assuraient le transport ont expliqué aux parents d'Alexandre que leur fils s'était suicidé, mais ils n'avaient pas de rapport médical. Les parents ne les ont pas crus. Ils ont exigé d'ouvrir le cercueil. À la vue du cadavre, les « camarades de l'armée » ont été les premiers à quitter la chambre, horrifiés. Le corps d'Alexandre était couvert de bleus et de coupures de rasoir. La peau et les muscles de ses poignets avaient été découpés jusqu'à l'os. Un médecin s'est rendu sur les lieux, en compagnie d'un policier, d'un photographe et de plusieurs officiers du comité militaire local. Il a constaté que ces tortures avaient été infligées à Alexandre alors qu'il était encore vivant.

Les parents ont refusé d'enterrer leur fils sans un rapport légiste en bonne et due forme. Ils ont entreposé le corps dans une morgue et son père est parti à Moscou rencontrer les chefs de la division d'élite d'Alexandre, ainsi que la presse de la capitale. C'est ainsi que nous avons appris cette tragédie.

[Poutine n'a pas réagi. Rien d'étonnant à cela : s'il commençait à réagir à tous les événements de ce genre dans l'armée, il n'aurait pas le temps de faire quoi que ce soit d'autre. Inévitablement, les électeurs s'interrogeraient : pourquoi de pareilles horreurs arrivent-elles si souvent ? Et que fait le chef des armées, c'est-à-dire Vladimir Poutine ? Le président avait déjà prouvé son intérêt pour le sort des soldats en ordonnant une enquête sur les conscrits gelés de Magadan. Une telle démonstration de sollicitude suffisait largement. Il aurait été contre-productif d'insister...

C'est pourquoi personne n'a cherché à découvrir qui avait assassiné Alexandre. Le parquet militaire a tout fait pour cacher la vérité sur cette tragédie. Alexandre a eu moins de « chance » que Vladimir Bérézine, mort de faim et de froid au tout début de la campagne présidentielle de Poutine. Comme c'était la première histoire de ce genre à tomber sous les yeux du président candidat à ce moment-là, il a fait le nécessaire et les coupables ont été jugés. La mort d'Alexandre, elle, restera impunie. Même si ses parents avaient opté pour une solution aussi radicale que désespérée : ne pas enterrer leur fils avant qu'une expertise indépendante soit effectuée et que la vérité voie le jour. Or le parquet militaire a refusé d'ordonner une expertise et la famille n'avait pas les moyens de garder le corps à la morgue plus longtemps. Alexandre a donc été enterré. Officiellement, il s'est suicidé. Combien de fils devrons-nous encore sacrifier avant de nous élever tous ensemble contre l'arbitraire qui règne au sein de l'armée ?

Vu sous cet angle, le Parti des mères de soldats est

effectivement le parti du désespoir. Mais son apparition et celle d'autres mouvements comparables signifient-elles que notre société est en train de se changer ? Que la société civile commencerait à sortir des cuisines et des caves ? Pour le moment, non. Mais nombreux sont ceux qui, à l'instar des Tchétchènes qui subissent au quotidien l'« opération antiterroriste » décrétée par le Kremlin, ont compris qu'ils devaient apprendre à survivre et à se défendre tout seuls, sans compter sur le pouvoir. Malheureusement, l'arbitraire des autorités s'est complètement déchaîné depuis la victoire de Russie unie, et les initiatives sociales sont encore trop rares.]

Plus on se rapproche du 14 mars, plus les informations à la télévision nous abreuvent des exploits de Poutine. Évidemment, aucun expert indépendant n'est autorisé à s'exprimer. Aujourd'hui, la télévision a retransmis le rapport du président de la Banque centrale, Ignatiev, qui s'est réjoui de la croissance phénoménale de nos réserves en devises. D'autres rapports ont suivi, tout aussi gluants d'autosatisfaction. Mais personne n'y prête attention : chacun sait bien quel crédit accorder à toutes ces balivernes.

Tout en parlant du « bien du peuple », la nouvelle douma adopte des lois scandaleuses qui ne servent que certains groupes d'intérêts bien précis. Par exemple, la loi sur la baisse de la TVA pour les agences immobilières. C'est proprement ridicule : chez nous, tous les agents immobiliers sont des millionnaires. Bien entendu, nul n'en parle dans les médias. Les journalistes pratiquent une autocensure très efficace. Personne ne propose ce genre de sujets à son journal ou à sa chaîne : de toute façon, la direction refuserait de les passer.

Aujourd'hui se termine le huitième concile orthodoxe russe, que les médias ont présenté comme l'événement majeur du mois. On pourrait croire qu'il s'agissait d'un congrès de Russie unie : tous les membres du gouvernement étaient présents. En revanche, aucun de ces « pieux orthodoxes » n'a pu se rappeler quand le concile précédent avait eu lieu...

Le banquier Sergueï Pougatchev *, l'« oligarque orthodoxe », a eu l'honneur d'être placé à la droite du patriarche. Sur proposition de Pougatchev, le concile a adopté une sorte de code des entrepreneurs : le « corps des principes moraux et des règles de gestion ». Autrement dit, les « dix commandements du businessman russe ». L'un d'entre eux stipule : « La fortune n'est pas un but en soi. Elle doit servir à la construction d'une vie digne. » Un autre prévient : « S'approprier les biens des autres, négliger l'intérêt collectif, ne pas rémunérer les gens pour leur travail, duper ses partenaires... sont des violations de la loi morale et un mal pour la société et pour l'homme lui-même. » Un commandement est consacré exclusivement aux impôts : ne pas les payer, c'est « voler des orphelins, des vieillards, des handicapés et d'autres personnes sans défense. Le paiement des impôts est le transfert d'une partie de sa propriété à ceux qui en ont besoin et, en tant que tel, il ne doit pas être perçu comme une obligation pénible, accomplie sous la contrainte et, parfois, pas accomplie du tout, mais comme une affaire noble, qui mérite la gratitude de la société ». Quant aux pauvres : « Un pauvre doit se comporter d'une façon digne, aspirer à bien travailler et à améliorer son niveau professionnel pour se sortir de la pauvreté. » Et enfin : « Le culte de l'argent et la moralité ne sont pas compatibles à l'intérieur d'un seul et même homme. »

Ce code contient également de discrètes références désapprobatrices à Berezovski, Goussinski et Khodorkovski. « Le pouvoir politique et le pouvoir économique doivent être séparés. La participation du business aux affaires politiques et son influence sur l'opinion doivent être transparentes. Toute contribution du business aux partis politiques, aux associations ou aux médias doit être publique et vérifiable. Un soutien secret à ce genre d'organisations est condamnable puisque immoral. »

De cette manière, on entérine l'idée qu'il est tout à fait honorable d'être un oligarque poutinien. En revanche, être un oligarque indépendant est profondément répréhensible. Tout ce code est dirigé contre Ioukos et ses dirigeants, cela saute aux yeux. Un détail curieux : à première vue, il appartient à chacun de décider s'il souhaite adhérer à ces préceptes ou non. Mais, en réalité, ce n'est pas si simple. Comme toute action politique chez nous, l'entrée dans ce « club orthodoxe » est mi-bénévole, mi-coercitive. Bien sûr, tout le monde est libre de ne pas prendre sa carte de Russie unie... mais ceux qui n'en sont pas membres voient leurs chances de faire une carrière de haut fonctionnaire réduites à zéro. De même, pendant le concile, lors des discussions autour de ce code, le métropolite

Kirill, l'héritier putatif du Patriarche actuel – le vieillissant Alexis II –, a clairement annoncé : « Nous irons voir tous les grands entrepreneurs pour leur demander de signer. Et nous ferons en sorte que tout le monde connaisse les noms de ceux qui refuseront de signer. » Belle déclaration de la part d'un père de l'Église !

Mais chacun sait ce que vaut la morale de cette Église orthodoxe russe qui bénit la guerre en Tchétchénie, le commerce des armes et les luttes fratricides dans le Caucase du Nord...

Il est clair que l'adoption de ce code de règles morales pour les entrepreneurs signifie que l'Église orthodoxe, pourtant séparée de l'État, veut participer de plein droit à la gestion de la politique intérieure et étrangère russe.

Viktor Vekselberg – un oligarque qui était, d'après de nombreux observateurs, « sur liste d'attente » pour suivre Khodorkovski en prison – vient d'annoncer qu'il va acheter la collection d'œufs de Fabergé qui a appartenu à la famille du dernier empereur, Nicolas II, pour la « rapatrier » en Russie (la collection se trouve à l'étranger pour l'instant). Le tableau est limpide : pour Vekselberg, cet acte « hautement patriotique » est seulement une façon d'acheter sa liberté en montrant patte blanche au régime. Par ce geste, il envoie un message au Kremlin : « Ne me faites pas de mal ! Je suis des vôtres ! » Mais au lieu de l'admettre ou, du moins, de faire profil bas, l'homme d'affaires s'est immédiatement mis à se justifier à grands cris : « C'est ma décision personnelle. Il s'agit du retour de l'héritage culturel de la Russie sur le territoire national. Je veux que mes enfants voient d'un œil différent leur place dans la société. Je veux que le grand capital en Russie participe aux programmes sociaux. En achetant cette collection, je ne me soucie pas de prouver quoi que ce soit à qui que ce soit ni ne songe à me disculper de telle ou telle accusation... »

C'en est comique : plus il se débat pour expliquer qu'il a agi par pur patriotisme, et plus il apparaît clairement qu'il n'a procédé que par calcul, pour démontrer sa loyauté à l'égard du pouvoir.

5 février

C'est il y a quatre ans jour pour jour, le 5 février 2000, qu'a eu lieu le carnage du village tchétchène de Novye Aldy, perpétré par les troupes fédérales du ministère de la Défense et du ministère de l'Intérieur. Cinquante-cinq civils – essentiellement des vieillards – ont été sauvagement assassinés en quelques heures. Cette tuerie est l'une des pages les plus honteuses de la deuxième guerre tchétchène, mais elle n'a suscité aucune réaction. En effet, elle s'est produite à la veille de la première élection de Poutine. Du coup, elle n'a fait l'objet d'aucune annonce officielle. On a purement et simplement étouffé l'affaire. Car la campagne présidentielle de Poutine reposait sur les succès de la « petite guerre victorieuse » qu'il avait annoncée. Novye Aldy ne s'inscrivait nullement dans ce cadre... Les autorités ont fini par ouvrir une enquête, à contrecœur, mais celle-ci a été rapidement enterrée. Les bourreaux sont toujours en liberté. Les rares survivants et les familles des victimes sont terrorisés et se murent dans le silence. La société civile se tait, elle aussi : elle croule sous une avalanche de crimes sanglants. Le pays et le monde entier tentent de faire comme si de rien n'était...

À Tcheremkhovo, dans la région d'Irkoutsk, dix-sept employés des services sociaux ont entamé une grève de la faim. Ils exigent le versement de leurs salaires, impayés depuis six mois. La somme qui leur est due représente environ 2 millions de roubles (60 000 euros). Ces gens ont suivi l'exemple de leurs collègues d'une autre localité, auxquels un jeûne de trois jours avait suffi pour se faire payer...

6 février

Ce matin, à huit heures trente-deux, trois mois après l'attaque suicide de l'hôtel National, un nouvel attentat a eu lieu à Moscou. Cette fois, dans le métro. Une bombe a explosé à bord de la deuxième voiture d'une rame qui se dirigeait vers le centre-ville, entre les stations Paveletskaïa et Avtozavodskaïa. À cette heure de pointe, le métro transportait de nombreux employés se rendant à leur travail. L'enquête a montré que l'explosif se trouvait dans un sac qui était placé quinze centimètres au-dessus du sol – ce qui accrédite la thèse de l'attentat suicide, puisqu'il fallait bien que quelqu'un tienne ce sac à la main. Après l'explosion, le train, ravagé par un terrible incendie, a encore roulé trois cents mètres par force d'inertie. Trente passagers sont morts sur le coup. Neuf autres sont décédés plus tard des suites de leurs blessures. Cent quarante personnes ont été blessées. Selon les témoins, d'innombrables morceaux de chair humaine étaient éparpillés partout dans la rame. Plus de sept cents passagers sont sortis du tunnel par leurs propres moyens, les secours tardant à arriver. Le chaos et la terreur ont gagné la ville entière, les sirènes des ambulances hurlaient, les gens couraient dans la rue... Moscou a été submergée par la panique.

L'ampleur de cet attentat signifie que des terroristes bardés d'explosifs se déplacent en ville sans problème. Malgré les pouvoirs extrêmement étendus qui leur ont été attribués, le FSB et la police ne parviennent pas à déjouer leurs projets meurtriers.

Mais le peuple est toujours avec Poutine. L'idée qu'il faudrait peut-être changer la politique tchétchène n'effleure personne ; or il y a eu dix attentats suicides depuis un an. La « palestinisation » de la situation est évidente. Une heure après l'attentat, une organisation nommée « Mouvement contre l'immigration illégale », créée et soutenue par les ministères de force, a exigé, par la voix de son chef, Alexandre Belov, de restreindre les droits des Tchétchènes : « Notre exigence première est d'interdire aux Tchétchènes de quitter la Tchétchénie. Aux États-Unis et au Canada, il existe toujours des réserves pour des peuples qui posent problème. Si une nation ne veut pas vivre de façon civilisée, qu'elle vive derrière un grillage. On peut appeler cela comme on veut : une réserve ou une ligne de démarcation. Mais nous devons nous protéger. Nous ne pouvons plus faire comme si les Tchétchènes étaient des citoyens normaux au même titre que les Bouriates, les Tchouvaches, les Karèles ou les Russes. Par cet acte barbare, les Tchétchènes prolongent la guerre. C'est leur manière de se venger de nous. La diaspora et les hommes d'affaires tchétchènes soutiennent et financent le terrorisme. Je ne fais que répéter ce que pense la majorité absolue des citoyens russes. »

Il est vrai que c'est l'avis de la majorité des Russes. La société suit une pente fasciste. Rares sont les dirigeants qui continuent à se servir de leur tête. Parmi eux Boris Gromov, le gouverneur de la région de Moscou, un homme qui, pour son courage au combat en Afghanistan, a été décoré de la plus haute distinction militaire, le titre de « Héros de l'URSS » : « Quand j'ai appris ce qui s'est passé dans le métro, je me suis dit que tout cela avait commencé dès l'Afghanistan. La décision hautement irresponsable d'introduire des troupes en Afghanistan et la même décision concernant la Tchétchénie sont à l'origine de ces événements tragiques. Initialement, il s'agissait de punir des bandits; mais, à présent, des innocents souffrent. Et cela ne va pas s'arrêter de sitôt. »

Sur les chaînes de télévision officielles, on nous explique que la démocratie libérale est un système propice au développement de la maladie du terrorisme. Donc, si nous voulons la démocratie, nous devons bien accepter qu'il y ait du terrorisme. Mais on se garde bien de souligner que, depuis quatre ans, le pouvoir est entre les mains de Poutine, et qu'aucun Russe ne peut, aujourd'hui, se croire en sécurité.

La Commission électorale centrale a adoubé un quatrième candidat à la présidentielle (après Poutine, Kharitonov et Malychkine). C'est Sergueï Mironov, le président du Conseil de la Fédération. Il ne représente aucun danger pour le président. D'ailleurs, il ânonne comme un perroquet : « Je suis pour Poutine. » Dans les jours à venir, la CEC va étudier les candidatures d'Ivan Rybkine, l'ancien chef du Conseil de sécurité, une marionnette de Berezovski; de Sergueï Glaziev, l'un des chefs du parti Rodina; et d'Irina Khakamada, membre du SPS. Le pouvoir ne semble redouter que Rybkine, même si sa popularité est quasiment nulle. D'ailleurs, le directeur de la CEC, Alexandre Vechniakov, a déclaré que le contrôle des listes de soutien de Rybkine avait fait apparaître que 26 % des signatures en sa faveur n'étaient pas valides. Précisément 26 % et non pas 27 % ou 24,9 %. Il faut savoir que, selon la loi, si le nombre de signatures invalides est supérieur à 25 %, le candidat ne peut pas être enregistré. Donc, évidemment, ils ont trouvé 26 % de signatures invalides... Les gens ironisent : « C'est déjà bien qu'ils n'en aient pas trouvé 25,1 %... »

En revanche, la CEC a rejeté la candidature de Viktor Gerachtchenko, l'ancien directeur de la Banque centrale et à présent membre de Rodina. Mais de toute façon, il ne voulait pas être président, comme il l'a répété à maintes reprises...

Ce pays est étonnant. Des candidats qui ne veulent surtout pas être élus se présentent à la présidentielle. Quand j'ai demandé à Gerachtchenko pourquoi il s'était porté candidat, il n'a su que dire. Tout comme l'oligarque Bryntsalov, dont la candidature a également été rejetée. Quant à Mironov, sa réponse tutoie le sublime : « Quand ton camarade [Poutine] monte au front, tu dois l'épauler. »

Pour le moment, il n'y a pas vraiment de campagne électorale. Les présidentiables traditionnels ne veulent pas être candidats. Les candidats déclarés ne veulent pas être élus. Une situation délirante... Et personne ne s'en offusque.

Seule distraction : la guéguerre de Rodina continue. Dimitri Rogozine, le chef du groupe parlementaire de ce parti à la douma, a annoncé qu'à la présidentielle il soutiendra non pas son camarade Glaziev, mais Poutine. Avant d'appeler à annuler l'élection et à instaurer l'état d'urgence, suite à l'attentat de ce matin.

7 février

Cinq nouveaux centres de récolte de sang ont été ouverts à Moscou. La ville ne possède pas suffisamment de réserves pour couvrir les besoins des cent vingt-huit victimes de l'attentat d'hier qui sont toujours hospitalisées.

Curieusement, on ne voit pas de détecteurs d'explosifs dans le métro, ni de patrouilles de policiers. Nous sommes d'une nature incroyablement insouciante, même si notre sport favori consiste à chercher sans cesse à découvrir des complots dont nous serions les cibles. La constance dans l'effort n'est pas notre fort non plus ; nous préférons nous soumettre à la fatalité. La police contrôle les papiers de quelques passagers du métro, mais à quoi cela peut-il bien servir ? Les terroristes prennent bien garde à avoir des papiers en règle. Résultat : les forces de l'ordre n'attrapent que de pauvres Tadjiks qui ont fui leur pays ravagé par la crise économique et qui acceptent ici les labeurs les plus rudes, ceux dont les Russes eux-mêmes ne veulent pas. Les policiers leur extorquent les quelques sous qu'ils ont péniblement gagnés et les laissent partir. Mais que font les services spéciaux ? Les attentats relèvent de leur responsabilité ; pour l'instant, ces services tant vantés brillent par leur inefficacité. Des milliers de jeunes conscrits ont été amenés à Moscou pour surveiller les lieux sensibles. Tant mieux pour eux : ils seront mieux nourris et mieux payés que s'ils étaient restés dans leurs casernes.

Mais toutes ces mesures ne donneront rien. Ce n'est que de la poudre aux yeux. Dès que ce cauchemar aura commencé à s'effacer des mémoires, il y aura un nouvel attentat. Comme le dit l'écrivain et journaliste Alexandre Kabakov : « Nous sommes encore vivants parce que les donneurs d'ordres manquent d'exécutants. Pourquoi les donneurs d'ordres sont-ils encore vivants ? C'est une autre question... »

Le directeur du FSB, Nikolaï Patrouchev *, n'a pas été limogé ; c'est un ami personnel de Poutine. Combien d'autres vies et d'attentats non prévenus faudra-t-il pour que le président comprenne que son copain échoue lamentablement dans sa mission ?

À la station Paveletskaïa, à l'endroit où les gens déposent des fleurs à la mémoire des victimes, quelqu'un a écrit sur un mur : « Nous nous vengerons. » Sans point d'exclamation à la fin. Juste un point. Ce point est très important. La colère du peuple est sourde.

L'organisation de défense des droits de l'homme « Mémorial » a publié le communiqué suivant : « Nous pleurons les morts et exprimons notre plus vive compassion aux victimes. Ce crime est injustifiable et impardonnable. Malheureusement, l'incapacité de nos dirigeants de régler le conflit tchétchène – réellement et non de manière superficielle – a renforcé les positions des extrémistes, c'est-à-dire de ceux qui n'admettent aucun compromis. Les actes inhumains des forces fédérales en Tchétchénie sont porteurs de grands dangers pour chaque Russe. Des centaines de milliers de gens vivent depuis de longues années dans une atmosphère de mort et de souffrance ; ils ont été rejetés au-delà des normes de la vie civilisée. Ces milliers de personnes humiliées, dont les proches ont été tués, blessés ou enlevés, représentent un terreau fertile pour le recrutement de chahids prêts à perpétrer des attentats suicides. Seul un changement de politique radical peut rendre aux citoyens russes la paix et le calme... »

Les membres du groupe « L'affaire de tous » (des dirigeants de diverses organisations de défense des droits de l'homme) se sont également prononcés au sujet de l'explosion du 6 février : « Nous sommes bouleversés par la tragédie survenue dans le métro. [...] Nous estimons qu'il est sacrilège de tirer des conclusions hâtives et de lancer des accusations sans fondement. Ce type de comportement ne fait qu'accentuer la douleur des gens et augmenter la haine et l'agressivité dans notre société. Nous protestons contre les propos qui incitent à la haine raciale de Sergueï Glaziev et contre l'appel de Dimitri Rogozine à introduire l'état d'urgence et à annuler l'élection présidentielle. Nous sommes indignés par la position de Vladimir Poutine qui, quelques heures à peine après l'attentat, avait déjà désigné les coupables. Nous exigeons une enquête. »

Mais il n'y aura pas d'enquête sérieuse.

Ivan Rybkine a disparu. Voilà la grande affaire de la campagne – un candidat à la présidentielle s'évapore dans la nature ! Sa femme est folle d'inquiétude. Elle pense que son époux a été enlevé pour avoir osé critiquer Poutine. Depuis une semaine, les partisans de Rybkine, qui sont en train de recueillir des signatures dans tout le pays afin de lui permettre d'être candidat, informent son quartier général moscovite des pressions dont ils font l'objet de la part de la police. En Kabardino-Balkarie, par exemple, la police a menacé des étudiants pro-Rybkine de s'adresser aux rectorats de leurs universités et de « s'occuper de leurs études ultérieures ».

9 février

Rybkine n'a toujours pas réapparu. Mais sa candidature a quand même été validée, finalement. Celle de Khakamada aussi.

Le type d'explosif et la composition de la bombe du 6 février n'ont toujours pas été déterminés.

Poutine martèle la même chose qu'au lendemain de la prise d'otages de *Nord-Ost* : d'après lui, l'opération a été planifiée depuis l'étranger.

Un deuil national a été décrété en mémoire des victimes de l'attentat. Mais, à la télévision, il n'en est pas question : la publicité est plus tapageuse que jamais, les stars de la pop continuent de danser... C'est honteux. Car cent cinq personnes sont toujours hospitalisées et, aujourd'hui même, le pays enterre deux morts. D'abord, Alexandre Ichounkine, un lieutenant des forces armées natif de la région de Kalouga. Il n'avait que vingt-cinq ans. Diplômé de la prestigieuse faculté d'économie Bauman, à Moscou, Alexandre effectuait son service en tant qu'officier dans la ville de Naro-Fominsk où habitait sa famille. À l'occasion d'une permission, il s'est rendu à Moscou pour voir des amis. Il devait rentrer le 6 février. Ce matin-là, il a pris le métro pour se rendre à la gare.

Avant d'entrer dans le métro, il a appelé sa mère pour lui dire qu'il serait à la maison à onze heures. Comme il n'était pas là à l'heure dite, elle a pensé qu'il avait raté son train. C'est son oncle, Mikhaïl, qui est venu identifier le corps à la morgue... Depuis le décès de son père sept ans plus tôt, le jeune officier était devenu le vrai chef de la famille, un homme sur lequel on pouvait compter. Sa mère pleure : « C'est comme si l'on m'avait arraché mon âme. Il m'avait promis que j'aurais des petits-enfants... » Même ici, notre État a réussi à mentir : sur le certificat de décès, à la rubrique « cause de la mort », il n'y a rien. Pas un mot de l'attentat.

L'autre victime que l'on enterre aujourd'hui est encore plus jeune : Ivan Aladine, un Moscovite de dix-sept ans. Les amis, les camarades de classe et les membres de la famille d'Ivan sont si nombreux à ses funérailles que leur procession s'étire sur une bonne partie du cimetière. On l'appelait « Ivan l'ouragan ». Il était très gai, vif et sensible. Il n'a pas eu le temps de faire grand-chose. Le 6 février, il se rendait à son travail : il venait de décrocher un job de coursier, trois jours plus tôt. Le 16 février, il aurait eu dix-huit ans.

Toujours pas de Rybkine. Guennadi Goudkov, le vice-président de la Commission de la douma sur les questions de sécurité, fait courir le bruit que Rybkine serait sain et sauf. Mais alors, où se trouve-t-il ? L'État n'a-t-il pas des obligations à l'égard d'un candidat officiel à l'élection présidentielle ? Sa femme croit plus que jamais à un enlèvement. Le parquet de la région de Presnia a ouvert une enquête pour « meurtre prémédité », mais, une heure plus tard, sur ordre du parquet général, l'enquête a été annulée. Que se passe-t-il donc ?

Les politologues russes continuent d'affirmer que Poutine n'a pas à craindre que les élections soient considérées comme une farce : il fait face à de nombreux adversaires plus ou moins consistants, ce qui signifie que l'apparence d'une compétition honnête est préservée. En effet, il aurait été pour le moins embarrassant que Poutine se retrouve face au gorille Malychkine et au fabricant de cercueils Sterligov. Cela n'aurait pas été dangereux, bien évidemment, mais très désagréable. C'est pour éviter une situation aussi cocasse que tant de candidatures ont été enregistrées, même celle de Rybkine qui, d'après les propres déclarations de la CEC, n'avait pas récolté suffisamment de signatures valides. Tout avait l'air d'aller comme sur des roulettes; sauf que Rybkine a subitement disparu. Le contrôle de la situation a-t-il échappé à Vladislav Sourkov, le grand orchestrateur de l'opération « Poutine 2004 » ? Mais peu importe, car nul ne semble se soucier de ce que l'on pourrait appeler la « culture des élections ». Une telle culture implique le respect des hommes politiques envers les électeurs. Les sortants doivent présenter leur bilan et proposer un programme clair pour l'avenir. Hélas, notre « culture » à nous est bien éloignée de ce type de préoccupation. Les électeurs peuvent penser ce que bon leur semble, le résultat est couru d'avance.

10 février

À Moscou, on enterre aujourd'hui treize victimes des attentats du 6 février. Vingt-neuf personnes se trouvent toujours dans un état très grave. Hier, l'un des blessés est décédé, portant le bilan à quarante morts.

Rybkine a enfin refait surface! Toute cette histoire est très étrange. En début d'après-midi, il est entré en contact avec ses proches pour annoncer qu'il était à Kiev... où il se reposait avec des amis! La directrice de sa campagne, Ksenia Ponomareva, a immédiatement démissionné de son poste. Quant à sa femme, elle est en état de choc et refuse de lui parler. Tard dans la soirée, Rybkine a regagné Moscou par avion. Il fait peur à voir. Il ressemble bien moins à un homme qui s'est reposé avec des amis qu'à un cadavre ambulant. Il déclare que « cela a été plus dur que de négocier avec les Tchétchènes ». Il porte des lunettes noires pour femme. Un garde du corps immense l'accompagne.

« Que vous est-il arrivé? Qu'est-ce qui vous a retenu? » lui a-t-on demandé. Il n'a rien répondu. Pendant qu'il était encore dans l'avion qui le ramenait de Kiev à Moscou, sa femme a accordé une interview à l'agence de presse Interfax. Elle a déclaré « qu'elle plaignait la Russie d'être l'objet de la convoitise d'hommes si méprisables ». Elle faisait, bien sûr, allusion à son mari. Un vrai sitcom en direct, un de plus...

Selon certaines rumeurs, Rybkine aurait l'intention de retirer sa candidature.

À Saint-Pétersbourg, des skinheads ont tué une fillette tadjique âgée de neuf ans, Hurcheda Sultanova, sous les yeux de Youssouf, son père. Youssouf Sultanov travaille à Saint-Pétersbourg depuis de longues années. Le soir du drame, il revenait de la patinoire avec Hurcheda et le cousin de celle-ci, Alabir, onze ans. Des « crânes rasés » agressifs les ont suivis et les ont attaqués dans un passage sombre qui conduit à leur immeuble. On a relevé onze coups de couteau sur le corps d'Hurcheda. Alabir s'est sauvé par miracle en se cachant sous une voiture garée dans le passage. Il a vu les skinheads frapper sa cousine jusqu'à ce qu'ils se rendent compte qu'elle était morte. C'était un vrai lynchage. Les assassins criaient : « La Russie aux Russes ! »

Les Sultanov n'étaient pas des clandestins, c'étaient des Pétersbourgeois parfaitement en règle. Mais les néo-nazis ne vérifient pas les papiers de leurs victimes...

En tenant des discours qui stigmatisent les étrangers, nos dirigeants portent une lourde part de responsabilité dans ce genre de tragédies. Car les expressions qu'ils emploient sont pratiquement des appels au pogrom...

Quinze suspects ont rapidement été arrêtés... et tout aussi rapidement relâchés. Certains d'entre eux étaient des fils de policiers de la ville. Aujourd'hui, on estime qu'environ 20 000 adolescents pétersbourgeois appartiennent à des organisations de jeunesse qui promeuvent une idéologie d'extrême droite. Les skinheads de Saint-Pétersbourg comptent parmi les plus actifs du pays. Ils agressent régulièrement des Caucasiens, des Chinois, des Africains... À ce jour, personne n'a jamais été condamné pour agression raciste. L'explication est simple : nos forces de l'ordre sont elles-mêmes profondément contaminées par ce fléau. Les journalistes le savent bien : lorsqu'ils interrogent des policiers au sujet de ces crimes, ceux-ci les réprouvent, mais une fois les dictaphones éteints, ils expliquent sans complexes qu'ils comprennent très bien les skins et qu'eux également en ont assez de ces « culs noirs » de Caucasiens.

11 février

Le sitcom « Le candidat Rybkine » bat son plein. Le héros du jour accumule les déclarations fracassantes, comme par exemple :

« Ce que j'ai vécu au cours de ces trois jours est comparable à la seconde guerre tchétchène. » Mais personne ne le croit. Le pays préfère ironiser sur « les vacances de M. Rybkine à Kiev ». Avant cet épisode mystérieux, Rybkine avait la réputation d'être un homme sérieux, responsable, peu enclin aux aventures, non buveur et, pour tout dire, un peu ennuyeux. Cette escapade à Kiev ne lui ressemble pas du tout. Mais que s'est-il donc passé en Ukraine ? D'ailleurs, peut-on être certain que c'est bien en Ukraine qu'il se trouvait ces derniers jours ? Rybkine affirme avoir passé un peu de temps dans une maison de repos appartenant à l'administration présidentielle et située dans un faubourg de Moscou, avant d'être transporté à Kiev. D'après lui, les gens qui le retenaient lui ont ordonné d'appeler à Moscou pour expliquer sa disparition par son « droit à la vie privée ».

Mais alors, à qui ce drôle d'enlèvement a-t-il bien pu profiter ? Puisqu'il n'y a pas eu d'enquête officielle, on ne peut que faire des suppositions sur le déroulement des événements. Et comme tout le monde, j'ai ma propre version de l'affaire.

Chacun sait que Poutine a refusé de participer à des débats télévisés avec ses adversaires – une dérobade qu'il a justifiée par le fait que « le peuple a déjà tout compris ». En vérité, il craint comme la peste de devoir répondre à des questions imprévues. Poutine n'est pas un grand orateur. On l'a bien vu lors de plusieurs de ses voyages à l'étranger : quand il se retrouve face à des journalistes occidentaux qui, à l'inverse de leurs confrères russes, n'hésitent pas à lui poser des questions gênantes, il perd souvent le contrôle de ses nerfs... Il préfère largement réciter des monologues soigneusement préparés ou répondre à des questions complaisantes dont il connaît le contenu à l'avance. Et c'est tout naturellement qu'il a décidé de conduire sa pseudo-campagne électorale de cette manière, comme l'a d'ailleurs montré sa performance télévisée du 18 décembre dernier.

Chacun sait également qu'un seul astre brille à notre firmament politique, un astre au taux de popularité incomparable et qui n'a rien à craindre, sauf des révélations embarrassantes sur un passé pas très reluisant. Et voilà justement que, à quelques semaines de la présidentielle, Rybkine sort du rôle de figurant qui lui était attribué dans notre théâtre de dupes et se met à répéter à qui veut l'entendre qu'il possède des éléments compromettants sur le passé de notre astre unique ! Et qu'il est prêt à les révéler au public ! Comme si cela ne suffisait pas, Rybkine a traité Poutine d'« oligarque » : il touchait ainsi une corde sensible, car toute la campagne électorale de notre astre repose sur la dénonciation des oligarques...

Bref, cette soudaine agitation de Rybkine a pu alarmer le président candidat. De plus, derrière Rybkine se profile l'ombre inquiétante de Boris Berezovski, l'ancienne éminence grise du Kremlin qui dispose sans doute de dossiers compromettants sur toute l'élite russe... Qui sait si ces deux-là n'allaient pas dévoiler au grand jour la face cachée de l'astre ? C'est ainsi que le candidat Rybkine, que tout le pays considérait comme parfaitement inoffensif, a pu apparaître aux yeux du candidat Poutine comme une véritable arme de révélation massive...

Question essentielle : quels sont donc ces atouts que Rybkine menaçait de sortir de sa manche ? Le Kremlin devait absolument le découvrir. C'est pour cette raison que les hommes du président ont enlevé le gêneur et lui ont administré de puissants psychotropes. Aujourd'hui, les services secrets disposent de drogues qui leur permettent d'extorquer n'importe quelle information à n'importe qui. Il est très probable que Rybkine lui-même ne se souvienne même pas de ce qu'il a dit.

Voilà qui expliquerait sa présence dans une maison de repos de l'administration présidentielle, un endroit où personne ne viendrait déranger ses interrogateurs. Mais il fallait également s'assurer qu'à son retour il ne représente plus aucun danger. C'est ce qui justifie son transfert à Kiev et le montage de toute cette histoire grotesque de « droit à la vie privée ». Mme Rybkine a d'ailleurs bien aidé le Kremlin dans cette histoire en jouant à fond son rôle d'épouse outragée. Résultat : d'une part, le pouvoir a appris ce qu'il voulait apprendre ; de l'autre, Rybkine a été complètement discrédité et passe désormais pour un fêtard inconscient dont personne n'écoute les balivernes.

Les détails de l'opération sont également très intéressants. Le fait que Rybkine se soit retrouvé dans une maison de repos appartenant à l'administration présidentielle prouve que cette dernière a pris part à son enlèvement, de concert avec le FSB. D'ailleurs, l'administration présidentielle, cette espèce de gouvernement fantôme, est depuis longtemps considérée comme un département du FSB. Goudkov, le vice-président de la Commission de la douma sur les questions de sécurité, n'avait-il pas fait savoir que Rybkine avait été aperçu dans cette maison de repos et qu'il était sain et sauf ?

Mais il n'y est pas resté longtemps. Alors qu'il venait d'y arriver, ses « hôtes » préparaient déjà son retour à Moscou *via* Kiev. Point important, Rybkine a été transporté de Russie en Ukraine en secret : son passeport ne comporte pas le cachet de la douane, pourtant obligatoire.

Ce genre d'opération n'a pu être réalisé sans que les services ukrainiens ne soient au courant. C'est pour cela que le Kremlin aime tant Koutchma : parce qu'il nous est d'une aide précieuse dans nos petites magouilles politiques. Bien entendu, c'est donnant, donnant : la Russie, en contrepartie, n'hésitera pas à aider le régime ukrainien dans ce genre de machinations. Voilà pourquoi Moscou souhaite tant développer la Communauté des États indépendants : pour permettre aux anciens camarades du KGB soviétique de maintenir le contact...

Voyons à présent qui a participé à cette conspiration. Qui pourrait commanditer l'enlèvement de Rybkine et l'obtention de l'information qu'il détenait par l'emploi de psychotropes ? Évidemment, celui à qui profite le crime. L'astre en personne.

Naturellement, il n'a pas donné d'ordre écrit. Mais nous savons bien comment se comportent nos grands chefs : il leur suffit de froncer les sourcils pour que leurs serviteurs accourent immédiatement afin de satisfaire leurs exigences. Ce phénomène est bien connu sous le nom d'« effet Pavel Gratchev * ». Rappel : cet ancien ministre de la Défense avait été extrêmement contrarié par les recherches menées sur son compte par le journaliste Dimitri Kholodov. Il a alors suffi d'une petite allusion de sa part pour que quelqu'un envoie un colis piégé au journaliste trop curieux. Bien entendu, le nom de Gratchev n'a jamais été cité dans l'enquête sur cet assassinat...

Dans le cas qui nous intéresse, cet « effet Gratchev » a sans doute joué à plein. Heureusement, Rybkine n'a pas connu le même sort que Kholodov. Non que notre régime se soit adouci ; seulement, le décès brutal d'un candidat déclaré à la présidentielle en pleine campagne aurait fait désordre...

Si ce genre d'histoires abracadabrantes survient dans notre pays, c'est simplement parce que notre président candidat est incapable d'affronter la contradiction et refuse de faire la lumière sur son passé d'agent de la police politique. Et pourquoi devrait-il le faire, alors qu'il peut aisément se débarrasser de ses adversaires encombrants ?

Pendant tout le mois de janvier, les disparitions suivies d'assassinats se sont multipliées en Tchétchénie. Rien qu'en un mois, il y a eu au moins autant de victimes que dans l'attentat du métro moscovite commis le 6 février. En Tchétchénie, c'est la guerre de tous contre tous. La République grouille d'hommes en armes : ce sont les « structures de force tchétchènes » censées maintenir l'ordre. Malgré leur omniprésence, ou à cause d'elle, la peur de la population est palpable. Les visages sont maussades. Les adultes sont stressés, certains à moitié fous. Des enfants qui n'ont d'enfantin que la taille essaient de se faufiler jusqu'à leurs écoles. Des jeeps blindées bourrées de soldats roulent sans freiner. Les soldats qui s'y trouvent s'amusent à prendre les passants en joue avec leur mitrailleuse. Les gens les regardent avec un mélange de peur et de haine. La nuit, on entend des fusillades et la canonnade de l'artillerie. Le matin venu, on découvre des traces fraîches de tirs de mortier. Cette guerre finira-t-elle un jour ? Mais voulons-nous vraiment qu'elle se termine ?

Nous sommes censés être en pleine campagne électorale, mais il n'y a pas eu dans le pays une seule grande manifestation contre la guerre de Tchétchénie. La patience fantastique et inexplicable de notre peuple est le principal gage du succès de ce cauchemar nommé « Poutine ».

Par ailleurs, personne n'a revendiqué l'explosion du 6 février dans le métro. Pourquoi ? Il y a deux réponses possibles. Soit cet attentat est l'œuvre des services secrets russes ; soit il a été commis non pas par un groupe indépendantiste organisé, mais par des terroristes francs-tireurs qui accomplissent leur vengeance au nom de leur patrie martyrisée, de leurs parents assassinés, de leur honneur bafoué. Les deux options sont également effrayantes.

Pendant ce temps, la désagrégation du bloc libéral continue. Boris Nemtsov est carrément parti travailler dans une banque. Le SPS n'est plus le parti de Khakamada ni celui de Nemtsov. Il est le parti de Tchoubaïs. Ce qui est peu prometteur pour la droite modérée dans notre pays... Il est vrai que Nemtsov a déclaré qu'il n'envisageait pas de se retirer de la vie politique. Mais quoi qu'il dise, il est politiquement mort, ou presque.

12 février

Rybkine continue de s'agiter. Il s'est envolé pour Londres afin de consulter Berezovski. Un acte qui équivaut à un suicide politique immédiat, étant donné l'impopularité extrême de l'oligarque. Pourquoi Rybkine se conduit-il ainsi ?

Question plus importante : pourquoi, en Russie, est-il si simple pour le pouvoir de triompher de toute opposition démocratique ? Pourquoi arrive-t-il si aisément à écarter les démocrates de la vie politique ?

Bien sûr, il est indéniable que la pression de l'État est très forte. Mais le problème majeur, c'est que notre opposition n'est ni suffisamment ferme ni suffisamment honnête. Berezovski est comparable à un joueur de casino, ce n'est pas un opposant sérieux. Et ceux qui se rangent à ses côtés ne peuvent pas être considérés comme des opposants. Quant aux leaders historiques des partis démocratiques, Iavlinski le renfrogné et Nemtsov l'inconséquent, ils ont été rejetés sur le bas-côté de l'Histoire...

Oleg Kalouguine * et Alexandre Litvinenko, deux anciens officiers du KGB-FSB réfugiés respectivement à Londres et à Washington, et pénalement poursuivis par le parquet russe (le premier pour trahison ; le second pour abus de pouvoir), ont déclaré que le psychotrope employé sur Rybkine était sans doute du SP-117. Ce « médicament » est utilisé au FSB par les départements de contre-espionnage et par les unités de lutte antiterroriste, et uniquement dans des cas exceptionnels : quand il faut absolument faire parler des « cibles importantes ». En tant qu'anciens agents des services spéciaux, Litvinenko et Kalouguine connaissent bien le SP-117. Ils s'en sont sans doute servis eux-mêmes. Le SP-117 est ce qu'on appelle généralement un « sérum de vérité ». Il agit sur certaines parties du cerveau de façon telle que le « patient » devient incapable de se maîtriser, si bien qu'il répond sincèrement à toutes les questions qui lui sont posées. Litvinenko explique : « On peut faire tout et n'importe quoi avec un homme sous SP-117; après coup, il ne sera pas capable de se souvenir de ce qui s'est passé. Le SP-117 est composé de deux éléments : le " dote " et l'" antidote ". D'abord, on administre le " dote ". Il suffit d'en diluer deux gouttes dans un verre d'eau : celui qui boira ce breuvage perdra tout contrôle de soi. Il restera dans cet état pendant quelques heures. L'action du médicament peut être prolongée si l'on donne au patient quelques portions supplémentaires (mais en moindre quantité) de " dote ". Une fois les renseignements recherchés obtenus, on administre l'" antidote ", là aussi deux pilules diluées dans une boisson quelconque. Le patient revient alors à lui. Cet " éveil " rapide efface tout ce qui s'est passé de sa mémoire. Il ne lui reste qu'un trou noir. S'il s'est trouvé sous l'action du " dote " pendant plusieurs jours de suite, il peut éprouver en émergeant une peur panique et être plongé en état de choc. »

Cette description cadre bien avec les images du retour de Rybkine de Kiev à Moscou. Mais les explications de Litvinenko et de Kalouguine ne peuvent plus sauver la carrière politique de Rybkine. Poutine a gagné cette manche contre Berezovski, devenu son ennemi juré après avoir pourtant joué un rôle essentiel dans son ascension à la fin des années 1990.

Aujourd'hui, au lendemain de l'élimination *de facto* du candidat Rybkine de la course électorale, la campagne présidentielle débute officiellement. Chaque candidat se voit allouer gratuitement quatre heures et demie d'antenne à la télévision, sur les chaînes publiques, en direct. Le seul qui disposait de quelques éléments compromettants, Rybkine, vient de renoncer volontairement à la possibilité de passer à la télévision. C'est exactement ce que le Kremlin voulait...

À quatorze heures, Poutine rencontre ses partisans à l'université d'État de Moscou. Plus de trois cents personnes écoutent le bilan qu'il tire de son premier mandat. Tous les médias sont admis ; le meeting est diffusé en direct et, ce soir, les journaux télévisés s'ouvriront sur cette information; mais les présentateurs des chaînes publiques qui retransmettent l'événement affirment sans vergogne que « Poutine parle en tant que personne privée ».

Naturellement, c'est encore un abus des « ressources administratives » et une violation de la loi électorale. Mais personne ne s'en plaindra.

En l'absence de débat contradictoire, le compte rendu de Poutine sur le travail accompli a été fade et vide, comme l'étaient les discours des secrétaires du parti à l'époque soviétique. Mais les artistes et les sportifs célèbres présents dans la salle l'écoutaient religieusement. Son discours s'est résumé à quelques thèses. Premièrement, lui, Poutine, ne doit plus convaincre personne de ses capacités comme il avait dû le faire il y a quatre ans. Deuxièmement, l'effondrement de l'URSS a été une catastrophe. Troisièmement, il a dirigé la Russie de la seule manière qui soit juste et adéquate aux besoins du pays. « Nous avons réussi dans beaucoup de domaines. L'ordre constitutionnel a été rétabli. La verticale du pouvoir est reconstruite. Le Parlement travaille de façon professionnelle [A. P. : mensonge]. Nous avons coupé court aux tentatives de détruire le système de maintien de l'ordre. Les réformes sont en bonne voie. La croissance du PIB est de 30 % par an. L'inflation a été divisée par trois [A. P. : mensonge]. Les petites et moyennes entreprises se développent. Les compagnies qui obtiennent les meilleurs résultats sont celles qui se montrent efficaces et non pas celles qui bénéficient de privilèges indus [A. P. : mensonge]. Nous avons acquis l'indépendance financière et la stabilité [A. P. : il n'y est pour rien]. Le niveau de vie des citoyens s'améliore [A. P. : mensonge]. Il y a toujours des retards pour les versements des salaires, mais ce problème n'est pas national, seulement local [A. P. : mensonge]. Les grèves ont disparu [A. P. : non]. Les revenus de nos citoyens croissent rapidement [A. P. : non]. Le nombre de personnes ayant un revenu inférieur au minimum vital s'est réduit d'un tiers [A. P. : mensonge]. La confusion et l'incapacité de faire des projets à long terme appartiennent au passé [A. P. : mensonge]. La peur a été surmontée [A. P. : non]... »

Pendant la demi-heure qu'a duré son discours, Poutine n'a pas prononcé une seule fois le nom d'Eltsine. Il n'a pas avancé une seule idée constructive concernant l'avenir. Mais le peuple a tout « avalé » sans broncher, comme toujours. L'opposition aussi. Quant au public, il a longuement applaudi l'orateur.

Évidemment, personne n'a jugé bon de comptabiliser cette demi-heure d'émission dans le temps d'antenne imparti aux candidats..

Cet « événement » a été couvert par six cents journalistes. Ils ont été réunis au centre de presse du ministère des Affaires étrangères à neuf heures trente du matin. Leur inscription a duré jusqu'à douze heures. Tous ont été fouillés et installés dans des bus. Un homme à tête d'agent du FSB, employé du QG de campagne du président, a aboyé à plusieurs reprises : « Pas de questions lors de la rencontre ! Vous m'avez compris ? » Les journalistes ont été amenés à l'université dans vingt-trois bus verts, escortés par la police. Comme des enfants se rendant dans une colonie de vacances. Après le meeting, on les a de nouveau installés dans des bus puis ramenés au point de départ. Il n'était pas autorisé de se déplacer autrement. C'est donc cela, la « rencontre d'une personne privée avec ses amis » afin de discuter d'un avenir meilleur pour le pays ?

Olga Zastrojnaya, membre de la Commission électorale centrale (CEC), a déclaré que la retransmission de l'intervention du président était une « violation directe des règles de la campagne ». Cependant, selon elle, la responsabilité en incombe aux médias et non à Poutine. Il serait « impossible » de démontrer que Poutine a fait pression sur les journalistes...

Alexandre Ivantchenko, le président de l'Observatoire indépendant des élections, ex-responsable de la CEC, est cinglant : « La campagne électorale de Poutine transgresse toutes les règles. Elle viole clairement les procédures en vigueur. Par conséquent, l'élection présidentielle ne devrait pas être reconnue légitime. Mais la CEC n'y peut rien. Et elle ne fera rien... »

Cela aussi, le peuple l'a accepté sans broncher. Le président de la Fondation pour une politique efficace, Gleb Pavlovski, qui est l'un des principaux conseillers politiques du Kremlin, un homme des plus cyniques, a même osé dire publiquement : « Les électeurs se moquent bien de savoir qui passe le plus à la télévision ! »

Les sociologues « officiels » prévoient un taux de participation de 80 % le 14 mars. D'après leurs sondages, Poutine obtiendra 71 % des voix ; Glaziev, 4 % ; le vote « contre tous », 4 % également ; Kharitonov aura 3 %. Les autres candidats se partageront les miettes. Les sociologues soulignent spécialement l'impopularité de Khakamada : 35 % des sondés « ne voteraient pour elle en aucune circonstance ».

Les trois leaders sont donc Poutine, Glaziev et Kharitonov. L'attentat dans le métro n'a nullement ébranlé la cote du président. La télévision continue de laver les cerveaux en montrant aux spectateurs les « réussites nationales ». Par exemple, aujourd'hui, le

Premier ministre Kassianov * a annoncé que la production agricole a augmenté de 1,5 % et que, depuis l'arrivée de Poutine aux affaires, toutes les bases nécessaires au développement de l'agriculture ont été posées. « Nous pouvons redevenir un exportateur majeur de céréales », annonce Kassianov. Mais je doute que cette flagornerie le sauvera. Il sera bientôt licencié. En effet, Poutine ne supporte plus les derniers reliquats de l'époque d'Eltsine. Leur présence lui rappelle l'épisode de sa désignation en tant que dauphin d'Eltsine, ce moment où il n'était rien de plus qu'une marionnette.

Au cours de la campagne électorale, nous avons appris que nous étions des « leaders » dans tous les domaines : les armements, les céréales, les recherches spatiales... Dieu merci, ils n'évoquent pas l'industrie automobile. C'est qu'ils n'ont pas oublié le « confort » de nos Jigouli !

Nouvelle faveur de notre tsar : Poutine augmente de deux fois et demi les salaires des fonctionnaires qui travaillent dans la zone de l'« opération antiterroriste ». Cette mesure réduira-t-elle les extorsions et les pillages en Tchétchénie ?

Le SPS continue de mourir. Le congrès du parti a décidé de ne pas donner de consignes de vote pour la présidentielle : il n'appelle ni à voter pour Khakamada (qui en est toujours officiellement membre) ni à voter contre elle. D'autre part, le congrès a fait à Khakamada une proposition révoltante : si elle obtient 4 % le 14 mars, elle sera désignée présidente du Conseil politique du SPS. C'est-à-dire qu'ils la laissent mener la lutte toute seule, sans lui offrir le moindre soutien, mais sont prêts à la récupérer en cas de résultat correct. C'est une attitude lâche. On pourrait s'attendre à ce type de manœuvres de la part de Poutine, mais venant de libéraux, c'est pour le moins inattendu.

13 février

Au Qatar, un attentat a fait exploser la voiture à bord de laquelle se trouvait Zelimkhan Iandarbiev, ancien vice-président de la Tchétchénie, qui avait été le compagnon d'armes de Doudaev et de Maskhadov. Depuis le début de la deuxième guerre tchétchène, il avait quitté la Tchétchénie pour de bon. Il n'y a aucun doute : c'est l'œuvre des « nôtres ». Mais quels « nôtres » ? Le GRU [1] ou le FSB ? Je penche plutôt pour le GRU. [Plus tard, on apprendra que c'est effectivement le GRU qui s'y est collé.]

Ivan Rybkine a annoncé qu'il n'avait pas l'intention de rentrer de Londres. C'est la première fois dans l'histoire du pays qu'un candidat à la présidentielle fuit le pays avant le scrutin...

Je reçois un coup de téléphone à la rédaction de mon journal, *Novaïa Gazeta*. Mon interlocuteur prétend appartenir aux services spéciaux : « Transmettez à Londres – je sais que vous avez des contacts là-bas – que si Rybkine apparaît à la télévision et y exhibe des documents compromettants pour Poutine, il y aura un nouvel attentat. Le président serait obligé de déplacer l'attention de l'opinion publique... »

J'ai transmis le message. Mais Rybkine a déjà renoncé à tout. Il craint pour sa vie.

L'électorat libéral hésite. Khakamada a réuni ses partisans à Moscou. Je suis allée à cette rencontre. Beaucoup de gens expliquent que si Khakamada ne s'était pas portée candidate, ils auraient voté « contre tous » ou se seraient abstenus.

Contre toute attente, Gleb Pavlovski, l'un des principaux conseillers politiques du Kremlin, a salué la candidature de Khakamada : « Sa décision de se présenter a été la décision d'un citoyen libre. Voilà longtemps que nous n'avions plus vu les libéraux parler et agir concrètement. Elle a été écœurée par les débats internes des démocrates, qui passent leur temps à se demander lequel d'entre eux est responsable de leurs malheurs. Elle a su se dégager de ces disputes politiques et saisir sa chance de devenir le porte-voix de cette partie de l'électorat. En revanche, je suis plus sceptique sur les actions qu'elle a entreprises depuis l'annonce de sa candidature. »

Il est vrai que Khakamada est parfois inconséquente, voire hystérique. Lors des débats télévisés auxquels elle est invitée, elle réclame : « Amenez-moi Poutine ! Je veux discuter directement avec lui ! »

Mais elle sait très bien qu'il est hors de question qu'on la laisse parler avec le président...

1. Le GRU (*Glavnoe Razvedyvatelnoe Oupravlenie*) est la direction de renseignements de l'état-major militaire.

Pendant ce temps, Rogozine et Glaziev, les frères ennemis de Rodina, continuent d'exciter les sentiments des nationalistes frustrés par le « recul de la Russie ».

14 février

À un mois de l'élection. Moscou vient d'être frappée par une nouvelle catastrophe. Le toit de l'Aquapark, un centre d'attractions aquatiques situé dans le quartier de Iasenevo, s'est effondré. 70 % de la toiture – grande comme un terrain de football – sont tombés. Officiellement, quatre cent vingt-six personnes se trouvaient à l'intérieur à ce moment-là. Officieusement, elles auraient été plus de mille. Les clients se sont précipités à l'extérieur du bâtiment, se retrouvant en maillot de bain dans la rue par une température polaire. L'immeuble semblait pris dans un nuage de fumée ; en fait, il s'agissait de la vapeur d'eau qui s'échappait de l'intérieur. L'Aquapark avait un restaurant, un bowling, des bains, des salles de sport et un espace familial avec une piscine pour enfants. Cette piscine a été pratiquement ensevelie sous les décombres. Vingt-six personnes sont mortes sur place. Il y a énormément de blessés. Les autorités affirment que ce n'est pas un attentat, mais tout le monde est persuadé du contraire.

Rodina se désagrège à grande vitesse. Glaziev sera candidat en son propre nom. Le reste du parti soutiendra Poutine.

Notre bureaucratie commence déjà à mettre des bâtons dans les roues du Parti des mères de soldats (PSM). Le ministère de la Justice, instance responsable de l'enregistrement des partis, a déclaré n'avoir reçu aucun document de la part du PSM, alors même que les mères possèdent les preuves du contraire. Les fonctionnaires intriguent pour forcer le PSM à enfreindre la loi, extrêmement compliquée et confuse, qui régit le fonctionnement des partis. Pour le moment, les femmes tiennent bon.

Le porte-parole du ministère de la Justice, Evgueni Sidorenko, a cru trouver une parade astucieuse : « Je ne suis pas sûr que nous pouvons enregistrer un tel parti. Un parti politique ne doit pas expressément interdire à toute une catégorie de la population d'entrer dans ses rangs. Que se passe-t-il si ce n'est pas une mère mais un père qui souhaite y adhérer ? »

Bien vu. Les pères ont effectivement suivi le mouvement. Dans notre désert politique, un tel parti a une force d'attraction si grande que de nombreux hommes sont prêts à y entrer, en dépit de son nom. Évidemment, personne ne le leur interdit. Il y a même des officiers en fonction qui appellent les comités des mères de soldats et leur demandent s'ils peuvent eux aussi prendre part à la création du parti. Il s'agit de ces officiers honnêtes qui refusent que l'armée casse systématiquement les jeunes recrues. Ils voient dans le PSM un moyen de sauver notre armée et d'assurer un contrôle public de son fonctionnement. Comment prendra-t-on cet engouement au Kremlin, alors que le pouvoir s'est investi dans un grand ratissage politique depuis le mois de décembre ?

15 février

La famille de Hurcheda Sultanova, la fillette tuée par des skinheads à Saint-Pétersbourg, a quitté la Russie pour aller vivre au Tadjikistan. Les parents ont emporté les restes de leur fille pour l'y enterrer.

Soixante-seize personnes blessées dans l'attentat du métro commis le 6 février sont encore hospitalisées. Certains corps n'ont toujours pas été identifiés. L'enquête sur cette tragédie a été confiée au FSB. Le service a immédiatement réclamé l'accroissement de ses prérogatives, comme aux États-Unis après le 11 septembre.

Aujourd'hui, c'est le quinzième anniversaire du retrait russe d'Afghanistan. Une date qui est généralement considérée comme la fin de la guerre afghane. Mais elle a également signé le début du terrorisme. Ce sont les troupes soviétiques qui en ont posé les fondations dans ce pays. Nous y avons tout autant contribué que les Américains qui ont fabriqué Ben Laden.

16 février

Partout s'ouvrent des centres de transfusion sanguine pour venir en aide aux victimes de l'Aquapark. Nous nous habituons aux malheurs. Nous savons quoi faire dans ces situations.

Les actionnaires de Ioukos ont annoncé qu'ils étaient prêts à racheter Khodorkovski à l'État : ils proposent leurs parts du capital de la compagnie en échange de la libération de leur ancien patron et de son bras droit Platon Lebedev *. Cette annonce a été faite par l'un des hommes forts du groupe, Leonid Nevzline, qui s'est réfugié en Israël. Depuis sa prison, Khodorkovski s'est indigné et a refusé d'être racheté. Il veut boire le calice jusqu'à la lie.

17 février

La chaîne NTV a refusé d'ouvrir son antenne aux candidats à la présidentielle. Prétexte invoqué : tous ces candidats ont des cotes de popularité très basses, personne ne regarderait ces émissions. Bien sûr, personne ne doute du fait que cette décision a été dictée par le Kremlin.

Tout l'après-midi, il a régné une drôle d'effervescence. Le téléphone n'a pas arrêté de sonner : « La roquette est-elle passée loin de lui ? Dommage. » Pour moi, c'est une révélation : je ne pensais quand même pas que tant de gens pouvaient souhaiter la mort du président...

Mais revoyons les événements : Poutine était allé assister à des exercices stratégiques de la flotte du Nord dans la mer de Barents. Il était à bord du croiseur nucléaire *Arkhangelsk*. À proximité se trouvait le sous-marin *Novomoskovsk*, armé de seize missiles. Le clou du programme était le lancement, depuis ce dernier sous-marin, du missile « Sineva », porteur d'une charge expérimentale comparable, par sa masse, à une charge nucléaire. Poutine était censé observer ce tir depuis la passerelle de commandement de l'*Arkhangelsk*. Mais patatras, le missile s'est détruit au moment du lancement !

L'émission officielle « Vesti » a commenté gaiement : « Dans la mer de Barents, les exercices de la flotte du Nord se sont passés avec succès. Le président, en uniforme de sous-marinier, a ensuite dîné avec de simples matelots. » C'est une attitude très soviétique que d'afficher une mine réjouie alors que les circonstances sont tout sauf réjouissantes...

S'il existe plusieurs versions concernant les causes de la destruction du missile, chacun peut constater que l'équipement militaire n'est plus tout neuf et que les meilleurs cadres ont fui l'armée. Mais il est si important de montrer que tout va pour le mieux... Seul le paraître importe.

Irina Khakamada a réuni son comité de soutien à Moscou. Elle a dit : « Je vais aux élections comme à l'échafaud. Mon seul but est de montrer au pouvoir qu'il reste dans ce pays des gens normaux et qu'ils comprennent ce qui se passe. » C'est clair : elle veut prouver que la peur n'a pas encore complètement recouvert la Russie, ce qui aurait signifié la victoire inconditionnelle de Poutine.

Dans la salle, je vois des visages familiers. Ceux qui venaient auparavant écouter Iavlinski et les gens du SPS sont ici. Gueorgui Satarov, le président du Fonds Indem (L'informatique pour la liberté), exprime ce sentiment nostalgique largement partagé dans l'assistance : « À nous autres qui sommes des vétérans du mouvement démocratique, cette réunion rappelle les années de la *perestroïka*. C'est ainsi, les rencontres démocratiques et idéalistes deviennent de nouveau d'actualité. »

Russie unie a également organisé une réunion de l'« intelligentsia démocratique » afin de soutenir Poutine qui serait « couvert de boue par ses concurrents ». Pour protéger ce pauvre homme, il y avait là la chanteuse Larissa Dolina, le réalisateur Mark Zakharov, le comédien Nikolaï Karatchentsev ou encore la dresseuse Natalia Durova. On leur a demandé d'écrire une lettre censée « défendre l'honneur et la dignité du président ». Ce qu'ils ont fait sans rechigner. Par ailleurs, lors de cette réunion, il a été annoncé que Russie unie comptait désormais 740 000 adhérents et que le nombre de ses « sympathisants » dépassait les deux millions de citoyens. Comment calculent-ils les « sympathisants » ? On se le demande... Il a également été rappelé que le parti avait été fondé en tant que « parti des partisans du président » et qu'il continuait de l'être. Ses membres ne soutiennent pas une politique, une idée, un programme... mais seulement un homme.

La majorité d'entre eux sont des fonctionnaires. Ils forment l'épine dorsale du parti. Or on sait que leur nombre croît, lui aussi. Selon le Comité national des statistiques, en 2003, le nombre des salariés de l'appareil d'État a augmenté de 6 700 personnes. Il n'y a plus 1 252 300 fonctionnaires, mais 1 259 000. Et ces chiffres ne prennent pas en compte les « ministères de force », soit environ deux millions de fonctionnaires de plus...

À la douma, la folie « antiterroriste » continue. Les députés ont rédigé des projets de loi qui, s'ils étaient adoptés, élargiraient considérablement les prérogatives des services secrets. De nouveaux amendements au code pénal durcissent la peine prévue pour les auteurs d'attentats suicides qui auraient survécu : dorénavant, ils seront automatiquement condamnés à la réclusion criminelle à perpétuité. Mais peut-on vraiment, par une telle menace, dissuader des gens qui ont décidé de se faire exploser ? Notre quatrième douma est l'incarnation même de la stupidité bureaucratique de la Russie moderne.

Le Parlement renforce les services spéciaux parce que cela plaît à Poutine. Les députés ont déjà oublié qu'après la tragédie de *Nord-Ost* les services spéciaux ont reçu un supplément budgétaire d'environ 3 milliards de roubles (soit près de 100 millions d'euros) pour financer leur lutte contre le terrorisme. Qu'est-il advenu de cet argent ? Et pourquoi le nombre des attentats n'a-t-il pas baissé en conséquence ? Personne ne se pose ces questions pourtant élémentaires. La douma ne sert qu'à donner sa « bénédiction » législative à la lutte virtuelle contre le terrorisme. La question de l'efficacité du travail des services ne se pose même pas. Pas plus que la question principale : la question tchétchène.

19 février

La Commission électorale centrale a refusé à Rybkine le droit de participer aux débats télévisés préélectoraux depuis Londres. Le piège s'est refermé : il n'aura pas l'occasion de rendre publics ses documents compromettants sur Poutine. Youri Nikiforov, le vice-président de la première chaîne, a ajouté : « Même si la CEC avait autorisé sa participation par vidéoconférence, la décision finale serait revenue à la direction de la chaîne. Or nous estimons qu'il est anormal qu'un candidat fasse campagne depuis l'étranger. Pourquoi y est-il parti ? Il se prend pour Herzen [1] ou quoi ? »

21 février

À Voronej, Amar Antoniu Lima, un étudiant en médecine originaire de Guinée-Bissau et âgé de vingt-quatre ans, est mort de ses blessures après avoir été frappé par dix-sept coups de couteau. Dans cette ville, c'est déjà le septième meurtre d'un étudiant étranger. Les assassins sont des skinheads. Une espèce de racisme bestial fleurit en Russie, galvanisé par le nationalisme extrême des forces de l'ordre et des autorités. Le slogan utilisé par Jirinovski lors des dernières élections législatives – « Nous sommes pour les pauvres, nous sommes pour les Russes » – devient de plus en plus populaire. Russie unie l'a déjà repris à son compte. Cela signifie que le garant de la Constitution lui-même l'approuve. Les skinheads aussi, naturellement.

22 février

On évoque de plus en plus l'éventualité de voir tous les candidats à la présidence, à part Malychkine et Mironov, jeter l'éponge en même temps, en signe de protestation contre le déroulement de la campagne. Glaziev serait prêt à le faire. Rybkine également. Ainsi que Khakamada. La presse pro-Poutine est outrée par le « complot des candidats d'opposition » et explique qu'ils tentent seulement de sauver la face car, le 14 mars, ils n'obtiendront que des scores ridicules.

Mais la vraie cause de cette éventuelle décision des candidats, c'est que cette campagne est une vaste plaisanterie. La population

---

1. Herzen, Alexandre (1812-1870). Révolutionnaire, écrivain et philosophe russe qui a émigré en Angleterre pour pouvoir exprimer ses idées occidentalistes et échapper à la censure régnant en Russie. À Londres, il a publié durant des années la revue politico-littéraire *Kolokol* (la Cloche), qui était clandestinement diffusée en Russie.

ne connaît rien de leurs programmes, si ce n'est les caricatures qu'en font les médias inféodés au régime. Selon Khakamada, « la campagne devient de plus en plus illégale et mensongère ».

Pourtant, les bulletins avec les noms des sept candidats sont déjà imprimés. Il y en a 109 millions.

24 février

Dix-neuf jours avant les élections, Poutine vient de limoger son gouvernement. En direct à la télévision ! Or la Constitution stipule que le président nouvellement élu doit désigner un nouveau cabinet et renvoyer l'ancien. Et bien sûr, Poutine ne va pas changer à nouveau de gouvernement au lendemain de sa réélection... Il est tellement sûr de lui qu'il ne fait même pas semblant de respecter les règles du jeu.

Les raisons de ce limogeage ne sont pas rendues publiques. Le pays ignore ce que le président reproche au gouvernement (même si des reproches à lui adresser, ce n'est pas ce qui manque !). Une seule explication est fournie : Poutine souhaite montrer aux électeurs avec quels hommes il va travailler lors de son prochain mandat. Les ministres remerciés parlent à la télévision de leur... joie d'être renvoyés ainsi. Quel manque de logique élémentaire ! Une fois encore, le pouvoir a démontré aux électeurs que le gouvernement était une institution purement décorative, susceptible d'être démantelée à n'importe quel moment, dès que les conseillers du Kremlin décident que c'est utile.

Est-il vraiment crucial de savoir qui sera désigné à la place de Kassianov ? Et qui entrera au gouvernement ? En réalité, cela n'a strictement aucune importance : chez nous, tout dépend de l'administration présidentielle. Curieusement, cette manœuvre politique a ressemblé à une opération spéciale, exécutée dans le plus grand secret, sans fuites d'information, comme s'il s'agissait d'une attaque ciblée et non d'une décision politique réfléchie et prise au grand jour. La plupart des ministres ont appris leur destitution en regardant la télévision.

Le limogeage du gouvernement a illustré le renforcement dans le pays d'une *oligarchie politique* bien plus puissante que l'oligarchie financière de l'ère Eltsine.

Avec cette destitution, le premier mandat de Poutine se termine réellement. La page eltsinienne est définitivement tournée. Kassianov était le dernier grand survivant de cette époque. Le mandat suivant n'aura plus grand-chose à voir avec le temps de son prédécesseur. Faut-il s'en réjouir ?

Depuis les États-Unis, Elena Bonner *, la veuve d'Andreï Sakharov, a adressé une lettre ouverte aux candidats : « J'appelle de nouveau les candidats à la présidentielle Irina Khakamada, Nikolaï Kharitonov et Ivan Rybkine à retirer conjointement leurs candidatures. Chacun de vous essaie, en briguant le mandat présidentiel, de communiquer son programme aux électeurs tout en expliquant à la société russe et à la communauté internationale à quel point ce scrutin est falsifié. Laissez le candidat numéro un, Poutine, seul avec ses marionnettes, et appelez vos partisans et tous les électeurs en général à boycotter les élections. Si vous ne voulez pas recourir au mot « boycott », appelez à la « non-participation ». Peu importe qu'ensuite le pouvoir annonce un taux de participation largement supérieur à la réalité. Premièrement, le Kremlin, lui, connaîtra le chiffre réel. Ce qui est encore plus important, c'est que chaque citoyen qui choisira, en son âme et conscience, de ne pas aller voter, de ne pas participer à cette mascarade, sera fier de ne pas avoir soutenu le mensonge d'État. Le simple fait de ne pas voter sera déjà un acte civique de grande signification. Mais l'essentiel, c'est que votre refus de prendre part à ces élections vous servira de point de départ pour les quatre ans à venir. L'objectif sera le même pour les hommes politiques de droite et de gauche : il s'agira de lutter pour le rétablissement dans le pays de vraies élections. Si par vos efforts communs vous parvenez à faire en sorte que les élections ne soient plus un grand mensonge et un piège, mais une consultation transparente des citoyens, alors en 2007-2008 vous pourrez redevenir des prétendants de premier plan à la charge suprême. »

La réaction à l'appel d'Elena Bonner a été nulle. Il n'a suscité ni commentaires ni indignation. Rien du tout.

26 février

Quand le pouvoir ne veut pas que le peuple ait le choix, il n'a d'autre solution que de tenter de le mystifier par tous les moyens possibles. Aujourd'hui, Poutine s'est rendu à Khabarovsk, dans l'extrême est du pays. Il s'y est montré pénétré de sa propre importance. On dirait que ce n'est pas un président démocratiquement élu qui se déplace en province, mais un empereur de droit divin... Le matin, il a inauguré l'autoroute Khabarovsk-Tchita. Il a ensuite rencontré des vétérans de l'armée, qui lui ont demandé de l'argent. Poutine a généreusement augmenté leurs retraites. Plus tard, le président a rendu visite à de jeunes joueurs de hockey dans leur tout nouveau palais des sports de glace. Il a également déclaré que la flotte de l'océan Pacifique ne serait pas réduite car « le poing du Pacifique doit être fort ». Plus tard, le ministre des Transports par intérim, Vadim Morozov, lui a réclamé 4,5 milliards de roubles (140 millions d'euros) pour la construction d'une voie ferroviaire opérant la jonction entre le Transsibérien et le BAM [1]. Poutine les lui a accordés. Les distributions ne se sont pas arrêtées là. Le gouverneur de la région de Primorié, Sergueï Darkine, a besoin de 3 milliards de roubles pour de nouveaux navires. Le président de la république de Sakha, Viatcheslav Chtyrov, désire construire un gazoduc et un oléoduc allant de la ville de Iakoutsk jusqu'à la pointe orientale du pays. Poutine a dit « oui » à tout le monde. Mais pas un mot sur le futur Premier ministre. Pendant ce temps-là, les bruits courent...

Le soir, sur la chaîne NTV, je regarde une émission pro-Poutine : « À la barre ». Le concept de l'émission est d'organiser la rencontre de deux personnalités des deux côtés d'une barre (semblable à celles utilisées au XIXe siècle pour les duels au pistolet), et de les faire discuter sur un sujet d'actualité. Au cours du programme, les spectateurs peuvent voter pour l'un ou pour l'autre des opposants. Cette fois-ci, les débatteurs étaient le député indépendant Vladimir Ryjkov et une vieille amie de Poutine, Lioudmila Naroussova, la veuve d'Anatoli Sobtchak *. La question du jour était : « Pourquoi

---

1. Le sigle BAM désigne la « magistrale Baïkal-Amour », une voie de chemin de fer parallèle au Transsibérien, plus au nord.

Poutine a-t-il renvoyé le gouvernement ? » Ryjkov s'est montré fin et ironique, se moquant ouvertement du président, mais sans méchanceté excessive ; Naroussova, quant à elle, affirmait que Poutine avait toujours raison, sans pouvoir expliquer pourquoi. C'est, d'ailleurs, un comportement typique des poutiniens... Du coup, Ryjkov a obtenu trois fois plus de voix des spectateurs. Naroussova, qui prétendait que le président sortant se présentait aux élections comme n'importe quel autre candidat honnête, a subi un échec cuisant.

Depuis cette dissolution du gouvernement, on entend refleurir, au sujet de Poutine, des blagues qui datent de l'époque de Brejnev. Les gens voteront pour lui, mais ils ne le respectent pas vraiment. Finalement, on aurait tort de confondre l'électorat et le peuple. Poutine peut compter sur le premier, pas sur le second.

27 février

Les citoyens russes qui savent que le 14 mars ils se trouveront dans des expéditions lointaines, en mer ou... dans le cosmos, ainsi que ceux qui habitent dans des régions dont l'accès est particulièrement difficile, peuvent voter dès aujourd'hui. Les résultats de leurs votes vont être rendus publics le 14 mars, en même temps que ceux des autres électeurs, mais chacun sait bien que ces votes-là feront l'objet de fraudes massives, tant il est facile pour les autorités de déclarer de « bons » résultats quand elles ont quinze jours pour faire le décompte...

2 mars

Toutes les chaînes retransmettent la conversation de Poutine avec le comédien et metteur en scène Iouri Solomine. Ils parlent du deux cent cinquantième anniversaire de la fondation des théâtres en Russie par Catherine II, qui aura lieu en 2006. Poutine se demande comment célébrer un tel événement. Il s'y intéresse vraiment beaucoup. La conversation est interminable...

Pendant ce temps, un autre blessé de l'Aquapark est mort.

Notre nouveau Premier ministre s'appelle Mikhaïl Fradkov. C'est un illustre inconnu. À l'époque soviétique, il a fait carrière au ministère du Commerce extérieur et travaillé dans plusieurs ambassades. Après la fin de l'URSS, il a connu divers ministères et exercé des fonctions dans la police fiscale. Première déclaration de Fradkov : il ne comprend pas très bien la formule de « Premier ministre technique » que Poutine a utilisée pour le décrire. Un Premier ministre qui ne sait pas quelles sont ses obligations, c'est nouveau, même pour nous.

5 mars

La situation devient complètement ridicule. La douma vote à 352 voix pour la nomination de Fradkov ! Nos députés se prononcent en masse en faveur d'un homme sans programme, un homme qui, lorsqu'on l'interrogeait sur la stratégie qu'il allait mettre en œuvre, n'a su que bafouiller : « Je viens de passer de l'ombre à la lumière... »

La question reste donc posée : quel sera le nouveau programme ? Réponse : il n'y en aura pas. Fradkov est un fonctionnaire discret, prêt à exécuter tous les ordres de Poutine. Voilà tout.

Rybkine a retiré sa candidature, sans donner d'explications. Il semble toujours psychiquement ébranlé.

Khakamada s'est rendue à Nijni Novgorod, Perm et Saint-Pétersbourg. Dans ses meetings, elle apparaît fatiguée et agressive. Si c'est pour donner ce genre de spectacle, elle ferait mieux de rester chez elle... Kharitonov est à Toula. Malychkine est dans la région de l'Altaï. Il peine à trouver des mots pour construire une phrase entière. Mironov est à Irkoutsk ; lui aussi est incapable de prononcer un discours si le texte n'est pas écrit...

Les chaînes de télévision sont unanimement révoltées : comment tous ces pitoyables individus osent-ils prétendre rivaliser avec le candidat numéro un ? Toujours la nostalgie de l'époque soviétique, quand il n'y avait qu'un candidat et que tout le monde y trouvait son compte... Le pays plonge dans l'irrationalité la plus totale. L'inconscient collectif de l'*homo sovieticus* triomphe.

8 mars

C'est la journée internationale de la femme. Comme c'est la tradition, Poutine accueille des femmes qui travaillent dans divers domaines. Il y a là une tractoriste, une scientifique, une artiste et une institutrice. Des mots pleins de pathos, du champagne, des caméras de télévision.

C'est aussi le dernier jour où il est encore possible de retirer sa candidature de la course présidentielle. Personne ne le fait. Il reste donc six candidats : Glaziev, Khakamada, Kharitonov, Malychkine, Mironov et Poutine. La télévision nous montre comment votent les éleveurs de rennes dans l'Extrême-Orient et les sentinelles sur les frontières lointaines.

10 mars

Poutine est sur toutes les chaînes. Il rencontre des sportifs pour savoir de quoi ils ont besoin pour remporter des médailles aux jeux Olympiques d'été. Ils ont besoin d'argent. Poutine promet de l'argent. La constitution du « nouveau » gouvernement a tourné au comique ; alors que le président promettait de réduire le nombre de hauts fonctionnaires, il en crée de nouveaux ! Tous les ministres « limogés » ont été repris en tant que vice-ministres dans les nouveaux ministères « consolidés ». Ainsi, au lieu des vingt-quatre ministres et ministères que nous avions précédemment, nous en avons à présent quarante-deux. Le gouvernement est le même, à l'exception de Kassianov, remplacé par l'insipide Fradkov. C'est un gouvernement oligarchique qui est contrôlé par des oligarques. Sauf que ces oligarques-là ne sont pas proches du ministère de la Finance et du ministère de la Propriété privée, comme auparavant, mais de Poutine. Ce dernier est lui-même un oligarque politique. Ce que, jadis, on appelait un empereur.

14 mars

Ça y est, le vote a eu lieu. La participation a été très élevée, comme l'administration présidentielle l'avait voulu. Le président de la douma, Gryzlov, a annoncé aux journalistes en sortant de sa permanence électorale : « En anticipant sur vos questions, je peux vous dire que j'ai donné ma voix à l'homme qui, ces quatre dernières années, a assuré à notre pays un développement économique stable et une politique transparente. »

Le soir venu, Alexandre Vechniakov, le directeur de la CEC, a déclaré qu'il y avait eu un cas de violation de la loi au cours des élections : « À Nijni Taguil, des gens vendaient de la vodka à proximité d'une permanence électorale. » De qui se moque-t-on ?

À Voronej, les autorités sanitaires ont publié une circulaire qui interdisait d'admettre un patient à l'hôpital dans la journée du 14 mars si cette personne ne pouvait pas prouver qu'elle était déjà allée voter. La même chose s'est produite à Rostov-sur-le-Don. Au service de pédiatrie de l'hôpital central de cette ville, on a exigé que tous les parents laissent leurs enfants et aillent voter. Les parents incapables d'apporter la preuve qu'ils avaient voté ont été privés du droit de voir leurs enfants.

Dans les provinces, les autorités locales ont rivalisé d'ingéniosité pour obtenir des taux de participation très élevés. Résultat : la participation aurait été de 92 % en Bachkirie, 94 % au Daghestan, 96 % en Kabardino-Balkarie, 98 % en Ingouchie... Une vraie « compétition socialiste » !

En treize ans d'indépendance, la Russie a élu son président pour la quatrième fois (1991 : Eltsine ; 1996 : Eltsine ; 2000 : Poutine ; 2004 : Poutine). Et c'est toujours la même chose : d'abord l'espoir, puis une indifférence totale vis-à-vis du candidat numéro un.

15 mars

Les résultats officiels sont tombés. Poutine a obtenu 71,22 %. Kharitonov, 13,74 %. Glaziev, 4,11 %. Khakamada, 3,85 %. Malychkine, 2,03 %, Mironov, 0,76 %.

En vérité, malgré la propagande éhontée à laquelle le Kremlin s'est livré, Poutine n'a été élu que par 45,8 % des inscrits. Quoi qu'il en dise, il est le président de la minorité de la population.

DEUXIÈME PARTIE

La grande dépression politique à la russe

[Après la réélection de Poutine, le pays a été gagné par une profonde apathie; comme à l'époque de l'URSS, la population s'est complètement désintéressée des affaires politiques. Même les grands perdants des élections et leurs partisans ne manifestaient aucune combativité. Un seul mot peut décrire cet état de la société, un mot qui évoque irrésistiblement les sinistres années Brejnev : la stagnation. Une stagnation si profonde que même la tragédie de Beslan n'a pas suffi à arracher la Russie à sa torpeur.]

5 avril

Un attentat à la bombe a visé la Mercedes du président de l'Ingouchie, Mourat Ziazikov. Ce général du FSB a été élu il y a deux ans, dans des circonstances particulièrement troubles. Pendant les semaines précédant le scrutin, toute la République avait été envahie par des agents du FSB qui se sont chargés de bien faire comprendre aux électeurs que le favori de Poutine devait absolument gagner. En effet, pour Moscou, il était essentiel que ce territoire frontalier de la Tchétchénie soit contrôlé par un homme à la botte du Kremlin.

Évidemment, la victoire de Ziazikov a été marquée par d'innombrables fraudes... mais personne n'a pris la peine de porter l'affaire devant la justice. De toute façon, il est certain que les tribunaux ingouches auraient rejeté toute requête en ce sens, de la même manière qu'aucun tribunal de Moscou n'a voulu étudier les plaintes déposées contre les triomphes électoraux de Poutine...

Par conséquent, la violence peut apparaître comme la seule manière de s'opposer à Ziazikov.

[C'est à l'occasion de la présidentielle ingouche de l'automne 2002 que le Kremlin avait pour la première fois nommé directement un dirigeant local (même si, formellement, une parodie d'élection avait eu lieu). Plus tard, après la tragédie de Beslan, cette pratique sera officiellement gravée dans le marbre. Le pouvoir ira même jusqu'à présenter la modification constitutionnelle lui permettant de désigner les chefs de région comme étant une « mesure antiterroriste ». Cruelle ironie : il est évident que c'est justement Ziazikov, le premier de ces « représentants du centre », qui est responsable de la naissance des groupes terroristes ingouches qui ont perpétré la prise d'otages de Beslan.]

Ziazikov est sorti indemne de l'explosion : sa voiture était blindée. Il a immédiatement présenté cette attaque comme une « agression contre le peuple ingouche ». Mais le peuple, lui, ne l'a pas du tout ressenti de cette manière... Une seule chose intéressait les gens : découvrir qui était derrière l'attentat. Rapidement, deux versions ont émergé. Selon la première, le président et son frère, Rouslanbi Ziazikov, qui est aussi son chef de la sécurité, auraient été les cibles de mystérieux « justiciers » écœurés par la corruption inouïe à laquelle les deux hommes s'adonnent depuis leur arrivée au pouvoir. Des proches du clan Ziazikov auraient mis les frères en garde, leur conseillant de refréner leur appétit, toujours plus vorace, de pouvoir et d'argent. Mais sans succès. Alors, un jour, la jeep de Rouslanbi a explosé sous les yeux de son propriétaire, dans le centre-ville de Nazran. Cet épisode, qui a été complètement étouffé, n'aurait été que le prélude à l'attentat contre Mourat... Si une telle présentation des choses est difficile à vérifier, elle a en tout cas été prise très au sérieux par de nombreux habitants (à la différence de la thèse officielle, qui attribue l'attaque aux *boïeviki*).

La deuxième version est liée à la série d'enlèvements qui ont eu lieu depuis que Ziazikov se trouve aux affaires. Le président aurait été pris pour cible par des proches des personnes kidnappées. En deux ans, la République a connu un grand nombre de scènes « à la tchétchène » : des passants sont empoignés en pleine rue par des inconnus masqués, puis emmenés vers une destination inconnue, dans des voitures sans plaques. Dans les seuls premiers jours du mois d'avril, pas moins de quarante habitants auraient disparu de cette manière. En bon émule de Poutine, Ziazikov refuse tout net de reconnaître ces faits. Quant aux fonctionnaires du parquet et du département local du ministère de l'Intérieur, ils n'acceptent de rencontrer les parents des victimes qu'à titre privé : officiellement, personne n'a jamais été enlevé en Ingouchie.

Évidemment, les familles n'en restent pas là. Elles conduisent leurs propres enquêtes, ce qui les pousse à se faire justice elles-mêmes. C'est le même mécanisme qu'en Tchétchénie : quand l'État manque à ses obligations, les habitants se chargent d'assumer ses fonctions. Que peuvent-ils faire d'autre ? Attendre éternellement ?

Je me trouve dans un hôtel de Nazran. On frappe à la porte. En ouvrant, je tombe nez à nez avec toute une file de vieillards. Ce sont les pères et les mères de personnes qui ont été enlevées ou tuées au cours de ces derniers mois, sans que la moindre enquête ait été ouverte pour tenter de savoir ce qui leur est arrivé. Ils me jurent que « des gens sont assassinés en Ingouchie en permanence » et que des détachements de soldats fédéraux traquent les « suspects » partout et les font disparaître impunément.

Le retraité Mohammed Iandiev a perdu son fils, Timour, un informaticien talentueux, bien connu dans la région. Le 16 mars au soir, ce dernier a quitté son bureau pour rentrer chez lui. Des hommes armés, en tenue de camouflage, l'ont poussé dans une Niva blanche, sans plaque, avant de démarrer en trombe, protégés par une autre voiture, elle aussi non identifiable. Le cortège a pénétré sans difficulté en Tchétchénie, en passant par le poste frontière principal entre les deux républiques. Les ravisseurs étaient munis de sauf-conduits établis par le département tchétchène du Centre opérationnel de gestion des opérations antiterroristes. Toutes ces informations ont été obtenues au cours de l'enquête menée par la famille des Iandiev ; les organes de sécurité n'ont absolument rien entrepris pour retrouver Timour.

« Je suis allé partout », pleure Mohammed Iandiev. Il est terrassé par son malheur. « J'ai demandé à tout le monde – au parquet, au ministère de l'Intérieur, au FSB – de me dire de quoi mon fils s'était rendu coupable. Je n'ai obtenu aucune réponse. Du coup, je me dis que les hommes qui ont kidnappé Timour sont plus puissants que nos forces de l'ordre. Mais qui peuvent-ils bien être ? L'antenne locale du ministère de l'Intérieur compte six mille employés. C'est énorme pour une petite république de seulement trois cent mille habitants. Pourquoi ces six mille fonctionnaires n'arrivent-ils pas à contrôler ce qui se passe sur un territoire si réduit ? Le plus probable est qu'ils sont eux-mêmes impliqués dans ces enlèvements. Je suis scandalisé quand je pense que le président Ziazikov n'a jamais daigné évoquer tous ces rapts. S'il n'a rien à dire, c'est sans doute parce qu'il protège les ravisseurs. Il doit savoir où se trouvent les disparus ! Savez-vous ce qu'a fait notre président ? Il a déclaré la guerre à son propre peuple, ni plus ni moins. En Tchétchénie, le pouvoir a déjà réhabilité des méthodes qui datent de Staline. Et maintenant, c'est à nous, les Ingouches, qu'il s'en prend... Je déteste Poutine et son sbire Ziazikov. »

Mohammed Iandiev s'en va ; deux nouveaux venus s'installent en face de moi : Tsiech Khazbieva et son fils Islam. Elle est en deuil : le 2 mars dernier, des « inconnus en tenue de camouflage », comme toujours, ont exécuté sous ses yeux sa fille Madina, âgée de vingt-quatre ans.

Ce jour-là, les Khazbiev avaient pris la route pour rendre visite à la mère de Tsiech qui habite dans un village nommé Gamourzievo.

« Nous étions presque arrivés quand les voitures qui nous précédaient ont commencé à freiner. Elles nous ont barré la route, ce qui nous a forcés à nous arrêter. Nous avons alors vu des soldats masqués faire sortir un jeune homme de l'une de leurs voitures. Ils l'ont abattu de sang-froid, sans qu'il ait montré la moindre résistance. J'ai crié : “ Mais qu'est-ce que vous faites ? ” En réponse, ils ont tiré sur notre voiture. Ma fille a été touchée à la carotide, elle n'a même pas eu le temps de sortir de l'habitacle. Mon mari a été gravement blessé à l'épaule et à la jambe : il a survécu, mais les médecins n'ont pas réussi à extraire tous les éclats de balle de ses blessures. Maintenant, je ne sors presque plus dans la rue. J'ai peur de tout le monde. Les autorités ne nous ont pas présenté leurs condoléances. Quant à la presse et à la télévision, elles n'ont jamais parlé de ce qui nous était arrivé. Les médias prétendent que l'on vit dans un paradis. Mais en ce cas, pourquoi Madina est-elle morte ? Qui va répondre de son assassinat ? »

[Plus tard, j'ai rencontré Idris Artchakov, le juge d'instruction chargé de l'affaire du meurtre de Madina. À la demande insistante des parents, les autorités ont fini par ouvrir une enquête. Artchakov s'est montré très peu loquace, comme effrayé de dire la vérité : « Vous-même, vous le comprenez... Je ne veux pas perdre mon travail. » La peur est omniprésente en Ingouchie. Tous les habitants, quelle que soit la couche sociale à laquelle ils appartiennent, vivent dans l'effroi, comme s'ils étaient surveillés en permanence par un monstre secret. Ainsi, mon entrevue avec Artchakov s'est tenue dans la voiture d'un tiers, avec le moteur en marche.

Voici ce que j'ai pu déduire de cette conversation. Madina a été assassinée par l'un des « escadrons de la mort » fédéraux qui sillonnent régulièrement l'Ingouchie. En ce 2 mars funeste, ils étaient sortis pour liquider le commandant Basnoukaev, l'un des leaders indépendantistes tchétchènes.]

« Pourquoi fallait-il abattre Basnoukaev et tirer sur les témoins ? Ce représentant de la résistance tchétchène modérée vivait en Ingouchie depuis longtemps sans se cacher et il essayait même, à la demande de l'administration de Grozny, de jouer un rôle de médiateur entre les autorités officielles et les maquisards. Il n'a même pas opposé de résistance lors de son arrestation.

– Bien sûr, c'était inutile. Mais quand ils ont décidé quelque chose... Les fédéraux font ce qu'ils veulent dans la région. Ce qui ne les empêche pas d'avoir peur de leur propre ombre. Du coup, ils tirent d'abord et réfléchissent ensuite.

– Vous savez pertinemment que les fédéraux sont coupables de la mort de Madina. Allez-vous les inculper ?

– Absolument pas. Je vivrai caché, comme tout le monde. Poutine a gagné la partie. Il serait pour le moins déraisonnable d'aller à contre-courant. L'affaire du meurtre de Madina sera étouffée. Ses parents vont finir par se calmer ; ce sont des gens simples, ils ne vont pas s'adresser au parquet général. Et, de toute façon, s'ils le font, les responsables du parquet me remercieront de ne pas avoir fait de zèle... »

[Des individus lâches et irresponsables, comme le juge Artchakov, sont l'incarnation typique de cette sinistre stagnation politique dans laquelle notre pays est englué.]

Après les Khazbiev, je reçois une autre famille en détresse, les Moutsolgov. Comme en Tchétchénie, les gens sont prêts à faire la queue pour pouvoir se confier à un journaliste de passage. Ils sont désespérés : quels que soient les efforts qu'ils entreprennent, ils n'arrivent pas à retrouver la trace de leurs proches.

Adam Moutsolgov habitait à l'autre bout de la Russie, dans une petite ville. Quand il a appris l'enlèvement de son fils Bachir, un instituteur âgé de vingt-neuf ans, il a tout abandonné pour rentrer en Ingouchie. Pourtant, les pistes sont maigres : il sait seulement que Bachir – tout comme Timour Iandiev – a été poussé par des inconnus cagoulés dans une Niva blanche, en plein jour.

« Je suis anéanti », gémit Adam. Il a les larmes aux yeux – alors même que, pour un homme ingouche, pleurer, surtout devant une femme, est chose inconcevable. « Je n'ai rien pu obtenir des autorités : ni des explications, ni une enquête, ni même que l'on parle de Bachir à la télévision. »

La famille des Moutsolgov s'est lancée, elle aussi, dans sa propre investigation. Adam a trois fils ; depuis que Bachir a disparu, les deux autres le cherchent activement.

[Un peu plus tard, Mohammed Moutsolgov fondera en Ingouchie une organisation de soutien aux victimes de l'arbitraire. Une décision qui lui coûtera cher : ce courageux défenseur des droits de l'homme, juriste de formation, ne réussira à se faire embaucher nulle part. C'est ainsi que le pouvoir lui fera payer son obsession non dissimulée de retrouver son frère, ainsi que l'aide qu'il apportera aux familles des disparus et des personnes injustement accusées de « terrorisme islamiste », dont le nombre ira croissant.]

Après avoir beaucoup tâtonné, les frères Moutsolgov ont découvert que le chef du FSB ingouche, le général Sergueï Koriakov – un ami personnel du président Ziazikov –, était directement impliqué dans l'enlèvement de Bachir. Les Moutsolgov trouveront des preuves démontrant que Bachir a passé la première nuit suivant son enlèvement dans les locaux du FSB, situés juste derrière le palais présidentiel. Le lendemain, il a été transporté en Tchétchénie, sur la base militaire de Khankala. C'est là que sa trace se perd. La famille tient ces informations confidentielles d'un agent du FSB.

« Le premier but des forces de l'ordre est de maintenir l'ordre, n'est-ce pas ? » demande le vieil Adam Moutsolgov, qui a passé sa vie à travailler dans des usines soviétiques, en tant qu'ingénieur. Il est de ces gens qui ont toujours fait confiance à la hiérarchie. Mais sa foi vacille... « Pourquoi les autorités ne font-elles rien? À qui tout cela profite-t-il? Je ne peux imaginer qu'une chose pareille arrive ailleurs en Russie, y compris dans la région de Magadan où je vis. La jeunesse ingouche va exploser, je le sens. Au cours des dix derniers jours, huit personnes ont été enlevées par les fédéraux. Cela va très mal se terminer. Les autorités poussent les jeunes dans les bras des maquisards. »

Ceux qui ont aperçu Bachir Moutsolgov à Khankala ont signalé qu'il était dans un état physique lamentable et qu'il semblait avoir été torturé.

Adam me tend une feuille. Il s'agit d'une liste de quarante habitants dont les proches ont signalé la disparition au cours de ces derniers mois. Comme il n'y a personne pour les écouter, les familles se réunissent pour agir de concert.

Au mois de février, peu de temps avant l'élection de Poutine, cette même liste – alors plus courte de quelques noms – avait été remise à Rachid Ozdoev, le premier adjoint du procureur de l'Ingouchie, chargé de contrôler la légalité des actes du FSB ingouche. Ozdoev enquêtait déjà sur ces mystérieuses disparitions. Il avait abouti à la conclusion que des exécutions extrajudiciaires avaient été commises par les forces de l'ordre de la République. Il a alors transmis ces informations, par écrit, au procureur général de Russie, Vladimir Oustinov. Dans sa lettre, il a dénoncé les activités illégales auxquelles se livrait le département ingouche du FSB, dirigé par le général Koriakov.

Rachid Ozdoev a été vu pour la dernière fois le soir du 11 mars. Il était en train de monter dans sa voiture, garée en face du palais présidentiel à Magas, la capitale de l'Ingouchie. Le lendemain, sa Jigouli, recouverte par une bâche, a été aperçue dans la cour du

FSB local. Quelques jours plus tard, selon des informations reçues par sa famille, Rachid se trouvait à Khankala, sur la principale base militaire de Tchétchénie. Il avait été passé à tabac. Depuis, on ne sait rien de son sort.

« Chaque nouvelle journée qui passe sans nouvelles me conforte dans la certitude que mon fils est mort, soupire le vieux Boris Ozdoev, le père de Rachid, juge à la retraite.

– Votre fils vous a-t-il parlé du contenu du courrier qu'il a adressé au procureur général ?

– Oui. Il y a écrit que des exécutions extrajudiciaires avaient eu lieu, et il a donné les noms des coupables. Je l'ai imploré de ne pas l'envoyer, de ne pas mettre sa vie en danger. Voilà ce qu'il m'a répondu : " Si tu veux, je démissionnerai. Mais aussi longtemps que mon métier sera de surveiller les activités du FSB ingouche, je continuerai d'alerter les plus hautes autorités sur les exactions commises par cette structure. Tout simplement parce que je suis le seul à pouvoir exiger légalement que justice soit faite. Si je n'accomplis pas mon devoir, je n'aurai jamais la conscience tranquille. " Nous en avons longuement discuté ensemble. " Que pourraient-ils bien me faire ? disait-il. Déposer de la drogue ou des armes chez moi, puis m'arrêter ? Mon immunité de procureur m'en protège. Tout le monde sait que je ne touche pas à cela et que je n'accepte aucun pot-de-vin. " Il ne lui venait même pas à l'esprit qu'il risquait d'être enlevé, comme les gens sur lesquels il enquêtait. Après sa disparition, je suis allé voir le président Ziazikov. Je l'ai attendu pendant plusieurs heures dans le vestibule de son bureau, mais il a refusé de me recevoir. Son secrétaire m'a annoncé que le président n'avait rien à me dire. Je suis sûr que cela signifie qu'il sait quelque chose sur Rachid et n'ose pas me mentir en face. »

Finalement, les familles des kidnappés ont organisé une manifestation à Magas. Leurs exigences étaient simples : que Ziazikov dise où se trouvent leurs enfants. Mais ce dernier était justement en route pour Sotchi [1], où il devait rencontrer le président russe et lui présenter un rapport sur la « prospérité » de l'Ingouchie. En vérité, ce qui remplit Ziazikov de fierté, c'est le fait qu'à la présidentielle de mars dernier 98 % des électeurs de sa République ont voté pour

1. Cité balnéaire russe sur la mer Noire, où les dirigeants aiment se rendre en été.

Poutine. Cela peut paraître incroyable, mais ce sont les chiffres officiels...

Avant de partir, Ziazikov a commandé à la milice de disperser les manifestants. Cet ordre est une pure provocation : il est destiné à dresser les Ingouches les uns contre les autres, à forcer les jeunes policiers à s'en prendre à des hommes désarmés et deux fois plus âgés qu'eux. Dans le Caucase, c'est inimaginable ! D'ailleurs, les policiers ont refusé d'employer la force. Ils sont allés discuter avec les pères des disparus et leur ont longuement expliqué la situation. Après quoi les vieillards ont préféré partir, de crainte que leur obstination puisse nuire à leurs enfants.

« Désormais, nous restons dans nos maisons à pleurer. Nous n'avons plus la force de nous lever, de sortir et de nous confronter aux autorités. Moi, personnellement, j'ai peur pour mes autres fils et pour mes petits-enfants. Le pouvoir est redevenu stalinien », dit Boris Ozdoev.

L'arrivée au pouvoir d'un général du FSB a eu pour corollaire l'instauration de l'arbitraire de l'État à tous les niveaux. Comme Poutine, qui fait la même chose à l'échelle de la Russie, Ziazikov est, dans sa République, le garant non pas de l'ordre (ce que le peuple, fatigué du chaos, avait osé espérer), mais du tournant autocratique du régime.

Je suis allée voir mes collègues, les journalistes ingouches, en me demandant comment le système de censure fonctionne en province, loin de Moscou et de l'administration présidentielle. Pourquoi les médias locaux ne disent-ils rien des disparitions et des exécutions extrajudiciaires ? Leur silence ne fait qu'aggraver le problème.

Notre conversation est extrêmement pénible. Mes interlocuteurs exigent que je ne révèle pas leurs noms, et nous sommes obligés de nous rencontrer dans une voiture pour que personne ne nous voie. Tout cela rappelle furieusement l'Union soviétique !

L'homme assis à côté de moi dans cette voiture est le rédacteur en chef adjoint de l'un des deux quotidiens qui paraissent en Ingouchie. Il paraît très mal à l'aise. Je lance la conversation :

« Pourquoi toutes ces mesures de précaution ?

– Parce que si l'on apprend que j'ai ouvert la bouche, je serai immédiatement licencié et je ne pourrai jamais retrouver un travail, pas même un emploi de chauffeur.

– Que se passerait-il si vous décidiez de publier des articles consacrés aux enlèvements, à la corruption, à la manière dont les autorités sont arrivées à obtenir un résultat de 98 % en faveur de Poutine, etc. ?

– Tout d'abord, comme je vous l'ai dit, je serais aussitôt limogé. Ensuite, ces articles ne seraient pas publiés. Résultat : le public n'apprendrait rien et moi, je me retrouverais à la rue. Et j'ai une famille à nourrir... »

Il m'explique ensuite les mécanismes de la censure. Le pouvoir local veut à tout prix répandre le mythe selon lequel l'Ingouchie serait « stable ». C'est pourquoi Issa Merjoev, le secrétaire de presse du président, vérifie les épreuves de tous les journaux avant publication et supprime les papiers qu'il juge « préjudiciables ». Or tout ce qui pourrait mettre en doute la perfection du processus de « stabilisation » est considéré « préjudiciable »... Résultat : les articles un tant soit peu critiques à l'égard du pouvoir sont systématiquement écartés. Il est impossible d'aborder le thème de la corruption, puisque des membres du clan Ziazikov y sont mêlés. À propos de la guerre en Tchétchénie, on ne peut parler que de « liquidations des *boïeviki* » et de « migrations bénévoles ». Les « escadrons de la mort » et leurs exactions sont des sujets tabous.

Il en va de même pour la radio et la télévision : Merjoev supervise tous les programmes.

Mais pourquoi implanter ici le même système qu'en Tchétchénie ? En Ingouchie, personne n'en a besoin. Y compris Ziazikov qui, à la différence de son prédécesseur, Rouslan Aouchev *, ne pourra jamais conserver les rênes du pouvoir si la situation dégénère. C'est plutôt Moscou qui veut créer ici une « nouvelle Tchétchénie ». Ziazikov n'est qu'un pion du Kremlin ; il a été installé sur le siège présidentiel à deux conditions : un, garantir la loyauté du peuple ingouche envers le centre dans le cas où l'opération contre-terroriste venait à être élargie à l'Ingouchie ; deux, ne pas réclamer la réannexion du district Prigorodny rattaché à l'Ossétie du Nord en 1944 par Staline, et qui est, depuis lors, une pomme de discorde récurrente entre les deux Républiques.

Ziazikov et son entourage font tout pour satisfaire ces deux conditions, au détriment des vraies aspirations de leurs administrés. Car ceux-ci veulent précisément le retour inconditionnel de la région de Prigorodny et une démarcation claire de la frontière avec la Tchétchénie [1]. Le journaliste hausse les épaules.

« Le pouvoir veut créer l'impression que tout le monde est d'accord avec la politique de Ziazikov et de Poutine. Du coup, les médias sont soumis à une pression énorme...

– Pouvez-vous désobéir à Merjoev ?

– Pour le moment, aucun rédacteur en chef n'a osé le faire.

– Qui pourrait résister à une telle pression ?

– Personne. On ne peut résister qu'après avoir quitté l'Ingouchie, voire la Russie.

– Comment qualifieriez-vous le pouvoir ingouche actuel ?

– Un régime soviétique sanglant. »

Cette comparaison ne déplairait pas forcément à nos dirigeants : pour eux, la « stabilité » soviétique est un exemple à suivre. Il est vrai que l'époque brejnévienne a de quoi laisser rêveur : le vrai bilan humain de la guerre en Afghanistan a été soigneusement dissimulé ; les dissidents étaient reclus dans des camps ou des asiles psychiatriques ; le peuple votait « pour » à 99,9 % ; les apparatchiks n'avaient peur que de leurs supérieurs ; les cinéastes tournaient des films optimistes et pleins de foi dans l'avenir ; quant à l'Occident, il soutenait financièrement le Kremlin pour que l'État ne s'effondre pas. Aujourd'hui, en avril 2004, la situation est similaire et, comme à l'époque brejnévienne, l'Occident soutient la « stabilité », quitte à fermer les yeux sur sa vraie nature...

Je me demande souvent pourquoi mes concitoyens craignent tant la répression. Faire sauter, de manière anonyme, la Mercedes du président, ils peuvent le faire ! Mais pourquoi ne s'opposent-ils jamais au pouvoir de façon civilisée, par exemple en envoyant au Parlement des adversaires du régime et en exigeant l'annulation des élections quand ils savent qu'elles ont été truquées ?

Autre interrogation : pourquoi les Ziazikov et les Poutine n'arrivent-ils pas à gouverner démocratiquement ? Pourquoi, pour rester à leurs postes, doivent-ils mentir, étendre la corruption, craindre et maltraiter leur peuple ?

---

1. Sous Staline, en 1934, l'Ingouchie et la Tchétchénie ont été réunies en une république de Tchétchéno-Ingouchie. Quand, en 1991, la Tchétchénie a proclamé son indépendance, l'Ingouchie, elle, a déclaré vouloir rester au sein de la Fédération de Russie. Il n'empêche que la frontière entre les deux Républiques demeure très floue.

Je crois que ces gens-là n'étaient tout simplement pas prêts à diriger un pays. Ils ne doivent qu'au pur hasard de s'être retrouvés si haut. Peut-être sont-ils à présent heureux d'être présidents. Mais lorsque les fêtes et les banquets sont finis et qu'il faut passer à la politique réelle, ils se révèlent profondément incompétents. Et quand viennent les difficultés, bien loin d'admettre leurs erreurs, ils se mettent en quête d'ennemis, souvent imaginaires, à qui ils pourront faire porter la responsabilité de leurs propres échecs...

Faut-il préciser que Ziazikov singe Poutine dans toutes ses méthodes ? Pour les deux, ce qui importe, ce n'est pas la réalité, mais le monde virtuel de la télévision. Ils ferment les yeux sur tous les problèmes sérieux du pays et persécutent tous ceux qui pourraient crier que « le roi est nu ». C'est pourquoi ni à Mangas ni à Moscou les opposants au régime ne peuvent s'exprimer. On ne les entend jamais.

En Ingouchie, il y a bien eu un opposant déclaré au régime, Moussa Odoev. À une certaine époque, il a travaillé dans la même équipe que Ziazikov, avant de prendre ses distances.

Aujourd'hui, Odoev est député du Parlement ingouche. En décembre 2003, il s'est présenté aux élections à la douma d'État, sans succès. C'est un certain Bachir Kodzoev, membre de Russie unie, qui a été choisi pour représenter l'Ingouchie au Parlement national. Il était soutenu par le Kremlin et Ziazikov. Chacun ici peut vous montrer « la maison que Kodzoev a offerte à Ziazikov en échange de son siège de député ». J'ai vu cette maison. Elle est, en effet, très chic.

Moussa Odoev a essayé de contester les résultats des élections. Il a présenté au tribunal les protocoles rédigés dans plusieurs bureaux de vote. À la lecture de ces documents, le truquage apparaît de manière flagrante. Ainsi, en étudiant les listes des électeurs, on voit plusieurs noms distincts pour un même numéro de carte d'identité ; on constate aussi qu'une même personne a voté de multiples fois avec des papiers d'identité différents... Bref, la falsification est grossière.

Évidemment, la justice n'a pas donné suite à la requête d'Odoev. Mais on peut se demander pourquoi, alors qu'il contrôle l'intégralité des médias et que la campagne électorale n'a donné la parole qu'aux partisans du Kremlin, le pouvoir a tout de même dû truquer le scrutin. La réponse coule de source : malgré toute la propagande déversée sur eux, les gens ne voulaient pas voter pour les candidats de Russie unie le 7 décembre, ni pour Poutine le 14 mars. Tous les taux de popularité affichés dans notre pays sont faux, même si l'Occident fait mine de croire à la véracité de ces chiffres. Ces fameux 98 % des voix, c'était un cadeau personnel de Ziazikov à Poutine. Pour faire gagner Poutine à la présidentielle et Russie unie aux élections législatives, partout au niveau local – l'Ingouchie n'est pas un cas exceptionnel, loin de là –, les autorités ont fait pression sur les présidents des bureaux de vote. On les a menacés, soudoyés, on les a fait chanter, on les a intégrés, de gré ou de force, dans le cercle vicieux des mensonges et des compromissions... et au final, dans tout le pays, les élections ont été largement truquées.

La plupart des membres des commissions électorales auxquels j'ai pu parler m'ont dit qu'ils craignaient pour la vie de leurs familles et qu'ils préféraient falsifier les scrutins que de perdre leurs proches. Qui peut affirmer, dans ces conditions, que nous n'assistons pas au retour du stalinisme ? Pas moi, en tout cas. Je constate, en revanche, que la très coriace mémoire génétique du peuple lui dicte que, pour survivre dans des conditions difficiles, il faut suivre le courant.

Tout ce système ne peut exister que si le peuple se tait. C'est ce mutisme de la population qui est le phénomène principal de la vie politique russe d'aujourd'hui. Et c'est sur ce silence que reposent tous les calculs du Kremlin et de son « cerveau », Vladislav Sourkov. Le peuple russe est apathique, persuadé que « la politique, c'est sale » et que « le pouvoir fera toujours ce qu'il veut ». Les gens ne commencent à protester que lorsqu'ils sont personnellement victimes de l'arbitraire. Quand on leur prend leurs enfants, par exemple. Mais si la même chose arrive à leurs voisins, ils ne bougeront pas le petit doigt...

Aujourd'hui, Igor Soutiaguine, un expert militaire qui travaille à l'Institut des États-Unis et du Canada, auteur de nombreux ouvrages sur les armes stratégiques et le désarmement, a été condamné à quinze ans de prison pour « trahison ». L'affaire a été concoctée par Poutine en personne, à l'époque où il était le chef du FSB.

Le chercheur a été arrêté en octobre 1999. Le FSB l'accusait d'avoir communiqué des informations secrètes à des services de renseignements étrangers. Pourtant, Soutiaguine se bornait à analyser des données accessibles à tous. Il n'a jamais eu accès à des secrets d'État. Ce qui n'empêche pas le FSB de l'accuser d'avoir utilisé des informations classées secrètes. La vérité, c'est qu'en avançant dans ses recherches, Soutiaguine a abouti à des déductions qui, elles, étaient tout à fait confidentielles. Mais il n'a jamais violé la loi...

Malheureusement, ce genre d'affaires, fabriquées de toutes pièces et dont le seul but est d'instaurer un climat de peur, devient prédominant dans les tribunaux russes. Le système pénal semble désormais s'être donné pour tâche de convaincre le Kremlin de sa loyauté. Si l'organisateur de l'affaire Soutiaguine est devenu président, il est impensable de laisser ce dernier en liberté, même si personne n'ignore que les charges retenues contre lui sont parfaitement fantaisistes.

Pendant le procès, les médias se sont échinés à expliquer que le pouvoir sait, mieux que nous, qui est l'ennemi : s'il punit un citoyen, c'est donc que celui-ci le mérite. Dès lors, peu importe la réalité des faits.

Cette propagande a été efficace. La société a assimilé l'idée que « les répressions sont justes ». Seuls quelques défenseurs des droits de l'homme ont tenté d'intervenir en faveur de Soutiaguine. Lors du jugement d'un autre « espion », Grigori Pasko [1], de nombreuses voix s'étaient élevées pour exiger la grâce de l'accusé. Pasko lui-même avait alors répondu qu'il ne voulait pas être gracié car il

---

1. En 1993, le journaliste militaire Grigori Pasko a filmé un tanker de la marine russe en train de déverser des munitions et des déchets radioactifs dans la mer du Japon. Dans ce reportage, ainsi que dans une série d'articles, il a révélé la menace que constituaient pour l'environnement les bâtiments délabrés de la flotte russe du Pacifique, notamment les sous-marins nucléaires. Il a également dénoncé la corruption qui sévissait au sein de la flotte et a transmis des informations publiques sur ces questions à des journalistes japonais. Il a été arrêté pour la première fois en 1997. Accusé d'avoir communiqué des informations présumées sensibles aux médias japonais, Grigori Pasko a finalement été acquitté en 1999 de toutes les charges d'espionnage qui pesaient contre lui. En décembre 2001, un tribunal militaire de Vladivostok a cependant condamné en appel le journaliste à quatre années d'emprisonnement, pour trahison et espionnage. Six mois plus tard, cette sentence a été confirmée lors d'un dernier appel par la Cour militaire suprême. Amnesty International l'a alors officiellement qualifié de « prisonnier d'opinion ». Pasko a purgé les deux tiers de sa peine (préventive comprise) dans un camp de travail avant d'être libéré, le 23 janvier 2003. Il s'est alors installé à Moscou. En butte à l'hostilité des pouvoirs publics, il a mis encore un an avant d'obtenir un passeport lui permettant de voyager à l'étranger Depuis l'acquisition de ce précieux sésame, Pasko a effectué un certain nombre de séjours en Occident, notamment à l'Institut Woodrow Wilson de Washington, où ce juriste de formation s'est consacré à des recherches portant sur la défense des droits de l'homme en Russie.

n'avait commis aucun crime. En comparaison, le procès de Soutiaguine a été typiquement stalinien. L'accusation a été formulée, le verdict prononcé, l'homme est parti en prison, et la société s'est tue. À la grande satisfaction du FSB.

Quant au chercheur trop perspicace, il passera quinze ans de sa vie dans une colonie pénitentiaire en compagnie de criminels endurcis. Ce qui ne révolte personne en Russie.

Ce procès a révélé un autre problème de notre justice : la cour d'assises. Ce qui est, ailleurs, un symbole de la responsabilité civique, est chez nous synonyme de bassesse et de mesquinerie. Nos jurés sont ravis d'embastiller un « ennemi de la patrie ». Ce sont eux qui l'ont reconnu coupable ; la juge a seulement déterminé la durée de sa peine. Ils ont décidé que Soutiaguine était un « espion » sans même exiger des preuves de sa culpabilité. En effet, si le FSB affirme qu'il en est un, cela ne fait nul doute. La police politique est infaillible, c'est bien connu... Ces assises incarnent l'esprit répressif et manipulable de notre société. Les vestiges de l'époque soviétique sont toujours présents : la brutalité et le manque de scrupules demeurent les traits distinctifs de la Russie actuelle.

Je me permets une petite digression car une question me brûle les lèvres : « Où sont aujourd'hui nos révolutionnaires de l'époque eltsinienne ? Que font-ils sous Poutine ? Pourquoi ne les entend-on pas ? »

Prenons Dimitri Kostenko, un ex-révolutionnaire, longtemps présenté comme le « gourou de l'anarchisme russe ». Au début du printemps eltsinien, il était très populaire, on le voyait au premier rang de toutes les manifestations. En 2004, il est désœuvré, paresseux et fatigué de tout, même de ces « conversations de cuisine » que les Russes affectionnent tant.

« Chez nous, tout est possible : une dévaluation du rouble, une crise financière, une baisse des prix mondiaux du pétrole... Tout, sauf une révolution, dit Kostenko, complètement désabusé. Car la révolution est un projet qui doit d'abord être idéologiquement conçu par des intellectuels et, seulement après, expliqué aux masses. C'est un processus long qui doit envelopper tout le pays. Or notre pays à nous est absorbé par un autre projet : comment survivre ? C'est ce qui occupe les citoyens à cent pour cent et ne leur laisse pas le temps pour d'autres engagements. Personne ne songe à la construction d'un " avenir radieux ". Aujourd'hui, comme à l'époque de la stagnation, l'intelligentsia doit se cacher dans son coin et attendre le bon moment pour sortir. Sous Brejnev, les dissidents ont été emprisonnés, mais les membres de l'intelligentsia qui ne s'étaient pas mis en avant ont refait surface au moment de la perestroïka et sont devenus les porte-drapeaux des changements. »

Ainsi, Kostenko se cache. Inutile d'attendre qu'il sorte de sa tanière, même pour aider ses anciens compagnons. C'est à cause de cette attitude généralisée que des lois scandaleuses peuvent être facilement adoptées. Par exemple, celle interdisant les manifestations à proximité des bâtiments administratifs...

En effet, la douma vient d'entériner une loi destinée à « protéger » le pouvoir du peuple en autorisant celui-ci à manifester seulement dans des endroits où personne ne l'entendra. Des députés comme Alexandre Isaev, un ancien leader syndicaliste qui organisait lui-même des manifestations au milieu des années 1990 et qui est devenu aujourd'hui un membre loyal de Russie unie, votent ces lois sans se poser de questions. En revanche, un parlementaire communiste, Alexeï Kondaourov – pourtant un général du KGB à la retraite –, a voté contre et qualifié ce texte de « violation des droits et des libertés des citoyens ». Tout est mis sens dessus dessous dans notre pays : les communistes deviennent quasiment une force progressiste ! On se retrouve coincé entre Poutine et le PC comme entre Charybde et Scylla, ne sachant plus vers qui se tourner...

[Peu après l'adoption de cette loi, Poutine, soucieux de se montrer de temps en temps sous un angle démocratique, a déclaré que le texte était trop sévère et qu'il devait être modéré. Immédiatement, la douma s'est réunie pour y apporter toutes les nuances souhaitées par le Kremlin. L'intégralité de la procédure a été montrée à la télévision en direct. Désormais, il est de nouveau possible de se réunir pour manifester à côté des établissements publics. Mais les gens sont complètement perdus, ils ne savent plus quoi penser. Ils sont déprimés et indifférents. C'est cela, la base de tous nos problèmes.]

12 avril

J'ai publié dans *Novaïa Gazeta* des images tirées d'une bande-vidéo filmée par un soldat en Tchétchénie en mars 2000. L'enregistrement montre des *boïeviki* qui viennent de se rendre aux fédéraux. Ces combattants ont été amnistiés puisqu'ils ont déposé les armes sans combattre, à la sortie du village Komsomolskoïe entouré par les troupes russes. L'assaut de ce village en février-mars 2000 est la deuxième plus grande opération de la seconde guerre tchétchène, après l'assaut de Grozny survenu un peu plus tôt ce même hiver. En quittant Grozny, le commandant Rouslan Guelaev (dont le corps sera retrouvé dans les montagnes daghestanaises à la veille de l'élection de Poutine) avait conduit dans son village natal de Komsomolskoïe un régiment de mille cinq cents hommes. Les soldats russes ont lancé contre le bourg un assaut très violent, sans se préoccuper le moins du monde des villageois qui y étaient coincés. Au bout de quelques jours, Komsomolskoïe avait été pratiquement rasé ; quant à Guelaev, il avait réussi à s'enfuir avec une partie de ses hommes en évitant miraculeusement plusieurs cordons de sécurité. Les fédéraux ont alors proposé aux résistants encore en vie de se rendre en échange d'une amnistie pleine et entière. À en croire une déclaration officielle de l'armée, soixante-douze personnes ont accepté cette proposition et bénéficié de l'amnistie du gouvernement fédéral. Mais immédiatement après leur reddition, elles ont été arrêtées. Seuls trois d'entre elles ont été libérées. Le sort des soixante-neuf autres est un mystère. L'enregistrement vidéo que j'ai récupéré montre précisément ces « amnistiés » au moment où les soldats les font sortir des camions dans lesquels ils les avaient fait monter à Komsomolskoïe et les entassent dans un wagon de marchandises en gare de Tchervlennaïa, une petite ville tchétchène voisine.

Ces images évoquent irrésistiblement les films sur les camps de concentration nazis. Des gardes armés de mitraillettes surveillent l'embarquement d'une foule apeurée dans un train qui n'est pas fait pour transporter des hommes. Parmi les *boïeviki*, on remarque deux femmes ; à la différence des hommes, elles ont gardé tous leurs vêtements et ne portent pas de traces de coups. Puis elles sont séparées du groupe et emmenées vers une destination inconnue.

Restent des hommes et des adolescents. Les uns sont jetés hors des camions, d'autres descendent par leurs propres moyens, parfois soutenus par leurs camarades. Ils sont tous dans un état physique déplorable. Il n'y en a pratiquement pas un seul qui ne soit blessé. Nombre d'entre eux ont un bras ou une jambe en moins ; on aperçoit un homme dont une oreille a été à moitié coupée (et on entend, hors cadre, ce commentaire d'un militaire s'adressant à un autre : « Regarde, ils ne lui ont pas fini l'oreille. »). La plupart des anciens *boïeviki* sont presque entièrement nus et couverts de sang. Leurs vêtements et leurs chaussures sont jetés hors des camions séparément. Épuisés, ils avancent comme des somnambules, sans comprendre ce qui se passe ; plusieurs paraissent avoir complètement perdu la raison.

Les militaires les frappent un peu, mais pas très fort : ils semblent cogner par habitude plus que par réelle envie. Naturellement, on ne voit aucun médecin. On ordonne aux *boïeviki* les plus costauds de sortir des camions les cadavres de ceux qui sont morts pendant le transfert, et de les entreposer à même la terre. À la fin du film, un plan montrera un tas de corps de plusieurs « amnistiés » gisant près des voies.

Un détail saute aux yeux : les fédéraux ne touchent pas les *boïeviki* avec les mains. Uniquement avec leurs bottes ou avec leurs mitraillettes. Sans doute l'idée d'un contact direct les dégoûte-t-il... Pour examiner les visages des morts, ils les tournent vers eux de la pointe du pied. Visiblement, ils le font simplement par curiosité et absolument pas pour porter les noms des personnes décédées dans des registres officiels. Dans ce film, on entend de nombreuses conversations, mais à aucun moment les militaires n'évoquent la nécessité de rédiger un rapport sur ce qu'ils sont en train de faire. En revanche, on entend la phrase suivante accompagnée de rires : « Ils disaient qu'il y en aurait soixante-douze, mais on en a soixante-quatorze... Tant mieux, on a eu droit à un petit bonus... »

Quelle a été la réaction à la publication de ces images de notre Abou Ghraïb local ? Eh bien, la réaction a été nulle ! La société, les médias, les tribunaux... personne n'en a soufflé un seul mot. Des journalistes étrangers, eux, m'ont demandé de leur montrer cette pellicule. En Pologne, ces images ont été publiées sous le même titre que celui que j'avais employé : « Un Abou Ghraïb russe ». Mais chez nous, rien !

À la suite de la réélection de Poutine, en Ingouchie comme à Moscou, les médias ont été tout autant « nettoyés » que les structures politiques. Par conséquent, la population ne peut pratiquement plus apprendre ce qui se passe en réalité. Le problème, c'est que la plupart des gens ne veulent même pas se donner ce mal. Ils ne veulent rien savoir... et ils ne savent rien.

14 avril

Le président ukrainien, Leonid Koutchma, a officiellement fait du Premier ministre, Viktor Ianoukovitch, son héritier. Il sera le candidat du pouvoir aux présidentielles. Poutine va-t-il soutenir la candidature de cet homme corrompu jusqu'à la moelle ? Espérons que non...

Aujourd'hui, vers minuit, dans le métro moscovite, cinq jeunes gens ont agressé l'avocat Stanislav Markelov. Après l'avoir battu en criant « Ça t'apprendra à ouvrir ta gueule ! » ils lui ont volé ses documents juridiques..., mais n'ont pas touché à son argent.

Markelov est un jeune avocat très énergique. Il a notamment pris part à l'affaire Boudanov [1] où il a défendu les intérêts de la famille d'Elsa Koungaeva. C'est alors qu'il est devenu la bête noire des « patriotes ». Markelov a également conduit l'affaire du « Cadet », le surnom donné au militaire fédéral Sergueï Lapine. Le « Cadet » a été jugé et condamné, en partie grâce à Markelov, à douze ans de prison pour un crime typiquement « tchétchène » : l'enlèvement à Grozny d'un homme – un Tchétchène, évidemment – que l'on n'a jamais retrouvé par la suite. C'était la première fois qu'un militaire était condamné pour un tel forfait.

Sans même chercher à apprendre les détails de l'affaire, la police a refusé d'ouvrir une enquête sur l'agression de Markelov. Qui l'a battu ? Qui a commandité cette attaque et ce vol ? Ces questions resteront sans réponses...

---

1. Jugé par un tribunal militaire de Rostov-sur-le-Don pour le meurtre d'une jeune Tchétchène, Elsa Koungaeva, le colonel Iouri Boudanov a été reconnu coupable d'abus de pouvoir, d'enlèvement, de viol et de meurtre. Il a été condamné à dix ans de prison, le 25 juillet 2003, au terme d'un procès qui a duré deux ans et demi. Jamais un tel verdict n'avait été prononcé contre un officier de ce rang pour un crime commis en Tchétchénie.

16 avril

Vous rappelez-vous la disparition du premier adjoint du procureur de l'Ingouchie, Rachid Ozdoev, survenu à la veille de l'élection présidentielle ? Des preuves irréfutables indiquent désormais qu'il a bel et bien été enlevé. Le procureur général de Russie, Vladimir Oustinov, a reçu une lettre signée d'un certain Igor Onichtchenko.

La voici :

« Je vous écris en tant que fonctionnaire en service du FSB de la région de Stavropol. Je viens de rentrer d'une mission spéciale de presque un an et demi en Ingouchie. Depuis douze ans que je travaille dans cette structure, je n'ai jamais éprouvé autant de remords.

Le directeur du FSB ingouche, Koriakov, est un homme épouvantable. Je ne comprends pas comment il peut encore exercer des fonctions au FSB. Il paraît qu'il a été désigné par Patrouchev et Poutine en personne... Ce monstre tue des gens uniquement parce qu'ils sont de nationalité tchétchène ou ingouche. Il doit avoir une dent contre eux car il les hait d'une haine féroce et très personnelle. Koriakov forçait ses subordonnés – c'est-à-dire moi et mes quatre collègues – à systématiquement passer à tabac tous les individus que nous arrêtions en notre qualité de représentants du département régional de lutte contre le terrorisme.

Ensuite, nous agissions toujours selon le même schéma : tenues de camouflage, masques, sauf-conduits... Le plus souvent, nous utilisions les voitures des personnes que nous arrêtions, simplement en remplaçant les plaques d'immatriculation. Nous leur disions que nous allions les emmener en dehors de Magas..., mais la nuit, nous changions de véhicules et nous les ramenions en ville, dans le bâtiment du FSB. Et là, nous les abattions. Tout cela se faisait la nuit ; le jour, nous reprenions des forces. Koriakov envoyait régulièrement des rapports à Moscou ; il justifiait ainsi le grade de général qu'on venait de lui attribuer. Nous avions nos quotas : il fallait nous " occuper " de cinq personnes par semaine. Début 2003, alors que je venais d'arriver, nous n'arrêtions que des individus engagés dans des groupes terroristes. Mais, un jour, Koriakov s'est emporté à cause d'un procureur ingouche qui lui mettait des bâtons dans les roues : pour lui donner une leçon, Koriakov nous a ordonné de capturer autant de jeunes hommes que possible – peu importe s'ils avaient ou non quelque chose à voir avec les terroristes. D'après lui, " de toute façon, ce sont tous des bêtes ". Moi et mon collègue Sergueï avons mutilé plus de cinquante personnes. Et nous en avons tué environ trente-cinq.

Aujourd'hui, je suis rentré. On m'a décoré pour mes " états de service impeccables ". Je sais qu'en réalité j'ai été récompensé pour la dernière opération à laquelle j'ai participé : l'enlèvement du procureur ingouche [AP : il parle de Rachid Ozdoev, le premier adjoint du procureur de l'Ingouchie]. Ce magistrat détenait des documents compromettants sur Koriakov. J'ai détruit ces papiers. Quant au type en question, je lui ai cassé les bras et les jambes. La même nuit, Koriakov a ordonné à mes collègues de s'en débarrasser.

Je suis coupable. Je me repens. Tout ce que je dis est la vérité.

Igor Onichtchenko. »

Mais même après la publication, dans *Novaïa Gazeta* et sur de nombreux sites Internet, de cette lettre cauchemardesque, personne n'a bougé dans le pays. Il n'y a eu aucune protestation et le parquet a étouffé l'affaire.

22-23 avril

En Crimée, le président russe rencontre son homologue ukrainien, Leonid Koutchma. Ce dernier souhaite absolument que le Kremlin s'engage au côté de son poulain, Viktor Ianoukovitch. Dieu merci, pour le moment, Poutine ne manifeste aucun enthousiasme à cette idée. Il a même refusé de voir Ianoukovitch qui patientait dans le couloir, espérant obtenir une audience...

28 avril

À Moscou, à onze heures vingt, dans la rue Staraïa Basmannaïa, un tueur professionnel a abattu Georguï Tal, un vieux compagnon de Boris Eltsine, ex-chef du Service fédéral chargé de l'assainissement des finances et de la gestion des faillites (1997-2001). Transporté à l'hôpital, il est mort le soir même, sans reprendre conscience. Il ne fait aucun doute qu'il a été tué parce qu'il en savait trop sur le partage illicite des fleurons de l'industrie russe entre les principaux oligarques du pays. À l'époque où Tal dirigeait le Service des faillites, ce service a joué un rôle essentiel dans la grande distribution des richesses du pays, surtout dans les secteurs du pétrole et de l'aluminium : quand une entreprise suscitait l'appétit de certains hommes d'affaires proches du pouvoir, Tal déclarait qu'elle était « en banqueroute », ce qui permettait aux oligarques de la récupérer pour une bouchée de pain. Sous Poutine, la justice a commencé à enquêter sur une série de faillites « arrangées » illégalement. Ces mécanismes frauduleux ont d'ailleurs été évoqués dans le cadre de l'enquête sur Ioukos. Mais on aurait tort de penser que notre nouveau président a décidé de faire la lumière sur ces machinations, car il serait guidé par une inextinguible soif de justice : ce qu'il souhaite, c'est seulement procéder à un nouveau partage des ressources du pays, cette fois au bénéfice de son propre clan.

Il n'en demeure pas moins qu'officiellement le système de faillites qui existait sous Eltsine était légal : tous les oligarques – qui sont aujourd'hui les hommes les plus riches de Russie – en ont profité. Personne ne doute du fait que Tal a été tué parce que des personnes haut placées redoutaient qu'il puisse révéler la vérité sur le fonctionnement de l'organisme qu'il dirigeait. Il en savait trop sur des individus qui disposent aujourd'hui d'une immense influence. Il l'a payé de sa vie.

De telles éliminations sont monnaie courante en Russie. Tal était un spécialiste de la gestion des fonds des entreprises en faillite. Depuis 2002, il dirigeait l'« organisation interrégionale des gestionnaires d'arbitrage ». Cette organisation est rattachée à l'Union russe des industriels et des entrepreneurs (RSPP) et sert les intérêts commerciaux de ses dirigeants (quand ils le désirent, elle organise la faillite d'une entreprise et produit un arbitrage favorable à leurs projets). Les dirigeants en question sont nos principaux oligarques : Oleg Deripaska, Vladimir Potanine, Alexeï Mordachev *, Mikhaïl Fridman *, etc.

Pourtant, je ne pense pas que le meurtre de Tal soit lié à ces gens-là. Aujourd'hui, le système des faillites a beaucoup changé par rapport à celui qui était en vigueur dans les années 1990. On n'obtient plus la propriété d'une entreprise aussi facilement qu'à cette époque. Plus généralement, le temps où des hommes d'affaires ou des hauts fonctionnaires étaient assassinés pour un oui, pour un non, semble révolu.

Il n'empêche que ce meurtre n'a étonné personne : ni les collègues de la victime, ni la RSPP, ni le milieu des affaires, ni le gouvernement ni le peuple. Comme si c'était logique et inévitable.

Fin avril

D'une manière générale, cette fin de mois a vu le triomphe du mensonge permanent. Certains l'ont accepté d'autant plus facilement qu'ils souhaitaient être bernés...

La seconde investiture de Poutine est prévue pour le 7 mai. À la veille des événements importants, il est d'usage de réfléchir à l'avenir plus sérieusement que d'habitude. Les acteurs politiques majeurs vont probablement exposer leurs projets pour la durée de la mandature du président. Peut-on s'attendre à ce que de nouveaux partis politiques soient créés ?

Hélas, il ne se passe rien de tel. L'opposition garde un silence obstiné. La vérité, c'est qu'elle ne sait pas quoi faire. Ce manque d'initiative est un signe : il révèle que la « vieille garde » sera sans doute incapable de lutter contre le pouvoir aux élections législatives et présidentielles de 2007 et 2008. Elle a cédé, on ne peut rien attendre d'elle.

Même si le VTSIOM est un institut d'études sociologiques à la botte du Kremlin, les résultats de son dernier sondage effectué dans le courant de ce mois semblent refléter la réalité. Cette enquête a été réalisée au lendemain des débats parlementaires sur le projet de loi interdisant les manifestations près des bâtiments administratifs et des « objets stratégiques importants ». (Je me demande où ils veulent que les gens aillent manifester... Dans la taïga peut-être ?) Ce projet a été adopté en première lecture le 31 mars. Évidemment, il a été promu par Russie unie, un parti qui n'a pas besoin d'organiser des manifestations pour remporter les élections...

La question posée par le VTSIOM était : « Si, dans votre région, la population organisait une manifestation pour défendre ses droits, y participeriez-vous ? » Seulement 25 % des personnes interrogées ont répondu « oui », contre 66 % qui ont dit « non ».

Tel est l'équilibre de forces dans notre société. Toute possibilité de révolution est exclue.

7 mai

Aujourd'hui démarre le deuxième (et, en principe, dernier) mandat de Poutine au Kremlin. La cérémonie d'investiture est une nouvelle démonstration de l'autoritarisme, de l'arrogance et de l'inaccessibilité de notre chef. Il s'est même aliéné sa propre famille ! Lors de la retransmission de l'événement, les présentateurs ont indiqué avec déférence : « Parmi les invités à la cérémonie solennelle de l'investiture de M. Poutine se trouve l'épouse du président, Lioudmila Poutine. » Ce serait drôle si ce n'était si triste. Comment est-il possible que lors de l'investiture de son mari, la femme du président se trouve parmi les invités, derrière une barrière, à regarder le grand homme marcher seul sur le tapis rouge ?

Quoi qu'on en pense, Poutine est arrivé seul. Il est passé seul sur la tribune et est monté, toujours seul, sur l'escalier des tsars pour admirer la revue militaire. Sans amis. Sans famille. Comme s'il souffrait de paranoïa et ne faisait confiance à personne d'autre que lui-même. C'est une caractéristique essentielle de notre président : il est méfiant vis-à-vis de tout le monde et pense que lui, Poutine, sait mieux que quiconque ce qui est bon pour le pays.

9 mai

Le président de la Tchétchénie, Akhmad Kadyrov, a été assassiné. Présent avant-hier lors de l'investiture de Poutine, ce pion du Kremlin ne cachait pas son mécontentement : il avait été placé trop loin de son boss, dans la deuxième salle, et non pas aux premières rangées des invités d'honneur. Sans doute avait-il vu dans cet éloignement protocolaire un signe de la disgrâce présidentielle, et s'inquiétait de ce que cela pouvait signifier.

Il faut dire qu'il avait de bonnes raisons de se faire du souci. Poutine était le seul garant de sa vie et de son pouvoir. C'est Kadyrov qui avait initié le processus de la « tchétchénisation » du conflit, en lançant une guerre pour le pouvoir entre deux factions : les Tchétchènes soutenus par le Kremlin et les autres. C'est grâce à ses efforts que son peuple a été divisé entre, d'une part, les pro-Poutine et pro-Kadyrov – les « bons Tchétchènes » – et, d'autre part, les « mauvais Tchétchènes », tout juste bons à être supprimés.

L'attentat qui l'a tué s'est produit au stade « Dynamo » de Grozny, le jour de la commémoration officielle de la fin de la Seconde Guerre mondiale. L'explosif avait été placé sous la tribune depuis laquelle le président était en train d'assister à la cérémonie. Tout laisse à penser que Kadyrov a été liquidé par ses propres hommes. Ces derniers mois, son système de sécurité était tellement strict que personne, hormis ses proches, ne pouvait l'approcher. Quant aux lieux de ses apparitions publiques, ils étaient systématiquement sécurisés longtemps à l'avance.

[Les organisateurs de cet attentat ne seront jamais retrouvés. Malgré tout le zèle de façade affiché par la police...]

Quand la nouvelle est tombée, nous avons été nombreux à croire que la disparition de Kadyrov allait marquer la fin de la « tchétchénisation » et, plus globalement, la fin de la ligne stupide conduite par Poutine dans le Caucase du Nord. Certains observateurs laissaient entendre que Kadyrov aurait été liquidé justement dans le but d'en finir avec cette politique désastreuse. Mais cet espoir a été de courte durée. Le soir du 9 mai, l'impensable était déjà devenu réalité : le fils cadet du président assassiné, Ramzan, va devenir le nouvel homme fort de la République. Connu pour ses accès de folie, Ramzan Kadyrov * occupait jusqu'ici le poste de chef de la sécurité de son père. Il y a embauché les pires bandits tchétchènes en leur promettant que tant qu'ils serviraient le clan des Kadyrov, ils ne seraient pas poursuivis en justice pour leurs crimes.

Le soir même de l'attentat, Poutine a reçu le jeune Ramzan au Kremlin. Ce dernier a promis au président de poursuivre la politique de « tchétchénisation ». Leur entrevue a été diffusée sur toutes les chaînes. La Tchétchénie a alors compris que la bande de Kadyrov avait obtenu une immunité totale et qu'elle allait continuer de terroriser la population de la République.

[C'est ainsi qu'a commencé une nouvelle étape de la tchétchénisation, une phase d'oppression encore plus violente, sous la férule de ce fou furieux de Ramzan Kadyrov.

Le peuple tchétchène s'est-il ouvertement indigné de se voir imposer un chef de cette façon ? Non. Mais la résistance armée s'est encore renforcée ; de nouvelles recrues sont parties dans les forêts pour rejoindre les *boïeviki*. La guerre n'est pas près de prendre fin.]

26 mai

Poutine a prononcé son adresse annuelle au Parlement (c'est sa façon à lui d'informer le peuple de ses projets pour l'année à venir). Le président était en forme, c'est-à-dire qu'il s'est montré particulièrement agressif. Cible de son ire : la société civile. À l'en croire, toutes les ONG sont corrompues. Quant aux défenseurs des droits de l'homme, ils ne sont rien d'autre qu'une cinquième colonne à la solde de l'Occident. Je cite ses mots : « Pour une partie de ces ONG, la priorité absolue est d'obtenir le maximum d'argent en provenance de prestigieuses fondations étrangères. Or on n'entend jamais ces organisations dénoncer de vraies violations majeures des droits de l'homme. Pour une raison très simple : ils ne vont pas mordre la main qui les nourrit. »

Cette violente invective à l'encontre des défenseurs des droits de l'homme n'était qu'une partie d'une campagne bien plus vaste lancée par l'administration présidentielle et, spécialement, par l'idéologue en chef du Kremlin, Vladislav Sourkov. En réaction, les militants des droits civiques se sont mis à brandir, lors de leurs manifestations contre la guerre en Tchétchénie, des pancartes ironiques indiquant : « Nous sommes la cinquième colonne de l'Occident. »

[Après le 26 mai, le pouvoir a tenté de former lui-même un nouveau modèle d'organisation de défense des droits de l'homme. Ce projet échouera lamentablement. L'idée consistait à forcer les entrepreneurs à financer les « bonnes » activités non gouvernementales. Mais les businessmen russes ont rechigné à se plier à cette injonction : l'exemple de Khodorkovski, qui avait activement financé le secteur non gouvernemental avant de se retrouver en prison, les a incités à se montrer très prudents : qui sait si une ONG aujourd'hui soutenue par le pouvoir ne sera pas considérée comme une « ennemie » plus tard ?]

Pourquoi cette soudaine préoccupation ? C'est bien simple. Après l'échec cuisant des partis de tendance libérale et démocratique aux législatives de décembre 2003, il est devenu évident que, dorénavant, la dissidence ne pourrait naître qu'au sein de la communauté des militants des droits civiques. Tout comme à l'époque soviétique.

C'est pourquoi Poutine s'en est pris si vigoureusement aux défenseurs des droits de l'homme dans son allocution au Parlement : il lui fallait absolument les discréditer avant qu'ils ne montent en puissance.

Les leaders démocrates historiques se sont bien gardés de protester. En fait, pendant tout le mois de mai, ils n'ont pas levé un sourcil. Ils n'ont même pas commenté l'événement clé de ces dernières semaines, à savoir la promotion de Ramzan Kadyrov au sommet du pouvoir tchétchène. C'est comme s'ils avaient cessé d'exister.

1er juin

La chaîne NTV a limogé le célèbre journaliste Leonid Parfenov. Motif : dans son émission *Hier* – l'émission d'analyse politique la plus populaire du pays – il a eu l'outrecuidance de diffuser une interview de la veuve de Zelimkhan Iandarbiev, un dirigeant tchétchène extrémiste qui a récemment été tué au Qatar par les forces spéciales russes. Cet entretien n'avait rien d'exceptionnel : la veuve, inconsolable, n'a fait aucune révélation fracassante. Mais il n'avait pas été, au préalable, approuvé par la direction; et un ennemi, même mort, reste un ennemi...

Parfenov est tout sauf un journaliste militant. Il se veut « apolitique » et, en règle générale, n'a aucun scrupule à trouver un terrain d'entente avec le pouvoir. Son limogeage est un acte de censure politique, mais il est d'autant plus surprenant qu'au cours de ces derniers mois, Parfenov a souvent essayé de démontrer sa loyauté envers le régime et n'a jamais rien diffusé de particulièrement acerbe...

Kakha Bendoukidze, un oligarque russe d'origine géorgienne qui préside le conseil des directeurs de la compagnie « Usines de machines-outils unifiées » située dans l'Oural, a été nommé ministre de l'Industrie de la Géorgie. Le nouvel homme fort de Tbilissi, Mikhaïl Saakachvili, lui a immédiatement décerné la nationalité géorgienne.

C'est le Premier ministre de ce petit pays du Caucase, Zourab Jvania, qui a convaincu Bendoukidze d'accepter le poste. L'industriel a déclaré qu'il avait l'intention de faire passer des réformes « ultra-libérales » dans sa patrie historique. Il a évité de se prononcer sur le caractère des réformes actuelles en Russie, mais il est clair que son départ en Géorgie n'est pas fortuit : les libéraux ne trouvent pas leur place dans le système créé par Poutine. Avant même la révolution des roses qui a tourneboulé ce pays en décembre dernier, Bendoukidze disait souvent, publiquement et en privé, qu'il était très déçu par le développement économique de la Russie et qu'il voulait quitter le monde des affaires. Au moment où la proposition de prendre un portefeuille ministériel lui a été faite, il se préparait déjà à vendre les actions qu'il possédait dans des entreprises russes...

À Moscou se tient une réunion importante de la Commission électorale centrale. Cette session marque le début d'une campagne de propagande destinée à convaincre le peuple du bien-fondé d'une décision prise en haut lieu : la suppression des élections des députés au scrutin uninominal [1]. Si ce projet était adopté, il s'agirait de l'abrogation d'un acquis essentiel de la démocratie. Le Kremlin souhaite imposer une proportionnelle intégrale, tout en relevant la barre du pourcentage de voix qu'un parti doit engranger pour entrer à la douma : de 5 % jusqu'à présent, ce score minimal passera à 7 %. Bref, il ne veut laisser sur la scène politique que des grands partis.

Un tel système nous rejetterait loin en arrière, directement à l'époque soviétique, rendant impossible la création de nouvelles formations parlementaires et marginalisant tous les partis n'ayant pas accès à la douma. L'idée qui sous-tend cette réforme est limpide : ne laisser subsister, en dehors du parti du pouvoir, que deux ou trois grandes factions qui se sont déjà montrées capables de s'entendre avec le Kremlin : le PC, le LDPR et Rodina (ce dernier,

1. Voir note 1, p. 18.

à certaines conditions). Bien sûr, le « rôle dirigeant » reviendra à Russie unie.

Le Kremlin pourra contrôler tous les résultats; il n'aura plus jamais de mauvaise surprise. Des partis comme le SPS et Iabloko, qui sont soutenus par moins de 7 % des électeurs, seront définitivement écartés du grand jeu politique.

Lors de la réunion, le président de la Commission électorale centrale, Alexandre Vechniakov, est intervenu pour proposer de passer au système que je viens de décrire. Il a expliqué que les élections à la proportionnelle intégrale seront instaurées en juin 2005 par un amendement à la loi « sur les garanties électorales des citoyens russes ». La société a avalé cette annonce sans broncher.

[C'est bel et bien ce qui s'est passé en 2005. Le peuple a été pratiquement privé d'élections libres. Il n'y a pas eu de protestations. Seuls les défenseurs des droits de l'homme ont essayé d'attirer l'attention du Conseil de l'Europe et des leaders occidentaux sur le fait que le système électoral russe n'était plus démocratique. Mais l'Ouest a haussé les épaules : si le peuple russe n'a pas protesté, c'est donc qu'il n'a rien contre une telle évolution...]

2 juin

Funérailles, en Tchétchénie, de Zelimkhan Kadyrov, le fils aîné d'Akhmad Kadyrov, assassiné le 9 mai dans un attentat. Zelimkhan était un toxicomane notoire; trois semaines après la mort de son père, il a succombé à un arrêt cardiaque. Les proches des Kadyrov disent que Zelimkhan ne supportait pas la politique brutale conduite par Akhmad et par son frère cadet Ramzan. Il ne trouvait l'oubli que dans l'héroïne. Après son décès, Ramzan s'est complètement déchaîné.

19 juin

Nikolaï Guirenko a été abattu dans son appartement de Saint-Pétersbourg. C'est à l'évidence un meurtre politique : la victime était un célèbre universitaire antifasciste. Chacun sait que cet assassinat a été commis par nos extrémistes de droite. Ils n'ont d'ailleurs jamais cherché à s'en cacher : au contraire, ils se pavanent, persuadés d'avoir donné une bonne leçon à leurs adversaires.

L'arrêt de mort de Guirenko a été affiché pendant des semaines sur de nombreux sites Internet de cette mouvance. La justice, qui était au courant, n'a pas jugé bon d'intervenir. Et le chercheur a été supprimé. Comme on pouvait s'y attendre.

Guirenko était un ethnologue reconnu, membre éminent du musée d'anthropologie et d'ethnographie de l'Académie des sciences de Russie. Il participait épisodiquement, en tant qu'expert, aux procès des organisations fascistes. Il faisait l'analyse des articles et des fascicules publiés par des maisons d'édition d'extrême droite et, souvent, parvenait à démontrer que leur contenu violait la loi. Ses expertises auprès des tribunaux ont toujours été précises et scientifiquement fondées. C'est sur cette base que plusieurs néofascistes ont été condamnés. Cependant, il faut souligner que ces procès sont extrêmement rares en Russie. Par exemple, en 2003, sur soixante-douze « crimes de haine raciale », seuls onze ont abouti à un procès. Tous les autres ont été étouffés ; les enquêteurs n'ont pas été capables – ou, le plus souvent, n'ont pas voulu – démontrer que les prévenus s'étaient rendus coupables d'agressions à caractère raciste.

Les néofascistes abhorraient Guirenko car, chaque fois qu'il participait aux audiences, leurs camarades accusés récoltaient des peines de prison ferme. Or, en règle générale, les rares procès pour délits racistes aboutissent à des amnisties ou à des condamnations conditionnelles. Début juin, à Novgorod, Guirenko avait justement pris part au procès de plusieurs membres de la branche locale du RNE (Union nationale russe, une organisation fasciste et xénophobe).

Les chercheurs qui acceptent de témoigner en tant qu'experts à ce genre de procès sont rares : ils ont peur de la vengeance des crânes rasés, une vengeance d'autant plus tentante que le pouvoir se montre assez tolérant à leur égard et qu'une partie de la société les soutient. Les experts menacés ne peuvent guère compter sur la protection des forces de l'ordre, car celles-ci sont elles-mêmes largement chauvines et xénophobes. Elles l'ont, d'ailleurs, toujours été ; mais depuis que la haine anticaucasienne est devenue l'idéologie officielle du pays avec l'arrivée de Poutine aux affaires, ces tendances n'ont fait que s'amplifier.

« Quand j'ai appris la mort de Guirenko, j'ai pensé qu'une vague de protestation allait se lever », dit Alla Guerber, écrivain, présidente de la fondation « Holocauste » et, jusqu'en décembre dernier, députée du SPS à la douma.

Mais, comme toujours, personne ne s'est révolté. Pis : sans que la justice ne réagisse le moins du monde, beaucoup de sites fascistes se sont ouvertement félicités de cette « excellente nouvelle ». La RNE a déclaré que « la mort de Guirenko ôt (ait) un poids de (ses) épaules ». Une autre organisation de la même orientation, l'Alliance slave (dont le sigle russe est « SS »), a placé sur son site un poster à télécharger : on y voit un jeune homme en uniforme nazi, un revolver à la main, et cette légende : « À la mémoire de Guirenko ».

Ces sites n'ont pas été fermés. Et leurs propriétaires n'ont pas été poursuivis en justice.

Dans le même temps, une autre organisation ultranationaliste, le Parti pour la puissance nationale, a élaboré une liste des « ennemis du peuple russe », consultable sur son site Internet. Il y a là quarante-sept noms. Parmi eux : Svetlana Gannouchkina, chef de l'Assistance civique, une organisation de soutien aux réfugiés et aux déplacés qui s'occupe de vingt mille cas par an ; Alla Guerber, présidente de la fondation « Holocauste », qui lutte contre l'antisémitisme ; Andreï Kozyrev, l'ex-ministre des Affaires étrangères, un pro-occidental convaincu ; Nikolaï Svanidze, un journaliste de télévision, de nationalité géorgienne ; une autre journaliste, Elena Khanga, dont le seul tort est d'être métisse ; beaucoup d'autres personnalités connues – et enfin, moi-même, Anna Politkovskaïa.

Voici un extrait de l'« acte d'accusation » rédigé par ce parti : « De nombreuses organisations qui œuvrent soi-disant " pour la défense des droits de l'homme " sont composées d'individus qui ne sont pas des Russes de souche et qui vivent de donations étrangères versées par des fondations proches de la CIA, du MI-6 et du Mossad. Ces organisations s'en prennent activement aux nationalistes russes. »

Un peu plus tard, le leader de l'Alliance slave, un certain Demouchkine, s'adressera directement aux quarante-sept personnes répertoriées sur sa liste : « Préparez-vous, la nuit des longs couteaux est proche ! »

Il ne fait aucun doute que le meurtre de Guirenko, que les autorités n'ont jamais élucidé, a montré aux extrémistes de tout poil que la voie était libre. Mais on aurait tort de sous-estimer l'importance de l'exemple venu d'« en haut » – je pense, bien sûr, au discours de Poutine au Parlement. En dénonçant avec hargne les « prétendus défenseurs des droits de l'homme corrompus par l'Occident », le président a alors dit en substance la même chose que le Parti pour la puissance nationale. Il serait bien naïf de n'y voir que le fruit du hasard.

21-22 juin

Cette nuit, des *boïeviki* ont occupé la République ingouche. Le président local, Mourat Ziazikov, s'est enfui à leur approche. Il est resté caché on ne sait où jusqu'à la fin de la crise.

Le 21 juin, vers onze heures du soir environ, mon téléphone se met à sonner. Ce sont des amis qui appellent de Nazran, la capitale. Ils s'époumonent dans le combiné : « Au secours ! C'est la guerre ! Nous sommes allongés par terre avec les enfants ! Faites quelque chose ! » Ensuite, j'entends des rafales de coups de feu et des hommes hurler « Allah Akbar ! »

À mon tour, je commence à crier à mes interlocuteurs : « Mais que se passe-t-il ? Qui fait la guerre à qui ? Qui vous protège ? » En guise de réponse, je n'entends que les explosions des grenades... Quelle idiote je fais ! Pourquoi est-ce que je leur pose toutes ces questions ? Comme si des femmes terrorisées, allongées par terre avec leurs enfants, pouvaient comprendre précisément quelles sont les forces en présence...

La « guerre au téléphone » dure jusqu'au petit matin. Ces heures sont très éprouvantes. Que puis-je faire en pleine nuit, depuis Moscou ? Les chaînes de télévision ne fonctionnent pas, les services d'information non plus. Les employés des forces de l'ordre que je connais en Ingouchie ont éteint leurs portables et dorment. C'est l'heure du non-droit total : le monde peut s'effondrer, les généraux ne réagiront qu'au matin.

C'est d'ailleurs ainsi que tout s'est passé. À l'aube, les *boïeviki* ont battu en retraite et les militaires, qui pullulent en Ingouchie et dans toute la région, se sont réveillés et se sont lancés à leur poursuite.

Mais c'était trop tard ! Le commando était déjà loin. Dans les rues gisaient des cadavres, civils et militaires confondus. La plupart des victimes étaient des policiers locaux, ainsi que des magistrats et des collaborateurs du FSB. Des dizaines de bâtiments et de voitures avaient brûlé. Voici ce qui s'est passé : des *boïeviki*, deux cents personnes au moins, avaient réussi à couper l'accès à la ville de Nazran, tout en attaquant simultanément deux agglomérations situées à proximité. Ils ont rapidement installé des postes de surveillance partout autour et à l'intérieur de la capitale ingouche. Ensuite, ils ont tout simplement exécuté chaque représentant des forces de l'ordre qui essayait de franchir ces postes, ainsi que quelques civils. Des témoins qui ont pu leur parler déclarent qu'ils affirmaient être des « hommes de Bassaev » et qu'il y avait, parmi eux, des Tchétchènes, des Ingouches et des personnes de « type slave ».

Stupéfiant : deux cents *boïeviki* ont exécuté une mission dévastatrice en dehors de la Tchétchénie ! Alors même que, selon le pouvoir, leurs rangs auraient été complètement décimés au cours des derniers mois : il n'en resterait en tout et pour tout qu'une cinquantaine, aux abois dans les forêts !

La vérité saute aux yeux : ces hommes sont bien plus nombreux et bien moins affaiblis qu'on ne le croit. Ils viennent de mener à bien une opération de grande envergure, parfaitement montée, et que les services de renseignements russes n'ont pas su anticiper. Personne n'a été capable de les empêcher de frapper Nazran. Ni ce crétin belliqueux de Kadyrov, qui fait peut-être peur au Kremlin, mais certainement pas à Bassaev. Ni les nombreux militaires basés à Khankala et à Mozdok. Ni la 58e armée positionnée en Ossétie et composée, en partie, d'ex-*boïeviki* repentis. Ni les quatorze mille policiers tchétchènes. Ni les six mille policiers ingouches...

À quoi peuvent bien servir alors toutes ces forces diverses et variées si elles ne parviennent pas à prévenir ce genre d'attaques ?

Cette incursion meurtrière a démontré que nos militaires ne valaient rien. Le système de défense est *virtuel*, comme Poutine lui-même. Il ne sert qu'à créer une apparence de lutte. C'est pour cette raison que des gens disparaissent, enlevés par des « inconnus armés et camouflés ». Ceux-ci enlèvent des civils innocents à la seule fin de nourrir les rapports d'activités « antiterroristes » qu'ils envoient au centre pour créer un semblant d'efficacité. La vérité, c'est que toutes ces forces savent kidnapper, piller et tuer, mais pas protéger.

Les citoyens sont donc obligés de prendre leur destin en main. Dans cette terrible nuit du 22, il s'est trouvé des hommes courageux pour sortir de chez eux, aller parler aux *boïeviki* et leur demander de partir. Ils ont alors compris que, parmi les membres du commando, il n'y avait pas seulement des Tchétchènes, loin de là, mais également un très grand nombre d'Ingouches.

Pourquoi ? Encore une fois, la réponse réside dans l'arbitraire qui règne dans le Caucase du Nord. Quand, au début de l'année, des « inconnus armés et camouflés » se sont mis à enlever de nombreux Ingouches, beaucoup de jeunes gens ont gagné les montagnes et se sont joints à la résistance tchétchène. Le pouvoir a refusé d'admettre que ces hommes résolus constituaient une menace de premier ordre... et qu'il était le premier responsable de la radicalisation de la jeunesse locale. Bien au contraire, les autorités ont continué à ânonner leur antienne usée sur la « stabilisation de la région ». Le 22 juin, ce mensonge a volé en éclats. Une centaine de personnes l'ont payé de leur vie. Des policiers ont dû se battre en sous-nombre sans recevoir de renforts, et ont péri en accomplissant leur devoir jusqu'au bout. Il y a aussi de nombreuses victimes civiles, des gens qui n'avaient jamais touché une arme et qui ne désiraient qu'une chose : vivre paisiblement...

Bien évidemment, ce sont les *boïeviki* qui les ont assassinés. Mais les autorités portent également une lourde part de responsabilité dans ce drame. L'inaction, les mensonges et l'égoïsme du pouvoir ont tout autant causé la mort de tous ces innocents que les coups de feu qui les ont tués.

Mais où Mourat Ziazikov, le président de l'Ingouchie, a-t-il passé cette nuit tragique pour son peuple ? Et qu'a-t-il fait pour défendre les siens ?

Eh bien, Ziazikov s'est enfui, après avoir changé de vêtements et renvoyé ses gardes pour qu'ils ne trahissent pas son identité. Il n'est réapparu que beaucoup plus tard, une fois tout danger écarté. C'est un comportement inouï pour un homme du Caucase, et particulièrement pour un leader... Aussi longtemps que Ziazikov sera en poste et que Poutine ne changera pas de tactique, des tragédies semblables à celle du 22 juin se répéteront. C'est le mensonge sur la guerre en Tchétchénie, un mensonge martelé depuis des années, qui est à l'origine du désastre qui a frappé l'Ingouchie. Même *Nord-Ost* ne nous a rien appris.

Et ce n'est pas fini. Si nous ne trouvons pas une sortie politique à cette crise, nous allons affronter, bientôt, quelque chose d'absolument affreux.

[J'aurais aimé me tromper dans mes prédictions : début septembre, un pas supplémentaire a été franchi dans l'horreur avec la tragédie de Beslan.

Et en Ingouchie, le Kremlin, qui ne tire aucune leçon de ses erreurs, a décidé de répliquer à la razzia de juin en appliquant les mêmes méthodes qu'en Tchétchénie. Les ratissages et les enlèvements se sont multipliés. En réaction, de nombreuses cellules de combattants, islamistes ou non, ont vu le jour. Ces nouveaux résistants voulaient frapper fort. Rien d'étonnant, dès lors, à ce que la plupart des preneurs d'otages de Beslan ont été des Ingouches...

Après Beslan, le statut de l'Ingouchie en tant que « république suspecte » sera définitivement scellé. Les tortures deviendront la norme. Comme en Tchétchénie, la spirale infernale de la violence se mettra à tourner de plus en plus vite.]

23 juin

Au lendemain de la tragédie, alors que l'Ingouchie pleure ses morts, la Tchétchénie voisine s'apprête à élire le successeur d'Akhmad Kadyrov. Le ministre de l'Intérieur, Alou Alkhanov, s'est porté candidat. Alkhanov était personnellement chargé de la capture de Bassaev. En tant que tel, il est responsable de tout ce qui vient de se produire en Ingouchie. Pourtant, il est présenté à la télévision comme un protégé de Poutine, lequel voit en lui un choix satisfaisant. Lors du dépôt de sa candidature, Alkhanov s'est réjoui par avance des « élections paisibles qui auront lieu le 29 août », et a déclaré que l'essentiel, c'était de développer l'agriculture. Apparemment, il ne se rend pas compte de l'indécence d'un discours aussi déconnecté de la réalité au moment où l'Ingouchie vient d'être ravagée par une incursion des *boïeviki*.

L'avenir du Caucase paraît très sombre : grâce au soutien de Poutine, Alkhanov sera élu et Ziazikov réélu. Quant aux habitants, il ne leur restera qu'à se terrer chez eux en espérant échapper aux rafles de la police et aux coups de main des insurgés...

1er juillet

À Moscou, au monastère de Saint-Daniel, s'est tenue une table ronde intitulée : « La liberté et la dignité humaine : vision orthodoxe et vision libérale ». Différentes personnalités étaient présentes, au premier rang desquelles Rostislav Chafarevitch, jadis un ami et un partisan d'Andreï Sakharov, devenu ces derniers temps un ultra-réactionnaire et un poutinien déterminé ; Ella Pamfilova *, chef de la Commission présidentielle pour la formation de la société civile et les droits de l'homme ; le diacre Kouraev et l'archiprêtre Vsevolod Tchapline *. Cette réunion était destinée à développer une idée suggérée par l'administration présidentielle : élaborer un « modèle national » de défense des droits de l'homme. Un modèle qui, dans l'esprit des autorités, doit forcément reposer sur la morale orthodoxe et être financé par des hommes d'affaires « patriotes ».

Quid de ceux qui ne sont pas orthodoxes ? N'y aura-t-il personne pour défendre leurs droits ? Les droits de l'homme ne sont-ils pas une valeur universelle étrangère aux confessions et aux croyances ?

Poutine n'en a cure. Il a confié à l'Église orthodoxe russe la mission de mettre en œuvre les directives qu'il a évoquées dans son allocution au Parlement du 26 mai. Pour prouver leur loyauté à l'égard du Kremlin et, surtout, pour obtenir le statut de religion d'État, les chefs de l'Église ont accepté le marché tacite proposé par le président. Le métropolite Kirill a prononcé un beau discours dont il résulte qu'il faut trouver de nouveaux leaders pour le mouvement de défense des droits de l'homme, des leaders qui « aiment notre pays ». Il ne comprend pas qu'il est impossible de « trouver de nouveaux leaders » pour un tel mouvement : ils doivent s'imposer d'eux-mêmes, par leur action. S'ils sont parachutés par le pouvoir, ils n'auront aucune légitimité...

Ensuite, on a entendu Ella Pamfilova, qui fut naguère une démocrate convaincue et une opposante farouche aux apparatchiks soviétiques. Mais cette époque est révolue. À présent, elle soutient toutes les initiatives de Poutine avec entrain.

Voici un extrait de son intervention :

> « Je ne suis pas d'accord avec ceux qui prétendent que l'idéologie de la défense des droits de l'homme est en crise. Une telle idéologie n'existe pas ; par conséquent, elle ne peut pas être en crise ! Peut-être y a-t-il une crise à l'intérieur de certaines organisations dont les leaders sont restés au siècle dernier et continuent de lutter contre un État totalitaire disparu. Ces gens ont l'habitude d'appeler l'Occident à l'aide pour faire pression sur le pouvoir. Mais il ne faut pas associer tout le mouvement civique à ces cinq ou dix personnalités qui confondent la défense des droits de l'homme et la politique, et qui défendent des positions qui ne recueillent pas le soutien de la population. Ces individus ne présentent pas un danger pour nous. L'important, c'est que sous nos yeux, aujourd'hui, est en train de naître un nouveau mouvement humanitaire, doté de jeunes leaders qui, eux, défendent réellement les intérêts du peuple. »

[Oui, des jeunes leaders, il y en a dans le pays. Mais il est peu probable qu'ils réjouiraient Ella Pamfilova. La radicalisation de la jeunesse est flagrante. Les enfants de l'intelligentsia deviennent des nationaux bolcheviks ; bientôt, pour être entendus, ils occuperont le cabinet du ministre de la Santé et des Affaires sociales, Mikhaïl Zourabov [1].

Il va sans dire qu'on n'a jamais vu apparaître ces « nouveaux défenseurs des droits de l'homme » adoubés par l'Église orthodoxe russe.]

Aujourd'hui, c'est l'acte final de la grande pièce nommée « Liquidation de Ioukos ». Dans la nuit du 1er au 2 juillet, les comptes de la compagnie ont été gelés. L'extraction du pétrole a été suspendue. Partout, dans le monde, le prix de l'or noir a considérablement grimpé. La compagnie a essayé de négocier, proposant notamment de céder certains de ses actifs à l'État pour éponger ses dettes. Refus du pouvoir. Le Kremlin veut voir la première entreprise pétrolière du pays liquidée. C'est la fameuse maxime de Poutine, « buter [les terroristes] jusque dans les chiottes », appliquée au monde des affaires. La population s'en moque éperdument.

---

1. Ce sujet sera abordé en détail dans la suite du journal.

6 juillet

Les habitants de Sernovodskaïa, en Tchétchénie, manifestent pour exiger que les soldats fédéraux rendent les hommes qu'ils ont enlevés. Naturellement, la manifestation a été dispersée par la force. Des femmes d'une ville voisine ont barré une route nationale avec les mêmes revendications : elles souhaitent que cessent les enlèvements et les arrestations arbitraires de leurs fils, de leurs maris et de leurs frères. Aucune réaction de la part des autorités. Seuls les défenseurs des droits de l'homme ont assuré ces malheureuses de leur soutien. Le reste du pays est amorphe.

7 juillet

Tchétchénie, toujours. Des mères dont les fils ont été kidnappés se sont réunies dans le village de Chali. Elles se sont dit prêtes à entamer des grèves de la faim car leur patience était épuisée, tout comme leur espoir de voir enfin les forces de l'ordre entreprendre quelque chose pour retrouver leurs enfants. Elles ont demandé à rencontrer des représentants des structures internationales ainsi que des défenseurs des droits de l'homme. But de leur démarche : faire simplifier la procédure d'obtention du statut de réfugié politique. Leurs griefs peuvent être résumés en quelques mots : « On nous a expulsés d'Ingouchie ; on nous vole nos enfants en Tchétchénie ; et, en Russie, nous sommes des citoyens de seconde zone. » Mais, cette même nuit, il y a eu de nouveaux enlèvements d'hommes tchétchènes par les fédéraux. Des lettres en provenance de Tchétchénie pleuvent sur Strasbourg. En vain.

9 juillet

Encore une mort atroce dans l'armée. Les conscrits peuvent mourir selon des tas de raisons différentes : toutes les conditions sont réunies pour les tuer. Même des jeunes enthousiastes et impatients à l'idée de faire leur service, comme le soldat Evgueni Fomovski, peuvent tomber sur des brutes qui les anéantiront sans aucune raison, juste pour le plaisir.

« Le jour même où nous avons enterré Evgueni, ses anciens camarades de lycée passaient leurs examens de fin d'année », raconte sa mère, Svetlana. Elle vit à Iarovoe, une petite ville dans la région d'Altaï. « Lui, il a insisté pour passer ses examens avant terme, pour pouvoir partir à l'armée dès le printemps. Comme ça, il aurait pu finir son service au plus tôt et entrer à l'université en perdant le moins de temps possible. »

Mais les choses ont pris une mauvaise tournure. Pour Evgueni, le service militaire n'aura duré qu'un mois et dix jours. C'est le temps qu'il a fallu pour tuer ce Sibérien costaud de presque deux mètres de haut. Le 8 juin, il est arrivé dans son unité, à la frontière chinoise. Le 6 juillet, les jeunes soldats ont été envoyés dans une petite colonie d'entraînement d'été. Trois jours plus tard, à l'aube, Evgueni a été retrouvé dans un bâtiment délabré, à une centaine de mètres du camp, pendu à sa propre ceinture. Le soir même, un télégramme succinct était envoyé à son domicile : « Votre fils, Evgueni Fomovski, s'est suicidé le 9 juillet 2004. Prière de nous faire connaître d'urgence l'endroit de l'enterrement. La date de l'envoi du cercueil vous sera communiquée séparément. Signé : le commandant du détachement. »

Que s'est-il passé au juste ? Evgueni était un jeune homme robuste, sportif et intelligent. Or notre armée n'aime pas les têtes qui dépassent, dans tous les sens du terme. Fomovski mesurait un mètre quatre-vingt-seize et chaussait du quarante-sept. On lui a donné des chaussures de pointure quarante-quatre et on l'a obligé à courir des cross quotidiens, par une chaleur de 40 °C. Torturer les recrues est d'usage dans notre armée. La veille du 9 juillet, Evgueni ne pouvait plus marcher.

« Quand nous l'avons vu à la morgue, nous avons remarqué que ses gros orteils avaient été frottés jusqu'à l'os », raconte sa tante, Ekaterina.

Notre pays est immense. Svetlana et Ekaterina étaient parties de leur ville sibérienne le 5 juillet pour assister à la prestation de serment militaire de leur fils et neveu, prévue pour quelques jours plus tard. Le voyage leur a pris cinq jours.

« Nous sommes parvenues à destination le 10 juillet, au lendemain de sa mort », pleure Svetlana.

Dans ce trou perdu du bout du monde, la morgue occupe un bâtiment situé à côté de l'hôpital. Le médecin légiste ne dessoûle jamais.

« Sur le cou d'Evgueni, j'ai vu la trace de la corde, dit sa tante. Mais ce n'était pas tout. Son poignet gauche avait été lacéré. D'après ce que l'on nous a dit, il aurait d'abord essayé de s'ouvrir les veines. Or tout son corps portait des traces de coups ; sa tête était couverte d'ecchymoses ; son crâne semblait fracturé ; ses organes génitaux étaient enflés et bleus de coups ; ses jambes et son dos étaient écorchés, comme s'il avait été traîné sur le sol. Sur l'un de ses pieds, il y avait des traces de brûlures ; et sur ses épaules, de larges bleus. Je pense qu'il a été torturé et pendu ensuite, afin de faire passer sa mort pour un suicide. »

Les deux femmes ont réussi à reconstituer les événements. Evgueni avait eu l'audace d'exiger des chaussures à sa taille. Alors on a décidé de lui donner une leçon. Le schéma est classique : ce sont les « anciens », c'est-à-dire les soldats effectuant leur deuxième année de service, qui « maintiennent l'ordre » dans les casernes, encouragés en cela par les officiers.

Le déroulement de cette soirée fatale a été corroboré par les soldats de première année. D'après eux, les « bizuteurs » ne voulaient pas tuer Evgueni, seulement lui apprendre à ne pas se montrer trop exigeant. Mais ils ont mal calculé leurs coups et Evgueni est mort sous les tortures. Il ne restait d'autre choix à ses assassins que d'essayer de faire passer son décès pour un suicide.

La tragédie du soldat Fomovski, âgé de dix-huit ans et mort uniquement à cause de sa pointure, n'a pas touché la société. Elle n'a pas incité les gens à se révolter contre cette armée dégoûtante. La société n'a pas obligé le ministre de la Défense à se porter garant du respect des recrues. Elle n'a pas menacé de ne plus envoyer ses enfants dans cette armée qui les assassine impunément. Elle a regardé ailleurs. Et les massacres de « bleus » ont continué.

Ce soir même, à Moscou, Paul Khlebnikov a été mortellement blessé par un tueur professionnel. Khlebnikov, un journaliste américain d'origine russe, était le rédacteur en chef de l'édition russe du magazine *Forbes*. Il s'était spécialisé dans le milieu de la nouvelle oligarchie [1].

---

1. Paul Khlebnikov était notamment célèbre pour son ouvrage sur l'oligarque russe Boris Berezovski, *Le Parrain du Kremlin. Boris Berezovski et le pillage de la Russie* (publié en France par les éditions Robert Laffont en 2001).

[Cette mort, qui a eu une résonance internationale, demeure un mystère à ce jour. Les forces de l'ordre russes affirmeront que Khlebnikov a été assassiné par des Tchétchènes désireux de venger l'honneur de leur ami, un aventurier nommé Khodj-Ahmed Noukhaev *, que le journaliste avait décrit d'une façon particulièrement déplaisante dans son dernier livre, *Entretien avec un barbare* [1]. Cette supposition semble cousue de fil blanc. Le pouvoir veut simplement cacher son impuissance à découvrir les vrais auteurs de ce crime. Quant à Noukhaev, c'est un personnage bizarre : ancien commandant de la résistance tchétchène, il a quitté le mouvement de guérilla et tenté de s'imposer en tant que penseur « eurasiste ». Sans grand succès. D'autre part, cet homme n'est absolument pas populaire en Tchétchénie. Il est difficile d'imaginer que qui que ce soit aurait pu tuer pour lui [2].]

10 juillet

Aujourd'hui a eu lieu la dernière diffusion du talk-show *Liberté de parole*, sur NTV. Ce même jour, on a appris que l'émission d'analyse politique hebdomadaire *Affaire privée*, présentée par Alexandre Guerassimov, le vice-président de la chaîne, était également supprimée. Guerassimov a immédiatement démissionné. Désormais, on peut dire sans exagérer que la liberté de parole a été liquidée à la télévision russe.

[Un an plus tard, après la révolution orange, *Liberté de parole* sera hébergée par la télévision ukrainienne.]

16-17 juillet

À Sernovodskaïa, en Tchétchénie, des militaires circulant en voitures blindées ont enlevé six personnes : deux frères de la famille Indarbiev (dont l'un est un commandant de la police locale), trois

1. Ce livre n'a été publié qu'en russe.
2. Le procès des assassins présumés de Paul Khlebnikov s'est ouvert le 10 janvier 2006.

frères de la famille Inkemirov (âgés de quinze à dix-neuf ans) et un handicapé, Anzor Loukaev. Les femmes se sont précipitées dehors. Elles ont improvisé un meeting sur la grand-place du village pour réclamer que leurs proches leur soient rendus sains et saufs. La police a dispersé ce rassemblement pacifique en tirant à balles réelles au-dessus de leurs têtes. Pendant que ses hommes tirent sur les civils au lieu de les protéger, Alou Alkhanov, ministre de l'Intérieur de la République, président de la Commission de reconstruction de la Tchétchénie et principal candidat à la présidentielle, continue de répéter, comme si de rien n'était, que grâce à ses efforts, la « vague des enlèvements décroît rapidement »...

20 juillet

À l'aube, dans le village ingouche de Galachki, des militaires ont abattu, à son domicile, le tractoriste Arapkhanov, sous les yeux de sa femme et de ses sept enfants. Par erreur. Cet épisode tragique démontre une nouvelle fois l'incroyable incompétence de nos forces de l'ordre.

Selon des renseignements parvenus aux fédéraux, le *boïevik* Khoutchbarov [celui-là même qui, sous le sobriquet de « Colonel », dirigera, moins d'un mois et demi plus tard, le commando de Beslan], devait passer la nuit à Galachki – précisément au 11, rue Partizanskaïa. Les troupes d'intervention ont donc foncé dans ce village et pris d'assaut une maison de la rue Partizanskaïa. Sauf que ce n'était pas le numéro 11, mais le numéro 17, où habitait le malheureux Arapkhanov. Quelques minutes plus tard, un juge d'instruction du FSB – un certain Kostenko – est arrivé, un mandat de perquisition à la main. Ce n'est qu'à ce moment-là que les fédéraux ont compris qu'ils s'étaient lamentablement trompés d'adresse... Détail caractéristique de la déshumanisation provoquée par notre opération « antiterroriste » : Kostenko n'a même pas songé à présenter ses excuses à la veuve. Qu'adviendra-t-il à présent de cette famille ? Et les enfants de la victime pardonneront-ils aux Russes ?

[Évidemment, jamais Kostenko ne présentera ses excuses aux mères de Beslan dont les enfants mourront à cause de

Khoutchbarov, qui aurait dû être mis hors d'état de nuire ce soir-là...]

23 juillet

La brigade chargée de faire la lumière sur les événements de *Nord-Ost* a été démantelée. Trois mois avant le deuxième anniversaire de cette tragédie. La société ne s'intéresse plus à l'enquête depuis longtemps; quant au gouvernement, il ne souhaite qu'une chose : qu'on ne parle plus de toute cette histoire. Pourtant, la brigade n'a pas fait son travail : la plupart des terroristes n'ont pas été identifiés, la composition du gaz mortel qui a tué les otages demeure indéterminée et les noms de ceux qui ont pris la décision d'utiliser ce gaz, inconnus.

L'enquête n'est pas officiellement classée, mais elle est *de facto* complètement gelée. De tout le pool initial, il ne reste que le chef, Vladimir Kaltchouk. À présent, son passe-temps principal consiste à rencontrer les ex-otages et les parents des victimes pour leur lire personnellement un rapport qu'il a lui-même rédigé. Ce texte blanchit entièrement les agents des services secrets qui ont employé un gaz mortel pour « faciliter l'intervention ». Il n'est peut-être pas inutile de rappeler que cette « opération de sauvetage » a coûté la vie à cent vingt-neuf personnes. Des centaines d'autres sont restées invalides à vie.

Dans son rapport, Kaltchouk écrit :

> « Pratiquement, tous les otages décédés sont morts suite à des insuffisances cardio-vasculaires et respiratoires provoquées par la combinaison de plusieurs facteurs défavorables apparus pendant leur longue détention dans le théâtre... On ne peut pas conclure à une relation de cause à effet directe entre l'emploi du gaz et la mort des otages. »

Et voici la partie finale du document :

> « L'action déterminée et efficace des forces de l'ordre a permis de mettre fin à l'attaque terroriste. Le bilan aurait pu être beaucoup plus lourd, ce qui aurait eu des conséquences néfastes pour le prestige de la Russie sur la scène internationale. »

Qu'est-ce que le « prestige sur la scène internationale » vient faire ici ? Et de quel prestige parle-t-on si, pour liquider tous les terroristes, on doit sacrifier cent vingt-neuf otages ? Il n'y a rien de pire qu'un gouvernement qui n'accorde aucune importance à la vie des citoyens. Malheureusement, ce sont précisément des hommes qui professent le plus grand mépris pour la vie humaine qui montent en puissance partout dans le pays...

La dernière conclusion de Kaltchouk ne surprendra personne : « Il n'y a pas lieu d'entamer des poursuites judiciaires à l'encontre des agents qui ont libéré les otages... » Presque deux ans après *Nord-Ost*, le pouvoir a obtenu l'immunité, aussi bien pour lui-même que pour les services spéciaux. Ceux-ci pourront continuer à nous « sauver » comme ils savent si bien le faire... et personne ne doute que l'avenir leur réserve beaucoup de travail.

27 juillet

Igor Setchine, l'une des éminences grises du Kremlin, est nommé président de la compagnie pétrolière d'État Rosneft. Il a personnellement dirigé le démembrement et l'anéantissement de Ioukos. Sa nomination à la tête de Rosneft au moment où cette compagnie aspire à s'emparer des meilleurs morceaux de Ioukos prouve que le Kremlin s'est attaqué à Khodorkovski uniquement pour s'approprier ses biens. Le pouvoir a eu beau s'abriter derrière une phraséologie généreuse – « rendre au peuple les biens que les oligarques lui ont subtilisés » – la réalité saute aux yeux : ce n'est pas le peuple qui bénéficie de cette redistribution de la propriété, mais des hauts fonctionnaires bien en cour.

L'idée d'instaurer une oligarchie d'État appartient à Poutine lui-même et à quelques-uns de ses proches. Selon eux, puisque les principales ressources de la Russie proviennent de l'exportation de ses matières premières, l'État doit être l'unique décideur dans ce domaine. En effet, l'équipe au pouvoir est persuadée qu'elle sait bien mieux que quiconque ce qui est bénéfique pour le pays. Par conséquent, c'est à elle de gérer les sommes colossales engendrées par l'exploitation des ressources naturelles. D'où la création d'énormes quasi-monopoles d'État, tels Rosneft ou Gazprom – qui engendrent, à leur tour, des monstres financiers comme la Banque du commerce extérieur (Vnechtorgbank) ou la Banque de l'économie extérieure (Vnechekonombank)...

Naturellement, tous ces monopoles et ces banques sont dirigés par des anciens du KGB. Aujourd'hui, ces hommes sont devenus les nouveaux oligarques. D'après Poutine, ils sont les seuls capables d'assurer une redistribution « juste » des revenus pétroliers. Ainsi, toutes les décisions doivent passer par eux.

Pour le président et les siens, le pouvoir économique et le pouvoir politique ne sont que les deux faces d'une même médaille. Ce raisonnement est en partie justifié : de nombreuses juntes latino-américaines se sont maintenues au pouvoir parce que les organes exécutifs contrôlaient l'économie du pays. Mais d'un autre côté, l'administration Poutine oublie que les juntes latino-américaines ont toutes été – et souvent très vite – remplacées par d'autres...

À Moscou, de jeunes activistes de Iabloko ont organisé une brève manifestation près du bâtiment du FSB, place de la Loubianka. La jeunesse est de plus en plus indépendante : elle ne veut plus coordonner ses actions avec les « vieux » démocrates. Par exemple, ce rassemblement n'avait pas reçu l'onction du parti. Les jeunes ont jeté des ballons de peinture rouge sur une plaque à la mémoire de Iouri Andropov [1] accrochée sur l'une des façades du bâtiment, dont le culte avait été relancé récemment par l'administration présidentielle qui voit en lui un « réformateur avisé de l'URSS ». Les manifestants portaient tous des tee-shirts noirs sur lesquels un portrait de Poutine, barré, était accompagné du slogan « À bas le Grand Frère » – manière de protester contre la politique néo-impériale que le Kremlin mène dans les ex-Républiques soviétiques. Ils ont également eu le temps de brandir des pancartes proclamant « À bas l'autocratie policière ! », « À bas la Loubianka et son régime ! » ou encore « À bas les KGBistes ! »

Étant donné qu'il y a toujours énormément de policiers sur la place de la Loubianka, la manifestation a été rapidement dispersée. Dix activistes ont été arrêtés. Huit d'entre eux ont été relâchés le soir même. Mais Irina Vorobieva, vingt et un ans, et Alexeï Kojine dix-neuf ans, ont été « entendus » par le FSB... avant de devoir être transportés à l'hôpital, en ambulance. D'après le président du

---

1. Iouri Andropov a succédé à Leonid Brejnev à la tête de l'URSS, en 1982. Il était auparavant le chef du KGB. Il est mort en 1984.

mouvement des jeunes de Iabloko, Ilia Iachine, Kojine a été battu lors de son interrogatoire par un lieutenant du FSB, Dimitri Streltsov. Les autres activistes ont déclaré qu'après la manifestation ils avaient été rattrapés et battus, dans les rues avoisinantes, par des hommes en civil. Quelques journalistes – de NTV, de la radio Écho de Moscou et de *Nezavisimaïa gazeta* – ont également été retenus par des policiers qui ont confisqué toutes les pellicules tournées.

Malgré sa brièveté, cette action aura été l'un des rares épisodes où des citoyens se sont idéologiquement opposés au régime. Aujourd'hui, la dissidence se manifeste dans deux couches sociales : les plus riches et les plus pauvres. Celle des riches a été provoquée par le comportement de l'État à l'égard du monde des affaires : la liquidation et le partage de Ioukos, bien sûr, mais aussi les tentatives visant à reprendre en main diverses banques privées. Tout cela a inquiété les entrepreneurs et les a incités à dissimuler leurs capitaux à l'étranger.

Celle des pauvres, pour sa part, est liée à la révolte engendrée par la monétisation des avantages sociaux ; c'est le mouvement des retraités et des handicapés, bref, de tous ceux qui souhaitent une meilleure protection sociale.

Ces deux types de dissidents luttent pour l'argent, et non pour les idées. Ils ne protestent que lorsque le pouvoir essaye de s'en prendre à leurs biens matériels. Le mois de juillet a été marqué par les premières manifestations des vétérans de guerre. Eux aussi s'insurgent contre le projet de monétisation des avantages sociaux. Les aides gouvernementales étaient l'unique ressource de la plupart de ces gens qui comptent parmi les plus démunis du pays. De plus, ces pensions symbolisaient le respect que leur vouaient la société et les autorités.

En juillet, des vétérans de guerre ont annoncé que si leurs avantages étaient supprimés, ils ne participeraient pas à la commémoration internationale du soixantième anniversaire de la fin de la Seconde Guerre mondiale. Des invalides de Tchernobyl ont effectué une marche de protestation de Rostov-sur-le-Don jusqu'à Moscou. Ils expliquaient qu'avec les 1 000 roubles (soit 30 euros) qu'ils allaient recevoir en compensation pour les avantages perdus, ils ne pourraient tout simplement pas survivre, vu le prix des médicaments (qu'ils recevaient auparavant gratuitement grâce aux avantages sociaux). Les militaires, dont les avantages ont également été retirés, commencent à gronder à leur tour.

Personnellement, je suis assez choquée par tous ces gens qui ne commencent à réagir que lorsqu'ils sont frappés au porte-monnaie. Dans leur immense majorité, ces mêmes personnes qui grondent aujourd'hui n'ont jamais rien fait pour défendre les autres. Elles ne se sont pas élevées contre la guerre de Tchétchénie qui emporte chaque année des milliers d'innocents. Elles n'ont rien trouvé à redire à l'arrestation de Khodorkovski (au contraire, même, la plus grande partie des Russes s'était alors réjouie de la mise au pas d'un « milliardaire juif »...). Elles ont laissé passer des milliers de violations des droits les plus élémentaires sans daigner bouger le petit doigt.

Ce peuple qui s'estime élu, ce peuple qui se dit « porteur de la vraie foi chrétienne », ce peuple qui se gargarise de la puissance de son État (c'est sur toute cette phraséologie que repose la politique de Poutine), démontre jour après jour qu'il n'a pas de quoi se vanter. En vérité, c'est un peuple petit-bourgeois, lâche et mesquin qui ne voit pas plus loin que ses propres intérêts. Est-ce la mentalité d'un « grand peuple » ?

1er août

Comment élimine-t-on de la course électorale des candidats qui ne plaisent pas au Kremlin ?

Malik Saïdoullaev, le concurrent principal d'Alou Alkhanov pour le poste de président de la Tchétchénie, vient de voir sa candidature invalidée sous le prétexte que l'endroit de sa naissance n'est pas indiqué de manière correcte dans son passeport. Il est écrit « village Alkhan-Iourt, Tchétchénie », alors que la formule correcte est « village Alkhan-Iourt, République soviétique de Tchétchéno-Ingouchie » (à l'époque soviétique, l'Ingouchie et la Tchétchénie formaient une seule et même République). Évidemment, personne ne doute de son lieu de naissance. Mais cette argutie technique a suffi pour l'écarter de la course électorale... Comme si c'était Saïdoullaev lui-même, et non un organisme officiel et compétent, qui avait rédigé ce document !

« Bien sûr que je m'attendais à être évincé », a dit Malik Saïdoullaev dans une interview qu'il m'a accordée pour *Novaïa Gazeta*. « Mais tout de même pas pour un motif si stupide ! C'est proprement absurde.

– Avez-vous l'intention de contester la décision de la Commission centrale électorale de la république de Tchétchénie d'invalider votre candidature ?

– Non. Il est inutile de s'adresser à eux. La décision vient de Moscou, c'est évident. Quant à la CEC, elle ne rassemble que de simples exécutants, qui avaient déjà trafiqué l'élection précédente marquée par le triomphe d'Akhmad Kadyrov. Cette fois, on leur a ordonné de m'écarter, et ils l'ont fait. Mais leur subterfuge est tellement risible qu'à présent le Kremlin doit être bien embarrassé ! Des gens de la Fédération internationale d'Helsinki m'ont appelé hier pour m'annoncer qu'ils allaient rédiger une protestation en bonne et due forme. On verra bien ce que cela va donner, mais je ne me fais guère d'illusions.

« Naturellement, je savais qu'en me présentant j'allais au-devant de gros problèmes. Le jour où je me suis rendu à la CEC de Grozny pour y déposer ma candidature, j'ai été immédiatement encerclé par une centaine d'hommes armés.

– À l'intérieur d'un bâtiment administratif ? Que voulaient-ils ?

– Que j'abandonne. Notre conversation, si on peut appeler cela une conversation, a été très tendue, violente même. Quand ils ont compris qu'ils ne pourraient pas me forcer la main, ils ont essayé de désarmer mes gardes. Heureusement, ils n'y sont pas parvenus. Alors ils ont été obligés de partir. Plus tard, à plusieurs reprises, on m'a fait savoir que j'allais être écarté ; j'ai également reçu des coups de téléphone de la CEC qui m'incitaient à renoncer « de mon plein gré ». J'ai refusé. Mais ils ont fini par trouver un prétexte pour se débarrasser de moi... Je suis certain que l'invalidation de ma candidature est le premier signe d'une falsification imminente des élections du 29 août. Je sais également qu'à l'heure où je vous parle, au Daghestan, on est en train d'imprimer deux cent mille faux bulletins de vote, qui seront utilisés pour faire gagner Alkhanov. »

2 août

Un groupe de nationaux bolcheviks (c'est-à-dire des membres du Parti national-bolchevik présidé par Édouard Limonov *) a pénétré dans le bâtiment du ministère de la Santé et des Affaires sociales situé en plein cœur de Moscou. Les *natsboly* [1] ont réussi à parvenir jusqu'au cabinet du ministre, Mikhaïl Zourabov, et à s'enfermer à l'intérieur. Ils ont jeté son fauteuil par la fenêtre (on apprendra plus tard que ce fauteuil coûtait trente mille dollars – preuve que le confort d'un membre du gouvernement n'a décidément pas de prix), et se sont mis à scander des slogans réclamant l'annulation de la monétisation des avantages sociaux et la destitution de Zourabov et de Poutine.

[Naturellement, les *natsboly* ont été rapidement arrêtés. Un peu plus tard, ils ont été condamnés à des peines particulièrement lourdes : tous les participants à la « prise du ministère » ont pris cinq ans de colonie pénitentiaire à régime sévère pour « vandalisme politique ». À propos, dans notre pays, des personnes coupables de vandalisme « tout court » ne sont jamais envoyées en prison : elles s'en sortent systématiquement avec de la conditionnelle... Par la suite, la Cour suprême a réduit les sentences : finalement, les *natsboly* ne passeront que trois ans et demi au pénitencier, en compagnie de tueurs et de récidivistes.

La position de l'État est claire : ces gens sont des criminels qui doivent être châtiés avec la plus grande brutalité. Voici celle des détenus politiques, exprimée par Maxime Gromov, l'un des éphémères occupants du bureau de Zourabov :

« Nous sommes accusés de vandalisme aggravé. Mais c'est la douma qui devrait être jugée pour ce crime ! Voilà des années que ses membres se conduisent comme de vrais vandales à l'égard de la société. Prenons l'objet de notre action politique : la monétisation des avantages sociaux. Dans ce cas précis, les députés ont profondément détérioré les conditions

1. Le terme *natsboly* est l'expression consacrée dans le pays pour désigner les *natsional-bolcheviki*.

d'existence de millions de personnes handicapées, de retraités et de vétérans de guerre. C'est une agression contre la Russie, à laquelle notre société civile ne trouve rien à répondre. »

Il dit vrai : l'adoption de la loi sur la monétisation n'a pas provoqué la vague d'indignation que l'on était en droit d'attendre de la part des démocrates et des défenseurs des droits de l'homme. Ils n'ont jamais réclamé la destitution de Zourabov. Les *natsboly* ont été les premiers à prendre le parti des retraités et des plus faibles.

Gromov a également déclaré : « Sous ce régime policier, je suis fier d'être derrière les barreaux. Je suis encore plus fier de mes camarades qui sont avec moi, qui sacrifient leur liberté pour le bien-être des autres. Adieu, mes amis ! J'espère qu'un jour nous briserons cette glace qui a recouvert le pays. Nous allons en prison pour la liberté de la patrie ! »

Je me suis surprise à penser que j'étais parfaitement d'accord avec ce qu'il disait. La seule différence, c'est qu'en raison de mon âge, de mon éducation et de ma santé, je ne peux pas envahir des ministères et défenestrer des fauteuils. Il faut dédiaboliser les *natsboly* : ce sont avant tout de jeunes idéalistes qui constatent que les opposants historiques n'entreprennent rien de sérieux contre le régime actuel. C'est pourquoi ils se radicalisent.]

En discutant avec les parents des *natsboly* (dont la plupart sont d'anciens partisans de Iavlinski qui votent toujours pour les démocrates aux élections), je constate que le discours qu'ils tiennent sur leurs enfants est pratiquement le même que celui des parents tchétchènes et ingouches. Là-bas, la jeunesse se radicalise à vue d'œil sous l'effet de l'arbitraire du pouvoir. Et les jeunes les plus prompts à sombrer dans l'extrémisme sont souvent les plus purs, les plus sincères et les plus idéalistes.

À Moscou et dans le Caucase, les causes de la radicalisation sont similaires. Bien sûr, en Tchétchénie, la situation est aggravée par la guerre. Mais là-bas, comme ici, il n'existe aucun moyen légal d'exprimer son désaccord ou sa contestation. Chacun doit choisir entre deux voies : plonger dans l'illégalité ou se murer dans l'indifférence et le conformisme.

C'est ainsi que ceux qui rejettent l'injustice, l'hypocrisie et la violence de Poutine se rallient à Limonov et à Bassaev. Qu'on le veuille ou non, aux yeux de nombreux jeunes, ce sont précisément ces deux derniers qui symbolisent l'espoir d'une vie meilleure.

Il m'arrive d'exprimer cette opinion à voix haute : chaque fois, mes interlocuteurs se mettent en colère et me somment de me taire. J'avais introduit cette idée dans l'un de mes articles, mais le rédacteur en chef de *Novaïa gazeta* a dû censurer cette phrase. Ce n'est pas qu'il était en désaccord avec moi, mais une telle idée n'est tout simplement pas publiable.

Cette attitude est typique des Russes : ils préfèrent se cacher la tête dans le sable et ne surtout pas penser à l'avenir. Mais combien de temps pourront-ils encore se complaire dans cet aveuglement volontaire ? Quelle catastrophe faudra-t-il pour qu'ils regardent la réalité en face ?

9 août

Les leaders du mouvement de défense des droits de l'homme se sont réunis à Moscou, au Centre Andreï Sakharov. Il y a quelques années, ils ont créé un mouvement baptisé « L'Action de tous » et destiné à élaborer une position commune de tous les démocrates sur les grandes tendances à l'œuvre dans le pays. Les hommes et les femmes réunis aujourd'hui sont les chefs des plus importantes organisations des droits de l'homme de Russie.

Il y a là Valeri Abramkine (Centre pour la réforme de la législation pénale) ; Svetlana Gannouchkina (Assistance civique, soutien aux réfugiés) ; Karina Moskalenko (avocate travaillant au Centre pour la collaboration avec la législation internationale ; ce centre aide ceux qui souhaitent déposer une plainte auprès de la Cour européenne des droits de l'homme de Strasbourg) ; Lidia Grafova (Forum des organisations des personnes déplacées) ; Lioudmila Vakhnina (Centre de défense des droits de l'homme Mémorial) ; Iouri Samodourov (directeur du Musée et du Centre civique Andreï Sakharov) ; Lioudmila Alexeïeva (présidente du Groupe Helsinki de Moscou) ; et Sergueï Sorokine (Mouvement contre la violence).

De plus, Alexeïeva, Gannouchkina et Abramkine appartiennent également à la Commission des droits de l'homme et de la société civile auprès du président, dirigée par Ella Pamfilova. Peut-être Poutine les entendra-t-il un jour?

Aujourd'hui, l'ordre du jour ne porte pas sur le coup de force des *natsboly* et ce qui a pu le motiver, mais sur les difficultés que les défenseurs des droits de l'homme rencontrent dans leur action. C'est typique : ils donnent toujours la priorité à leurs propres problèmes. Le reste du pays passe après.

La table ronde réunit la plupart de ceux que Poutine a accusés, dans son adresse au Parlement du 26 mai, de former une « cinquième colonne » à la solde de l'Occident. D'après le président, toutes ces organisations ne se préoccuperaient guère du sort de la population : elles consacreraient leurs forces à satisfaire leurs maîtres américains en déstabilisant le gouvernement.

La session a duré longtemps, mais elle s'est achevée sans le moindre résultat tangible. Cela aussi, c'est très typique : des parlotes interminables et inutiles.

Il est curieux de voir que certains des participants se sont approprié cette vieille antienne : Poutine est mal informé, son entourage lui présente une image faussée de ce qui se passe dans le pays... On connaît la chanson : le tsar est bon, mais il est dupé par ses courtisans. Le peuple disait déjà la même chose des Romanov et de Staline... C'est très décevant : les défenseurs des droits de l'homme se révèlent amorphes, passifs et, au moins en partie, conformistes. Il n'y a aucune passion chez eux : ils en ont trop vu pour croire réellement qu'ils peuvent changer quoi que ce soit. Ils ne sont pas tous résignés, bien sûr... mais malheureusement, c'est le cas de la majorité d'entre eux.

Après avoir fait le tour de leurs malheurs, ils se sont enfin mis à parler de leurs concitoyens. Une décision unanime a été prise : ils vont boycotter la parodie d'élection présidentielle qui aura lieu le 29 août en Tchétchénie. Ils n'enverront même pas d'observateurs pour superviser le scrutin : pour montrer à quel point cette consultation est grotesque, ils l'ignoreront purement et simplement. Fort bien. C'est sans doute la meilleure chose à faire étant donné les circonstances.

[Mais trois semaines plus tard, plusieurs d'entre eux reviendront sur cette décision et iront en Tchétchénie, où ils commenteront le déroulement du vote, comme si cette farce était digne d'être épluchée comme une élection normale...]

Le 9 août est une date particulière : voilà aujourd'hui cinq ans jour pour jour que Vladimir Poutine a été propulsé au poste de Premier ministre et proclamé dauphin officiel d'Eltsine. Quelques mois plus tard, il devenait le deuxième président de l'histoire de la Fédération de Russie. Il n'est pas inutile de rappeler les circonstances de cette ascension fulgurante. Le chef de guerre tchétchène Chamil Bassaev avait lancé ses troupes à l'assaut du Daghestan voisin. Ses hommes ont pu impunément semer la terreur dans les montagnes de cette petite République et rentrer en Tchétchénie. Des milliers de réfugiés ont fui leurs villages. La situation était critique. Mais le premier cercle des proches d'Eltsine s'est montré réticent à envoyer une nouvelle fois l'armée dans cette zone. Cette décision revenait à lancer une deuxième guerre de Tchétchénie et personne n'avait oublié le prix qu'avait coûté la première... Un seul homme s'est dit prêt à mener une nouvelle campagne : Vladimir Poutine, alors directeur du FSB. Il dirigeait cette noble institution depuis déjà un an. Naturellement, il avait été au courant des projets daghestanais de Bassaev, tout comme il avait connaissance de la réalité de la situation sur le terrain, où Khattab formait de jeunes recrues au djihad contre les Russes. Le chef du FSB ne pouvait pas ne pas savoir ce qui se tramait. Mais il s'était bien gardé d'intervenir, laissant les choses dégénérer... jusqu'au moment où lui, Poutine, deviendrait l'unique recours.

Ce moment est arrivé en août 1999. Le temps était venu pour lui d'effacer les traces de sa propre inaction, avant que d'autres ne les découvrent. C'est pour cette raison qu'il a accepté de démarrer la deuxième guerre de Tchétchénie. Et c'est ainsi qu'un Eltsine déclinant à vue d'œil a nommé Poutine Premier ministre, avant d'en faire son successeur au Kremlin.

Après août 1999, les souffrances et le sang de ses compatriotes, qu'ils soient tchétchènes ou non, n'ont jamais arrêté l'ancien patron du FSB.

10 août

Un soleil éclatant règne sur Verkhni Taguil, une bourgade assoupie de la région de Sverdlovsk, dans l'Oural. Autour, la taïga s'étend à perte de vue. Nous sommes au fin fond du pays.

Un vieillard à moitié aveugle et pauvrement vêtu fait les cent pas devant l'entrée d'un immeuble. C'est Vladimir Khomenko, le père d'Igor Khomenko, un officier parachutiste tué en Tchétchénie et décoré *post mortem* de la plus haute distinction militaire, celle de « Héros de la Russie ». Vladimir m'invite à entrer chez lui. Il est très accueillant, comme si nous nous connaissions depuis des lustres. Ou comme s'il était très solitaire. Dans la minuscule entrée, je fais la connaissance de son épouse Lioudmila, la mère du Héros. Elle m'embrasse affectueusement et me précède dans le salon.

La première chose qu'on y voit, c'est le véritable mémorial qu'ils ont érigé pour leur fils.

Le capitaine Igor Khomenko a été l'un des premiers soldats à être envoyé dans le Caucase du Nord à la suite de la décision de Vladimir Poutine, qui venait d'être nommé Premier ministre, de démarrer la deuxième guerre de Tchétchénie. Le régiment de parachutistes auquel il appartenait a été dépêché à la frontière de la Tchétchénie et du Daghestan. Dès leur arrivée, les paras ont été immédiatement jetés dans le feu de la bataille. Quelques jours plus tard, le 19 août, Igor Khomenko est devenu un Héros de la Russie. Afin de dresser une carte des positions des *boïeviki*, le capitaine a escaladé une colline tristement célèbre : « L'oreille de l'âne ». Les généraux voulaient absolument prendre cette hauteur et, comme pendant la Seconde Guerre mondiale, ils ont sacrifié pour cela un nombre incalculable de soldats. Les troupes fédérales ont fini par s'emparer de cette colline maudite, au prix de pertes très importantes, spécialement parmi les parachutistes.

Khomenko était allé dessiner sa carte, accompagné d'un soldat. Ils ont été repérés par les Tchétchènes. Le capitaine a alors commandé à son subordonné de rentrer au campement des paras. Quant à lui, il est resté en haut de la colline, pour couvrir la descente de son aide. C'est ainsi qu'il a péri. Sa mort héroïque a sauvé les vies de nombreux soldats russes. Ses hommes n'ont découvert son corps que trois jours plus tard : jusque-là, l'intensité des combats les avait empêchés d'approcher de l'endroit où il était tombé.

Pour son exploit, Khomenko a été décoré à titre posthume de la distinction de « Héros de la Russie ». Au moment de sa mort, ses parents Lioudmila et Vladimir étaient citoyens ukrainiens. Ils habitaient une petite maison de terre dans la région de Dniepropetrovsk

Comment se fait-il qu'un soldat de l'armée russe ait des parents citoyens d'un autre État que la Russie ? En fait, c'est une histoire typiquement soviétique. Après l'effondrement de l'URSS, en 1991, un grand nombre de ses habitants se sont retrouvés citoyens d'États nouvellement indépendants dont ils n'étaient pas forcément originaires. Igor a grandi dans le Grand Nord russe, où ses parents, tous deux ingénieurs, avaient été envoyés après leurs études pour travailler dans une usine d'enrichissement. Toutes les personnes employées dans le Grand Nord avaient droit à une retraite anticipée et plus élevée que celles de leurs collègues ayant passé leur vie sous des cieux plus cléments. Une fois à la retraite, les Khomenko ont décidé de s'installer au soleil, comme le faisaient pratiquement tous les anciens du Grand Nord. Ils ont opté pour l'Ukraine et son merveilleux climat. Après avoir obtenu son bac, Igor a quitté l'Ukraine pour une autre République soviétique : le Kazakhstan et, plus précisément, Alma-Ata, où existait alors une école militaire très prestigieuse. Il en est sorti diplômé en 1988. Au cours des années suivantes, il a connu plusieurs affectations dans différents régiments de parachutistes éparpillés à travers tout le pays.

Après l'éclatement de l'Union soviétique, ses parents sont devenus citoyens ukrainiens. Mais Igor, lui, était alors incorporé à une base située sur le territoire russe : c'est donc la Fédération de Russie qui l'a « accueilli ». Au moment de sa mort, il était cantonné dans la région de Stavropol. C'est là qu'il a été enterré.

Après les funérailles de leur fils, Lioudmila et Vladimir ont voulu aller vivre près de la tombe de leur fils, en Russie. Ils ont vendu leur maison de Dniepropetrovsk pour une somme plus que modeste – les acheteurs ne se bousculaient pas – et ont adressé aux autorités locales de la région de Stavropol une demande d'enregistrement administratif. Mais ces dernières ont rejeté leur requête, sans aucune explication. Pendant plusieurs mois, les Khomenko ont écrit toutes sortes de lettres à toutes sortes d'instances, sans succès. Au bout d'un moment, l'argent qu'ils avaient tiré de la vente de leur maison s'est terminé. Les parents du Héros n'ont pas eu le choix : ils sont allés vivre à Verkhni Taguil, où Lioudmila a grandi. Il lui restait encore quelques parents dans cette petite ville. Ils avaient pris la bonne décision : ils ont été bien accueillis et ont même obtenu le droit d'y habiter. Seulement, leurs proches étaient très pauvres, comme la plus grande partie de la population de la région de Sverdlovsk, et ne pouvaient pas les héberger. Ils se sont retrouvés sans domicile fixe.

« Nous n'avons toujours pas de logement », se lamente Lioudmila en désignant leur minuscule appartement. « Ici, ce n'est pas chez nous. Heureusement, il s'est trouvé des gens pour nous aider. Ils nous ont permis de vivre ici. Mais nous ne possédons rien du tout, à part un fer à repasser, une machine à coudre et une petite télévision. Les gars d'ici font ce qu'ils peuvent pour nous aider. Ils ont vraiment pitié de nous à cause d'Igor, même si personne ici ne le connaissait... »

Les « gars » sont là, ils la regardent avec compassion. Ce sont des « Tchétchènes » de Verkhni Taguil, des soldats et des officiers qui ont survécu à la guerre et ont fini par rentrer chez eux. Ils ont fondé une association de vétérans.

« Notre but est élémentaire : nous entraider pour survivre, explique le président de l'association, Evgueni Bozmakov. C'est pourquoi nous aidons les parents du Héros Khomenko.

– C'est grâce à leurs efforts que Vladimir et moi-même avons obtenu la citoyenneté russe, acquiesce Lioudmila. Ils ont réussi à l'arracher à l'administration. Sinon, nous n'aurions même pas droit à la retraite... »

Voilà comment les choses se passent en Russie. On peut avoir travaillé toute sa vie pour l'URSS, et se retrouver sans aucune retraite pour ses vieux jours...

Une fois que nous sommes tous assis, Lioudmila se met soudain à pleurer, doucement et très tristement. Vladimir lui caresse tendrement l'épaule. Elle s'excuse : « Je sais que, de toute façon, je ne peux pas m'empêcher de pleurer... Je vais juste vous raconter ce qui s'est passé. »

Elle me tend une liasse de papiers : c'est la correspondance des parents du Héros avec les organes officiels, spécialement avec le ministère de la Défense. Les fonctionnaires leur envoient des courriers froids et purement officiels, qui transpirent l'indifférence : « En tant que parents d'un Héros de la Russie ayant trouvé la mort sur le territoire de la région du Caucase du Nord, vous avez le droit d'améliorer vos conditions de logement aux frais du Fonds militaire national de Russie. [...] Je vous informe également que, suite à la cessation quasi totale des dons des citoyens, le Fonds a dû mettre fin au programme “ Des logements pour les militaires ”. Signé : V. Zvezdiline, directeur adjoint du service d'aide sociale de la Direction centrale des forces armées de la Fédération de Russie. »

Il n'y a là aucune logique. Si, comme le martèle Poutine, notre pays n'est plus pauvre, alors pourquoi est-il incapable de tenir ses obligations à l'égard de la famille d'un Héros mort au combat ? Qu'est-ce que les « dons des citoyens » viennent faire dans cette histoire ? Et pourquoi ces dons ont-ils cessé alors que, à en croire le président, il y a de plus en plus de riches dans le pays ? Peut-on imaginer une situation comparable en Amérique ? Est-il concevable que la famille d'un soldat américain mort au combat doive errer à travers le pays avec, pour seuls biens, une vieille télé, une machine à coudre et un fer à repasser ? Bien sûr que non ! Ces dernières années, Poutine s'est rallié à la « croisade antiterroriste » de Bush. Malheureusement, c'est bien la seule chose pour laquelle il s'inspire des États-Unis...

Comme toujours, notre pouvoir envoie ses sujets au feu sans compter. Ceux qui y trouveront la mort seront décorés *post mortem*, ils auront droit à des funérailles en grande pompe... et puis, ils seront oubliés, et leurs proches également. Poutine ne s'est jamais considéré responsable de tous ceux qui ont perdu la vie pendant la deuxième guerre de Tchétchénie.

« Je suis née en 1946. Et mon mari en 1940 », dit Lioudmila. Ils ont donc respectivement cinquante-huit et soixante-quatre ans. Je leur en donnais facilement soixante-dix...

Ils ne peuvent compter que sur l'aide d'autres personnes qui se sont retrouvées dans des situations comparables à la leur. Heureusement pour eux, ils ne sont pas les seuls « Tchétchènes » de Verkhni Taguil.

Je suis venue ici avec Lioudmila Polynova, d'Ekaterinbourg. Elle aussi a perdu son fils, Evgueni, à la guerre. Il est mort en protégeant un officier. Son sacrifice lui a valu, à titre posthume, la médaille du Courage.

Lioudmila Polynova appelle les Khomenko à unir leurs efforts aux siens. Elle a créé, dans sa ville, une organisation minuscule, appelée « Les mères contre la violence ». C'est un nom à tiroirs : par « violence » il faut entendre non seulement la guerre mais également le mépris que les parents des soldats tués rencontrent à chaque étape de leur chemin de croix administratif. Seuls deux choix s'offrent à eux : passer leur vie dans les méandres de la bureaucratie à réclamer leur dû, sans jamais être certains de l'obtenir; ou bien abandonner et ne recevoir aucun soutien de l'État. Quant à ceux qui sont trop démunis pour survivre sans l'aide de l'État et trop timides pour le forcer à leur verser ce qu'il leur doit, il ne leur reste qu'à se laisser mourir en silence.

Le lendemain, Viatcheslav Zykov, président de l'Association des vétérans des conflits locaux d'Ekaterinbourg – lui aussi est un « Tchétchène » – nous emmène, Lioudmila Polynova et moi, à la « Grande Rivière ». C'est le nom donné au cimetière militaire qui se trouve dans un faubourg de la capitale de l'Oural. C'est là qu'est enterré Evgueni Polynov. Sa mère avait dû se rendre elle-même à la morgue de Rostov pour trouver ses restes : l'armée ne se préoccupe pas de « trier » les soldats morts, elle laisse cette tâche macabre aux familles.

En chemin vers le cimetière, nous croisons un cortège funèbre : on vient d'enterrer un officier tué en Tchétchénie.

Lioudmila se rend seule sur la tombe de son fils. Il ne lui vient même pas à l'esprit de nous proposer de l'accompagner : elle est tellement accoutumée à devoir vivre son malheur seule ! Tout ce qu'il lui reste, c'est l'espoir d'aider d'autres personnes qui partagent son sort.

Un cri déchirant s'élève au-dessus de toute la Russie. Ce sont les mères qui hurlent : « Comment vivre maintenant que nos enfants sont morts ? » Surtout à présent que les minuscules avantages sociaux dont elles bénéficiaient viennent d'être supprimés...

Toute la région de Sverdlovsk est constellée de monuments aux morts en Tchétchénie. La maison des officiers d'Ekaterinbourg a ouvert une section tchétchène dans son mémorial aux fils de l'Oural morts en Afghanistan. Il y a là quatre cent douze noms gravés en or sur le marbre noir. Et il reste de la place pour de nombreux autres : chacun sait qu'il faudra en ajouter encore beaucoup...

Combien y aura-t-il encore de morts, d'estropiés, de fous, avant que cette guerre absurde prenne fin ? Chaque fois qu'un soldat perd la vie ou revient de la guerre handicapé, la responsabilité de l'État est engagée vis-à-vis de sa famille, mais il est incapable de l'assumer. Tout simplement parce qu'il a trop de nécessiteux à satisfaire.

Et comme, en général, il accumule les retards de paiement, le gouffre ne cesse de se creuser. Alors l'État tente de se débarrasser de ses dettes envers la population par divers tours de passe-passe, comme sa fameuse « réforme des avantages sociaux » qui retire aux invalides, aux vétérans de la guerre et aux mères des soldats tués les quelques derniers privilèges qui leur restaient.

Vitali Volkov, président de l'Association des vétérans de Tchétchénie de la petite ville de Verkhniaïa Salda, qui compte deux cents membres, s'insurge : « Évidemment, un grand nombre d'anciens combattants se retrouvent en prison. C'est assez naturel, malheureusement : de retour du front, nous n'avons ni argent ni travail. Beaucoup de soldats démobilisés n'ont d'autre choix que de se mettre à voler. Résultat : ils sont envoyés derrière les barreaux. Et dans quel état sort-on de prison ? »

Lioudmila Polynova, Vitali Volkov et Viatcheslav Zykov ont fondé leurs organisations respectives seulement après avoir été personnellement frappés par la guerre. Ils admettent tous trois que, auparavant, ils n'avaient jamais songé à s'engager dans les affaires publiques et à s'opposer à la machine étatique.

Mais, malgré toute leur bonne volonté, ces organisations sont très faibles. De plus, elles sont parfaitement apolitiques. Elles n'ont pas été créées afin de changer la donne sur la scène politique russe, mais seulement pour permettre à une certaine catégorie de la population de survivre. Et cette tâche est à elle seule si difficile que les associations de Polynova, Volkov et Zykov leur prennent désormais tout leur temps.

29 août

Aujourd'hui, la Tchétchénie a été le théâtre d'un nouveau simulacre d'élection présidentielle. Bien entendu, le favori du Kremlin, Alou Alkhanov, a remporté le scrutin haut la main. Mais, dans les faits, la République est dirigée par un homme complètement fou : Ramzan Kadyrov, vingt-sept ans, fils d'Akhmad Kadyrov, le président précédent, qui avait lui aussi été « élu à une écrasante majorité », en octobre 2003, avant d'être assassiné le 9 mai dernier.

Au début de l'année 2003, il avait été nommé chef du service de sécurité de son père. À ce poste, il n'a pas su empêcher l'attentat qui lui a coûté la vie. Mais au lieu d'être limogé pour incompétence, il est immédiatement monté en grade, sur intervention expresse de Poutine en personne. Désormais, il est vice-Premier ministre de la Tchétchénie et responsable en chef des structures de force de la République (ce qui signifie qu'il est en charge de la police, de diverses brigades d'intervention et de la section locale de l'OMON [1]). Ramzan n'a aucun diplôme. En revanche, il est titulaire du grade de capitaine de police. Dieu seul sait pour quel mérite exceptionnel ce titre lui a été attribué : normalement, il faut avoir fait des études supérieures... Il a désormais sous ses ordres des colonels et des généraux de l'armée, qui exécutent ses injonctions sans rechigner. Pourquoi ces militaires aguerris acceptent-ils de se plier à la volonté de ce jeune chien fou sans éducation ? Pour une seule raison : ils savent que c'est Poutine lui-même qui l'a nommé à ce poste.

Mais qui est donc Ramzan Kadyrov, cet homme qui contrôle toute la Tchétchénie et qui lève un tribut aux quatre coins de la République comme s'il était un bey ottoman ?

Ramzan sort peu de son village, Tsentoroï, l'un des endroits les plus sinistres qui soient. Sa quasi-réclusion ne doit rien au hasard. Ce hameau est un entrelacs de petites rues étroites longées de gigantesques clôtures électrifiées. Derrière la plupart de ces palissades surveillées par des hommes à la mine patibulaire se trouvent des résidences qui appartiennent à la famille Kadyrov, à son entourage proche et aux membres du « Service de sécurité du président » – un détachement spécial créé du vivant d'Akhmad et qui est à présent dévoué à son fils, même si celui-ci n'est pas président mais seulement vice-Premier ministre.

Tous les habitants de Tsentoroï qui, pour une raison ou pour une autre, suscitaient la suspicion des Kadyrov, ont été relogés de force dans d'autres villages. Quant à leurs maisons, elles ont été attribuées aux partisans de la famille régnante et, spécialement, au « Service de sécurité du président ». Cette organisation paramilitaire informelle – mais très bien fournie en armes fédérales – n'est enregistrée nulle part. Officiellement, aucune instance des structures locales ou fédérales n'est au courant de son existence. De fait, c'est une bande armée comme il y en a beaucoup en Tchétchénie. La seule chose qui la distingue des groupes de Bassaev, c'est

1. Sur l'OMON, voir note 3, p. 60.

qu'elle est contrôlée par le favori de Poutine. Ce qui signifie qu'elle peut tout se permettre.

Comme s'ils étaient des militaires fédéraux, les « kadyroviens » participent aux escarmouches avec les rebelles. Et comme s'ils étaient des agents du ministère de l'Intérieur, ils arrêtent et interrogent des « suspects ». Mais comme, au fond, ils ne sont rien de plus que des bandits, ils ne se privent pas de torturer, parfois à mort, les malheureux qui tombent entre leurs mains. Les caves de plusieurs maisons de Tsentoroï ont été transformées en miniprisons à cet effet.

Aucun procureur ne viendra jamais ordonner une enquête sur ce qui se passe dans cette zone de non-droit. Car telle est la volonté de Poutine : Ramzan est au-dessus des lois. Les règles qui valent pour tous ne s'appliquent pas à lui, puisqu'il combat les terroristes « à sa façon ».

En vérité, il ne combat nullement les terroristes. Il est bien trop occupé à piller le pays. Et c'est ce pillage qu'il camoufle en « lutte antiterroriste ».

Tsentoroï est pratiquement devenue la nouvelle capitale tchétchène. Tous les fonctionnaires locaux y viennent en pèlerinage pour s'incliner devant le maître des lieux. Parfois, c'est lui qui les mande, et ils accourent immédiatement. Tous. Y compris Sergueï Abramov, le jeune Premier ministre de la République, le supérieur hiérarchique direct de Ramzan, si l'on en croit la répartition officielle des postes au sein du gouvernement...

Ce bourg est le véritable centre du pouvoir. C'est ici que sont prises toutes les décisions d'importance. C'est ici, par exemple, qu'il a été décidé qu'Alou Alkhanov allait succéder à Akhmad Kadyrov au poste de président.

Ramzan se rend rarement à Grozny, car il craint pour sa vie : il faut une heure et demie de voiture pour rejoindre la capitale officielle et les routes ne sont pas sûres. Voilà pourquoi Tsentoroï a été transformée en forteresse.

Le village se trouve au centre d'un périmètre de haute sécurité. Pour y parvenir, il faut franchir toute une série de points de contrôle. À la sortie de ces interminables procédures de vérification, on me conduit dans la « maison des invités ». J'y patiente, contrainte et forcée, pendant six à sept heures. Il se fait tard. Or en Tchétchénie, quand l'obscurité commence à tomber, chacun se met précipitamment à chercher un abri. La nuit est mortelle, dehors. Je m'adresse aux gardes, qui ressemblent de plus en plus à des geôliers. « Où est Ramzan ? Nous avions pris rendez-vous ! – Il va arriver, t'en fais pas », grommelle l'un d'eux.

Un certain Vakha Vissaev ne me lâche pas d'une semelle. Il m'a dit être le directeur de l'entreprise « Iougoïlprodukt », dont l'actif principal est une petite usine de raffinage de pétrole située à Goudermes, la deuxième ville du pays.

Vakha me propose de visiter la « maison des invités ». Il s'agit d'un pavillon récemment refait à neuf. Dans la cour, je découvre une fontaine. Elle n'est pas très jolie, plutôt grotesque même... mais c'est une fontaine, un spectacle pour le moins surprenant dans cette région dévastée par la guerre. La terrasse (à colonnes !) est décorée de meubles en bambou. Vakha me montre les étiquettes pour me prouver que ces bancs et ces fauteuils viennent de Hongkong. On dirait que c'est très important à ses yeux. Peut-être est-ce un cadeau qu'il a payé de sa poche... Cela n'aurait rien d'étonnant : tous ceux qui veulent faire des affaires dans la République rivalisent d'ingéniosité pour offrir à Ramzan les présents les plus originaux. Il vaut mieux être en bons termes avec le jeune chef, tout le monde l'a très bien compris. Le sort d'Akhmed Goutiev est dans toutes les mémoires...

Goutiev dirigeait le district de Chali. Un jour, il n'a pas payé le tribut que Ramzan lui réclamait. Les hommes de Ramzan l'ont enlevé et torturé. Puis ils ont exigé de sa famille une rançon de cent mille dollars.

Les Goutiev ont réussi à trouver cette somme et l'ont remise aux ravisseurs. Akhmed a été relâché, dans un sale état. Il a immédiatement quitté la Tchétchénie, et un autre candidat au suicide a été nommé à son poste. Je connaissais personnellement Goutiev. C'était un jeune homme intelligent, qui semblait plein d'avenir. Il m'avait dit qu'il respectait Poutine et qu'il pensait qu'étant donné les circonstances, la promotion de Ramzan au rang de numéro un officieux de la République était une bonne chose, car il allait « débarrasser la Tchétchénie des wahhabites »... Je me demande quelle est son opinion à présent. Mais je ne le saurai probablement jamais : d'après des rumeurs insistantes, il se serait réfugié à l'étranger.

Revenons à la description du pavillon. En face de l'entrée principale, on a installé une cheminée en marbre. Le couloir à droite mène vers les saunas, le jacuzzi et la piscine. Mais l'attraction principale ce sont les deux immenses chambres à coucher et leurs lits gigantesques. L'une des chambres est peinte en bleu clair, l'autre en rose.

De toutes parts on est écrasé par des meubles massifs en bois sombre. Et sur chacun, sans exception, il y a encore l'étiquette du vendeur ! Ce ne sont pas des petites étiquettes discrètes, collées dans un coin, qu'on aurait oublié de retirer : non, il s'agit d'inscriptions énormes ! On ne peut pas les rater. Elles semblent hurler à tous les visiteurs : « Cette commode a coûté tant de milliers de dollars ! Ce miroir est très cher ! Ces toilettes sont hors de prix ! » Bref, toute cette résidence est d'une vulgarité sans nom.

Enfin, on me fait visiter le cabinet de travail du maître de céans. C'est une petite pièce très sombre qui communique directement avec l'une des chambres à coucher. Elle est décorée d'un tapis mural daghestanais qui représente Akhmad Kadyrov dans un style très « réalisme socialiste ». Akhmad porte une toque. Il arbore une expression absolument stupide, le menton dressé vers le haut.

Ramzan arrive à la nuit tombée, entouré d'une nuée d'hommes en armes qui se dispersent dans tout le pavillon. Certains d'entre eux assistent à ma conversation avec leur chef et n'hésitent pas à m'interrompre très brutalement, avec une grande agressivité. Ramzan s'affale dans un fauteuil et se met à l'aise. Il enlève ses chaussures et étend ses jambes, au point que ses pieds se retrouvent à quelques centimètres de mon nez, mais il ne paraît même pas s'en rendre compte. Charmant. Je recule un peu avant de démarrer l'entretien en l'interrogeant sur ses objectifs.

> « Nous voulons remettre de l'ordre, pas seulement en Tchétchénie mais dans tout le Caucase du Nord. Pour qu'à tout moment nous puissions nous rendre sans problème à Stavropol, voire à Saint-Pétersbourg. Nous sommes prêts à combattre partout en Russie. Nous allons nous occuper des bandits où qu'ils se trouvent.
>
> – Qui appelez-vous " bandits " ?
>
> – Maskhadov, Bassaev et leurs semblables.
>
> – Vos hommes ont donc pour but de débusquer Maskhadov et Bassaev ?
>
> – Oui. L'essentiel, c'est les trouver et les abattre.
>
> – Vous ne parlez que d'" abattre ", de " liquider "... La guerre n'a-t-elle pas suffisamment duré ?

– Bien sûr qu'elle a suffisamment duré ! D'ailleurs, nos ennemis s'en rendent bien compte. La preuve : il y a déjà sept cents *boïeviki* qui se sont rendus à mes combattants. Maintenant, ces anciens maquisards sont revenus à une vie normale... Nous voulons que les autres abandonnent à leur tour cette résistance inutile. Mais ils continuent de guerroyer. Et nous n'avons d'autre choix que de les liquider. Aujourd'hui encore, nous en avons attrapé trois. Deux d'entre eux ont été tués, dont Nachkho, un émir important du groupe de Dokou Oumarov *. Nous l'avons retrouvé et abattu, en Ingouchie. À présent, cette République est plus tranquille...

– Quel droit avez-vous de liquider quiconque, *a fortiori* en Ingouchie ? Officiellement, vos hommes ne sont que le service de sécurité du président de la Tchétchénie...

– C'est notre droit le plus strict. Nous avons réalisé cette opération conjointement avec le FSB ingouche. Nous avons obtenu toutes les autorisations officielles requises. [Il ment : il n'a même pas cherché à obtenir la moindre autorisation. A. P.]

– Vous exigez la reddition de Maskhadov. Pensez-vous que Maskhadov va simplement arriver, les mains en l'air, en disant : " Je me rends " ?

– Exactement.

– Mais il ne peut pas se rendre à vous ! Ne serait-ce qu'à cause de votre différence d'âge. Il pourrait être votre père !

– Il se rendra. Il n'aura pas le choix, de toute façon. S'il ne se rend pas, nous finirons par l'arrêter. Cet homme doit être mis en cage.

– Récemment, vous avez lancé un ultimatum à tous les rebelles qui ne se sont toujours pas rendus. Cet ultimatum visait-il expressément Maskhadov ?

– Non. Il était destiné à tous ces gamins de dix-sept ou dix-huit ans qui ne connaissent pas grand-chose de la vie, qui ne comprennent rien à la situation et qui ont été dupés par Maskhadov. Ils l'ont rejoint dans les forêts. Maintenant, leurs mères pleurent, elles viennent me voir en m'implorant : " Ramzan, retrouve nos fils ! " Elles maudissent Maskhadov. Par conséquent, cet appel, c'est aussi un ultimatum à toutes les femmes, pour leur dire de bien surveiller leurs enfants. J'ai prévenu les mères des rebelles : elles doivent raisonner leurs fils, les convaincre de rentrer. Ceux qui ne se rendront pas seront abattus. Évidemment. La question ne se pose même pas.

– Mais peut-être est-il temps pour les Tchétchènes de cesser de s'entre-tuer et de s'asseoir autour d'une table de négociations ?

– Avec qui pourrais-je m'asseoir autour de la même table ?

– Avec tous vos compatriotes qui sont dans le maquis.

– Vous pensez encore à Maskhadov ? Mais Maskhadov n'est plus rien. Personne ne l'écoute. L'homme fort, c'est Bassaev. C'est un grand guerrier, un bon stratège et j'ose même dire que c'est un bon Tchétchène. Quant à Maskhadov, ce n'est qu'un vieillard. Le pauvre, il ne peut plus rien ! [Ramzan part dans un grand éclat de rire. Toute sa cour se met immédiatement à rire à son tour. A. P.]

– Vous semblez mépriser Maskhadov et respecter Bassaev, c'est étrange...

– Je respecte Bassaev en tant que guerrier. On peut dire ce que l'on veut de lui, ce n'est pas un lâche. Je prie Allah pour qu'il me permette de défier Bassaev en combat singulier. Chacun a ses rêves. Certains rêvent d'être président, d'autres d'être aviateur ou agriculteur... Moi, je rêve de me confronter à Bassaev, dans une bataille loyale. Mon groupe contre le sien, et personne d'autre. Qu'il commande à ses hommes, et que je commande aux miens.

– Et si Bassaev sortait vainqueur de ce combat ?

– C'est impossible. Je gagne toujours.

– Comment vous définiriez-vous vous-même ? Quel est votre point fort ?

– Je ne comprends pas cette question.

– En quoi êtes-vous fort et en quoi êtes-vous faible ?

– Je ne suis faible en rien du tout. Je suis fort. Si Alou Alkhanov est devenu président, c'est parce que j'estime qu'il est fort. Je lui fais confiance à cent pour cent. Tu crois que c'est le Kremlin qui décide ?

[...]

– Si vous nous aviez laissés tranquilles, voilà longtemps que nous, les Tchétchènes, vivrions en paix.

– Qui ça, « vous » ?

– Les journalistes, comme toi. Et certains hommes politiques russes. Vous ne nous laissez pas remettre de l'ordre. Vous semez la division chez nous. Toi, par exemple, tu t'es interposée entre les Tchétchènes. Tu es notre ennemie. Pour moi, tu es pire que Bassaev.

– Qui d'autre considérez-vous comme vos ennemis ?

– Je n'ai pas d'ennemis. Il y a seulement des bandits que je pourchasse.

– Avez-vous l'intention de devenir, un jour, président de la Tchétchénie ?

– Non.

– Qu'est-ce que vous aimez le plus faire dans la vie ?

– Faire la guerre. Je suis un guerrier.

– Avez-vous déjà tué quelqu'un de vos mains ?

– Non. Je suis un donneur d'ordres, pas un exécutant.

– Mais vous n'avez pas toujours donné des ordres... Il y a bien eu un moment où quelqu'un vous donnait des ordres, à vous.

– Oui, mon père. C'est le seul homme qui m'ait jamais donné des ordres.

– Avez-vous déjà donné l'ordre de tuer ?

– Oui.

– Cela ne vous fait pas peur ?

– Ce n'est pas ma décision, mais celle d'Allah. C'est lui qui nous dit de tuer les wahhabites.

– Et quand il n'en restera plus ? À qui allez-vous faire la guerre, alors ?

– Je m'occuperai de mes abeilles. J'ai des ruches, tu sais ? J'ai aussi des veaux. Et des chiens de combat.

- Avez-vous d'autres hobbies ?

- Les femmes. J'aime beaucoup les femmes.

- Votre épouse n'a rien contre ?

– Elle n'est pas au courant.

– Quelles études avez-vous fait ?

– Des études de droit. Je suis juriste.

- Votre mémoire, vous l'avez fait sur quel sujet ?

– J'ai oublié. C'était il y a longtemps. »

La conversation prend soudain un tour tendu. Mon hôte se met à m'accuser de tous les maux. « Tu veux que nous épargnions les bandits... Tu es une ennemie du peuple tchétchène... Tu devras répondre de tout ce que tu as fait... » Ramzan gesticule bizarrement, il hurle de plus en plus fort en sautillant sur sa chaise. Il se conduit comme un enfant gâté : il éclate régulièrement de rire, se gratte, puis demande à ses gardes du corps de lui frotter le dos, ce qu'ils s'empressent de faire. Il s'étire dans tous les sens, se lève, exécute quelques pas de danse... Ses répliques sont de plus en plus décousues. Il se renverse dans son fauteuil, puis se lève d'un bond : on lui a dit qu'il était en train de passer à la télévision. Il est très content. Puis le petit écran montre Poutine. « Qu'il est beau ! » s'écrie Ramzan avec ravissement. Il affirme que le président russe a une démarche de vrai montagnard. Pendant ce temps, il fait nuit noire. Il faut que je parte, mais l'atmosphère est très tendue... Finalement, Ramzan ordonne de m'emmener à Grozny.

Moussa, un ancien combattant indépendantiste, ainsi que deux gardes sont chargés de m'accompagner. Nous nous installons dans leur voiture. Je me dis que cette nuit, sur cette route sinistre pleine de postes de contrôle, ils vont sans doute me tuer. Mais non. Moussa semble avoir longtemps attendu de ne plus être à proximité de Ramzan pour parler à cœur ouvert. Quand il commence à me raconter l'histoire de sa vie, je comprends qu'il ne me tuera pas. Il veut que je raconte son destin au monde entier. Je vais vivre. Mais je ne peux pas m'empêcher de pleurer. De peur et de dégoût. « Ne pleure pas ! Tu es forte ! » finit-il par me dire.

Certains se défendent avec des armes à feu. D'autres avec des larmes. C'est ce qui différencie les hommes les uns des autres. Quand tous les arguments ont été échangés, il ne reste que les larmes. Ce sont des larmes de désespoir. Comment une telle époque a-t-elle pu survenir ? Une époque où un Ramzan Kadyrov s'est retrouvé au-dessus des autres et leur impose sa loi. Pendant notre conversation, Ramzan n'a cessé de beugler, de minauder, de se gratter, de sautiller, de hennir, sauf quand Vladislav Sourkov, l'un des hommes forts de l'administration de Poutine, l'a appelé au téléphone.

C'est une histoire vieille comme la Russie : le Kremlin a élevé un petit dragon, et doit maintenant le nourrir régulièrement pour qu'il ne crache pas du feu. En Tchétchénie, notre État a connu un échec monumental. Un échec que les hommes au pouvoir essayent de présenter comme une victoire éclatante.

Le peuple tchétchène, pour sa part, n'a guère le choix. Il est bien obligé de composer avec le petit dragon, s'il tient à la vie.

Le Kremlin a montré à ce peuple rebelle que sous Poutine, il était impossible de protester. Et la majorité des Tchétchènes a fini par baisser la tête. Maintenant, c'est tout le pays qui suit leur exemple.

1er septembre

Dès le 1er septembre, premier jour de la prise d'otages de l'école de Beslan, Anna Politkovskaïa décide de s'envoler pour l'Ossétie du Nord afin de témoigner de ce qui se passe sur place et, probablement, de mener des négociations avec les boïeviki, *comme elle l'a déjà fait en octobre 2002, lors de la prise d'otages dite de* Nord-Ost. *Après plusieurs heures d'attente à l'aéroport de Moscou, un inconnu lui propose de prendre un vol pour Rostov-sur-le-Don, une ville du sud du pays, depuis laquelle elle pourra rejoindre Beslan par la route. Pendant le vol, elle a un malaise et perd connaissance. Elle se réveille dans un hôpital de Rostov-sur-le-Don. Un diagnostic d'intoxication alimentaire aiguë ayant été établi, elle passe la journée à l'hôpital, avant d'être rapatriée à Moscou. Toute l'affaire semble suspecte : Anna affirme n'avoir rien ingéré de toute la journée hormis une tasse de thé qu'elle a bue à bord de l'avion. Mais elle ne peut pas prouver l'empoisonnement, car les résultats des analyses médicales ont été détruits « par mégarde ». La journaliste considère qu'elle a été victime des services spéciaux, qui voulaient à tout prix l'empêcher de se rendre à Beslan.*

Beslan [1].

[La censure et l'autocensure de nos médias ont atteint leur apogée. Elles ne sont pas pour rien dans la mort de centaines d'enfants et d'adultes dans l'école prise d'assaut en ce jour funeste.

Comment en sommes-nous arrivés là ? Pour nos médias, l'essentiel n'est pas d'informer les citoyens sur ce qui se passe dans le pays, mais de deviner ce qu'ils doivent dire, et surtout ce qu'ils ne doivent pas dire.

---

1. Le 1er septembre 2004, dans la ville de Beslan, en Ossétie du Nord, un groupe d'hommes et de femmes armés exigeant l'indépendance de la Tchétchénie et le retrait des troupes russes de son territoire prend en otage des centaines d'écoliers avec leurs familles et instituteurs réunis pour la fête traditionnelle célébrant la rentrée des classes. Les otages seront détenus dans le gymnase de l'école pendant trois jours, sans nourriture et sans eau. Les négociations avec le commando se révèlent infructueuses. Le 3 septembre, les terroristes donnent aux services médicaux l'autorisation de récupérer les corps des personnes tuées au début de l'assaut. Au moment où les médecins et les infirmiers, accompagnés de plusieurs hommes du FSB, approchent du préau de l'école, se produisent deux explosions dont l'origine demeure inconnue. Ces déflagrations donnent le signal d'une bataille chaotique entre les forces d'intervention russes et les terroristes. Deux heures après le début du combat, le gymnase est totalement détruit. Le bilan de l'attaque est extrêmement lourd : 331 civils et 11 soldats sont morts, ainsi que 31 des 32 preneurs d'otages. L'opération est revendiquée par le chef de guerre tchétchène Chamil Bassaev. Vladimir Poutine rejette l'idée d'une enquête publique sur les événements et confie cette tâche à une commission parlementaire. Peu de temps après, celle-ci révèle que des officiels russes ont leur part de responsabilité : comment, en effet, expliquer qu'un groupe important de combattants armés jusqu'aux dents ait pu se rendre de Tchétchénie en Ossétie du Nord en passant par l'Ingouchie sans être inquiété par les nombreux postes de contrôle disposés sur les routes ? Cependant, la commission parlementaire estime que les autorités n'ont commis « aucune erreur dans leur gestion de la crise ».

Il n'y a rien d'idéologique dans leur attitude : elle est, au contraire, exclusivement dictée par la cupidité. Les journalistes sont prêts à s'autocensurer pour conserver un salaire élevé. La question n'est pas de travailler ou de ne pas travailler, mais de travailler pour un salaire élevé ou pour un salaire de misère. Car tous les journalistes peuvent exercer leurs talents au sein des sites d'informations qui pullulent sur Internet, ou dans les rares journaux qui permettent encore à une parole libre de s'exprimer. Mais ceux qui écrivent dans les médias indépendants savent qu'ils ne peuvent pas espérer autre chose que des rétributions presque symboliques et, qui plus est, versées irrégulièrement. Les hauts salaires sont réservés à ceux qui souscrivent à l'idéologie du pouvoir.

Si les journalistes de télévision mentent comme des arracheurs de dents et n'hésitent pas à supprimer de leurs émissions tout ce qui pourrait déplaire aux autorités, c'est tout simplement parce qu'ils craignent de perdre leurs émoluments de plusieurs milliers de dollars par mois. Ils interprètent ainsi le choix qui se pose à eux : dois-je continuer à m'acheter régulièrement du Gucci et du Versace, ou bien dois-je me résoudre à porter de vieux vêtements élimés ?

Je n'exagère pas. C'est bel et bien de cette manière triviale que les choses se passent. L'immense majorité de nos journalistes est très vénale et leur seul engagement est d'ordre bassement mercantile. Aucun d'entre eux ne croit sérieusement à ce qu'il raconte quand il chante les louanges de Poutine. Il n'y a absolument pas lieu de parler d'aveuglement idéologique ; seulement d'avidité et d'intérêt bien compris.

Résultat : les programmes d'une chaîne comme NTV contiennent près de 70 % de mensonges. Pour les deux chaînes d'État, RTR et ORT, on passe au moins à 90 %. Le même constat vaut pour les radios publiques.

Au moment de la prise d'otages de *Nord-Ost*, la télévision retransmettait des demi-vérités ; mais lors de la tragédie de Beslan, nous n'avons eu droit à rien d'autre qu'à une version officielle aussi éloignée que possible de la réalité des faits. Le principal mensonge de cette version officielle concernait le nombre des otages : d'après les autorités, relayées par les médias, il n'y avait que trois cent cinquante-quatre otages dans l'école. Cette mystification a rendu les terroristes fous de rage. Apprenant à la radio que le pouvoir prétendait que les otages étaient bien moins nombreux qu'en réalité, les membres du commando sont devenus encore plus nerveux, comprenant que cette contrevérité servait à préparer l'opinion publique à un assaut et au bilan humain qui en résulterait. Du coup, ils se sont organisés en prévision d'une attaque imminente des forces fédérales. En attendant, ils ont interdit aux enfants de sortir du gymnase où ils avaient été rassemblés pour se rendre aux toilettes. Ils leur ont même interdit de boire !

Les journalistes de NTV savaient très bien que le nombre de personnes détenues qu'ils avançaient était très largement sous-évalué. La direction de la chaîne a d'ailleurs bloqué la diffusion d'un reportage qui disposait d'informations sûres sur le nombre réel des otages. Plus tard, Leonid Parfenov, un journaliste qui avait été licencié de cette même NTV le 1er juin précédent, a dit très justement que, au cours des trois jours qu'a duré ce cauchemar, NTV n'avait laissé passer qu'un seul mot qui ne fût pas un mensonge : au moment de l'assaut, quand des fragments de chair humaine volaient dans tous les sens et quand, dans un chaos indescriptible, des soldats et de simples badauds emportaient loin de l'école en flammes des enfants blessés ou déjà morts, l'envoyé spécial de NTV, qui commentait les événements en direct, a hurlé dans son micro : « Oh, putain ! »

Beslan a été l'apothéose de l'autocensure criminelle qui règne dans nos médias de masse. D'habitude, l'avalanche de mensonges déversés par les médias provoque chez les citoyens exaspération et fureur. Cette fois, elle a joué un rôle crucial dans la mort de centaines d'innocents.]

3 septembre

Il y a eu trois cent trente et un morts à Beslan. Quelques mois plus tard, une femme blessée lors de l'assaut, qui était tombée ce jour-là dans le coma, est morte sans reprendre conscience. Trois cent trente-deux victimes. Un nouveau cimetière est apparu à l'extérieur de la ville. Il n'y a là que des tombes toutes fraîches.

4 septembre

Raf Chakirov, le rédacteur en chef du journal *Izvestia*, a été licencié. Chakirov est un homme du système. Il n'est ni un révolutionnaire, ni un dissident, ni un défenseur des droits de l'homme. Malheureusement pour lui, il a commis un impair : *Izvestia* a publié un reportage photo terrible sur l'assaut de l'école de Beslan. Les autorités ont été choquées.

Izvestia n'appartient pas à l'État, mais à l'oligarque Vladimir Potanine. Ces derniers temps, des nuages sombres se sont accumulés au-dessus de la tête de ce dernier. Pour éviter de connaître le même sort que Khodorkovski, il a alors décidé de prouver sa loyauté au Kremlin en sacrifiant Chakirov, coupable d'avoir laissé paraître ce reportage déplaisant.

[Potanine a réussi son coup. Le pouvoir l'a laissé tranquille et son journal n'a pas été fermé. Quant à l'enquête diligentée par le parquet sur son compte, elle a été oubliée au fond d'un tiroir. Pourtant, il s'est rendu coupable des mêmes délits que Khodorkovski : lui aussi s'est enrichi lors des privatisations du milieu des années 1990, qui n'avaient d'« enchères publiques » que le nom et qui n'étaient, en réalité, rien de plus que le partage des ressources du pays entre plusieurs businessmen bien en cour auprès du clan Eltsine.

Il n'en reste pas moins que ce mois de septembre aura marqué la naissance d'une forme de résistance au pouvoir. Entre le triomphe de Russie unie aux législatives de décembre 2003 et le 1er septembre 2004, il n'y avait eu rien d'autre qu'une espèce de dissidence faiblarde qui n'osait pas dire son nom. Or, après le 1er septembre, on a vu émerger un début de mouvement de masse – bien sûr, un mouvement encore minuscule et craintif, mais tout de même... Le 1er septembre, la population a compris que, sous la coupe d'un tel régime, tout le monde était en danger. Les Russes commencent à se rendre compte qu'ils doivent faire un choix : soit continuer à soutenir Poutine, soit se préoccuper de la sécurité de leurs enfants.]

10 septembre

Une nouvelle classe a vu le jour dans le pays : non pas cette « nouvelle classe moyenne » que le Kremlin appelle de ses vœux, mais la classe des parents dont les enfants sont morts dans des attentats terroristes. Ces malheureux en sont presque à créer leur propre parti politique. Car jusqu'à présent, il ne s'est pas trouvé une seule formation pour leur dire ouvertement : « Notre objectif premier, c'est obtenir que toute la lumière soit faite sur la tragédie de Beslan. » Cette phrase, seuls les mères et les pères qui ont perdu leurs enfants la répètent sans cesse, comme une incantation.

Les parents des victimes de *Nord-Ost* ont été les premiers à arriver à Beslan après la prise d'otages. Dimitri Milovidov, de Moscou, est l'un d'entre eux. En octobre 2002, il a perdu sa fille Nina. Dimitri a amené à Beslan une pelletée de terre prise sur la tombe de sa fille. Il en est revenu avec une petite boîte en plastique contenant des cendres qu'il a recueillies dans l'école incendiée. Il me montre cette boîte, les larmes aux yeux.

« J'ai seulement pris une pelletée de ce que j'ai trouvé dans l'école. Vous le voyez, tout est encore mélangé : il y a là des douilles et des balles perforantes – même si leur usage est interdit –, un crayon soigneusement taillé, les pages calcinées d'un livre de cours...

– Vous êtes plusieurs parents de victimes de *Nord-Ost* à avoir fait le voyage de Beslan. Pourquoi avez-vous tenu à vous rendre là-bas ?

– Nous avons organisé une collecte et récupéré 37 000 roubles (environ 1 088 euros). Cet argent, nous avons décidé de le remettre en main propre aux parents des enfants de Beslan. Nous nous sommes dit que notre triste expérience – comment survivre à la mort de son propre enfant – pourrait être utile à ces pauvres gens. Après *Nord-Ost*, nous avions été complètement abandonnés par le gouvernement, qui ne nous a versé aucune compensation. Alors nous sommes allés devant les tribunaux. Je vais vous expliquer pourquoi : il y a un peu plus de un an, j'ai eu une conversation à ce sujet avec Tatiana Khazieva. Lors de la prise d'otages de *Nord-Ost*, elle avait perdu son mari et s'était retrouvée seule avec sa petite fille, Sonia. Tatiana a été la première d'entre nous à gagner son procès. En juin 2003, nous nous sommes demandé ce que nous recherchions exactement en réclamant des compensations à l'État. Tatiana m'a dit : “ Si demain, ma fille est prise en otage dans son école, je veux être certaine que sa vie vaut tellement cher que le FSB, et même l'État tout entier, n'aurait pas assez d'argent pour me dédommager si elle venait à être tuée. ”

Aujourd'hui, j'ai l'impression que nous n'avons pas assez fait pour éviter Beslan. Personnellement, j'ai eu la sensation de voir se réaliser une sorte de scénario alternatif à celui de *Nord-Ost*. Ce qui s'est passé à Beslan, c'est ce qui se serait passé à la Doubrovka si les forces de l'ordre n'avaient pas employé le gaz. C'est comme si on avait essayé de nous faire comprendre que, finalement, par rapport à cette tuerie cauchemardesque qui vient d'avoir lieu ici, *Nord-Ost* n'avait pas été si atroce que cela, et que les autorités avaient eu raison de s'y conduire comme elles l'ont fait... En tout cas, nous avons décidé de venir à Beslan pour dire aux gens d'ici : “ Pardonnez-nous. En deux ans, nous n'avons pas réussi à empêcher votre tragédie de se produire. ”

– Vous le leur avez dit ?

– Bien entendu.

– Comment ont-ils réagi à votre venue ? Ont-ils eu envie de partager leur deuil avec vous ?

– Non, il est trop tôt. Ils sont encore en train d'enterrer leurs enfants. À un moment pareil, il est très difficile de parler à quiconque. Nous sommes passés par là nous-mêmes. Certains d'entre nous ont réussi à remonter la pente ; d'autres se sont retrouvés dans des hôpitaux psychiatriques...

– À votre avis, de quoi les gens de Beslan ont-ils le plus besoin en ce moment ? D'argent ?

– Non. De compassion.

– Y a-t-il assez de psychologues qui les entourent ?

– Non, les psychologues travaillent uniquement dans des hôpitaux. Seuls de jeunes stagiaires se déplacent à domicile. Or les parents des victimes se montrent réticents à s'ouvrir à des débutants... En fait, ils ne parlent qu'entre eux. Nous sommes passés par cette phase, nous aussi.

– Justement, est-ce que le fait d'avoir connu la même tragédie vous rapproche ? Est-ce qu'ils s'ouvrent à vous plus volontiers qu'aux psychologues ?

– Ils ont souhaité nous rencontrer, mais pas pour pleurer ensemble. Ils voulaient savoir comment s'était terminée l'enquête sur *Nord-Ost*. A-t-on découvert le fin mot de l'histoire ou non ? Ils sont très remontés. Il est d'ores et déjà clair qu'ils réclament vengeance. Les murs de la ville sont recouverts d'inscriptions du genre “ Mort aux Ingouches [1] ”, voire pire. Personne n'efface ces graffitis. Partout, j'ai entendu le même refrain : “ Nous nous vengerons. ” Nous avons pu assister à une réunion de jeunes gens très excités. Ils ont eu des mots très durs pour le président de l'Ingouchie, Dzasokhov *. Quant à ce qu'ils ont dit de Poutine, je ne peux même pas le répéter.

– Est-il vrai qu'ils se montrent également très hostiles à l'égard des journalistes ? Il paraît qu'ils leur reprochent de ne pas enquêter sérieusement sur ce qui s'est passé...

– Oui, ils en veulent beaucoup aux journalistes. Ils les accusent surtout de s'être très mal conduits avec eux. Je dois vous dire que, pendant les premiers mois après *Nord-Ost*, nous avions éprouvé le même sentiment. Quand nous voyions des journalistes arriver, nous disions : “ Tiens, voilà les vautours. ” Mais ce n'est que beaucoup plus tard que nous avons fini par comprendre que ce ne sont pas des vautours, mais plutôt des médecins légistes. Sans eux, on n'aurait jamais appris combien il y avait vraiment eu de morts à *Nord-Ost*, mais aussi à bord du *Koursk* [2], par exemple.

– Les gens de Beslan croient-ils que le gouvernement va conduire une vraie enquête sur les événements ?

– En vérité, ils ne font confiance qu'à leurs proches et à personne d'autre. Ils attendent quand même que le gouvernement fasse quelque chose, mais nous autres, qui avons connu *Nord-Ost*, savons bien comment tout cela va finir.

– Au fond, quelle impression garderez-vous de votre visite à Beslan ?

– Une chose m'a particulièrement marqué : nous, après notre tragédie, nous étions aussi en proie au désespoir. Mais nous nous trouvions à Moscou, une mégapole gigantesque, pleine de vie... Or à Beslan, j'ai vu une ville entièrement endeuillée. Tout le monde

---

1. Une grande partie des preneurs d'otages de Beslan était des Ingouches.
2. Le sous-marin *Koursk* a fait naufrage le 12 août 2000 en mer de Barents, emportant les 118 hommes d'équipage.

est habillé en noir. Ce n'est plus une ville, c'est une veillée funèbre. »

13 septembre

Depuis Beslan, les forces de l'ordre du Caucase du Nord, désireuses de se racheter, essaient de montrer qu'elles savent combattre le terrorisme. Comment ? En mettant sous les verrous tous les individus « suspects de complicité avec les terroristes ». Quand, « en haut », on exige avant tout des policiers locaux de « faire du nombre », quand l'efficacité de la police se mesure en quantité d'arrestations, nul ne se soucie des droits de l'homme et des lois en vigueur. La meilleure preuve de la culpabilité d'une personne interpellée, ce sont ses aveux. Et personne n'ira enquêter sur tous les « suspects » abattus au moment de leur arrestation ou tués pendant leur interrogatoire... La situation rappelle furieusement une autre « opération contre-terroriste » : celle lancée par Staline au lendemain de l'assassinat de son rival au sein du PC soviétique, Kirov, le 1er décembre 1934. Comme à l'époque, tous ceux qui osent émettre des doutes sur ces méthodes sont immédiatement accusés par les partisans d'une « lutte sans merci contre le terrorisme » d'être les complices des criminels. D'ailleurs, les collaborateurs du Comité international de la Croix-Rouge (CICR) ne sont pas admis dans les cellules où sont détenus les présumés terroristes...

La « lutte contre la terreur » n'est soumise à aucun contrôle du parquet. Les accusés ne peuvent pas espérer un procès équitable. Quand les forces de l'ordre abattent un suspect, aucune enquête n'est ouverte. Un arbitraire total règne dans tout le Caucase du Nord. L'opération « post-Beslan », qui balaie l'Ingouchie et, naturellement, la Tchétchénie, ne punit pas les coupables, mais ne laisse aucune chance aux innocents. Du coup, de nombreux jeunes hommes ont rejoint le maquis. Les terroristes sortent donc renforcés de toute cette affaire, car la violence du pouvoir pousse la population dans leurs bras. Des gens injustement accusés, ou qui ont perdu des proches à cause du zèle des autorités, se rallient à eux. Ils ne voient plus qu'une seule manière de protester contre la brutalité des « structures de force » : prendre les armes.

Dès lors, ce à quoi nous assistons dans cette région est tout sauf une « opération antiterroriste ». Loin d'affaiblir les semeurs de troubles et de permettre à la population de vivre en sécurité, le Kremlin ne fait que provoquer des explosions de terreur toujours plus effroyables. En juin 2004, les *boïeviki* ont essayé de s'emparer de l'Ingouchie; les forces de l'ordre ont ensuite exécuté ou condamné un grand nombre d'innocents. Et nous avons eu Beslan.

Pendant ce temps-là, les autorités officielles de la Tchétchénie sont en fête. Tandis que l'Ingouchie enterre ses morts, à quelques dizaines de kilomètres, Alou Alkhanov, le soi-disant « président démocratiquement élu », a décidé d'organiser des courses hippiques pour célébrer la naissance du fils de son Premier ministre, Sergueï Abramov. Toute cette petite bande s'amuse sans complexes alors même qu'Alkhanov et Abramov, par leur comportement à la tête de leur propre République, sont pour beaucoup dans les événements de Beslan. Mais il serait bien vain de chercher chez eux un signe de recueillement, de chagrin ou de responsabilité...

Les favoris de Poutine ont organisé le « Derby de Tsentoroï » (évidemment, la course a eu lieu dans le fief de Ramzan Kadyrov), à la grande honte de leur propre peuple. Car dans le Caucase, il est de coutume de s'abstenir de festoyer pendant que les voisins sont en deuil. Les chefs de la Tchétchénie « pacifiée » n'en ont cure. Trente cavaliers ont donc foncé vers le prix attribué au vainqueur : une voiture de la marque Jigouli. Un certain Issa Abouev a remporté l'épreuve. Puis il y a eu un grand banquet et de nombreux toasts ont été prononcés pour souhaiter longue et heureuse vie au nouveau-né d'Abramov... comme si des centaines de gamins à peine plus âgés que lui ne venaient pas d'être assassinés à quelques encablures de là.

C'est une véritable tradition : la protection de Poutine transforme les gens en monstres. Le père Kadyrov était un homme horrible mais son fils, soutenu en tout par Poutine, est encore pire. D'après des gens qui l'ont bien connu, Alou Alkhanov a été en son temps un policier honnête et un homme correct. Il est devenu un président odieux. Sergueï Abramov venait d'une famille de l'intelligentsia, il a été un jeune homme studieux, cultivé et modeste. Mais plus on se rapproche du Kremlin, et plus on se déshumanise.

Encore une chose : les trois leaders « poutiniens » de la Tchétchénie, Alkhanov, Abramov et Kadyrov, n'ont cessé, jusqu'au 1er septembre dernier, de jurer à leur patron que la paix était revenue dans la région, qu'il n'y avait pratiquement plus de terroristes en liberté et que Bassaev allait être arrêté d'un jour à l'autre. On connaît le résultat.

L'une des raisons de la profonde dépression dans laquelle le pays entier est plongé, c'est précisément ce cynisme sans bornes du pouvoir. Or les Russes sont ainsi faits qu'ils ne savent pas se battre contre le cynisme ; au contraire, ils ont tendance à se renfermer, à se murer dans un silence maussade et à se laisser aller au fatalisme et à l'abattement.

Poutine le sait très bien. Et c'est précisément pour cela que lui, son gouvernement et ses hommes de terrain se conduisent ainsi. Leur mépris absolu envers le peuple est, finalement, le meilleur levier antirévolutionnaire qui soit.

Dernière manifestation en date de cette politique sans scrupule : alors que certains des enfants morts à Beslan n'avaient pas encore été enterrés, le président a annoncé qu'il allait dorénavant nommer personnellement les gouverneurs des régions. Jusqu'à présent, ces derniers étaient élus par la population. Poutine explique benoîtement qu'il ne placera à la tête des régions que des « hommes de confiance ». Les nouveaux gouverneurs devront tout de même être confirmés par les députés des Parlements locaux... mais si une douma régionale refuse à deux reprises d'investir le candidat du président, celui-ci peut la dissoudre !

Voilà longtemps que l'on s'attendait à une réforme de ce genre. Selon des rumeurs insistantes, Poutine en avait assez de devoir composer avec des gouverneurs élus au suffrage universel et dont certains osaient encore, de temps en temps, émettre des avis différents du sien. D'ailleurs, il arrivait souvent que l'opposition, incapable de s'entendre avec l'administration présidentielle à Moscou, parvienne à prendre langue avec des gouverneurs dans les régions.

Le plus choquant n'est pas tant cette mesure qui paraissait, à terme, inéluctable, mais le fait que le Kremlin la justifie par la nécessité de « renforcer la verticale du pouvoir face à la menace terroriste ». Même de la part de ce maître *ès* cynisme qu'est Poutine, on ne s'attendait pas à une utilisation si bassement politicienne du drame de Beslan...

Le peuple, comme toujours, a gardé le silence.

16 septembre

Seul le « Comité 2008 pour un choix libre » a réagi à la nouvelle procédure de désignation des gouverneurs, en publiant un communiqué intitulé « La Russie se trouve sous la menace d'un coup d'État constitutionnel ». En voici le texte :

« Le président de la Fédération de Russie, Vladimir Poutine, a déclaré avoir l'intention de procéder à un coup d'État constitutionnel. Son discours prononcé le 13 septembre 2004 à l'occasion d'un Conseil des ministres élargi contient un programme détaillé dont l'application reviendrait à démonter les institutions démocratiques du pays.

“ La Russie est un État de droit démocratique et fédéral ”, proclame l'Article I de notre Constitution. Or le Kremlin est déterminé à liquider ces trois éléments essentiels sur lesquels est fondé notre État : le droit, la démocratie et le caractère fédéral.

La Russie de Poutine ne sera pas un État démocratique, car les citoyens perdront la possibilité d'exprimer leur volonté par le biais d'élections libres – des élections dont la Constitution précise qu'elles sont “ l'expression suprême et directe de la suprématie du peuple ”. La Russie de Poutine ne sera pas un État de droit, car le président va passer outre la décision par laquelle, il y a déjà huit ans, la Cour constitutionnelle a déclaré illégale toute réforme de ce type. La Russie de Poutine ne sera pas un État fédéral, puisque ses régions seront dirigées par des hauts fonctionnaires nommés par le Centre et responsables uniquement devant lui.

Nous appelons le président Poutine à prêter une attention particulière à l'Article III de la Constitution de la Fédération de Russie. L'alinéa IV de cet article proclame : “ Nul ne peut s'approprier le pouvoir en Fédération de Russie. La prise illégale du pouvoir ou l'augmentation illégale de ses prérogatives entraîne des poursuites pénales. ” »

Poutine n'a pas réagi. Le peuple non plus.

27 septembre

Le pouvoir est très inquiet de voir que les défenseurs des droits de l'homme redeviennent des dissidents. C'est de leur action, en effet, que vient le vrai danger pour le Kremlin, aujourd'hui, et non de tel ou tel parti politique. Du coup, les autorités ont décidé de mettre en place leur propre verticale de « défense des droits de l'homme ». Poutine a signé un décret sur la formation d'un « Centre international pour la défense des droits de l'homme ». L'intitulé de ce décret en dit long : « Nouvelles mesures de soutien au mouvement de défense des droits de l'homme dans la Fédération de Russie. »

C'est à Ella Pamfilova, la présidente de la Commission des droits de l'homme auprès du président, qu'a été confiée la tâche de défendre ce projet. Elle s'époumone dans les médias en essayant de présenter cette initiative, pourtant cousue de fil blanc, comme un progrès pour le mouvement civique :

« Je conteste vigoureusement l'affirmation selon laquelle le futur " Centre international pour la défense des droits de l'homme " servira à bâtir une sorte de verticale officielle des droits de l'homme. Au contraire, ce décret nous aidera beaucoup. Les leaders des organisations de défense des droits de l'homme pourront se rencontrer plus facilement [Où ça? Au Kremlin? A. P.]. En multipliant les échanges, nous pourrons améliorer notre expertise. D'ailleurs, l'idée de ce décret est due à des militants des droits de l'homme [Lesquels? A. P.]. J'ai parlé au téléphone avec beaucoup d'activistes des quatre coins du pays. Ils m'ont dit que ce décret, c'était notre petite victoire. Avant tout, il faut défendre les droits des défenseurs des droits de l'homme eux-mêmes, pour qu'ils puissent travailler dans des conditions correctes et aider les citoyens efficacement... »

Bien sûr, personne, ou presque, ne la croit. Voilà longtemps déjà qu'elle se contente de répéter que Poutine est bon et qu'il est réellement attaché à la démocratie...

Elena Bonner, la veuve d'Andreï Sakharov, qui habite désormais aux États-Unis, a donné une interview à *Ejenedelnyi Journal* pour exprimer son sentiment sur ce projet :

« Il existe une perception du monde et une philosophie propres aux défenseurs des droits de l'homme; et il existe une perception du monde et une philosophie propres aux représentants du pouvoir. Ces deux catégories se donnent des buts différents. Le but du mouvement de défense des droits de l'homme, c'est de défendre les citoyens de l'arbitraire du pouvoir et de contribuer à la formation de la société civile. Le but de tout pouvoir, quel qu'il soit, est de se renforcer. Je regrette que de nombreux militants des droits de l'homme soient prêts à soutenir le projet du gouvernement. Cela signifie qu'au fond ces militants ne sont pas vraiment ce qu'ils prétendent être. Ils veulent être proches du pouvoir. Voilà qui démontre que le mouvement des droits de l'homme connaît une crise profonde. Ses animateurs, ainsi que les hommes politiques de l'opposition, ont pris du retard. Nous avons laissé échapper l'instant où il était encore possible d'agir en se fondant sur le droit. Aujourd'hui, les autorités profitent de la tragédie de Beslan pour liquider complètement l'autonomie des tribunaux. Que reste-t-il à la société ? Seulement la rébellion. Loin de moi l'idée d'appeler à la révolution en Russie. Ne serait-ce que parce que je ne vois pas quels leaders seraient prêts à prendre la tête d'une vraie fronde, et parce que je ne pense pas que le pays soit prêt à une telle extrémité. Par conséquent, la Russie va suivre la voie tracée par M. Poutine. Mais que faire ? Les élections des gouverneurs vont être supprimées, ainsi que la responsabilité des élus devant le peuple. J'estime que le " Centre international pour la défense des droits de l'homme " n'est qu'un leurre : le pouvoir va simplement créer un mouvement qui lui sera entièrement soumis. Aujourd'hui, je ne vois aucun moyen de revenir à un fonctionnement démocratique. Je ne dis pas que nous avons déjà connu une vraie démocratie ; mais nous aurions pu y aboutir... Encore aurait-il fallu qu'un système électoral réel soit maintenu dans le pays. Or les élections ne sont plus qu'une vaste plaisanterie. Et sans élections libres, pas de démocratie. Les trois pouvoirs – l'exécutif, le législatif et le judiciaire – sont concentrés entre les mains du président. Nous ne sommes plus un État démocratique. Je dirais même que nous ne sommes plus un État républicain. La prochaine présidentielle doit avoir lieu en 2008... à condition, bien sûr, que le pays survive jusque-là. Tous les moyens pacifiques de changer la situation ont été anéantis. Du coup, cette marmite fermée va bouillir jusqu'à ce qu'elle explose... »

[Le « Centre international pour la défense des droits de l'homme » restera dans les tiroirs de l'administration présidentielle. Une certaine somme sera bien allouée à ce projet, mais cet argent se volatilisera purement et simplement.]

28 septembre

Sans attendre, Poutine vient de proposer à la douma un projet de loi supprimant l'élection des gouverneurs. Évidemment, sans que la moindre discussion politique ait eu lieu à ce sujet. À quoi bon ? Le pouvoir explique aux citoyens qu'ils ne sont pas encore assez mûrs pour choisir eux-mêmes leurs autorités locales. Mais à ce moment-là, sont-ils assez mûrs pour élire leur président ?

5 octobre

Alou Alkhanov, l'homme que le Kremlin a désigné pour être président de la Tchétchénie et qui a été frauduleusement élu à la fin du mois d'août, vient d'être officiellement investi. C'était une scène assez cocasse. Un chapiteau bleu en plastique a été dressé à l'intérieur de la citadelle présidentielle. C'est là qu'Alkhanov a prêté serment, en un mauvais tchétchène. Il avait l'air sinistre et épuisé. Les mesures de sécurité prises en ce jour « historique » étaient sans précédent, comme si Grozny attendait la visite de Poutine en personne. Mais il n'est pas venu, se contentant d'envoyer un message de félicitations à son protégé. Les autorités avaient préparé trois lieux différents pour la cérémonie d'investiture. Jusqu'au dernier moment, personne ne savait où celle-ci allait avoir lieu. Bien entendu, cette précaution avait été prise dans un souci de sécurité. Est-ce cela que le pouvoir appelle une « Tchétchénie pacifiée » ? Même l'investiture de Poutine n'avait pas été entourée d'autant de mystère.

Alkhanov a montré à toute la Tchétchénie à quel point il craignait de mourir. C'est sa fin politique. Plus personne ne le prendra au sérieux à l'avenir.

6 octobre

« L'affaire de tous », une table ronde des plus importantes organisations de défense des droits de l'homme du pays, a diffusé un communiqué intitulé « Coup d'État constitutionnel en Russie » et lancé un appel à l'organisation d'un Congrès civique.

Le premier de ces deux textes est consacré à la suppression de l'élection des gouverneurs :

> « Le président Vladimir Poutine profite de la tragédie de Beslan pour modifier en profondeur le fonctionnement étatique de la Fédération de Russie. Il a déjà présenté à la douma un projet de loi qui, s'il est adopté, impliquera un changement constitutionnel majeur et signera la fin des dernières avancées démocratiques héritées des années 1990. Cela signifie que les événements des 1er au 3 septembre à Beslan n'ont été qu'un prétexte pour la réalisation d'un projet ourdi depuis longtemps, qui concentrera entre les mains du président un pouvoir sans précédent. Si l'on considère la législation existante, tout cela revient, de fait, à l'instauration de l'état d'urgence sur tout le territoire du pays. Une telle situation exclut la tenue d'élections libres en Russie. Le peuple russe sera donc privé de ses droits politiques et civiques essentiels. La Russie revient à une politique impériale, le fédéralisme est détruit. À ces violations des droits et des libertés constitutionnelles s'ajoutent différentes initiatives du même ordre, comme celle visant à accroître le contrôle présidentiel sur le système judiciaire ou celle qui veut réduire, voire supprimer, le scrutin uninominal dans l'élection des députés de la douma. Cette dernière réforme ôterait aux citoyens leur droit à se présenter aux élections et forcerait tous ceux qui aspirent à être élus à la douma à adhérer à des partis politiques. Par ailleurs, notre pays connaît à nouveau des procès politiques au cours desquels les tribunaux ne font montre d'aucune espèce d'indépendance et révèlent leur soumission absolue à l'exécutif.
>
> Dans ce contexte, il faut dire clairement que notre pays est en proie à un coup d'État constitutionnel. Ce coup d'État fait planer sur la Russie la menace d'une crise profonde et, à plus ou moins long terme, d'un échec historique. »

Ce communiqué se termine par un appel à réunir un « Congrès civique » voué à devenir un forum indépendant réunissant aussi bien des ONG spécialisées dans les droits de l'homme que des associations écologistes, diverses associations civiques, des syndicats libres, des partis démocratiques, des savants, des juristes, des journalistes...

Paradoxe du destin de la Russie : chez nous, les opposants les plus résolus au pouvoir sont des défenseurs des droits de l'homme (il s'agit souvent d'anciens dissidents de l'époque soviétique, comme Lioudmila Alexeïeva, Sergueï Kovalev, Iouri Samodourov...), et non pas les formations politiques.

[Que s'est-il passé ensuite? Eh bien, pas grand-chose. Comme prévu, le Kremlin s'est mis à nommer lui-même les gouverneurs, et les membres de cette clique malhonnête n'ont plus jamais ouvert la bouche, sauf pour implorer Poutine de leur accorder sa confiance. Voilà comment s'est passée notre « réforme du système du pouvoir » : les gouverneurs ont démissionné « de leur plein gré » et demandé au président de leur « accorder sa confiance ». Il faut, ici, prendre le terme « demander » au sens premier du terme : les gouverneurs ont dû rédiger des requêtes en bonne et due forme dans lesquelles ils priaient le chef de l'État de les nommer à la tête de leurs régions. C'est-à-dire que des leaders élus par leurs concitoyens abandonnaient volontairement leurs postes et ne les reprenaient qu'une fois adoubés par le locataire du Kremlin. Celui-ci vit à Moscou, mais il sait bien mieux que les habitants des régions qui doit diriger leurs structures locales...

Le peuple n'y a rien trouvé à redire. Même les anciens gouverneurs, ceux auxquels le président avait décidé de ne pas faire confiance, n'ont pas protesté. Comme souvent dans notre histoire, notre psychologie d'esclaves a pris le pas sur toutes les autres considérations. Or l'esclave est, par nature, prompt à la haine de l'autre. Il faut voir comment nos chaînes de télévision se réjouiront à chaque erreur commise par Iouchtchenko en Ukraine ou par Saakachvili en Géorgie...

Les défenseurs des droits de l'homme réuniront malgré tout leur Congrès civique en espérant qu'il se transformera en Front de salut national... mais cela ne sera pas le cas.]

7 octobre

À Vladimir, une ville située à une heure et demie de route de Moscou, commence le premier procès au pénal des comités des mères de soldats. Lioudmila Iarilina, présidente du Comité de la région de Vladimir, est jugée pour « complicité de désertion ».

Ce procès est sans précédent. Lioudmila est traînée devant les tribunaux, pour avoir fait son métier qui consiste à conseiller et à aider les soldats.

Ce n'est un secret pour personne que les militaires russes – aussi bien les commandants des régiments les plus éloignés que les ministres de la Défense – détestent les comités des mères de soldats depuis leur apparition, il y a déjà plus de dix ans. Selon eux, c'est à cause de l'action des Comités que l'armée rencontre des difficultés chroniques à recruter suffisamment de conscrits. Comme si les terribles bizutages qui y sont systématiquement commis à l'encontre des nouvelles recrues ne suffisaient pas à instaurer une sainte terreur dans les esprits de tous les jeunes hommes du pays !

Pourtant, les relations entre l'armée et les Comités ont connu différentes phases : il y a eu des périodes de coexistence plus ou moins pacifique, pendant lesquelles les militaires se réjouissaient secrètement de voir les Comités exiger des politiques qu'ils augmentent le budget de la Défense et élaborent des lois défendant les droits sociaux des soldats et des officiers. Mais la plus grande partie de leur face-à-face s'est passée dans un climat de confrontation aiguë et de récriminations mutuelles.

Le résultat est là : un dossier de trois tomes et demi qui accuse une mère de soldat d'avoir aidé des conscrits à éviter l'armée. Lioudmila Iarilina, invalide de deuxième catégorie et grand-mère de deux petits enfants, risque de trois à sept ans de détention.

Que lui reproche-t-on exactement ? Le Comité des mères de soldats de Vladimir a vu le jour en 1991. Depuis lors, il a toujours eu la réputation d'être l'une des organisations de défense des droits de l'homme les plus consciencieuses et les plus sérieuses de la région – comme la plupart des comités des mères de soldats des autres régions de Russie, d'ailleurs. Par son opiniâtreté à défendre les droits des conscrits et des hommes de troupe, Lioudmila Iarilina n'a cessé d'irriter les militaires locaux.

« Il est vrai que, dans notre région, beaucoup de soldats ont été réformés, admet Lioudmila. Mais à qui la faute ? Ce n'est quand même pas à cause de notre Comité que les jeunes gens qui grandissent dans le coin sont souvent d'une faible constitution... »

La région de Vladimir est ce que l'on appelle une « région alcoolique ». On y boit plus que l'on y travaille. Les enfants sont en mauvaise santé. Combien d'entre eux pourraient faire leur service ? La moitié sont invalides...

Mais la Commission militaire locale doit « faire du nombre ». Elle est chargée de fournir à l'armée son quota de conscrits, et peu importe comment elle s'y prend. C'est ainsi que les militaires n'hésitent pas à falsifier des rapports médicaux et à inciter les recrues potentielles à cacher leurs problèmes de santé afin de s'engager...

Naturellement, cela fait des années que les militaires de Vladimir cherchaient un prétexte pour inculper Iarilina. Leurs efforts ont payé : ils ont fini par dénicher deux accusations formelles.

Il faut savoir que, chaque année, le Comité reçoit de quatre cents à cinq cents visites de conscrits, accompagnés ou non de leurs parents. Si chaque cas est particulier, ces jeunes gens souhaitent tous la même chose : éviter d'être broyés par cette infernale machine à bizuter, à mutiler et à tuer qu'est notre armée. Un jour, un soldat et son père sont arrivés dans les locaux du Comité. Dimitri Epifanov, le jeune soldat en question, n'était pas l'un de ces adolescents tremblants qui viennent de recevoir leur avis de conscription et se précipitent auprès du Comité pour tenter d'échapper à leur destin. Il avait déjà passé plusieurs mois en Tchétchénie. Il y avait été blessé : son tank avait pris feu pendant qu'il était à l'intérieur. Après cet épisode, il avait obtenu une permission. Une fois rentré chez lui, à Vladimir, il s'était plaint à ses parents de douleurs au ventre incessantes. Ces douleurs, il les connaissait déjà avant de faire son service mais, lors de son examen médical, les médecins de l'armée avaient estimé qu'il était apte. Et Dimitri était parti faire la guerre en Tchétchénie.

Pendant sa permission, il est venu demander conseil à Iarilina. Il ne voulait qu'une chose : savoir comment se faire hospitaliser. C'était la seule raison de sa visite au Comité. Le problème, c'est que, chez nous, un militaire en permission a toutes les peines du monde pour entrer à l'hôpital. Si un soldat tombe malade alors qu'il est en congé, il n'a plus qu'à se faire soigner clandestinement. Il ne peut pas être admis à l'hôpital le plus proche. Cette règle confine à l'absurde : le permissionnaire malade est tenu de rentrer dans son lieu d'affectation et de s'adresser au service médical local. C'est seulement alors que le médecin rattaché à son unité décidera s'il « mérite » d'être hospitalisé ou s'il simule.

Après avoir entendu le récit des Epifanov, Lioudmila a immédiatement téléphoné à la Commission militaire de Vladimir.

Celle-ci a confirmé que Dimitri devait retourner à son poste pour y subir des examens. Mais le jeune homme se tordait littéralement de douleur. Il était impensable de le laisser repartir sans l'aider. Sinon, à quoi bon fonder une organisation de défense des droits de l'homme ?

Comme n'importe quelle personne normalement constituée l'aurait fait à sa place, Lioudmila s'est mise à téléphoner à des médecins de sa connaissance. L'un d'entre eux, un cancérologue de l'hôpital de Vladimir, a accepté d'examiner le patient et de procéder, si nécessaire, à une gastroscopie.

Les analyses ont montré que Dimitri était en mauvaise santé. Il a donc été hospitalisé. C'est une autre règle : si un soldat peut prouver de manière incontestable qu'il doit être hospitalisé, alors il le sera et personne n'exigera qu'il retourne dans son bataillon... Les médecins de Vladimir ont diagnostiqué un ulcère du duodénum. Par conséquent, ils ont envoyé Dimitri dans un hôpital de Moscou Ensuite, il est passé devant une commission militaire, laquelle a décidé de le réformer.

Ce sont les faits. Voyons à présent comment l'accusation a présenté l'affaire :

> « Sous le prétexte d'aider des conscrits à connaître leurs droits, et secondée par des médecins de divers hôpitaux de la ville de Vladimir, L. A. Iarilina, en sa qualité de présidente de la cellule de Vladimir de l'organisation dénommée “ Comité des mères de soldats ”, a contribué à fournir à des citoyens soumis à l'appel ainsi qu'à des militaires d'active des attestations fictives de maladie (ulcère du duodénum), ce pour quoi elle a été rémunérée. »

Bien entendu, l'accusation n'a jamais réussi à prouver que Lioudmila avait touché de l'argent, pour la bonne et simple raison que personne ne lui en avait donné. Mais la plainte a suivi son cours. Il faut reconnaître que les enquêteurs du parquet militaire local ont fait preuve d'une imagination débordante. Voici comment le capitaine Golovkine, vice-procureur militaire de la garnison de Vladimir, a décrit le procédé par lequel Lioudmila aurait participé à la fabrication d'attestations fictives d'ulcères du duodénum .

> « [...] en compagnie d'un complice cancérologue, Iarilina a effectué sur plusieurs soldats une biopsie du bulbe du duodénum, suivie

d'une coagulation thermique de l'endroit de la biopsie, afin de créer à l'emplacement de la brûlure une cicatrice qui, lors d'une analyse endoscopique ultérieure, serait interprétée comme résultant non pas de la brûlure mais d'un prétendu ulcère, ce qui inciterait les médecins à conclure de bonne foi à un ulcère du duodénum. »

On se croirait au temps des « assassins en blouses blanches [1] »... J'ai quand même consulté Iarilina :

« À en croire les pièces apportées par l'accusation, vous auriez assisté le cancérologue lors de la biopsie...

– Bien sûr que non. Je lui ai seulement demandé, au téléphone, d'examiner ce jeune gars. C'est tout. »

Alors, que s'est-il passé ? Epifanov a-t-il magouillé pour déserter ? Non. D'ailleurs, personne ne l'en a accusé. Il est tout simplement tombé gravement malade, ce qui peut arriver à n'importe qui. D'ailleurs, l'incompatibilité de son état de santé avec les efforts qu'exige le service militaire a été confirmée par la suite, à deux reprises, par des commissions formées de médecins militaires qui ne connaissaient ni Epifanov, ni Iarilina, ni le cancérologue de Vladimir... Mais peut-être accuse-t-on Epifanov de s'être livré à une automutilation volontaire – cette fameuse « biopsie fictive du bulbe du duodénum » ? Non plus. C'est bien simple : aucune charge n'a été retenue contre lui.

Le jeune soldat est donc hors de cause. En ce cas, le médecin qui a pratiqué la biopsie l'a intentionnellement mutilé ! Il doit être inculpé ! Mais non. Personne n'a déposé plainte contre le médecin.

Une seule personne est poursuivie par la justice : Lioudmila Iarilina. C'est ainsi que vont les choses dans la Russie de Poutine. On fabrique sans vergogne des accusations grossières contre tous ceux

1. L'« affaire des blouses blanches » remonte à plus de cinquante ans, mais demeure dans toutes les mémoires en Russie. Le 13 janvier 1953, le KGB arrête neuf médecins chargés de veiller sur la santé des membres du gouvernement et de Staline en personne. Ils sont accusés d'avoir profité de cette situation privilégiée pour assassiner deux responsables de haut rang, Chtcherbakov et Jdanov. En réalité, cette inculpation absurde cache une attaque de grande envergure du régime soviétique à l'encontre des Juifs (la majorité des médecins arrêtés sont juifs). La mort de Staline, moins de deux mois plus tard, mettra fin à cette campagne avant qu'elle ait eu le temps de prendre réellement son essor. Mais, entre-temps, des dizaines de « suspects » sont morts sous la torture et des centaines, voire des milliers, d'innocents ont été condamnés à de lourdes peines de prison.

qui dérangent, sans même se soucier d'y attribuer un semblant de véracité. C'est ce qui s'est passé à Moscou où sont détenus Khodorkovski et Lebedev. C'est ce qui se passe à Vladimir. C'est ce qui se passe partout dans le pays.

Il n'y a là rien de bien nouveau : ce à quoi nous assistons ici reproduit très exactement les poursuites engagées contre les dissidents à l'époque soviétique, il y a trente ans. À l'époque, déjà, les procès politiques étaient maquillés en procès de droit commun...

L'Histoire se répète. Jusqu'aux plus petits détails.

Au début des années 1990, quand furent créés les premiers comités des mères de soldats, leurs fondatrices expliquaient que ces organisations allaient progressivement disparaître au fur et à mesure que la Russie se débarrasserait de l'héritage soviétique. Mais ce ne fut pas le cas. Au contraire, les Comités n'ont fait que prendre de l'importance. Ils sont même complètement débordés.

À ce jour, notre armée demeure une zone de non-droit que tous les citoyens veulent absolument éviter. Cette institution qui représente un danger de mort réel pour les conscrits n'a rien de commun avec le devoir sacré de défendre la patrie. Chaque année, en octobre, c'est l'appel. Et chaque année, des milliers de jeunes gens, soutenus par leurs parents, plongent dans l'illégalité pour ne pas être avalés par ce monstre insatiable. Pour survivre. Pour rester dignes.

Aussi longtemps que rien ne changera, les comités des mères de soldats continueront d'exister. Le système actuel leur donne sans cesse des raisons d'agir. C'est pourquoi, même si le pouvoir interdit toutes ces organisations et emprisonne ceux qui refusent de cesser d'aider les conscrits, cette activité se poursuivra, dans la clandestinité. Les circonstances l'exigent : le régime a déclaré la guerre à la jeune génération.

20 octobre

Dimitri Kozak, le représentant de Poutine dans la Région fédérale du Sud, vient de faire de Ramzan Kadyrov son très officiel « conseiller pour les structures de force ». Jusqu'à présent, Ramzan ravageait « seulement » la Tchétchénie et l'Ingouchie ; dorénavant, il pourra partager son expérience avec les dirigeants des structures de force de tout le Caucase du Nord, et il contrôlera directement leur action. En tant que « conseiller » de M. Kozak.

Certains observateurs, toujours prompts à se féliciter de la moindre décision du pouvoir, ont salué cette nouvelle. D'après eux, le petit dragon allait enfin être éloigné de la gestion directe des affaires tchétchènes.

Mais même ces optimistes forcenés ont rapidement compris leur erreur. Kadyrov conserve toutes ses fonctions antérieures. Il reste vice-Premier ministre de la Tchétchénie et « responsable des structures de force » de la République. Pis : il demeure le chef de ce que l'on appelle le « bataillon Kadyrov ». En réalité, l'expression « la bande à Ramzan » serait plus appropriée pour désigner ce groupe surarmé qui terrorise la contrée. Ses partisans ne s'y sont pas trompés : ils ont interprété cette nomination comme une promotion due aux « succès dans la lutte contre le terrorisme » prétendument remportés par leur jeune chef. C'est bel et bien une promotion, mais elle ne récompense rien d'autre que sa loyauté sans bornes envers le « tsar russe »...

La conséquence très prévisible de la montée en grade du « fils du premier président de la Tchétchénie » va faire couler le sang de plus belle. Ramzan est un homme de guerre, un homme de terreur. Le chaos et la destruction forment son milieu naturel. En temps de paix, il serait complètement perdu. Dorénavant, il a toute latitude pour exporter le plus légalement du monde violence et pillage dans tout le sud de la Russie. Jusqu'ici, ses hommes pouvaient déjà semer la désolation dans toute la région : ils possédaient des sauf-conduits émis par l'antenne locale du FSB, grâce auxquels ils ont pu à plusieurs reprises lancer des raids hors de Tchétchénie, notamment en Ingouchie.

Désormais, Kadyrov a encore plus de pouvoir...

Sa promotion au poste de « conseiller » est un pas de plus sur cette voie suicidaire qui mène le pays à l'abîme : le Kremlin installe aux postes clés des hommes dont l'action provoque des attentats de plus en plus sanglants.

Il ne faut pas chercher un « sens caché » à cette décision de Poutine. Il n'y en a pas. Malgré ce que prétendent ses innombrables courtisans, le président ne sait pas « mieux que nous » ce qu'il faut faire. Au contraire. C'est là toute la tragédie russe : les incompétents qui nous gouvernent sont arrivés au sommet par le plus grand des hasards. Et c'est également de façon aléatoire qu'ils font sortir du rang des personnages au mieux insignifiants, au pire ignobles.

23 octobre

Aujourd'hui a eu lieu à Moscou le premier meeting d'envergure contre la guerre en Tchétchénie. La manifestation était dédiée à la mémoire des victimes des attentats terroristes. Les participants n'étaient conviés qu'à dix-sept heures mais les premiers d'entre eux sont arrivés sur la place Pouchkine dès dix heures du matin. Il s'agissait des « Nord-Ostiens » – les survivants et les familles des disparus de la prise d'otages du théâtre de la Doubrovka du 23 octobre 2002. Il y a deux ans jour pour jour.

Ce meeting n'avait pas grand-chose à voir avec ces rassemblements « antiterroristes » encadrés par les autorités que le Kremlin a organisés un peu partout dans le pays après Beslan. Les organisateurs avaient prévenu la mairie de l'arrondissement central de Moscou qu'ils attendaient cinq cents personnes. Il en est venu trois mille. Le pouvoir a rapidement fait savoir son mécontentement : il leur a lancé un premier avertissement, pour « dépassement du nombre de manifestants prévus », puis un second, pour « slogans antigouvernementaux ». Le régime acceptait d'entendre des slogans antiguerre, mais pas un mot contre les hommes qui ont planifié cette guerre et la conduisent en dépit de tout bon sens...

La vérité, c'est qu'un grand nombre de badauds se sont spontanément joints au meeting. Certains sont arrivés au volant de voitures de marque : signe que la classe moyenne, généralement réticente à toute implication politique, commence à frémir.

Malgré la pluie battante, la foule ne s'est pas dispersée. Chez nous, une telle détermination est suffisamment rare pour être soulignée. Comme l'a justement dit Boris Nadejdine, coprésident du SPS et membre du Comité 2008, en s'adressant à l'assistance :

« Votre présence ici est la preuve que les gens refusent d'être les otages de la peur que le pouvoir veut insinuer en eux, profitant de toutes les tragédies et, dernièrement, de celle de Beslan. Notre pays souffre d'une terrible blessure. Cette blessure a pour nom " Tchétchénie ". C'est de cette plaie que sont nés les drames de *Nord-Ost* et de Beslan. En 1999, un nouveau médecin est arrivé au Kremlin. Il a promis de guérir le pays et il a été élu président. Mais la plaie n'a pas cessé de saigner. Aujourd'hui, alors qu'il ne reste plus de médias indépendants et que le Parlement est le jouet du pouvoir, il n'existe plus qu'un seul levier permettant de faire pression sur les autorités. Ce sont toutes les personnes honnêtes, celles qui viennent aux meetings pour exprimer leur colère. »

Les personnes honnêtes en question, abritées tant bien que mal sous leurs parapluies, portaient des banderoles proclamant : « Nous sommes la cinquième colonne de l'Occident ! » C'est ainsi que Vladislav Sourkov a qualifié les démocrates dans une interview qu'il a donnée hier à la *Komsomolskaïa Pravda,* un journal entièrement aux ordres du Kremlin.

Dans cet entretien édifiant, le numéro deux de l'administration présidentielle a affirmé que l'opposition démocratique était composée d'individus « incapables d'être des partenaires constructifs ». D'après lui, au moment où la Russie est « assaillie » depuis l'étranger, les libéraux – mais aussi les nationalistes – sont stipendiés par l'Occident pour affaiblir le pays de l'intérieur. Enfin, à l'en croire, cette « Russie de Poutine » que critiquent les démocrates n'existe pas : « Il y a une seule Russie et ceux qui prétendent le contraire sont ses ennemis. »

On ne peut même plus parler de néosoviétisme. Il s'agit de soviétisme à l'état pur ! À peine les anciens apparatchiks se sont-ils affranchis de cette superstructure encombrante qu'était le Parti communiste de l'Union soviétique, à peine se sont-ils enrichis en profitant de la confusion des années 1990, qu'ils réclament le rétablissement de carcans idéologiques dont on croyait qu'ils appartenaient au passé. N'oublions pas que Vladislav Sourkov est considéré comme l'idéologue en chef du système Poutine...

25 octobre

Le pays médite une déclaration publique de Valentina Matvienko, une alliée de longue date de Poutine qui occupe aujourd'hui le poste de gouverneur de Saint-Pétersbourg. Interrogée par le journal *Itogi* qui lui demandait si une république parlementaire, sans président, était possible en Russie, elle a énoncé son *credo* : « Non, un tel système ne convient pas à notre pays. La mentalité de l'homme russe est telle qu'il lui faut un seigneur, un tsar, un président. En un mot, une autorité suprême. »

Le pire, c'est que Matvienko dit tout haut ce que le premier cercle du pouvoir pense tout bas. Dans la coterie de Poutine, elle tient le rôle de porte-parole officieux.

Le mouvement « Pour les droits de l'homme » a réagi par un communiqué :

> « Nous nous indignons de cette déclaration qui humilie publiquement notre pays et la dignité de notre nation. La signification des mots de Mme Matvienko est limpide : le peuple russe ne peut être qu'un serf (soumis à son seigneur) ou un sujet (soumis à son tsar). La suite logique qu'elle emploie – " seigneur, tsar, président " – est tout sauf anodine. Elle indique on ne peut plus clairement qu'aux yeux des dirigeants actuels, le chef de l'État n'est pas un leader démocratique mais un souverain autoritaire. En affirmant que le peuple russe serait esclave par nature, le gouverneur de Saint-Pétersbourg a, de fait, exprimé une opinion raciste. Elle a remis en cause la Constitution, qui garantit la liberté démocratique du peuple. Nous estimons qu'il est indispensable de rappeler que l'idée selon laquelle la mentalité russe est une mentalité d'esclave se trouve à la base de toutes les théories russophobes. C'est précisément sur cette affirmation que les idéologues de la doctrine nazie ont fondé leur agression contre notre pays. Il est particulièrement abject que la représentante de l'ex-Leningrad, cette ville qui a héroïquement soutenu un siège terrible pendant la guerre, se permette ce type de réflexions. Nous exigeons la démission immédiate de Valentina Matvienko. »

[Faut-il le préciser? Personne n'a jugé utile de répondre à cet appel. Matvienko est restée en poste.]

Cet épisode est très révélateur : l'élite poutinienne ne dissimule même pas le mépris absolu qu'elle éprouve à l'égard de la population.

26 octobre

Un rassemblement en mémoire des morts de la prise d'otages de *Nord-Ost* s'est tenu aujourd'hui à Moscou. L'assaut fatal des forces de l'ordre a eu lieu il y a exactement deux ans. Cette commémoration est placée sous le signe de Beslan.

Les familles des victimes et les otages survivants se sont retrouvés à onze heures, sur une placette située en face du théâtre de la rue Doubrovka. Pour un grand nombre d'entre eux, la journée avait commencé au cimetière, où ils étaient allés fleurir les tombes de leurs proches. Les « Nord-Ostiens » ont à présent leur propre association, qui a invité les représentants de la mairie, du gouvernement et de l'administration présidentielle à se joindre à eux pour assister à la messe dite en mémoire des victimes.

Onze heures vingt, onze heures trente, onze heures quarante... Le pope, longtemps coincé dans les bouchons, a fini par arriver. Il serait temps de commencer, mais aucun officiel n'est encore là. Les gens murmurent : « Ils ne peuvent quand même pas ne pas venir... »

Il est presque midi. La foule est nerveuse, de nombreux parents ont amené leurs enfants. On entend : « Nous voulons leur parler... », « Nous sommes venus pour leur demander des comptes », « Personne ne s'intéresse à nous », « Nos enfants ne sont plus admis gratuitement à l'hôpital »... Quelqu'un crie : « Nous avons besoin d'aide ! »

On finit par se rendre à l'évidence : les représentants du pouvoir ne viendront pas. Ils ont simplement eu peur. Et puis, qu'ont-ils à faire de tous ces malheureux ? Il est si fastidieux de devoir les écouter en prenant un air compassé !

Un peu plus tard, des policiers qui veillent au bon déroulement de la manifestation révèlent qu'« *ils* sont déjà passés ». On apprend alors que des émissaires de la mairie de Moscou et de l'administration présidentielle sont venus à dix heures, assister à... *leur propre messe*. Un office réservé à l'élite, loin du peuple, loin de ceux qui ont perdu des êtres chers à cause de l'incurie de nos dirigeants. À dix heures, devant les caméras des chaînes officielles, ils se sont recueillis, ils ont baissé la tête, ils ont fait le signe de croix, ils ont déposé une couronne de fleurs, en présence d'une garde d'honneur. Les « Nord-Ostiens » n'étaient pas prévenus. Sait-on jamais, ils auraient été capables de perturber la cérémonie ! Ensuite, ils sont rapidement remontés dans leurs voitures de fonction et sont rentrés dans leurs bureaux sécurisés, hors d'atteinte de leurs administrés. Il ne leur est même pas venu à l'esprit d'exprimer leurs condoléances aux familles des victimes. Quant au président, il avait mieux à faire : il est en Ukraine auprès du Premier ministre sortant Viktor Ianoukovitch, en pleine campagne présidentielle, qu'il a finalement décidé de soutenir. Voyez-vous, il était absolument impératif que, ce 26 octobre 2004, le locataire du Kremlin aille passer la journée en Ukraine. Quant aux commémorations officielles du 26 octobre 2002 à Moscou, elles n'ont duré que quelques minutes.

La foule, constituée de parents et d'amis des victimes, de survivants du drame et de simples citoyens compatissants, a commencé sa propre commémoration. Sur ces mêmes marches du théâtre où, il y a deux ans, de nombreux otages empoisonnés au gaz étaient morts faute d'avoir reçu une aide médicale appropriée, des bougies ont été disposées. Leur lumière chancelante a éclairé cent trente photos. Comme il y a deux ans, le ciel a pleuré à l'unisson avec nous...

Mais la pluie n'a pas su laver le goût amer que le cynisme des autorités avait laissé dans la bouche des « Nord-Ostiens ».

Au cours des deux années qui se sont écoulées depuis l'attaque chimique qui a tué les otages, le pouvoir s'est montré incroyablement méprisant à l'égard des victimes et de leurs proches. L'enquête qu'il a diligentée n'a servi qu'à blanchir les responsables. D'après la version officielle, toutes les personnes qui ont péri dans le théâtre sont mortes car leur organisme était trop faible pour supporter la déshydratation et le stress. Du bout des lèvres, on admet que le gaz employé par les forces spéciales – une substance dont la nature exacte n'a toujours pas été révélée – y est également pour quelque chose...

L'opacité autour de cette affaire est partie intégrante de l'hiver politique qui règne aujourd'hui dans tout le pays. Qui a cherché à découvrir la vérité sur les circonstances exactes de l'assaut ? Qui a essayé de lever le voile que le pouvoir a jeté sur la tragédie ? Seulement les familles des victimes. Ces pauvres gens ont tenté de faire la lumière sur la mort de leurs enfants, de leurs parents, de leurs époux... Mais la majorité écrasante de la population a gardé un silence honteux. Pis : la plupart des Russes ont choisi de croire les autorités, qui laissaient entendre que ces familles n'étaient motivées que par les compensations financières qu'elles rêvaient d'arracher à l'État.

Ce qui s'est passé est cauchemardesque : les parents des victimes ont sombré dans de profondes dépressions, certains se sont transformés en rebuts de la société, quelques-uns sont morts... mais le pays, parfaitement dressé par la propagande officielle sur la nécessaire « guerre au terrorisme » et ses victimes collatérales, s'est tout simplement détourné d'eux pour regarder ailleurs.

Dès le 1er septembre, alors que la prise d'otages de Beslan venait de commencer, j'ai reçu un coup de téléphone de Dimitri Milovidov, le père de la petite Nina, qui aura éternellement quatorze ans. Le 23 octobre 2002, la fillette était allée voir *Nord-Ost*, le premier spectacle de music-hall russe. Elle n'est jamais rentrée à la maison.

Dimitri avait un plan : « Anna, il faut récupérer des masques à gaz et les envoyer à Beslan aussi vite que possible. »

Les « Nord-Ostiens » savaient qu'il fallait se préparer au pire. Mais leurs concitoyens préféraient faire l'autruche. Le résultat de ce refus de voir les choses en face, c'est que l'on n'a jamais vendu autant de bougies funéraires en Russie. Le pays est en deuil. Aujourd'hui, on célèbre les quarante jours [1] depuis Beslan et le deuxième anniversaire de *Nord-Ost*. Il y a deux mois, le 24 août, deux avions ont explosé en vol [2]. Et il y a cinq ans, des tirs de mortier ont fait des centaines de morts sur un marché à Grozny : c'était le signal du début de cette « opération antiterroriste » qui élimine tous ceux qui pourraient ramener la paix en Tchétchénie et suscite un « terrorisme en retour » qui enflamme à présent tout le Caucase du Nord. Terrorisme et antiterrorisme sont les deux faces d'une même médaille.

Que faire ? Naturellement, je ne souhaite pas de révolution. Ne serait-ce que parce que chez nous, les révolutions ne sont jamais de velours... Nous ne pouvons pas avoir, comme en Géorgie, une « révolution des roses » : chez nous, il ne saurait y avoir qu'une révolution d'épines. Mais il n'est pas supportable de penser que

---

1. Dans la tradition orthodoxe, on commémore les morts quarante jours après le décès par une messe spéciale.
2. Le 24 août 2004, deux appareils s'écrasent presque simultanément dans la région de Toula (sud de Moscou) et près de Rostov-sur-le-Don (sud-ouest). Ce double attentat, qui a fait 90 morts, a été revendiqué par un groupe islamiste tchétchène.

l'hiver politique que nous subissons en ce moment va durer encore des décennies. J'aimerais tellement vivre libre, que mes enfants soient libres et que leurs enfants naissent libres !

Un nouveau dégel est-il possible ? Il est proprement absurde d'attendre que ce dégel vienne d'en haut, comme c'est arrivé sous Gorbatchev. Mais que faut-il exiger ? La dissolution de la douma. Des élections législatives vraiment démocratiques. La formation d'un Parlement qui ne serait pas soumis au Kremlin. La fin de cette guerre maudite que nous livrons au Caucase du Nord. Tout cela n'est possible, bien sûr, qu'à la condition que la majorité des Russes le veuille.

Sinon, rien ne changera. Nous resterons à la merci des éminences grises. Quant à l'Occident, on ne peut guère compter sur lui : il ne réagit que très mollement aux « recettes antiterroristes » de Poutine. Pour lui, la Russie, c'est la vodka, le caviar, le gaz, le pétrole, les ours, la « mystérieuse âme slave »... Nous ne sommes qu'un amas de clichés. Une fois sorti de ces stéréotypes, l'Ouest n'a que faire d'« un sixième des terres émergées de la planète [1] ».

29 octobre

Le projet de loi cher à Poutine visant à supprimer l'élection directe des gouverneurs a été adopté en première lecture, quelques semaines à peine après avoir été présenté aux députés. Promptitude exceptionnelle pour notre douma qui, traditionnellement, met au moins six mois à adopter un texte, même le plus urgent !

Le pouvoir continue de mener le pays à sa perte. Le procureur général Vladimir Oustinov a été invité au Parlement. Il y a déclaré qu'il était impératif d'instaurer une législation offrant aux forces de l'ordre une marge de manœuvre pratiquement illimitée en cas d'attentat terroriste. Voici les principales mesures qu'Oustinov appelle de ses vœux :

– une procédure de jugement accéléré pour les personnes suspectées de terrorisme ;

1. Cette formule était couramment utilisée à l'époque soviétique pour souligner la taille gigantesque du pays.

– l'arrestation et le maintien en détention des familles des preneurs d'otages ;

– la saisie des biens des suspects.

Commençons par l'aspect le plus grotesque de ce projet : la confiscation des biens. Notre procureur général est un fin connaisseur des hommes et de leurs motivations, cela saute aux yeux ! N'est-il pas évident qu'un individu sur le point de se suicider en tuant le plus grand nombre possible de personnes sera dissuadé de commettre un tel geste s'il risque de perdre sa télévision, son magnétoscope et sa Lada ?

Passons aux choses sérieuses. Les « procédures de jugement accéléré » que le procureur souhaite appliquer aux « suspects » reviennent à ressusciter les purges de masse, pour reprendre la terminologie stalinienne. Ou les *zatchistki* [1], pour employer la phraséologie de l'« opération antiterroriste » actuellement menée dans le Caucase du Nord. La Tchétchénie et l'Ingouchie connaissent bien ces « procédures accélérées ». Au cours des cinq dernières années, ces méthodes y ont été employées à foison. Les services spéciaux (que ce soient les hommes du ministère de l'Intérieur, du FSB ou du GRU) peuvent enlever n'importe qui. Parfois, ils se fondent sur des « informations de terrain » pour agir. Mais le plus souvent, ils frappent au hasard. Malheur à ceux qui tombent entre leurs mains ! Les forces de l'ordre battent, mutilent et torturent autant qu'elles le désirent. Et finissent généralement par obtenir des aveux d'« activité terroriste » ou de « sympathie envers les terroristes »... même si, au fond, personne ne prête attention à ces confessions.

Ensuite, il y a deux possibilités. Si le suspect a été trop amoché pendant son interrogatoire, il est abattu et enterré. Mais si sa famille a eu le temps de payer une rançon aux hommes qui le retiennent, il peut être rendu aux siens, et tant pis pour les aveux qu'il a pu signer ! Dans la zone de l'« opération antiterroriste », il n'y a que des procès expéditifs. Des milliers de suspects ont ainsi été condamnés en moins de temps qu'il n'en faut pour le dire à des

1. Les *zatchistki* sont des « missions de nettoyage » conduites par les troupes russes en Tchétchénie. Il s'agit généralement de razzias qui ciblent un village soupçonné d'abriter des partisans des indépendantistes. Il est fréquent que, lors de ces opérations, de nombreux civils soient tués sur place ou disparaissent sans laisser de trace.

peines de quinze à vingt ans pour « appartenance à une bande armée illégale » ou pour « terrorisme ». La présence d'un avocat et d'un procureur est purement formelle. Les magistrats ne sont là que pour assurer un décorum légal minimal à cette parodie de justice dont le véritable but est de gonfler les statistiques des « terroristes condamnés » et des « attentats déjoués ». En règle générale, la fonction des avocats consiste à essayer de convaincre leur « client » de plaider coupable. Quant aux procureurs, ils sont chargés de faire pression sur les familles des prévenus en leur expliquant qu'elles auront à leur tour maille à partir avec la justice si elles osent se plaindre.

Ce que le procureur général a demandé à la douma, c'est de supprimer *de facto* la notion de présomption d'innocence. Cette requête correspond elle aussi au « scénario tchétchène ». Là-bas, tout le monde est considéré comme coupable. Dorénavant, ce sera le cas dans le pays entier. En un mot, le discours d'Oustinov a donné le signal de la « tchétchénisation » de la Russie. La majorité de la population pensait pouvoir échapper au sort de la petite République frondeuse... Mais il n'y a pas de miracle en ce monde. Un jour ou l'autre, l'horreur des méthodes extrajudiciaires employées en Tchétchénie va déborder au-delà des frontières du Caucase du Nord et se répandre sur tout le territoire. Ce moment ne semble plus très loin...

Il y a aussi une certaine innovation dans les mesures souhaitées par le procureur général : la prise d'otages « en retour ». Oustinov a expliqué aux députés que si nos forces de l'ordre s'emparaient des familles des preneurs d'otages, ces derniers se rendraient immédiatement.

En Tchétchénie, cette méthode est connue de longue date. Elle a surtout été employée lors de la deuxième étape de la guerre, quand les hommes de Kadyrov sont montés en puissance. C'était leur signature : torturer les proches des *boïeviki* afin de contraindre ceux-ci à se rendre. D'ailleurs, ces « contre-prises d'otages » exécutées par les « Kadyroviens » avaient l'aval des autorités judiciaires, au mépris de toutes les lois existantes.

Voilà cinq ans que les représentants du parquet contribuent à faire grossir la vague de terrorisme qui frappe la Russie, non seulement en fermant les yeux sur les exactions des forces de l'ordre, mais aussi en assistant personnellement aux séances de torture des suspects, puis en affirmant à la population que tout se passe « dans le plus strict respect de la loi ». À présent, ils souhaitent encore plus de pouvoir... pour encore accélérer notre course à l'abîme.

Le discours de Vladimir Oustinov à la douma a été interrompu à plusieurs reprises par les applaudissements des députés, avant d'être salué par une véritable ovation finale. Son projet a donc charmé le Parlement. Naturellement, notre cher président l'a également trouvé excellent.

Le pays comprend-il seulement qu'en ce moment même le « 1937 tchétchène » est en train d'évoluer en nouveau « 1937 russe [1] » ? À présent, chacun d'entre nous peut sortir acheter du pain et ne jamais rentrer chez lui. Ou bien rentrer vingt ans plus tard. Va-t-on bientôt devoir faire comme les Tchétchènes qui se disent solennellement adieu chaque fois qu'ils vont au marché ?

3 novembre

Le Conseil de la Fédération a approuvé la loi sur la suppression de l'élection des gouverneurs au suffrage universel. Le pays se tait. Cela signifie qu'il n'a que ce qu'il mérite.

6 novembre

Publication aujourd'hui dans la *Komsomolskaïa Pravda* d'un article programmatique de l'administration présidentielle. L'auteur, Mikhaïl Iouriev, un ancien journaliste qui travaille maintenant au Kremlin, s'est mis en tête d'expliquer à la population comment distinguer un patriote honnête d'un ennemi de la Russie. Il n'y va pas par quatre chemins : est ennemi de la Russie tout individu qui critique le président Poutine. Doivent également être considérés comme des traîtres tous ceux qui ont appelé à négocier avec les terroristes de Beslan en septembre dernier, ainsi que ceux qui se sont élevés contre l'assaut à l'arme chimique qui a mis fin à la prise d'otages de *Nord-Ost* en octobre 2002, ceux qui participent à des rassemblements dénonçant la guerre en Tchétchénie, les

1. 1937 a été l'année la plus terrible des purges staliniennes.

organisateurs de ces meetings et, plus généralement, tous ces renégats qui souhaitent un règlement pacifique du conflit.

Le Parti des mères de soldats a tenu son congrès fondateur à Moscou, à bord d'un bateau amarré sur les quais de la Moskova. S'il a vu le jour, c'est à cause du néant absolu de la scène politique actuelle. Aux dernières législatives, les mères de soldats ont perdu tous les députés qui essayaient de faire passer une réforme militaire et qui défendaient les droits des appelés. Valentina Melnikova, présidente de la Commission d'organisation du parti, explique ce qui l'a incitée à se lancer en politique : « Les points essentiels de notre programme consistent à rendre l'État responsable devant les citoyens et à permettre aux Russes de vivre en sécurité. La transformation démocratique des forces armées n'est qu'une partie de notre projet. En matière économique, nous défendons des idées plutôt libérales ; mais nous sommes plutôt d'obédience socialiste en ce qui concerne les obligations de l'État envers ses administrés. »

Le Parti des mères de soldats est la première formation politique qui déclare qu'elle va lutter pour sauver nos vies. Tout simplement. Il faut dire que l'électorat russe n'a pas été gâté par nos politiciens. S'ils peuvent, à la rigueur, condescendre à quelques gestes d'ordre financier à la veille des élections, jamais ils ne se battront pour nos vies : ils sont bien trop occupés à se bagarrer entre eux pour une place au soleil.

Pourquoi le Congrès fondateur a-t-il eu lieu sur un bateau ? Tout simplement parce que personne n'avait accepté de louer une salle à ces contestataires, de crainte d'irriter le pouvoir...

Le Parti a été créé par cent cinquante-quatre représentantes des comités des mères de soldats, venues de plus de cinquante régions différentes [1]. Leur mouvement, qui existe depuis 1989, a sauvé en quinze ans d'existence des milliers d'appelés et de soldats professionnels. Dès la fin des années 1980 – encore à l'époque soviétique –, des femmes désireuses de préserver leurs enfants des bizutages bestiaux en vigueur dans l'armée ont commencé à fonder des comités. Très rapidement, leur groupe a gagné de l'influence dans le pays, à un tel point qu'en 1989, sous leur pression, Mikhaïl Gorbatchev, le président de l'URSS, a ordonné de réintégrer 176 000 soldats qui se trouvaient sous les drapeaux dans les univer-

1. Sur les quatre-vingt-dix-neuf « sujets de la Fédération » que comptait alors la Fédération de Russie.

sités dont ils avaient été tirés pour accomplir leur service. En 1990, ce même Gorbatchev a promulgué un décret intitulé « Application des propositions du comité des mères de soldats » qui stipulait que l'État devait dorénavant prendre en charge l'assurance médicale des appelés. L'année suivante, les comités ont arraché à Boris Eltsine, président de la Russie, une amnistie des déserteurs. En 1993-1994, à la suite d'une action en justice des « mères », une enquête a tiré au clair la tragédie de l'île Rousski, où deux cents marins avaient failli mourir de faim, de maladies et de tortures. En novembre 1994, les mères de soldats ont été la première organisation russe à exiger l'arrêt immédiat de la guerre en Tchétchénie. En 1995-1996, elles ont obtenu de Boris Eltsine une nouvelle amnistie : cette fois, cinq cents soldats qui avaient refusé de servir en Tchétchénie ont été relaxés des accusations portées contre eux au pénal. En 1997, la douma a adopté un projet de loi préparé par les comités et amnistiant tous les participants à la première guerre de Tchétchénie, qu'ils aient combattu aux côtés des forces fédérales ou contre elles. En 1998, c'est à leur demande que le budget fédéral a consacré des fonds à la recherche des soldats disparus en Tchétchénie et à l'identification des corps retrouvés. Depuis 1999, les comités protestent contre la seconde guerre tchétchène, mènent une campagne publique contre la dissimulation de l'ampleur réelle des pertes humaines, recensent et publient des listes de disparus et de tués, et envoient aux autorités des pétitions exigeant un vrai processus de régulation pacifique du conflit.

Le mouvement se bat contre cet esclavage moderne qu'est la conscription. Il milite donc pour une armée de métier formée de professionnels sous contrat. Bien entendu, tout au long de leur existence, les comités ont bénéficié du soutien de tous les partis démocratiques, et ils ont obtenu de nombreux succès. Progressivement, l'idée de mettre en place une armée de métier s'est même imposée aux autorités... au point que les ministres de la Défense qui se sont succédé au gouvernement semblaient tirer leurs discours officiels des tracts des mères de soldats !

Malheureusement, dans la pratique, tout est beaucoup plus compliqué. De nombreux jeunes gens ont été plus ou moins forcés à s'engager « volontairement » ; les soldes ne sont pas versées, ou alors avec beaucoup de retard ; la guerre continue et les appelés sont envoyés directement en Tchétchénie. En décembre dernier, les députés proches des comités ont perdu leurs sièges. La nouvelle douma, à la botte de Russie unie, refuse d'autoriser qui que ce soit à éviter la conscription. La vie politique du pays est devenue un véritable désert... et cela fait quinze ans que des milliers de soldats ou de futurs appelés cherchant de l'aide ont afflué dans les comités.

À la fin de janvier 2004, les mères ont donc décidé que le temps était venu de fonder leur propre parti : comme il ne reste plus personne sur qui compter à la douma, il faut y aller soi-même ! La procédure d'enregistrement a pris dix mois. La loi qui régit la création des partis politiques est terriblement complexe, et constituer une formation réclame énormément de temps et d'argent.

Résultat : le Congrès fondateur n'a eu lieu que début novembre. Les dernières semaines ont été très difficiles : les médias assujettis au pouvoir ont présenté les comités comme une « cinquième colonne » corrompue par l'Occident afin de détruire la capacité militaire du pays. Bref, comme un « ennemi de l'intérieur » qui affaiblit le pays en temps de guerre. Cette attaque très violente aurait pu se révéler mortelle dans le climat ultra-patriotique qui règne aujourd'hui. Mais les mères ont tenu bon et leur parti a fini par voir le jour.

Un Conseil politique de vingt et une personnes a été élu ainsi que le président du parti. Ou plutôt la présidente. Il s'agit de Valentina Melnikova. Cette géologue participe au mouvement depuis les premiers jours. C'est une femme intelligente, déterminée et hautement morale – ses années de militantisme l'attestent. Une passionnée : ses décisions vont du cœur à la raison, et non l'inverse.

Saura-t-elle éviter à son parti de sombrer dans les guerres intestines qui ont consumé tant de partis démocratiques ?

Il y a peut-être un espoir précisément dans le fait que ce mouvement repose sur le cœur et non sur la raison. Jusqu'ici, seule la raison poussait les gens à s'engager en politique. La passion n'intervenait que lorsqu'il s'agissait de déterminer qui allait être le numéro un. Le pouvoir a parfaitement su en tirer profit au moment des législatives de décembre 2003 : il a incité les démocrates à composer avec lui en leur faisant miroiter certaines prébendes. Les démocrates se sont entre-déchirés, le peuple a complètement cessé de leur faire confiance, et ils ont été boutés hors du Parlement.

Ce qui fait la force des comités des mères de soldats, c'est que nous savons que leur désir de défendre nos enfants est absolument sincère. C'est leur unique capital politique. On s'en est bien rendu compte lors de leur Congrès : il suffisait de discuter deux minutes avec n'importe quelle déléguée, et immédiatement la conversation glissait sur le destin de tel ou tel soldat dans le besoin... Elles sont réellement dévouées à leur cause.

Question centrale : la rédaction du programme du parti. Faut-il immédiatement exiger la fin de la conscription, ou attendre un peu ? Plus globalement, quelle voie cette nouvelle formation va-t-elle suivre ? La voie traditionnelle en Russie, qui consiste à déclarer que l'on souhaite un changement radical (en l'occurrence, la suppression de la conscription) tout en omettant d'inscrire ce projet dans les statuts de l'organisation afin de ne pas froisser l'administration présidentielle ? Ou bien une voie absolument sincère, quitte à risquer de se heurter de front au pouvoir ?

Lors du premier débat, c'est la sincérité qui a prévalu : la fin de la conscription est un élément central du programme, c'est écrit noir sur blanc. Heureusement que cette motion l'a emporté : ce parti ne peut compter que sur la confiance du peuple. S'il avait commencé à jouer au plus malin avec les autorités, il serait rapidement apparu comme une nouvelle formation insignifiante, le Kremlin l'aurait emberlificoté comme il sait si bien le faire, et toute la sympathie de l'électorat aurait été dilapidée. Il n'y aurait eu alors aucun espoir d'entrer à la douma aux législatives de 2007. Or c'est l'objectif prioritaire.

Le Parti des mères de soldats (PSM) est une nouveauté mondiale. Aucun mouvement semblable n'a jamais existé. Son avenir repose sur la passion qui anime ses membres. Pendant des années, on nous a répété que l'essentiel, en politique, c'est la raison, et que l'efficacité d'un politicien est proportionnelle à sa ruse. Mais les faits ont montré à quel point cela est faux. Les Russes ne suivent qu'à contrecœur des dirigeants froids et rusés, alors qu'ils sont prompts à soutenir des leaders réellement passionnés. Une pensée claire et sincère soutenue par un discours exalté, voilà qui peut attirer l'électorat.

Quoi qu'il en soit, c'est au Parti des mères de soldats qu'incombe la lourde tâche d'écrire la première page de la nouvelle vie politique de la Russie [1]. Dans cette entreprise, il part de zéro. Et même de plus bas car la population se méfie des formations qui prétendent parler en son nom : on a vu tellement de gens se coucher devant le Kremlin !

11 novembre

Une foule de mécontents a envahi le bureau du président de la Karatchaévo-Tcherkessie, Moustafa Batdyev. Ils exigent son départ. Cause de leur courroux : l'enlèvement, l'assassinat et la disparition de sept jeunes hommes d'affaires. Le gendre de Batdyev est impliqué dans cette histoire. D'ailleurs, il se trouve déjà sous les verrous. Mais l'arrestation de ce lampiste ne suffit pas à apaiser la colère du peuple. Voilà longtemps qu'il ne croit plus que le pouvoir est déterminé à faire la justice. Le Kremlin est embarrassé : si la population parvient à balayer Batdyev, le prochain sur la liste sera sans doute Mourat Ziazikov, le président ingouche, connu pour sa lâcheté. Ziazikov est un général du FSB, ce qui lui vaut les faveurs de Poutine... Mais tout le monde sait que si des manifestants envahissent son bureau, il s'enfuira sans chercher son reste.

Batdyev, même s'il n'appartient pas au FSB, a pris la fuite. Seul Kozak, le représentant spécial de Poutine dans la Région fédérale du Sud, a pu le forcer à revenir à son poste.

C'est précisément Kozak qui est allé parlementer avec les « envahisseurs » de Tcherkessk. Quelques heures plus tard, nos chaînes de télévision ont annoncé la « bonne nouvelle » : le putsch avait échoué, Kozak avait convaincu les protestataires de libérer le bureau de Batdyev, celui-ci était de nouveau au travail, son administration pouvait reprendre ses activités...

La vérité, c'est que ces événements sont une nouvelle preuve de l'inefficacité absolue des fidèles de Poutine. Les dirigeants locaux soumis au Kremlin sont proprement incapables de diriger quoi que

1. En octobre 2005, le Parti des mères de soldats (PSM) se fondra dans le Parti républicain de Russie (RPR). Objectif déclaré de l'opération : satisfaire aux exigences du ministère de la Justice, qui avait annoncé que, à partir du 1er janvier 2006, seuls les partis comptant 50 000 membres verraient leur statut de « formation politique » confirmé. Or le PSM comptait environ 20 000 membres, contre 30 000 au RPR... Depuis lors, il constitue une fraction au sein du RPR et sa présidente, Valentina Melnikova, appartient au conseil politique de ce dernier.

ce soit. Et à la première menace, ils prennent la poudre d'escampette !

Cet épisode confirme que le pouvoir ne craint rien tant que la foule. Kozak ne se serait pas déplacé si les manifestants n'avaient pas occupé le bureau de Batdyev. Si ces mêmes personnes avaient simplement demandé à rencontrer le représentant de Poutine dans la région, ils l'attendraient encore...

26 novembre

Voilà plus d'un an que Mikhaïl Khodorkovski croupit derrière les barreaux. Le Kremlin garde le silence sur son sort. Comme au temps de l'URSS, le lien entre le pouvoir et la société est complètement coupé. À l'époque soviétique, seul le KGB les mettait en contact. La police politique transmettait au sommet sa vision tronquée de la réalité du pays, ce qui n'a pas été pour rien dans la chute du régime. De la même manière, aujourd'hui, le FSB – nouvelle appellation du KGB – donne aux autorités une représentation déformée de l'état de la société. Quant aux autres vecteurs d'information, Poutine les considère avec suspicion : il ne fait confiance qu'à ses anciens camarades des services secrets. L'URSS avait mis soixante-dix ans pour tomber. Espérons que, cette fois, les choses iront plus vite.

1er décembre

La douma a adopté, en seconde lecture, le plus cynique des projets de loi présentés par Poutine : la réforme du mode de désignation des députés [1].

3 décembre

Troisième et dernière lecture du projet de loi supprimant l'élection des gouverneurs au suffrage universel. C'est un succès total

1. Ce projet de loi a été détaillé à la date du « 1er juin ».

pour le pouvoir : aucun député n'a protesté. Hourra ! Nous sommes le pays de l'unanimité triomphante [1].

8 décembre

La cause est entendue : ce projet de loi a été confirmé par le Conseil de la Fédération (la Chambre haute du Parlement). Encore une saleté que le peuple accepte sans broncher.

11 décembre

Quel empressement ! Le président vient de parapher cette loi. C'est sans doute la procédure législative la plus rapide que le pays ait jamais connue. Dès le 1er janvier, Poutine pourra nommer les gouverneurs à sa guise. Il faut croire qu'il lui était vraiment devenu insoutenable d'avoir à discuter avec les élus du peuple. En vérité, il les redoutait : son pouvoir a besoin d'esclaves et non d'interlocuteurs. Tous les enfants de Beslan n'ont pas encore été identifiés et enterrés – l'État ne s'en préoccupe guère, laissant cette tâche aux familles – mais, surfant sur la vague d'indignation suscitée par la tragédie, les autorités ont déjà modifié la Constitution pour la rendre plus conforme aux vœux du Kremlin...

Pendant ce temps-là, toute la ville de Beslan est en train de devenir folle. L'automne, qui avait commencé par la prise d'otages du 1er septembre, a cédé la place à l'hiver, mais personne ne se porte mieux. Au contraire, même. Quatre enfants disparus n'ont toujours pas été retrouvés et rendus à leurs familles : il s'agit des petits Gueorgui Agaev, Aslan Kisiev et Zarina Normatova, tous nés en 1997, et d'Aza Goumetsova, qui était âgée de onze ans.

Les quatre familles qui n'ont pas retrouvé leurs petits se divisent en deux camps : deux d'entre elles croient que les enfants ont été enlevés et qu'ils sont toujours en vie ; les deux autres pensent qu'ils sont morts et que leurs restes ont déjà été enterrés.

---

1. Référence à un célèbre slogan de l'époque soviétique : « Nous sommes le pays du socialisme triomphant. »

Zifa est la mère de Gueorgui Agaev. Elle ne sort plus de chez elle : elle attend le retour de son fils.

« Imaginez que Gueorgui rentre et que je ne sois pas à la maison ! » explique-t-elle. Puis elle sourit bizarrement. Sa bouche est légèrement tordue : elle se trouvait à l'intérieur de l'école pendant la prise d'otages et a été blessée lors de l'assaut. « Je sais qu'en ville tout le monde pense que j'ai perdu la raison. Mais ce n'est pas le cas. Je suis seulement persuadée que mon fils est vivant et qu'il est détenu quelque part. »

Zifa ne se permet de sortir que pour deux trajets très courts : promener dans sa poussette sa petite Vika, onze mois, jusqu'à la route sur laquelle un jour ou l'autre, elle en est sûre, Gueorgui va apparaître ; et faire un tour à l'école maternelle où son fils était inscrit l'année dernière, pour apporter aux enfants les sucreries qui ont été attribuées à sa famille en guise d'« aide humanitaire » (Zifa et son fils aîné, Alexandre, y ont droit car ils ont survécu à la prise d'otages).

« Les enfants mangeront ces bonbons et ce sera comme s'ils disaient une prière pour Gueorgui. Peut-être cela va-t-il l'aider, où qu'il se trouve ? » espère-t-elle.

Qu'entend-elle par « où qu'il se trouve » ? Personne ne le sait. Elle-même l'ignore. Serait-elle folle ? Mais qu'est-ce qui est le plus fou : espérer malgré tout le retour de son enfant ou sombrer dans le désespoir ? Son attitude lui permet probablement d'éviter de basculer dans la démence...

Ce qui est sûr, c'est que pendant la prise d'otages, cette femme a sauvé des vies : elle a allaité de nombreux enfants retenus dans le gymnase. Comme elle avait récemment accouché de Vika, elle avait du lait. Au début, elle a donné le sein à tout le monde. Mais à la fin, elle a dû « rationner » : elle versait quelques gouttes dans une cuillère et en donnait un peu à chaque bambin.

Elle me montre des photos d'une jeune femme replète et rigolarde qui éclate de santé et de joie de vivre.

« Qui est-ce ?

– C'est moi. Oui, j'étais comme ça avant. Que voulez-vous que je vous dise ? Mais quand Gueorgui reviendra, tout rentrera dans l'ordre. [...] Vous savez, le 3 septembre, un grand silence régnait dans le gymnase. Une partie des terroristes étaient sortis, ils étaient peu nombreux à nous surveiller. Nous étions tous dans un état de fatigue extrême. Je commençais à avoir des hallucinations : je me voyais dans un cercueil. Ensuite, un terroriste a crié : “ Les Agaev, venez ! On vous a apporté de l'eau ! ” Gueorgui a pris peur et s'est un peu éloigné de moi. »

C'est alors que l'explosion s'est produite. L'onde de choc a projeté Zifa par la fenêtre. Tous ceux qui se trouvaient à proximité d'elle sont morts carbonisés. Elle a survécu mais la moitié des os de son visage ont été brisés. Après plusieurs opérations – elle doit en subir encore quelques-unes –, les médecins ont décidé de ne pas toucher aux quatre éclats qui sont restés dans sa tête : il serait plus dangereux d'essayer de les retirer que de les laisser où ils sont.

« Tous ces éclats et ces cicatrices, c'est secondaire. L'essentiel, c'est Gueorgui. Quand il rentrera, ce sera comme une nouvelle naissance pour lui. Je me vois déjà en train de crier : “ Regardez ! Gueorgui est revenu ! ” Je ne le laisserai plus jamais s'éloigner. Il dormira avec moi jusqu'à son mariage. Si vous saviez comme il sent bon ! C'est le plus doux parfum au monde. Surtout sa petite nuque... »

Elle sourit à nouveau et, l'espace d'un instant, je crois revoir la femme de la photo... Soudain, son visage change et elle se met à hurler : « Jamais ils n'apporteront une besace dans ma maison ! Jamais ! Mon fils est vivant ! »

La « besace » est l'un des termes les plus courants de la « novlangue » de Beslan. C'est ainsi que l'on désigne les restes des enfants que la police ramène régulièrement de Rostov où sont réalisées les identifications. Il reste encore plusieurs « besaces » là-bas, mais aucune ne correspond à Gueorgui.

Zifa murmure, d'une voix pleine de douleur : « Quand mon fils reviendra, je l'emmènerai voir Dzasokhov et Poutine. Je leur dirai : “ Regardez cet angelot ! Pourquoi n'avez-vous rien fait pour lui ? ” »

Marina Kisieva, trente et un ans, vit dans le village de Khoumalag, à vingt minutes de voiture de Beslan. Après la prise d'otages, la famille de Marina a été divisée par deux : elle y a perdu son mari, Arthur, et son fils, Aslan, âgé de sept ans. Il ne lui reste que sa petite fille, Milena, cinq ans. Milena est beaucoup trop sérieuse pour son âge. Elle ne demande jamais où son frère est passé. Elle est profondément traumatisée : elle refuse d'aller à l'école maternelle et s'évanouit chaque fois que des amies qui rendent visite à sa mère se mettent à pleurer.

D'après l'institutrice d'Aslan, Arthur Kisiev était « le meilleur papa de la classe ». C'est Arthur qui a insisté pour que son fils fréquente la principale école de la région, pourtant assez éloignée de chez lui. Il l'y amenait chaque jour, alors même qu'il travaillait et continuait, en parallèle, ses études à l'université économique de Piatigorsk. La veille du 1er septembre, Arthur était rentré exprès de Piatigorsk pour conduire son fils à l'école. Marina devait également y aller, mais suite à un contretemps, elle est restée à la maison.

« Si j'avais été là, j'aurais fait sortir Aslan du gymnase ! Il était si petit, si maigre... Tout le monde l'adorait », dit Marina, essayant de contenir son chagrin en présence de Milena.

Mais maintenant, c'est Nonna Kisieva, la mère d'Arthur et grand-mère d'Aslan, qui fond en larmes. Elle habite à Vladikavkaz, mais elle est venue tenir compagnie à sa belle-fille après le drame. L'année dernière, quand le temps est venu d'envoyer Aslan à l'école, Arthur avait demandé à sa mère de le prendre chez elle : à Vladikavkaz, l'enfant grandirait dans un environnement russophone, alors qu'à Khoumalag, on parle surtout l'ossète. Arthur pensait que son fils aurait de meilleures chances de faire de bonnes études s'il habitait chez sa grand-mère. Mais celle-ci n'avait pas accepté. « J'avais peur de ne pas m'en sortir, explique-t-elle. Et maintenant, Arthur et Aslan sont morts... »

Arthur avait été l'un des premiers otages à mourir : les terroristes l'ont exécuté quelques heures à peine après le début de l'opération. Ils avaient ordonné à tous les hommes présents dans l'école de les aider à miner le bâtiment. Selon des témoins, Arthur s'était indigné : « Il est hors de question que je contribue à faire tuer des enfants ! » Alors, ils l'ont abattu.

Aslan s'était retrouvé tout seul à l'intérieur du gymnase. Son père n'était plus là pour le protéger. Il a rampé jusqu'à sa maîtresse, Raïssa Kamboulatovna, et il est resté avec elle jusqu'au bout, lui demandant sans cesse : « Où est Arthur ? »

« J'ai été étonnée de voir qu'il ne demandait pas “ Où est mon père ? ” me confie Raïssa Kamboulatovna. Je pense qu'il avait tout compris, mais qu'il craignait d'entendre la vérité. Appeler son père par son prénom était une manière de se protéger de la réalité... »

Raïssa Kamboulatovna a soixante-deux ans. Le 1er septembre, elle entamait sa quarantième année d'enseignement. « Comment aurais-je pu deviner que j'allais fêter cet anniversaire sous les balles, et non avec des fleurs ? » se demande-t-elle. Comme tous les instituteurs aguerris, elle conserve en toutes circonstances un maintien droit et fier. Maintenant la ville est devenue folle : sous l'influence habile des autorités, les habitants soupçonnent les enseignants qui ont survécu d'avoir collaboré avec les terroristes pour sauver leurs vies.

« Oui, il est vrai que les instituteurs survivants sont pointés du doigt. On nous accuse de ne pas avoir accompli notre devoir et de ne pas être morts avec les enfants qui nous étaient confiés. Mais, croyez-moi, personne n'aurait pu changer quoi que ce soit. Ni avant ni après l'explosion. La seule chose que nous pouvions faire en tant qu'enseignants, c'était de montrer l'exemple et de soutenir les enfants autant que possible. Enfin, jusqu'à l'assaut. Ensuite, il n'y a plus eu que le chaos... De plus, l'assaut est arrivé au troisième jour de la prise d'otages : nous étions tous dans un état second, nous avions des hallucinations. J'avais passé deux jours à veiller sur Aslan. Mais il a échappé à mon attention au dernier moment. Le 1er septembre, quand nos ravisseurs nous ont fait entrer dans le gymnase, ma classe a été l'une des premières à y pénétrer. Nous nous sommes assis par terre. Les enfants étaient accompagnés de leurs parents. Une grenade avait été suspendue juste au-dessus de l'endroit où je me trouvais. Les *boïeviki* ont ordonné aux pères de sortir. Cinq minutes plus tard, deux d'entre eux ont été abattus dans le couloir. C'est ainsi que deux de mes élèves, Kisiev et Misikov, ont perdu leurs papas. J'ai essayé de rassurer les enfants en promettant qu'il ne leur serait pas fait de mal. Aslan s'était installé à mes pieds. Il avait faim. J'ai tout fait pour trouver à manger. Mais c'était très difficile. Une jeune femme s'est assise à côté de moi. Elle avait un tout petit garçon qui pleurait sans arrêt. Sa mère essayait de le calmer, sans succès. Un *boïevik* s'est approché. Il a mis la femme en joue et lui a intimé d'apaiser immédiatement l'enfant. Mais comme le petit hurlait de plus belle, il a soupiré et sorti une bouteille d'eau de sa poche. Il l'a tendue à la mère en disant : “ C'est mon eau, donnes-en au petit. Et prends aussi ces deux barres chocolatées. ” Elle a pensé que c'était peut-être du poison mais je l'ai convaincue en expliquant que, de toute façon, nous n'allions pas nous en sortir. Alors, ne valait-il pas mieux au moins donner à manger et à boire à son bébé ? Elle a coupé un morceau de Mars et l'a donné à lécher à son petit, à travers un mouchoir. Il restait un Mars et demi. Elle me les a confiés. Je les ai cachés derrière mon dos. Avec beaucoup de précautions, je les ai coupés en petits morceaux et je les ai distribués à mes élèves. Au deuxième soir, on n'a plus eu le droit d'aller aux toilettes. J'ai autorisé les enfants à faire leurs besoins sur place. Cela les a soulagés. On a donné des bouteilles vides aux garçons pour qu'ils y urinent. J'ai dit : “ Buvez ce qu'il y a dans les bouteilles. ” Évidemment, ils ne voulaient pas. Alors, j'ai dû donner l'exemple. J'ai même évité de me pincer le nez, pour qu'ils comprennent que ce n'était pas si horrible que cela. Ensuite, ils se sont mis à boire de l'urine à leur tour. Y compris Aslan. Le matin suivant, à notre grande surprise, Karina Melikova, une fillette de cinquième [1], a obtenu le droit de se rendre aux toilettes. Sa maman, Emma Kariaeva, qui était aussi institutrice dans les petites classes, lui a discrètement demandé d'en profiter pour nous ramener quelques feuilles des plantes disposées dans la salle de classe attenante aux toilettes. Karina, une fille très ingénieuse, a réussi à arracher quelques feuilles et à les ramener au gymnase. Nous les avons données aux enfants, c'est ce qui leur a permis de manger un peu ce jour-là. Emma Kariaeva et sa fille sont toutes deux mortes quelques heures plus tard.

Au moment de l'assaut, nous étions tous épuisés. Beaucoup de gens étaient évanouis. Certains leur marchaient dessus... J'ai vu que Taïssia Khetagourova, la professeur d'ossète, avait eu un malaise. Je me suis approchée d'elle pour la tirer jusqu'au mur, sinon, elle risquait d'être piétinée. C'est alors que je me suis un peu éloignée d'Aslan. C'est tout ce dont je me souviens : je n'ai pas entendu l'explosion et les échanges de tirs. J'ai simplement perdu connaissance. Quand je suis revenue à moi, j'ai vu des hommes des forces spéciales qui avançaient à travers le gymnase dévasté. Ils marchaient directement sur les corps. Il y avait des cadavres partout, amoncelés les uns sur les autres. Pourquoi tous ces gens sont-ils

1. Équivalent du CM2 français.

morts alors que moi, j'ai survécu ? Pourquoi sept de mes élèves de seconde [1] ont-ils été tués et pas moi, qui ai déjà soixante-deux ans ? Et Aslan ? Chaque soir, dès que je ferme les yeux, je le revois... Quant à sa mère, Marina, elle est presque morte de chagrin. Je le sais, je l'ai rencontrée... »

Marina feuillette les cahiers d'Aslan. C'est pratiquement la seule chose qu'elle a faite cet automne. Elle est allée à l'école et a fouillé la salle de classe de son fils. Elle relit les quelques lignes de la seule dictée qu'il a eu le temps d'écrire : « Nous sommes le 18 mai. Un églantier pousse dans le jardin. Il est couvert de jolies fleurs. » Et elle recommence : « Nous sommes le 18 mai... » Sur son lit, Marina a installé une espèce de mémorial à son époux, Arthur : un paquet de cigarettes entamé, sa carte d'étudiant, le mémoire qu'il a rédigé pour son diplôme... Et sa photo. Arthur avait un visage sévère et un regard pensif. La petite Milena regarde en silence l'image de son père en se balançant d'une jambe sur l'autre.

« Je pense qu'elle comprend tout, mais refuse de se l'entendre dire », soupire sa mère.

« Pendant les deux premiers mois, j'ai été complètement apathique. Je ne sortais plus de chez moi. J'ai arrêté de faire le ménage à la maison, j'ai négligé ma fille, j'avais l'impression que je n'avais pas besoin d'elle. Je me suis murée dans la solitude. Je ne pouvais même pas ouvrir le robinet : je ne voulais pas entendre l'eau couler. Je pensais immédiatement au sort des enfants de l'école : pourquoi leur a-t-on interdit d'étancher leur soif ? Après la prise d'otages, je ne supportais pas de voir des gens continuer de manger et de boire. J'avais l'impression de devenir folle. »

Marina me montre un livre de contes qu'elle avait offert à Aslan. Sur la première page, elle avait écrit : « À Aslan, mon fils adoré, de la part de sa maman Marina. Février 2004. » Elle me montre également l'« aide humanitaire » qu'on lui a envoyée « de la part des enfants de Saint-Pétersbourg » : c'est un nouveau cartable, un cartable de garçon. Il est accompagné d'une lettre signée d'« Irina, quatorze ans », adressée personnellement à Aslan : « Tu as survécu,

1. Équivalent du CE1 français.

bravo ! » Et cette mystérieuse Irina de proposer à Aslan d'entamer une correspondance avec elle...

« Comment notre adresse a-t-elle pu être portée sur la liste des survivants ? » se demande Marina. Elle pleure. « Un cartable. C'est insoutenable ! C'est exactement le contraire de l'aide, cela m'enfonce encore plus... Et Poutine, où est-il donc, celui-là ? Il s'occupe de Dieu sait quoi. Il aurait mieux fait de donner l'ordre de procéder rapidement aux identifications des corps, pour que les enfants soient rendus aux familles et que les parents aient des tombes sur lesquelles se recueillir... »

Alexandre Goumetsov et Rimma Tortchinova sont les parents d'Aza Goumetsova. Alexandre est dévoré par la culpabilité. Il est devenu insomniaque depuis la prise d'otages, incapable de se pardonner de ne pas avoir sauvé sa fille. Mal rasé, les yeux cernés, il ressemble à un mort vivant... « Nous essayons d'agir, juste pour ne pas devenir fous », avoue-t-il.

Alexandre et Rimma sont des gens héroïques. Ils parcourent Beslan, de maison en maison, et tentent de convaincre des parents qui viennent d'enterrer leurs enfants de venir assister aux exhumations des tombes récentes. Alexandre raconte son calvaire :

« Au début, évidemment, nous avons voulu croire qu'Aza était retenue en otage quelque part. Mais petit à petit, nous avons compris que ce n'était pas le cas. Le 4 septembre, c'était l'horreur : les corps calcinés étaient méconnaissables. Une partie d'entre eux a été transportée à Rostov, car l'institut médico-légal de cette ville n'était pas assez grand pour accueillir autant de cadavres. Du coup, on en a laissé beaucoup ici, à charge pour les parents de " faire le tri " en fonction des sous-vêtements... Le problème, c'est que Beslan est une petite ville : il y a très peu de boutiques, et la plupart des enfants étaient habillés de manière identique. C'est pourquoi de nombreux corps ont été confondus. Nous l'avons compris très vite. Nous sommes donc allés à la morgue pour examiner chaque dépouille séparément, doigt par doigt...

– Comment avez-vous réussi à supporter une telle épreuve ? »

Rimma répond sans que son visage frémisse un seul instant :

« Je me suis dit : “ Rien ne peut être pire que ce qui est arrivé aux enfants à l'école. Je n'ai pas le droit de me plaindre de mon sort. ” À présent, la seule chose qui compte, c'est d'offrir des funérailles à notre fille. C'est tout ce que nous pouvons faire pour elle. À la morgue de Rostov, il y a le corps d'une fillette non identifiée. Elle a le même âge que la nôtre, mais ce n'est pas elle. Cela signifie que, dans la confusion, une famille a enterré notre fille à la place de la sienne. Il sera très compliqué de démêler cet écheveau, nous en avons conscience. Mais nous irons jusqu'au bout. Le parquet nous a donné la liste des trente-huit inhumations de fillettes de l'âge et de la corpulence d'Aza. C'est déjà une piste : si le nombre de corps gardés à Rostov correspond au nombre d'enfants recherchés, cela signifie seulement qu'il y a eu des erreurs lors des identifications, et qu'ils sont tous ici... mais mélangés. »

Le 1er septembre, Aza avait fait toute seule sa rentrée scolaire pour la première fois. « Sans mamans et sans fleurs », comme l'avait décidé sa bande de copines de sixième G. Elles étaient de grandes filles à présent, elles avaient onze ans ! L'une des meilleures amies d'Aza était Svetlana Tsoï, d'origine coréenne. Elle adorait danser. Elle inventait sans cesse de nouveaux jeux. Elle participait à des défilés de mode enfantine. Elle a été identifiée le 27 septembre – plus de trois semaines après sa mort – grâce à une analyse génétique : elle avait perdu ses deux jambes dans l'explosion, et le reste de son corps était méconnaissable.

Aza et Svetlana étaient très copines avec Emma Khaeva. Celle-ci débordait d'énergie, elle improvisait des poèmes, elle trouvait le moyen de dire bonjour à tous les voisins en courant sur le chemin de l'école... Elle aussi est morte. Mais elle n'a pas été déchiquetée. On a même pu l'enterrer dans un cercueil ouvert. À Beslan, on estime que ses parents ont eu de la chance.

Et, enfin, Aza. La fille unique de Rimma et d'Alexandre. Rimma était mère au foyer, elle se décarcassait pour offrir à sa fille tout ce qu'il y avait de mieux à Beslan : des cours de danse, de chant et de langues, des inscriptions dans divers clubs...

« Quand je regardais les trois fillettes s'amuser ensemble, je me disais : “ Voici des gens du XXIe siècle ”, continue Rimma. Je sais que ce n'est pas bien de complimenter ses propres enfants. Mais elles étaient, comment dire... différentes de nous. Elles avaient leur propre opinion sur tous les sujets, elles étaient si actives, elles mordaient la vie à pleines dents... »

Rimma me montre ensuite un questionnaire standard, distribué à des millions d'écoliers de tout le pays. C'est une succession de questions banales, du style « Comment t'appelles-tu ? », « Que veux-tu faire plus tard ? », « Qui est la personne que tu préfères au monde ? », etc. Généralement, les élèves se contentent de réponses triviales. Pas Aza. À la question : « Qu'est-ce qui t'intéresse particulièrement dans la vie ? », elle a répondu : « La Russie. » Ses parents n'ont découvert ce questionnaire qu'après la mort de leur fille. Tout comme le poème qu'elle avait écrit la veille de la rentrée scolaire et qu'elle avait caché dans un fauteuil, entre le coussin et l'accoudoir. Rimma me lit ce poème à voix haute.

« Je partirai loin,
Là où tout est permis.
J'en ai assez d'attendre,
C'est insupportable.
Tout est arrivé en temps et en heure,
Parce que c'est pour toujours,
Parce que tout est si compliqué.
J'ai un ticket pour le paradis,
Je sais que j'y irai bientôt,
Par le premier vol,
Ce sera un peu plus facile... »

Le texte est plein de non-dits mais, évidemment, ce qui saute aux yeux, c'est la prescience de son destin.

On ne sait pas grand-chose des dernières heures d'Emma, Sveta et Aza. Le premier jour, elles avaient été séparées dans différentes parties du gymnase. Mais le 3 septembre, elles ont réussi à se retrouver. C'était l'anniversaire de l'une de leurs camarades de classe, Madina Sazanova, et elles avaient décidé de marquer le coup, en dépit des circonstances. La dernière fois qu'on les a vues, elles étaient assises par terre, appuyées à un mur. C'est ce mur que les troupes d'assaut ont fait sauter pour permettre aux enfants de s'enfuir. Ce qui veut dire que ces fillettes sont mortes pour que d'autres puissent vivre.

Comment respecter un appareil d'État qui suscite les pires cauchemars de ses citoyens ? Après *Nord-Ost*, Beslan. Mais le pire, finalement, c'est le refus absolu de ce régime d'admettre qu'il est, en partie au moins, responsable de ces tragédies et de la confusion qui les a suivies. Il préfère laisser les parents se charger eux-mêmes d'exhumer leurs enfants enterrés par erreur. Peut-être cette situation amènera-t-elle les familles des victimes à se déchirer entre elles. Alors elles n'iront pas manifester contre Dzasokhov et Poutine...

Les citoyens russes devraient être scandalisés en voyant que l'État se désintéresse complètement des gens de Beslan. On pourrait s'attendre à ce qu'ils soutiennent leurs compatriotes dans le malheur. Mais non, ils préfèrent, eux aussi, détourner les yeux de la ville martyre.

12 décembre

Le Congrès civique panrusse s'est réuni à Moscou. Des délégués sont arrivés des quatre coins du pays. Nous étions nombreux à espérer qu'il se transformerait en un Front de salut national.

Mais il n'en a rien été. Pour une raison simple : les organisateurs de cette rencontre ne veulent surtout pas irriter le Kremlin. C'est pourquoi le praesidium du Congrès a tout fait pour étouffer les déclarations les plus belliqueuses à l'encontre de Poutine. Résultat : à la fin de la session, la salle était pratiquement vide. Quand Gary Kasparov, l'un des leaders de l'opposition qui montent, est apparu à la tribune, il a fait un tabac. Des participants criaient : « Kasparov président ! » Le praesidium en a été tellement exaspéré que, par la suite, l'ancien champion du monde d'échecs a été relégué au second plan.

Les premiers rôles sont restés aux « grands anciens », qui ont réduit la rencontre à un bavardage interminable et complètement inutile.

Dans un tel contexte, une opposition démocratique extraparlementaire peut-elle réellement voir le jour ? Et si elle réussit à émerger, combien de temps tiendra-t-elle ? Dans notre société corrompue, seuls des politiciens susceptibles de faire du lobbying pour leurs « sponsors » peuvent espérer obtenir un soutien financier de la part de telle ou telle organisation...

Qui pourrait sponsoriser un mouvement extraparlementaire? Personne sinon des oligarques. Mais la chasse aux oligarques bat son plein. Par conséquent, aucun d'entre eux, à part Boris Berezovski, n'est prêt à soutenir une formation hostile au régime. Et un opposant qui se compromettrait avec Berezovski perdrait immédiatement tout crédit aux yeux de la population.

Il y a une autre question : qu'est-ce que les démocrates doivent dire au peuple? Ils haïssent le régime; mais cette haine ne suffira pas à leur attirer les faveurs de l'électorat.

Ce ne sont pourtant pas les arguments qui manquent. L'espérance de vie moyenne en Russie pour les hommes est de cinquante-huit ans et demi. Voilà un slogan porteur : « Battons-nous pour le droit à la vie! Chacun doit pouvoir vivre au moins jusqu'à soixante-dix ans! »

Les démocrates semblent abattus, apathiques. On pourrait même dire qu'ils sont tombés dans un coma politique. Un an a passé depuis leur défaite retentissante aux élections législatives, et pendant tout ce temps, ils n'ont même pas réussi à susciter un débat public sur les raisons de cet échec.

Quand il n'y a pas d'opposition en tant que telle, il ne reste qu'une solution : la dissidence. Mais nous n'avons même pas de dissidents.

Les démocrates ont trop longtemps trompé le peuple en présentant Eltsine comme l'un des leurs. Au bout d'un moment, tout le monde a compris qui était Eltsine. La notion même de « démocrate » en a été profondément discréditée. À tel point que la majorité de la population a emboîté le pas aux communistes nostalgiques et s'est mise, à leur suite, à traiter les démocrates de « merdocrates ». Le peuple avait eu le temps d'« apprécier » les acquis de la démocratie : l'hyperinflation, l'appauvrissement général, la guerre en Tchétchénie, la dévaluation du rouble d'août 1998...

Revenons à la réélection d'Eltsine en 1996. Son adversaire, Guennadi Ziouganov, le chef du PC, promettait de rétablir le communisme. Des deux maux, Eltsine était le moindre. Mais le rejet du soviétisme n'aurait peut-être pas suffi à garantir sa victoire. C'est pourquoi on a mis à sa disposition toutes les ressources administratives du pouvoir : ainsi – et ce n'est qu'un exemple parmi d'autres –, pendant toute la campagne électorale, les chaînes de télévision n'ont cessé de chanter ses louanges et de marteler un message binaire : Eltsine ou le chaos. Les démocrates avaient laissé faire. Une partie d'entre eux était même allée jusqu'à expliquer qu'il était admissible de sacrifier la vérité au nom de la démocratie. Plus tard, ces mêmes démocrates ont confirmé leur tendance à s'accommoder du pouvoir. Ils n'ont pas protesté quand Eltsine a désigné Poutine comme son héritier, et que celui-ci a été intronisé. Les élections sont définitivement devenues de sinistres farces manipulées par le régime. Pourquoi se sont-ils donc tus ? Parce qu'ils espéraient sauver leurs dernières bribes de pouvoir – leurs sièges au Parlement ou quelques mandats locaux. Au final, ils ont complètement dilapidé la confiance de la population... et, l'an dernier, ils ont été expulsés de la douma.

Le peuple, pour sa part, semble désormais indifférent à tout. Et cette indifférence est la conséquence la plus terrible de ces treize années de démocratie.

TROISIÈME PARTIE

Après l'Ukraine et le Kirghizistan [1] notre tour viendra-t-il ?

1. Les régimes autoritaires ukrainien et kirghize ont été renversés par des soulèvements pacifiques, respectivement en novembre-décembre 2004 et en mars 2005. Le Kremlin a tenté jusqu'au bout de s'opposer à ces deux « révolutions douces ».

À l'hiver 2004, la révolution orange ukrainienne a mis fin à la grande dépression politique russe. Notre société a été prise d'un soudain accès de fièvre : « Si les Ukrainiens parviennent à renverser un régime détestable, pourquoi pas nous ? » Cette rébellion suscitait néanmoins des sentiments contradictoires. Comment Kiev, berceau de la nation russe et soumise à Moscou depuis des siècles, avait-elle pu devenir si farouchement indépendantiste ?

Quoi qu'il en soit, les faits sont là. L'ancien empire peut bien continuer de croire que ses anciens sujets lui sont acquis pour l'éternité ; l'Ukraine, elle, n'en a cure. Elle s'est déjà transformée en une nation autonome qui a pris son destin en main.

Ce soulèvement de nos « frères slaves » a eu l'immense mérite de nous tirer un peu de notre torpeur. Oh, il n'a pas suscité de révolution similaire chez nous. Il n'y a jamais eu de Maïdan[1] *russe. Mais c'est comme si une onde de choc avait traversé le pays. Des hommes et des femmes qui, jusque-là, se contentaient d'essayer d'assurer leur survie personnelle, ont brusquement redressé la tête et vu l'état dans lequel se*

1. La place principale de Kiev s'appelle *Maïdan Nezalejnosti*, c'est-à-dire place de l'Indépendance. C'est sur cette place située dans le centre de la capitale que, en novembre-décembre 2004, des dizaines de milliers d'Ukrainiens ont manifesté pendant plusieurs semaines pour soutenir Victor Iouchtchenko, le candidat de l'opposition, frustré de sa victoire dans les urnes lors de l'élection présidentielle du 21 novembre. Le mot *Maïdan* est devenu synonyme de « révolution orange ».

trouvait la Russie. Et certains d'entre eux sont même allés jusqu'à mêler leur voix à celles de leurs concitoyens contestant la politique de Vladimir Poutine.

En janvier 2005, des dizaines de milliers de Russes sont sortis dans la rue pour protester contre la loi 122, qui instituait la « monétisation des avantages sociaux[1] *» : une expression absconse qui signifiait, en réalité, que les plus démunis allaient désormais être privés du maigre soutien que l'État leur fournissait encore.*

Janvier

Le mois de janvier est marqué par des manifestations d'une ampleur exceptionnelle. Les couches sociales les plus pauvres ont été dépossédées de tous leurs avantages sociaux. Comment ces gens vont-ils pouvoir survivre ? C'est bien en ces termes que la question se pose, surtout pour les handicapés. Ceux-ci n'ont plus droit à des médicaments gratuits. Pour eux, cela signifie la mort, tout simplement. Leurs pensions sont misérables et suffisent à peine à se procurer de quoi ne pas mourir de faim. Et ce ne sont pas les quelques roubles supplémentaires que l'État va leur verser « en compensation » qui leur permettront de continuer de se procurer des médicaments... En comparaison, les nouveaux problèmes des soldats semblent secondaires : ils ne peuvent plus envoyer gratuitement des lettres à la maison. Mais on aurait tort de sous-estimer la portée de ce changement. Comme nos soldats ne sont pas payés, ils ne pourront plus écrire à leurs parents, ce qui leur retire l'une de leurs rares fenêtres sur le monde. Les femmes enceintes, quant à elles, ne seront plus rémunérées pendant leur congé de maternité. Ce n'est pas avec ce genre de mesures que le pouvoir relèvera le

---

1. Jusqu'en 2005, de nombreuses catégories sociales – dont les vétérans de guerre, les retraités, les militaires ou encore les familles nombreuses – avaient droit à des « avantages sociaux » : elles bénéficiaient de la gratuité ou de diverses réductions sur un large éventail de services (transport, santé, électricité, etc.). Le 1er janvier 2005, avec l'entrée en vigueur de la loi 122, la plupart de ces droits leur ont été retirés. En contrepartie, les privilèges ont été « monétisés », ce qui signifie que ces gens touchent désormais une somme forfaitaire censée couvrir leurs dépenses supplémentaires. Cette somme est généralement considérée comme étant largement insuffisante pour répondre aux besoins des citoyens.

taux de natalité, qui est déjà au plus bas... À quoi peuvent bien servir toutes ces réserves d'argent dont notre président est si fier? Pourquoi faut-il garder ces milliards dans des coffres-forts tandis que le peuple se meurt dans la misère?

Je me trouve à Ekaterinbourg, dans l'Oural. Vingt mille vétérans de la guerre de Tchétchénie vivent dans cette région. Ils bénéficiaient presque tous de divers avantages sociaux. La monétisation les a donc frappés de plein fouet. Avant même cette réforme, la vie des anciens de Tchétchénie était déjà extrêmement pénible : personne ne voulait les embaucher; rares étaient les universités où ils pouvaient s'inscrire sans concours pour reprendre leurs études; ils étaient régulièrement évincés des hôpitaux et des résidences spéciales où ils se remettaient de leurs blessures. Résultat : une grande partie d'entre eux s'est rapidement marginalisée. Alcool, drogue, vol... leur voie est tracée. Bon nombre de ces vétérans se sont ainsi retrouvés derrière les barreaux. La prison de Repino, un village à côté de Ekaterinbourg, compte deux cents anciens de Tchétchénie, qui y ont créé une union de détenus réservée à eux seuls. C'est logique : comme la société refuse de les intégrer, ils s'associent entre eux.

La plupart des ex-soldats voyaient dans leurs avantages sociaux un dernier signe du respect que leur devait l'État, sorte de maigre dédommagement pour leurs vies brisées. Même si ce respect était largement superficiel, il avait au moins le mérite d'exister et de rappeler à ces hommes que leur pays leur était reconnaissant. À présent que ces privilèges ont été remplacés par une somme dérisoire, les vétérans se sentent profondément humiliés par cet État auquel ils ont sacrifié leur jeunesse et leur santé.

Ils étaient déjà pauvres; maintenant, c'est l'indigence totale qui les attend. Les blessés et les handicapés mourront faute de soins. Et ceux qui ont réussi à s'inscrire à l'université seront obligés d'abandonner, car ils n'auront pas les moyens de payer leurs études plein tarif.

Rouslan Mironov est un jeune invalide de deuxième catégorie [1]. Il est aimable et souriant, ce qui est assez exceptionnel pour les vétérans

1. Le système médical russe distingue trois catégories d'invalidité. La première correspond aux personnes les plus lourdement handicapées (individus alités, incapables de se déplacer seuls et d'effectuer le moindre travail, etc.), la deuxième aux invalides un peu plus légers, et la troisième aux moins sévèrement affectés.

de Tchétchénie, qui sont en général en colère contre le monde entier. Rouslan évite de mettre son handicap en avant, bien que celui-ci soit évident. Une bonne moitié de son visage a été endommagée à la suite d'une blessure grave qu'il a reçue à la tête ; et ses mains ne sont plus qu'un « patchwork » de morceaux recollés ensemble.

Nous nous trouvons dans une toute petite pièce. C'est le local d'« Arsenal 32 », une organisation d'aide aux mutilés de guerre. Beaucoup de gens se pressent autour de nous : ils expliquent qu'ils se réunissent ici pour s'aider les uns les autres à survivre dans un milieu hostile qui les rejette.

« Rouslan, que perdez-vous à cause de cette loi ?

– Je perds tout. C'est une catastrophe. Jusqu'ici, j'arrivais à me débrouiller malgré mon handicap. Je ne restais pas à la maison, je travaillais. J'ai une petite entreprise dont les revenus n'étaient pas imposables. Mais ce n'est plus le cas. Je vais donc perdre la moitié de mes revenus, et je ne rentrerai plus dans mes frais. Mon activité commerciale n'est plus justifiée. Je vais devenir pauvre. »

Rouslan était l'un des rares entrepreneurs qui acceptaient d'embaucher d'autres invalides de guerre. Il soutenait ainsi ses camarades d'armée dont personne ne voulait plus.

« Avant, un handicapé avec un salaire de, disons, 8 300 roubles (260 euros) pouvait tout garder : l'État ne le taxait pas, raconte Rouslan. Aujourd'hui, c'est fini. Il devra payer 4 000 roubles d'impôts. Ce qui équivaut à deux fois le montant de la compensation de 2 000 roubles qui nous sera versée en échange de nos avantages sociaux ! Cette décision va clairement à l'encontre des déclarations de nos dirigeants, qui prétendent vouloir protéger les handicapés. Si c'était vraiment le cas, ils devraient soutenir les gens comme moi, qui créent des entreprises, et donc des emplois. Or, au lieu de cela, ils nous ruinent !

De plus, une fois par an, j'avais droit à un billet à moitié prix pour n'importe quelle ville du pays. Étant donné que mes parents vivent au bord de la mer Noire et ma belle-mère en Sibérie, je m'en servais tous les ans. Évidemment, la compensation “ monétisée ” ne couvre pas ces dépenses. Il est clair que je ne pourrai plus m'acheter ces billets. L'État me prive ainsi de la possibilité d'aller voir mes vieux parents.

Pourquoi ? Autre chose devenue inaccessible : les implants dentaires, qui étaient gratuits jusqu'ici. Pour les vétérans de Tchétchénie, c'est primordial ; nous sommes rentrés de là-bas avec de graves problèmes dentaires. Savez-vous combien coûte un tel implant ? Avec les compensations que nous allons toucher – 2 000 roubles pour les mutilés de guerre et 1 500 roubles pour un soldat revenu sans blessures –, ces soins deviennent inaccessibles... »

Nous continuons à discuter des anomalies de notre époque, dont le pouvoir prétend qu'il s'agit d'une phase de « stabilisation financière ». Au temps d'Eltsine, le pays était très pauvre : la production industrielle s'était effondrée et les devises ne rentraient pas. Pourtant, le gouvernement a toujours évité de toucher aux avantages sociaux. Et c'est aujourd'hui, quand le pays devient de plus en plus riche, quand les réserves d'or et de devises sont pleines à craquer, que ces avantages sont supprimés !

« Tout porte à penser que, dans ces circonstances, les allocations sociales auraient dû augmenter, médite Rouslan. Mais il n'en est rien. Savez-vous qu'en plus, le gouvernement a abrogé l'article 11 de la " Loi sur les vétérans " ? Or cet article était crucial : il interdisait de baisser les allocations sociales sans contreparties équivalentes. Désormais, il n'existe plus de barrières légales pour l'administration. Elle peut agir en toute impunité. Il est vrai qu'il nous reste encore quelques menus privilèges ; par exemple, nous payons les charges locatives à taux réduit. Mais si, dans quelques mois, le gouvernement décide que nous devons dorénavant les payer plein pot, il n'y aura plus aucune loi pour nous protéger. »

De la guerre de Tchétchénie, Sergueï Domratchev, né en 1976, a gardé deux éclats d'obus dans la tête, une plaque de titane dans le crâne et un poumon perforé. En 1996, effectuant son service au sein des forces du ministère de l'Intérieur, il s'est retrouvé dans la fameuse brigade 101, dont la plupart des membres ont péri pendant la première guerre tchétchène. Aujourd'hui, Sergueï n'a rien d'un vétéran de guerre ; en le voyant, on se dit qu'il appartient à la classe moyenne de Ekaterinbourg. Il est marié, possède plusieurs diplômes et aime son travail. En voyant cet homme élégant arriver au volant de sa voiture, on a peine à croire qu'il a été plongé dans ce cauchemar !

« De tous les vétérans que je connais, seuls 10 % ont su se débrouiller après la guerre. Les autres boivent et vivent à la charge de leurs parents. Vous savez bien que personne ne veut de “ Tchétchènes ” dans son entreprise. Du coup, ils se font embaucher en tant que gardes du corps, dans des services de sécurité tenus par les vétérans de la guerre d'Afghanistan. Les “ Afghans ” sont les seuls à nous recruter ; et encore, ils préfèrent leurs propres camarades.

– Pour autant que je sache, de nombreux anciens de Tchétchénie, faute de pouvoir s'intégrer dans la vie “ normale ”, acceptent de repartir dans le Caucase, sous contrat, pour faire la guerre à nouveau. Vous-même, Sergueï, avez-vous envisagé une telle possibilité ?

– Non, je n'en ai pas besoin, Dieu merci !

– Alors, pourquoi les autres en sont-ils réduits à cette extrémité ?

– C'est tout à fait compréhensible : là-bas, il n'y a pas de limitations, pas de bornes ; tu fais tout ce qui te chante, tu tires sur qui tu veux. C'est un *no man's land* sans foi ni loi.

– Comment avez-vous réussi à ne pas tomber vous-même dans ce piège ?

– Disons que j'ai pris mes distances avec l'État. Quand je suis revenu de cet enfer, j'ai compris que j'avais deux options devant moi : soit toucher le fond avec les autres, soit commencer une nouvelle vie. Tout ce que j'ai acquis depuis, je le dois uniquement à mes propres efforts, et aucunement à l'aide de l'État. J'en suis très fier. Je ne porte jamais la médaille du Courage que j'ai obtenue à la guerre. Si j'ai survécu dans un environnement “ normal ”, c'est parce que j'ai jeté mon passé aux oubliettes et je fais comme si rien de grave ne m'était jamais arrivé.

– La guerre ne vous a-t-elle pas marqué ?

– C'est du passé. Mes camarades sont devenus des alcooliques ou des toxicomanes, mais moi, je voulais vivre.

– Et vous avez réussi votre pari ?

– En gros, oui. De temps en temps, je me sens mal. Mais c'est normal, non ? J'ai quand même été grièvement blessé... En tout cas, je n'en parle à personne. En règle générale, je ne raconte pas l'histoire de ma vie. Cela m'évite d'avoir à répondre à des questions agaçantes. En principe, je devrais suivre un traitement à l'hôpital une fois par an, pour assurer un suivi de mes blessures ; mais au travail, on ne me donne pas de congé suffisamment long pour cela et je ne veux rien leur expliquer. Je dois faire d'autant plus attention à ma santé. J'ai arrêté de fumer, je ne bois pas, je ne vais plus au sauna... Tout effort physique m'est interdit. Bref, mes blessures me causent quand même pas mal de soucis. En fait, quand je suis sorti de l'hôpital, une alternative très claire s'est posée à moi : je devais soit me laisser mourir, soit me prendre en main et faire des études. J'ai appris que le seul endroit où un ancien combattant pouvait s'inscrire gratuitement était l'Institut de la radio. Je m'y suis inscrit. Même si je n'ai pas adoré mes études, je n'ai jamais lâché prise. Car je savais qu'il fallait absolument que j'aille jusqu'au bout. Parallèlement, j'avais un petit boulot alimentaire : j'étais veilleur de nuit chez les " Afghans ". C'était fatigant, mais malgré tout, j'ai fini par obtenir mon diplôme de fin d'études. Ensuite, j'ai passé un concours et je me suis inscrit à la faculté d'Économie et de Management à l'université d'Ekaterinbourg. Assez rapidement, j'ai trouvé un bon travail et je suis toujours là-bas, tout en finissant mes études grâce aux cours du soir. Tout ce que l'État m'a offert, c'est la possibilité de m'inscrire à l'Institut de la radio sans passer de concours. Par ailleurs, j'ai investi dans une voiture la somme que l'assurance m'a versée pour ma blessure et je me suis inscrit, en tant qu'ancien combattant, sur une liste d'attente pour un logement social. »

Son tour devait arriver en 2005. Et voilà qu'en 2004, tous les privilèges des vétérans de guerre sont annulés... « Je savais qu'on ne pouvait pas compter sur notre État. Il n'est pas fiable », lâche Sergueï. Sa voix, neutre jusqu'ici, trahit son énervement.

« Bien sûr, il est très fâcheux que la monétisation survienne maintenant. Pour le moment, je ne peux pas me permettre d'acheter un appartement au prix du marché. Je travaille beaucoup, mais je ne suis pas capable de prendre plusieurs boulots en même temps. Mon état de santé ne le permet pas, et ne le permettra jamais. Bientôt, il faudra changer les plaques dans mon crâne, et cette opération coûte cher. Je dois donc gagner autant d'argent que possible, d'autant qu'après l'opération je ne pourrai pas travailler pendant un certain temps. »

Notre État est quand même extraordinaire. Il arrive à piéger dans une impasse même les personnes les plus énergiques et les plus débrouillardes. De quels citoyens cet État a-t-il besoin ? Veut-il que ses administrés soient des individus actifs et enthousiastes ou bien une masse uniforme d'alcooliques désœuvrés ? Aujourd'hui, le régime enfonce tous ceux à qui il est censé tendre une main secourable. Il entraîne vers le fond même ceux qui sont parvenus à s'extirper de la misère tout seuls. Dans le même temps, les médias chantent sur tous les tons la « lutte du président contre la pauvreté ». La réforme des avantages sociaux est la dernière goutte. L'État a brisé les vies de ces soldats. C'est lui qui leur ôte leur dernier espoir de survivre. Pour les vétérans, c'est l'humiliation de trop.

Quand elle sort de chez elle, Nadejda Souzdalova enferme son fils Anatoli à clé. Anatoli, né en 1976, vétéran de la première guerre de Tchétchénie, est presque entièrement paralysé. Seules sa tête et ses mains bougent encore. Avec sa mère, il habite dans un petit village perdu dans la taïga de l'Oural, Karpouchikha. C'est justement dans ce genre de patelins que l'on recrute des soldats pour la Tchétchénie. Et c'est ici, dans la misère et la déchéance, qu'ils reviennent après la guerre, généralement brisés dans leur corps et dans leur esprit. Karpouchikha est, aujourd'hui, le dernier refuge des marginaux de Ekaterinbourg qui ont tout perdu : leur travail, leur logement, leur famille... Le bourg est peuplé d'ivrognes, d'invalides et de drogués qui volent tout ce qui est mal rangé : des balais, des bassines, des tasses, des bâtons, des clous et ainsi de suite. C'est pour préserver ses derniers biens et éviter que ses « gentils voisins » viennent vider l'appartement en son absence que Nadejda verrouille la porte. Car Anatoli serait complètement impuissant si des cambrioleurs entraient.

En principe, il n'y a rien à voler ici : l'appartement est pratiquement vide. Mais si leur robinet était dévissé ? Et si leur dernier seau était volé ? Ils ne pourraient pas s'en procurer de nouveaux. La mère et le fils subsistent grâce à la pension de vétéran d'Anatoli : elle s'élève à 1 200 roubles [1]. Nadejda travaille dans la salle des chaudières du village, mais voilà six mois qu'elle n'a plus touché un seul kopeck, à cause des sempiternels retards de versement.

« Le soir, Anatoli pleure souvent », raconte Nadejda, qui fond elle aussi en larmes en évoquant le destin tragique de son fils. « Je l'avais imploré de résister à la tentation, de ne pas se mettre à boire. Mais en vain. Maintenant, tout est perdu. »

1. Environ 30 euros.

Anatoli est parti en Tchétchénie juste après l'école ; c'était un jeune garçon aussi beau que naïf. Celui qui est rentré n'avait plus rien à voir avec cet adolescent rêveur. C'était un homme tourmenté en proie à des crises de démence. Un jour, lors de l'une de ces crises, il s'est rendu dans le village voisin et y a complètement détruit un magasin d'alimentation. Il était tellement perturbé que, le lendemain, il ne se souvenait de rien. En revanche, les vendeuses ne l'avaient pas oublié. À son procès, elles ont honnêtement raconté qu'il n'avait rien volé et n'avait frappé personne. Mais aucune circonstance atténuante n'a été retenue. Comme plus de la moitié des vétérans de Tchétchénie, Anatoli s'est retrouvé en prison. Relâché à l'occasion d'une amnistie, il s'est remis à boire. Peu de temps après, il a été victime d'une attaque cérébrale qui l'a laissé paralysé. Les médecins qui l'ont soigné ne lui laissaient que quelques jours à vivre. « Mais voilà déjà plus d'un an que c'est arrivé, et il est toujours là », dit Nadejda, et une lueur de joie passe dans son regard. « Au début, j'ai dû le nourrir moi-même ; mais maintenant, il mange tout seul. »

Pourtant, la maladie d'Anatoli est incurable. Il ne vivra pas longtemps. L'État, qui est largement responsable de tous ses maux, ne fera rien pour lui permettre de finir dignement sa vie. Et comme si tout cela n'était pas assez, Anatoli est également porteur du virus du sida, qu'il a attrapé Dieu sait où. Sa chambre est propre, mais une odeur terrible y règne, celle qui se répand toujours autour des malades alités. Anatoli est couvert d'escarres. Son organisme affaibli ne résiste plus aux infections. Nadejda lève les yeux au ciel.

« Comment pourrait-il résister ? Nous mangeons n'importe quoi. Heureusement que l'une de ses anciennes copines de classe qui travaille dans un dispensaire pour les cancéreux nous ramène des cathéters ; elle les dérobe pour nous, par pitié. Tous seuls, nous ne pourrions pas en acheter. Quant aux médicaments, c'est bien simple. Ceux qui sont gratuits ne lui sont d'aucune utilité, et ceux qui pourraient l'aider sont trop chers. Il lui faut un matelas spécial, antidécubitus, et de nouveaux cathéters car ils se bouchent très vite. Je ne sais pas quoi faire...

– Nous n'obtiendrons aucune aide, j'en suis sûr, souffle Anatoli avec résignation. Je ne croirai jamais un seul mot de ce que dit le gouvernement. »

On y parle la même langue, mais il est difficile d'imaginer que Karpouchikha se trouve dans le même pays que Moscou ou même qu'Ekaterinbourg. Depuis dix-huit mois qu'Anatoli est alité, aucun représentant de l'État n'est jamais venu voir les Souzdalov. La protection sociale ? Mieux vaut ne pas y penser... La chaise roulante que l'hôpital des vétérans de guerre d'Ekaterinbourg a offerte à Anatoli prend la poussière : il n'y a personne pour aider le malade à descendre du premier étage de l'immeuble. Il ne sort donc jamais respirer l'air frais.

Il est tellement agréable d'écrire sur des gens qui ont réussi leur vie, évité tous les obstacles et surpassé notre réalité, si cruelle envers les faibles. Hélas, les malheureux comme Anatoli sont mille fois plus nombreux... Ils n'ont rien à espérer de l'existence. Si ce n'est quelques avantages sociaux.

Ces avantages sociaux sont le dernier fil qui les rattache à la vie. Si ce fil est coupé, tous les semblables d'Anatoli disparaîtront. Ce n'est pas une exagération, c'est un simple constat. L'appareil d'État, qui est supposé protéger les plus démunis, se transforme ainsi en une machine de sélection naturelle des individus les plus résistants.

Les parents des jeunes handicapés dépendent, eux aussi, des aides d'État. Ils sont âgés, pauvres et malades ; sans l'aide sociale, ils ne tiendront pas. Autre catégorie frappée de plein fouet par la récente réforme : les vétérans de la Seconde Guerre mondiale. La tendance est à la paupérisation immédiate et brutale de toute une partie de la population au moment où les caisses du Trésor public débordent.

Revda est une petite ville sans charme située sur la route qui relie Ekaterinbourg et Moscou. C'est un véritable fief extrémiste : ici, on vote en masse pour Jirinovski, ce bouffon politique qui sait exploiter à merveille la nostalgie soviétique de tous ceux qui n'ont pas trouvé leur place dans la nouvelle Russie.

La ville est pleine d'ivrognes et de drogués. Les rues, crasseuses, voient déambuler de nombreuses prostituées « âgées de douze à cinquante-six ans et coûtant de 50 à 300 roubles la passe », comme me l'explique un homme à l'air féroce qui arbore fièrement un pendentif en forme de crâne. Cet homme s'appelle Andreï Baranov. Il est le vice-président de l'Union régionale des vétérans de guerre.

« Je suis indépendant, je travaille seul, déclare Baranov. J'ai jeté mon carnet de travail [1]. Il ne me sert à rien. De toute façon, personne n'embauche les anciens de Tchétchénie. Beaucoup de soldats ont été commotionnés à la guerre ; du coup, leur comportement est imprévisible. Les gens ont peur de nous.

– On peut les comprendre. Les vétérans de Tchétchénie se conduisent souvent de manière assez agressive...

– Ce n'est pas cela. Nous sommes plus sensibles à l'injustice, c'est tout ! C'est pour cette raison que pas mal de nos gars se retrouvent en prison et qu'au moins les trois quarts d'entre eux sont des ivrognes invétérés. Il n'y a que leurs femmes qui les supportent. Ce sont de braves filles... Je ne crois pas en l'État ; Jirinovski est le seul qui soit digne de confiance.

– Comment gagnez-vous votre vie ?

– Nous avons notre petit business indépendant. Disons que nous sommes dans la sécurité. »

La vérité, c'est que les « Tchétchènes » de Revda se livrent au banditisme et à l'extorsion. Ils prélèvent une sorte de douane sur les camions de marchandises qui passent dans le coin. De plus, ils « protègent » une entreprise locale de taxis ; c'est dans ses locaux, étroits et poussiéreux, situés à la gare ferroviaire de la ville, que je discute avec Baranov. Ce cadre minable ne fait qu'accentuer la nervosité et l'aigreur qui se dégagent de mon interlocuteur. Lui et ses camarades « tchétchènes » en veulent à la planète entière. C'est dans cette frustration qu'ils puisent la certitude d'être dans leur bon droit, même quand ils détroussent leurs concitoyens. N'ont-ils pas versé leur sang pour ce pays ingrat ?

Je lui demande de me trouver ne serait-ce qu'un seul « Tchétchène » sobre, pour discuter un peu. Mais le soir, à Revda, tout le monde boit... Valeri Mokroousov, un ami de Baranov et, comme lui, ancien d'Afghanistan, revient, dépité, après avoir passé quelques coups de téléphone :

1. Le carnet de travail est un document fourni à chaque Russe au début de sa vie active. Ce dossier doit comporter une mention de tous les emplois successifs exercés par son porteur. Il est systématiquement exigé par les employeurs au moment de l'embauche.

« J'ai essayé de joindre Oleg Donetskov, mais sa femme m'a envoyé au diable. Oleg est ivre mort. Vous savez, il a participé aux deux guerres tchétchènes. Il en est revenu traumatisé.

– C'est pour cela qu'il boit ?

– Que voulez-vous qu'il fasse ? intervient Baranov. Il n'y a que deux options pour nous : soit la vodka, soit le retour en Tchétchénie. Moi, j'y suis retourné, sous contrat.

– Pour quelle raison ?

– Pour me reposer de votre " vie civile ". À ceux qui reviennent de la guerre, l'égoïsme de la société saute aux yeux : ici, un frère peut en trahir un autre pour quelques roubles ! À la guerre, au moins, tout est clair : il y a nous, il y a nos ennemis, et on se tire dessus. »

Viatcheslav Zykov, le président de l'organisation régionale des vétérans de la région d'Ekaterinbourg, lui aussi un ancien « Tchétchène », confirme les dires de Baranov : « Au moins deux tiers de nos gars aspirent à retourner à la guerre. Par désespoir. Mais ceux qui veulent servir sous contrat doivent remplir les conditions minimales de sélection. Du coup, seulement la moitié des postulants sont effectivement repris dans l'armée. »

Ainsi, un tiers des anciens de Tchétchénie repartent faire la guerre, presque toujours sans avoir fait l'objet du moindre suivi psychologique à leur retour du front. Le pouvoir qui envoie ces jeunes dans le Caucase et refuse de les aider a été triomphalement réélu. Il ne rend pas de comptes à la société pour les pertes subies. Au contraire, il continue de sacrifier impunément des vies humaines. Les anciens soldats qui retournent à l'armée ne font qu'aggraver leur état mental. Et lorsqu'ils reviennent parmi les civils, ils sont encore plus dangereux qu'avant... Baranov le confirme implicitement.

« Savez-vous au moins que les avantages sociaux ont été supprimés ?

– Peu importe. De toute façon, ce régime n'en a plus pour longtemps. Nous sommes pour Jirinovski. Nous voulons promouvoir le mouvement patriotique, c'est-à-dire prendre les gars qui traînent dans la rue et les éduquer dans un esprit patriotique. C'est seulement à cette condition qu'on pourra changer les choses.

– Quel type de système souhaiteriez-vous ?
– Une monarchie autoritaire.
– Comment pouvez-vous " éduquer " qui que ce soit alors que vous êtes vous-même psychologiquement instable ?
– Vous savez pourquoi je suis nerveux comme ça ? J'ai perdu trois cent soixante hommes pendant l'assaut de Grozny. Mais cela, vous ne l'écrirez pas...
– Pourquoi dites-vous cela ?
– Parce que tout le monde ment à propos de la Tchétchénie. Il n'y a pas un seul mot de vrai à ce sujet dans la presse. Moi, j'ai pris part aux ratissages qui ont suivi l'assaut de Komsomolskoïe [1], je sais de quoi je parle. Évidemment, ces souvenirs me pèsent...
– Pourquoi revenez-vous en Tchétchénie alors ? Si vous savez que cela vous fera du mal, ainsi qu'aux autres ? »

Cette question reste, Dieu merci, sans réponse. Si un jour dans ce pays quelqu'un parvient à mobiliser les masses d'anciens combattants pour une action politique organisée, ce sera la guerre civile. Personne ne pourra s'y opposer. Pas même Poutine, qui « a fait renaître l'armée et la grandeur de la Russie ». Car les habitants du fin fond du pays ne croient plus en lui. Leur état d'esprit ressemble à celui qui régnait dans la Russie tsariste avant la révolution de 1917. Les dirigeants se félicitent de la croissance pendant que le peuple constate sa paupérisation. La ségrégation est omniprésente ; les riches ne veulent rien savoir du sort des pauvres. Ils les redoutent et les méprisent. On peut dire avec certitude qu'un pays qui ne prend pas soin de son armée est voué au déclin. Ce sont ces mêmes soldats qui risquent bien de tout renverser. Et il ne faut pas être grand clerc pour se rendre compte que les vétérans d'Afghanistan et de Tchétchénie prêtent de plus en plus l'oreille aux extrémistes de tout acabit. En cela, ils sont représentatifs de toute la population...

Si la monétisation des avantages sociaux révolte autant de gens, c'est tout bonnement parce qu'elle a touché des millions de foyers. Ceux qui ne sont pas concernés eux-mêmes connaissent forcément plusieurs personnes frappées par la réforme. C'est pourquoi les manifestations sont si massives : il y a là non seulement les victimes directes, mais aussi leurs proches.

Mais combien de temps l'esprit de rébellion tiendra-t-il ?

---

1. Ces événements sont évoqués à la date du 12 avril 2004.

1er janvier

Dans la ville tchétchène d'Ourous-Martan, trois jeunes hommes sont partis rejoindre les forces de la résistance. Dans les lettres qu'ils ont laissées à leurs proches, ils expliquent qu'ils ne peuvent plus supporter l'arbitraire ambiant et qu'ils ne voient pas d'autre moyen de s'y opposer.

9 janvier

Toujours Ourous-Martan. Cette fois, ce sont quatre jeunes hommes qui ont gagné le maquis. [Au total, sur le mois de janvier, tous les records ont été battus : en réaction aux ratissages effectués par l'armée et les milices prorusses, des dizaines de jeunes ont pris les armes pour se battre aux côtés des indépendantistes.]

Par sa politique aberrante, Poutine contribue à gonfler les rangs des partisans de Bassaev et de Maskhadov. Ces derniers n'ont pas besoin de se « faire de la publicité »; les fédéraux s'en chargent très bien. De nouveaux attentats surviendront. De nouvelles victimes innocentes mourront. Et le Kremlin y sera pour beaucoup. L'équation est élémentaire : pas de paix pour les habitants de la Tchétchénie, pas de répit pour les troupes qui y font la guerre, pas de sécurité pour nous tous.

14 janvier

Aslan Maskhadov, le président de l'Itchkérie [1] indépendante, a annoncé une trêve unilatérale d'un mois. Il a ordonné à ses troupes de cesser les combats jusqu'au 22 février.

Comment faut-il interpréter cette décision ? S'agit-il d'un coup de fatigue dû à un hiver très rude ? Ou bien d'une réelle tentative de réconciliation ? Ou encore d'une façon, pour le chef des indépendantistes, de tester la subordination de ses hommes, afin de savoir

1. Nom officiel que les indépendantistes tchétchènes donnent à leur république.

lesquels lui sont obéissants et lesquels sont prêts à bafouer son autorité ?

Il y a vraisemblablement un peu de tout cela. En proclamant cette trêve, Maskhadov met son influence à l'épreuve. C'est comme s'il disait aux Tchétchènes, mais également aux Russes : « Jugez vous-mêmes de mon importance. » Il joue à quitte ou double. Ce n'est un secret pour personne qu'à l'évocation de son nom, nombreux sont ceux qui haussent les épaules, estimant qu'il ne représente plus que lui-même et qu'il ne contrôle rien du tout en Tchétchénie.

La raison de cette méfiance est connue : Maskhadov vit depuis des années dans une clandestinité absolue. Il ne rencontre pratiquement jamais personne. Ces précautions sont nécessaires : il ne veut pas connaître le sort d'Akhmad Shah Massoud, le célèbre « Lion du Panchir », assassiné par deux hommes qui se faisaient passer pour des journalistes belges désireux de l'interviewer.

Sa consigne permettra donc de lever cette interrogation : combien y a-t-il encore de combattants qui reconnaissent Maskhadov et exécutent ses ordres ? À l'inverse, quels sont ceux qui rejettent son autorité ? Et quelle ligne adoptera-t-il à leur égard ?

Cette annonce est également une épreuve pour le Kremlin : Poutine aura-t-il le courage de ne pas repousser cette main tendue ? Rejeter cette initiative serait de la lâcheté pure et simple...

Alou Alkhanov, le président fantoche de la Tchétchénie officielle, a réagi le premier, pour déclarer qu'il refusait de négocier avec Maskhadov. Il exige que les *boïeviki* déposent les armes unilatéralement ; ensuite, il envisagera peut-être de les gracier. C'est toujours la même litanie, un discours martial que tout le monde connaît par cœur et qui conduit la République droit dans l'impasse. Quant au Kremlin, il n'a pas daigné commenter la proposition de Maskhadov. Comme si elle n'avait jamais été prononcée. C'est une attitude stupide. Les autorités de Moscou répètent sans cesse qu'elles sont pour la paix... mais quand on la leur propose, elles la refusent. Désormais, elles ne pourront plus prétendre ne pas souhaiter la guerre.

Les dirigeants sont allés encore plus loin dans le grotesque : Maskhadov est désormais officiellement accusé par la justice russe de complicité d'assassinat dans l'affaire de Beslan, « car les hommes de Bassaev qui ont pris l'école d'assaut avaient cité, parmi leurs conditions pour la libération des otages, l'ouverture de négociations avec Maskhadov » (je cite Nikolaï Chepel, le procureur général adjoint).

Et pour couronner tous ces efforts de renoncement à la paix, la douma, se pliant comme toujours à la volonté présidentielle, a adopté une loi qui autorise l'armée régulière à mener des opérations sur le territoire du pays. La loi stipule que « les forces armées de la Fédération de Russie peuvent être utilisées pour combattre les terroristes militairement partout où cela sera nécessaire »...

15 janvier

Début de l'opération « Restitutions ». Les mères de soldats tués en Tchétchénie, privées de leurs avantages sociaux suite à la monétisation, ont renvoyé leurs « compensations » dérisoires à Poutine. À partir de cette année, au lieu des avantages dont elles bénéficiaient jusque-là, elles toucheront, chaque mois, 150 roubles [1]. Avec cette somme, on peut acheter deux carnets de tickets de transport. Avant le 1er janvier, ces femmes qui ont sacrifié leurs enfants aux ambitions criminelles de l'État, pouvaient au moins compter sur quelques privilèges. Selon la loi 21 (dite « Loi sur les vétérans »), elles pouvaient se faire soigner à titre gracieux, bénéficier de titres de transport gratuits, ne payer que la moitié de leurs factures de téléphone et de télévision, etc. Et c'était entièrement justifié. Car généralement, ceux qui vont guerroyer en Tchétchénie sont des enfants de familles pauvres. De plus, il s'agit souvent de familles monoparentales où la mère est seule. Tous ceux qui ont un peu d'argent et de contacts parviennent en général à verser le pot-de-vin nécessaire au bon moment, afin d'éviter à leurs rejetons d'effectuer leur service ou, du moins, de partir en Tchétchénie. Depuis que la « Loi sur les vétérans » a été abrogée, les mères des soldats morts au combat n'ont plus droit qu'à 150 roubles de compensation. Une humiliation que ces mères orphelines vivent comme un véritable outrage.

Et après cela, notre pays ose encore revendiquer le titre de grande puissance ? Comment une grande puissance pourrait-elle mépriser ceux qui donnent la vie de leurs enfants pour la patrie ?

1. Moins de 5 euros.

Les mères de Krasnoïarsk ont été les premières à renvoyer leurs 150 roubles à Poutine. Puis les mères de Togliatti ont fait de même. Le mouvement prend de l'ampleur. Ces femmes estiment que cette somme est une farce et que la renvoyer au Kremlin est le seul moyen de montrer qu'elles honorent la mémoire de leurs fils défunts.

Les manifestations contre la monétisation continuent. Tous les jours, des milliers de personnes protestent dans les rues. Aucune autre décision politique n'a fait sortir les Russes de leurs maisons pour aller manifester; mais il a suffi d'une menace pour leur porte-monnaie...

Poutine n'a rien à craindre. Il se contentera de jeter au peuple une poignée d'argent et les gens cesseront de grogner...

À Saint-Pétersbourg, un homme est mort lors de l'une de ces manifestations. Voici comment cette tragédie s'est déroulée. La foule a bloqué une voiture de marque étrangère (estimant que si quelqu'un roule dans une voiture étrangère, c'est qu'il est riche et donc qu'il est un salaud). Le conducteur, dont la fille et la femme étaient dans la voiture, est sorti discuter avec les manifestants surexcités. Mais ceux-ci ne lui ont pas laissé le temps de dire un mot et ont immédiatement commencé à le frapper. Il a réussi à appeler la police, lui demandant d'organiser une sorte de corridor permettant à son véhicule de sortir de ce guêpier. Ce qui a été fait... mais au dernier moment, alors qu'il accélérait pour se dégager, quelqu'un s'est jeté au sol et a péri sous ses roues. La police n'a rien pu faire.

17 janvier

Premier référendum virtuel en Russie, organisé par le site : www.skaji.net [1]. Enfin une initiative sincère et rafraîchissante de la société civile : les étudiants de l'École supérieure d'économie ont décidé d'organiser un vote ouvert à « tous les citoyens du Web » pour s'opposer à la loi 122, ce fameux texte qui institue la monétisation des avantages sociaux.

1. On peut traduire l'adresse de ce site par www.dis.non.

Voici ce que proclame ce mouvement informel :

« Nous considérons cette décision de notre gouvernement comme un outrage à nos vétérans, *a fortiori* l'année où nous célébrons le soixantième anniversaire de la Victoire remportée en 1945. Le gouvernement a discrédité le concept, rationnel en soi, de la monétisation des avantages sociaux. Le seul moyen légal de défendre nos droits est un référendum à l'occasion duquel nous pouvons exprimer notre mécontentement. Nous vous invitons à collaborer avec nous et à vous unir afin de protester contre cette loi inique. »

Lors de ce référendum sur Internet, des millions de personnes ont voté contre la loi et contre la politique du gouvernement. Mais où sont ces millions d'individus dans la vraie vie ? Pourquoi n'osent-ils s'exprimer que sous le couvert de l'anonymat ?

Ils sont tous effrayés. Seuls quelques milliers de citoyens descendent dans la rue pour protester ouvertement. Les manifestations les plus animées se sont déroulées à Saint-Pétersbourg, Tver, Tioumen, Samara, Perm et Khimki (près de Moscou). Les gens montrent leur mécontentement en bloquant des routes et les entrées des immeubles administratifs, et en menaçant d'entreprendre quelque chose de bien plus sérieux.

À Saint-Pétersbourg, lors de l'un de ces cortèges, la police a essayé d'arrêter plusieurs membres de Iabloko et du Parti national-bolchevik. Quelques participants ont été emmenés au commissariat, dont une retraitée qui y a été sévèrement battue. Le lendemain, Vladimir Soloveïtchik, l'un des organisateurs des manifestations de protestation, a été arrêté en bas de chez lui.

18 janvier

Le front de la résistance citoyenne de Saint-Pétersbourg (qui réunit des partis d'opposition et divers organisations et mouvements sociaux) a publié le communiqué suivant :

« Nous sommes indignés par la violence que les forces de l'ordre ont employée à l'égard des participants aux manifestations spontanées. L'État essaie d'intimider tous ceux qui soutiennent les justes revendications des citoyens. Nous exigeons que le gouverneur de Saint-Pétersbourg, le Parlement et le procureur de la ville effectuent une enquête sur les abus commis par les forces de l'ordre et punissent les coupables. Il nous faut des garanties que ces abus ne se reproduiront pas à l'avenir. Nous demandons la libération de tous les manifestants arrêtés. Car ces manifestations spontanées ont été provoquées par les autorités elles-mêmes. »

19 janvier

Vers la mi-janvier, il est devenu clair que si la vague de protestations contre la monétisation gardait la même intensité encore quelques semaines, les intérêts des manifestants et ceux des agents des forces de l'ordre chargés de les contenir finiraient par converger. La plupart des gardiens de la paix dépendent, eux aussi, des avantages sociaux. Les policiers ont des salaires bas : environ 3 000 roubles [1]. Avant la réforme, ils bénéficiaient de la gratuité des transports en commun. Plus maintenant. Conséquence immédiate : on observe, en janvier, une augmentation notable des démissions dans la police. Dans le centre de Moscou, un policier s'est suicidé à son poste de travail. Il a laissé une note dans laquelle il expliquait qu'il n'arrivait plus à nourrir sa famille. Les militaires grognent également : le ministère de la Défense a transmis au Conseil de la Fédération (la Chambre haute du Parlement) les résultats d'un sondage effectué au sein de l'armée. Il en ressort que plus de 80 % des officiers sont mécontents de la réforme des avantages sociaux. Et seulement 5 % sont satisfaits de leurs conditions de vie...

Le pouvoir a pris conscience du danger. Apprenant plusieurs cas de désobéissance (des policiers avaient refusé de frapper les manifestants), le Kremlin a immédiatement fait le parallèle avec l'Ukraine, où l'abandon du régime par les forces de l'ordre a marqué un tournant décisif de la révolution orange. Depuis quelques jours, les autorités essaient donc d'amadouer les protestataires. Mais les quelques gestes consentis ressemblent plus à des aumônes qu'à de vraies avancées. La population ne s'en contentera pas.

À Moscou, un « Conseil de solidarité sociale » (SOS), coalition de plusieurs organisations sociales, a appelé la population à

1. Moins de 100 euros.

protester contre la loi 122 en participant à deux manifestations massives, prévues pour le 10 et le 12 février.

Le SOS est un « Conseil rouge », procommuniste, principalement composé de syndicats indépendants et de diverses organisations corporatistes (des associations de défense des victimes de la catastrophe de Tchernobyl, des unions de vétérans de guerre, etc.). Il est apparu en mai 2004, dès l'adoption de la loi 122 par le Parlement. Mais il a été impossible de mobiliser la population avant le 1er janvier suivant, date de l'entrée en vigueur de ce texte inique. Il a fallu que les retraités commencent à être refoulés des transports en commun pour que le pays se réveille.

Le SOS réclame la suppression de la loi 122, la multiplication par deux des retraites, une réforme fiscale qui favoriserait les régions et les couches sociales démunies, la révocation de tous les députés de Russie unie et la démission du gouvernement.

[L'espoir de voir enfin une vraie mobilisation collective ne durera pas. Les 10 et 12 février, des manifestations importantes auront bien lieu, même si elles ne seront pas aussi gigantesques que prévu. Effrayé, le gouvernement apportera quelques corrections à sa politique sociale et augmentera légèrement les montants des compensations. Il n'en faudra pas plus pour que le peuple estime avoir remporté la partie et rentre gentiment à la maison. Le SOS continuera d'exister, mais plus personne ne lui accordera la moindre importance.]

22 janvier

Ce samedi, ainsi que le précédent, a été marqué par des manifestations massives contre la monétisation. Un récent sondage réalisé par la chaîne publique ORT, pourtant peu suspecte d'hostilité au régime, indique que plus de 58 % des anciens bénéficiaires des avantages sociaux soutiennent les manifestants.

Ce matin, quelque trois mille personnes se sont réunies sur la place centrale de Krasnoïarsk, l'une des plus grandes villes de Sibérie. Elles demandent aux autorités de ne pas augmenter les tarifs de l'électricité. Depuis le 1er janvier, dans toute la région, des quotas sur l'énergie sont entrés en vigueur : les habitants ne peuvent pas consommer plus de cinquante kilowatts par mois à l'ancien prix. Pour toute consommation au-dessus de cette limite, le tarif sera double. Dans cette zone au climat rude, une telle augmentation ne passe pas inaperçue... Il faut savoir que dans la plupart des immeubles, le chauffage central fonctionne mal, ce qui oblige les habitants à garder allumés en permanence des convecteurs supplémentaires. Par conséquent, près de six mois par an, il leur est impossible de ne pas dépasser le quota de cinquante kilowatts par mois. Selon les statistiques officielles, en moyenne, les résidents de cette région consomment deux à trois fois plus que cette « norme » que le pouvoir tente de leur imposer.

Pourquoi avoir instauré ces quotas ? L'administration justifie sa décision par sa volonté de protéger les plus pauvres à la veille de la privatisation prochaine de RAO EES, le géant public de l'énergie, pour l'instant monopolistique dans ce secteur. Une fois que cette entreprise basculera dans le privé, elle va sans doute augmenter ses tarifs : c'est pourquoi l'État désire « inciter » ses citoyens les moins aisés à réduire d'ores et déjà leur consommation. Drôle de logique...

À Oufa, au Bachkortostan, cinq mille protestataires ont défilé pour présenter un ultimatum au président de cette république de la Fédération de Russie, Mourtaza Rakhimov : soit il promet de ne pas appliquer la loi sur la monétisation, soit il démissionne avant la fin du mois.

À Moscou, dix activistes d'un mouvement de gauche nommé « L'avant-garde de la jeunesse rouge » ont été arrêtés. Selon les forces de l'ordre, ils « tentaient de s'approcher du bâtiment de l'administration présidentielle ». Or ils ont été arrêtés près de la gare de Biélorussie, à trois kilomètres de l'immeuble en question... Les jeunes se sont retrouvés entre les mains de la police à la suite d'une manifestation contre la monétisation. Ce rassemblement, organisé par les communistes, avait attiré beaucoup de jeunes de gauche, dont les « avant-gardistes » et les *natsboly* de Limonov.

Ils brandissaient des pancartes proclamant : « Arrêtez de voler les retraités ! », « Transport gratuit pour la police et les militaires ! », « Ne touchez pas à la loi “ Sur les vétérans ! ” », « Nous sommes pour notre peuple ! Nous sommes pour les avantages sociaux ! » ou encore « À bas Poutine et sa clique ! ». Il y avait énormément de policiers mais, en règle générale, ils laissent les manifestants scander leurs slogans, car ils approuvent leur action. En revanche, ils n'ont pas hésité à s'en prendre aux « avant-gardistes » alors même que, formellement, ces derniers n'ont pas violé la moindre loi. Au moment où ils ont été arrêtés, ils quittaient le rassemblement et marchaient en groupe dans la rue Tverskaïa, leurs pancartes repliées. Les dix activistes interpellés – dont le leader du mouvement, Sergueï Oudaltsov – ont ensuite été passés à tabac au commissariat.

23 janvier

« En haut », on se réveille enfin. L'administration semble avoir compris qu'elle devait entreprendre quelque chose pour faire cesser les manifestations. Les chaînes de télévision d'État se sont donc attelées à ce qu'elles font de mieux : une propagande pure et dure en faveur du pouvoir. Tous les jours, on nous explique que cette réforme est formidable. Des retraités heureux qui ne se plaignent de rien se succèdent sur le petit écran. On assiste à un véritable lavage des cerveaux, vingt-quatre heures sur vingt-quatre ! Les « télé-retraités » appellent leurs concitoyens à la patience. « Nous voulons vivre comme le gouvernement nous le suggère », affirment-ils sans vergogne. Quel cirque...

Ces propos des citoyens « ordinaires » sont doctement repris par les représentants de l'administration. Alexandre Joukov, le premier vice-Premier ministre, est invité à un nombre incalculable d'émissions. Il y profère mensonge sur mensonge, avec une remarquable constance. Exemple : « Les gens protestent contre la réforme seulement dans les régions où les compensations sont inférieures au coût réel des avantages. Or la loi stipule que chaque région doit décider de manière indépendante du montant des compensations. C'est à elles de trouver le moyen d'indemniser leurs habitants. »

Telle est la tactique des autorités fédérales : mettre toute la responsabilité sur le dos des régions... en se gardant bien de rappeler que presque toutes sont financées par les dotations du centre. Des quatre-vingt-neuf sujets que compte la Fédération, quatre-vingts dépendent intégralement du budget fédéral. Joukov profite de l'ignorance de la majorité des citoyens pour leur mentir en direct. Et ce ne sont pas nos journalistes de cour qui lui apporteront la contradiction...

Mikhaïl Zourabov, le ministre de la Santé et des Affaires sociales, l'un des grands responsables de l'adoption de la loi 122, ne cesse de répéter la même chose : « Ne vous inquiétez pas. Des moyens supplémentaires seront débloqués. En 2004, l'État a dépensé 100 milliards de roubles pour les bénéficiaires des avantages sociaux ; eh bien, cette année, ce chiffre passera à 300 milliards ! Nous sommes en train de mettre au point les derniers détails. Cette question sera réglée dans deux à trois jours. »

Toute honte bue, Zourabov prétend que la population sort largement gagnante de cette réforme. D'après lui, par ce changement, l'État rend ses citoyens à la fois plus riches et plus indépendants. Rarement les représentants du pouvoir auront paru autant déconnectés de la réalité. Savent-ils seulement que, désormais, chaque mois, des vieillards font la queue pendant plusieurs heures pour toucher cette fameuse compensation qui leur permettra à peine de se payer leur titre de transport mensuel ? Et le mois prochain, ils reviendront. Le mois suivant aussi, etc. Alors qu'auparavant, il leur suffisait de montrer une carte de vétéran pour voyager gratuitement... Voilà ce que donne la monétisation ! Il est incontestable que notre système social était lourd et imparfait... mais pourquoi a-t-il fallu le remplacer par un système bien pire et qui, de plus, appauvrit autant de monde ?

Signe des temps, ce sont les nationalistes, de droite comme de gauche, qui se sont opposés avec le plus de clarté à cette réforme. Nos démocrates, comme toujours, se sont faits étonnamment discrets. Mais y a-t-il encore là de quoi s'étonner ?

25 janvier

À Moscou, les démocrates organisent un de ces barnums dont ils sont coutumiers. Cette fois, c'est à l'occasion d'une session du Congrès citoyen « contre la dictature », une énième instance censée réunir les nombreux mouvements se réclamant des idéaux démocratiques. Comme souvent, la discussion est phagocytée par les velléités de chacun des participants de s'imposer en tant que « leader de la démocratie russe ».

Boris Nadejdine, du SPS, met son parti en avant. Les membres de Iabloko se conduisent en maîtres de cérémonie. Il y a beaucoup de bruit, mais peu d'efficacité. Lioudmila Alexeïeva, qui préside la réunion, est visiblement énervée. Gary Kasparov est excédé et fait remarquer que la procédure de prise de décision du Congrès est faussée. Déçu, il s'en va sans attendre la fin de la rencontre. Je discute avec quelques collègues dans un couloir. Tout le monde s'accorde à dire que les démocrates ont toujours un train de retard. Or le peuple ne les attend pas. Il a déjà de nouveaux idéaux et de nouvelles idoles.

Saint-Pétersbourg est la seule ville où existe une sorte d'alliance des forces antipoutiniennes. Il s'agit de l'« Assemblée des partis d'opposition », un groupe qui s'appelle également « Résistance citoyenne de Saint-Pétersbourg ». Le plus étonnant, c'est que non seulement cette alliance existe, mais qu'en plus elle parvient à agir au quotidien. Les manifestations saint-pétersbourgeoises sont les plus animées et les plus intransigeantes vis-à-vis du pouvoir. Ainsi, c'est dans sa ville natale que Poutine est le moins populaire. Pendant les manifestations de janvier, « Résistance citoyenne » a été dans la rue, aux côtés des protestataires. La ville exige le rétablissement de l'électivité des gouverneurs, la dissolution de la douma, l'annulation de la loi 122, la démission du président et du gouvernement, l'augmentation des retraites et la suppression de la censure à la télévision.

27 janvier

Des manifestants saint-pétersbourgeois ont bloqué l'entrée de l'Assemblée législative de la ville, sur la place Saint-Isaac. Ils ont formé une sorte de « haie d'honneur » à travers laquelle les députés sont obligés de passer pour pénétrer dans le bâtiment. Chaque fois qu'un parlementaire traversait ce corridor improvisé, la foule sifflait et scandait des slogans comme : « Honte à Russie unie ! », « Honte à la douma ! », « Poutine dehors ! ». L'une des manifestantes a démonstrativement brûlé sa carte de membre de Russie unie, sous les vivats de ses camarades.

28 janvier

Je discute avec Lioudmila Alexeïeva de l'avenir du Congrès citoyen « contre la dictature » et de sa dernière réunion, tenue à Moscou il y a trois jours. Elle admet son scepticisme vis-à-vis de cette structure.

« Alors, pourquoi gaspillez-vous votre temps ?
– Et si jamais on arrivait quand même à faire quelque chose ? »

Nous sommes tous des rêveurs. Comme on dit, l'espoir meurt en dernier.

30 janvier

La vague de protestations qui balaie le pays passe notamment par la ville de Saratov. Ici, on manifeste contre la loi 122, mais aussi contre la suppression des ajournements du service militaire. Ce sont les deux sujets qui préoccupent le plus le pays. La fin des ajournements aura pour effet l'amplification de la corruption dans les comités militaires et les hôpitaux où sont suivis les jeunes conscrits. Aujourd'hui, une grande manifestation est organisée par le Front populaire de Saratov, une formation populiste et politiquement primitive. Mais c'est le mouvement le plus actif de la ville : ses membres sont même allés jusqu'à créer des groupes d'autodéfense et des comités de résistance civile.

1er février

Selon un sondage réalisé en janvier par le Centre analytique de Iouri Levada, 70 % des Russes ne font pas confiance aux forces de l'ordre et 12 % craignent d'être un jour victimes de leur arbitraire. Seulement 2 % des personnes interrogées ont répondu « non » à la question : « Estimez-vous que les forces de l'ordre en Russie sont susceptibles de se rendre coupables d'abus de pouvoir ? »

2 février

Les députés ont définitivement adopté l'amendement 10 à la loi « Sur la défense ». Il autorise le gouvernement à avoir recours à l'armée régulière à l'intérieur du pays « afin de combattre les terroristes militairement partout où cela sera nécessaire ».

C'est le grand retour à l'époque soviétique, où l'armée avait le droit d'utiliser des armements lourds pour régler des conflits internes. Combien de débats et d'efforts avait-t-il fallu pour faire abroger cette loi, dans les années 1990 ! Et tout cela en vain... Cet amendement a été inscrit dans le « paquet » de mesures antiterroristes adopté après Beslan. Personne à la douma n'a protesté, hormis les communistes qui ont timidement évoqué la possibilité que l'armée risquait d'être utilisée à mauvais escient. Mais Russie unie a royalement ignoré cette remarque, et la loi est passée comme une lettre à la poste.

À Saint-Pétersbourg, sur la place Saint-Isaac, se tient un nouveau rassemblement contre la réforme des avantages sociaux. Cette fois, le meeting est tout petit : il n'y a là qu'une quarantaine de personnes âgées. Réunies devant l'entrée du Parlement de la ville, elles exigent le rétablissement des avantages sociaux, l'augmentation des retraites et la démission du gouverneur de la région, Valentina Matvienko, et de son gouvernement. Il fait très froid et le vent souffle fort. Après une longue attente, un député, Igor Rimmer, sort du bâtiment et invite quelques manifestants à l'intérieur. Les autres se dispersent.

La vague de protestations contre la monétisation faiblit. Le pouvoir a bien fait les choses. Quelques concessions par-ci, quelques pots-de-vin aux activistes régionaux par-là, et le tour est joué : le mouvement s'effiloche. Chez nous, cette méthode a déjà fait la preuve de son efficacité à plusieurs reprises...

En revanche, un autre mouvement prend sans cesse de l'ampleur : l'extrémisme musulman. Les jeunes sont de plus en plus attirés par les mouvements islamistes. C'est le résultat direct de la stupide politique religieuse du Kremlin, une politique profondément marquée par le « syndrome de Beslan ». Après la prise d'otages, le pouvoir a restauré les bonnes vieilles méthodes soviétiques de lutte contre la religion de Mahomet. En quoi consistent ces méthodes? Tout d'abord, le FSB est « chargé » de s'occuper des institutions musulmanes du pays (en URSS, ce rôle était dévolu à son ancêtre, le KGB). Ensuite, les services secrets forment eux-mêmes de « bons » musulmans, loyaux aux autorités, et persécutent tous les autres. Les mêmes méthodes entraînent le même résultat que sous le régime soviétique, à savoir l'apparition d'une vraie dissidence religieuse.

Le matin du 2 février, Ermak Tegaev, âgé de quarante-huit ans, président du Centre culturel islamique de Vladikavkaz (la capitale de l'Ossétie du Nord, située à vingt kilomètres de Beslan), s'est retrouvé en garde à vue, accusé de « conserver des explosifs à son domicile ». Voilà comment les choses se sont passées :

« À six heures du matin, des militaires ont fait irruption dans notre appartement, raconte Albina Tegaeva, la femme d'Ermak. Mon mari était en train de lire le Coran avant la prière. Quant à moi, je me trouvais dans la salle de bains. J'ai entendu des bruits bizarres et entrouvert la porte : immédiatement, ils ont pointé leurs fusils sur moi et m'ont forcée à sortir, à moitié nue. J'ai vu que l'appartement était occupé par une vingtaine d'hommes masqués et armés. Mon mari était maintenu au sol par trois individus. Je me suis mise à crier et à appeler les voisins : j'avais cru que l'immeuble était attaqué par des bandits. Les voisins sont arrivés, mais on leur a interdit d'entrer chez nous. Les soldats ont commencé à fouiller l'appartement, en dépit des protestations de mon mari qui réclamait son avocat. Mais ils ont amené leurs propres témoins et fouillé dans les toilettes. J'ai immédiatement senti que c'était un piège; ce n'était pas la première fois que l'on fouillait chez nous et nous savions très bien qu'ils étaient tout à fait capables de dissimuler quelque chose d'illicite eux-mêmes. J'ai donc essayé de les observer très attentivement. Après avoir cherché dans les toilettes, ils ont pris les clés de notre voiture et sont descendus dans la rue où elle était garée. Ensuite, ils nous ont forcés à descendre à notre tour et à ouvrir la voiture. Nous avons refusé car nous avions compris qu'ils y avaient sans doute déposé quelque chose. Du coup, ils ont ouvert eux-mêmes le coffre... et ils y ont “ découvert ” des explosifs. L’un d’entre eux a immédiatement téléphoné quelque part et un homme avec une caméra est arrivé pour nous filmer. Et finalement, ils ont emmené mon mari... »

Le jour même, Tegaev a été écroué par le tribunal régional. Sa famille, ses amis et l’imam de la mosquée de Vladikavkaz, Suleïman Mamiev, sont certains que l’affaire a été fabriquée de toutes pièces. Dans quel but ? Afin d’éloigner (pour de longues années, de préférence) un homme très influent dans le milieu musulman. Hélas, des histoires semblables à celle-ci sont légion dans le Caucase du Nord. Des gens sont arrêtés uniquement parce qu’ils ont de l’autorité parmi les leurs et parce qu’ils ne se montrent pas très coopératifs avec le FSB.

Mais quel type de coopération les services exigent-ils, au juste ? Et qu’est-ce que ce Centre culturel islamique (IKT) dont le président posait tant de problèmes ?

Formellement, l’IKT est l’une des nombreuses organisations sociales du Caucase du Nord. Une sorte de club religieux. L’Union spirituelle des musulmans d’Ossétie du Nord, une autre organisation du même genre, a un statut identique. Mais si ces deux formations sont semblables sur le papier, ce n’est pas du tout le cas en réalité. L’Union spirituelle est proche des autorités et en dépend financièrement ; elle admet ouvertement coopérer avec le FSB. Tandis que le Centre culturel, lui, a toujours gardé ses distances. Ce qui lui vaut divers tracas depuis longtemps.

« Après les événements de Beslan, les autorités, c’est-à-dire le FSB régional, ont exigé la soumission entière des musulmans, explique Arthur Bessolov, le vice-président de l’IKT. Le FSB désire contrôler la vie des musulmans à travers des organisations comme l’Union spirituelle et son chef Rouslan Valgassov, le grand mufti de la République. D’ailleurs, il est de notoriété publique que les fédéraux sont pour beaucoup dans sa nomination à ce poste. Une autorité religieuse choisie par des dirigeants politiques : normalement, une telle chose est impensable en islam ! La plupart des musulmans d’Ossétie du Nord s’opposent catégoriquement à cette pratique qui voit le pouvoir temporel intervenir dans le processus de désignation des imams. [AP : la majorité des citoyens ossètes est orthodoxe ; les musulmans représentent environ 30 % de la population.] D'ailleurs, on avait proposé à Tegaev de devenir grand mufti. Il n'a pas donné suite, et ce n'est qu'alors que Valgassov a été nommé. Mais cela ne change rien : parmi les croyants, surtout chez les jeunes, Tegaev est bien plus respecté que Valgassov. C'est pourquoi les autorités, excédées, l'ont emprisonné, pensant ainsi remettre les musulmans au pas... »

Alan Touaev est reporter au journal *Daoua* (« L'appel » en arabe), publié par le Centre culturel islamique, à Vladikavkaz. Alan considère que le pouvoir central essaie de transformer tous les musulmans de la République en ce qu'il appelle des « musulmans de chambre ».

« Ils veulent bien que nous allions à la mosquée le vendredi, mais c'est tout. Surtout, qu'on ne demande rien d'autre ! Ils ne veulent pas nous laisser mener notre vie musulmane.

– Qu'entendez-vous par " vie musulmane " ?

– Je pense par exemple à l'étude de la langue arabe ou à des lectures collectives du Coran.

– Mais vous devez bien comprendre que les autorités, ainsi que la société, sont effrayées par tout cela. Tout le monde craint les wahhabites car ceux-ci commettent des attentats suicides. Aujourd'hui, en Russie, quand vous parlez de " lecture collective du Coran ", on vous suspecte immédiatement d'extrémisme...

– Mais c'est un cercle vicieux ! Si tu n'es pas sous le contrôle du FSB, tu es immédiatement considéré comme un wahhabite. Et si tu es considéré comme un wahhabite, tu peux être envoyé en prison du jour au lendemain sans raison ! Si cela continue, nous nous réfugierons dans la clandestinité ! »

Ce n'est pas la peine d'envisager cette éventualité au futur : c'est déjà le cas. Les jeunes, qui ne supportent pas d'être surveillés en permanence, ont formé des cellules clandestines. C'est la réponse de l'islam à l'islamophobie qui règne dans notre pays. Il est évident que le pouvoir doit engager un vrai dialogue avec les musulmans. Mais personne ne daigne négocier : on préfère recourir aux bonnes vieilles méthodes soviétiques : s'il est impossible de supprimer le Coran et les vingt millions de croyants que compte le pays, alors il faut faire en sorte que les musulmans deviennent « fiables ». Quant à ceux qui demeurent malgré tout « suspects », il faut les mettre en prison. Voilà tout le dialogue.

Cette répression de l'islam fait désormais partie intégrante de la « lutte contre le terrorisme » que l'État mène au mépris de toutes les normes juridiques existantes. L'histoire de Tegaev n'est que l'une des facettes de ce phénomène. Les autorités semblent persuadées qu'elles vaincront le terrorisme en persécutant les musulmans. Alors que c'est exactement le contraire : cette politique absurde ne fait que renforcer les groupes ultra-radicaux.

Illustration de cette chasse aux « musulmans suspects ». En janvier, à Naltchik (capitale de la Kabardino-Balkarie), les forces de l'ordre ont pris d'assaut un appartement situé dans un immeuble d'habitation. D'après les informations dont elles disposaient, l'endroit était occupé par un dangereux groupe terroriste. Mais en réalité, il n'y avait là que quelques personnes désarmées, dont Mouslim Ataev et sa femme, Sakinat Katsieva. Pour eux, ainsi que pour un autre jeune couple, l'assaut a été fatal : ils ont été exécutés tous les quatre. Mouslim et Sakinat avaient une petite fille, Leïla, un bébé de six mois. Elle se trouvait avec eux au moment de la fusillade. Quelques jours plus tard, les corps des adultes ont été restitués à leurs familles... mais Leïla est restée introuvable ! C'est comme si elle s'était évaporée dans la nature. Ses grands-parents l'ont cherchée partout, en vain.

Il ne fait pas l'ombre d'un doute que la fillette a péri avec ses parents. D'ailleurs, après l'assaut, des voisins ont vu les soldats sortir de l'immeuble un petit corps enveloppé dans une couverture. Mais comme le meurtre d'un bébé aurait choqué le public, son cadavre n'a pas été rendu à ses proches. C'est ainsi que ce nourrisson de six mois a trouvé une mort horrible et n'a même pas pu être inhumé.

Leïla a été victime à la fois de la vague d'islamophobie qui s'est emparée de tout le pays à la suite de Beslan, de la radicalisation des mouvements musulmans et des méthodes barbares employées par nos services spéciaux. En quoi ce bébé est-il différent des enfants morts lors de l'assaut de Beslan ?

Son grand-père, Zelimkhan Katsiev, m'a écrit une lettre où il clame son désarroi :

« Il est inutile de demander de l'aide aux institutions de la république. Les opérations de ce genre sont régulièrement menées, dans notre région, avec une violence toujours disproportionnée. Là où l'on pourrait interpeller sans heurts quelques suspects, on organise une véritable bataille rangée. Même l'arrestation d'une seule personne est systématiquement transformée en opération militaire... Aidez-moi à retrouver ma petite-fille, s'il vous plaît... »

[Plus la répression est forte, plus l'extrémisme gagne du terrain. La communauté musulmane se coupe du reste du pays et lui devient de plus en plus étrangère. En Ossétie du Nord, l'autorité d'Ermak Tegaev n'a cessé d'augmenter depuis son arrestation le 2 février, et la dissidence religieuse s'est encore accrue. En l'absence d'opposition démocratique, nous aurons une opposition islamique. Une opposition que le FSB a créée de toutes pièces.

Le même constat vaut pour la Tchétchénie... en cent fois pire. Des musulmans proches du FSB y luttent contre d'autres musulmans en employant les mêmes techniques que la *nomenklatura* soviétique : ils implantent partout des cellules chargées d'assurer le contrôle de la foi. Et gare à ceux qui dévient du « droit chemin » tracé par Kadyrov et consorts...]

3 février

L'administration présidentielle reprend les choses en main. À Toula, on manifeste aujourd'hui... pour soutenir la loi 122 ! Telle est la stratégie du président : répondre aux rassemblements des « ennemis » par des rassemblements de « fidèles ». Des fidèles que l'on rémunère pour les remercier de leur participation...

Ces manifestations « promonétisation » sont commanditées par le centre et organisées sur place par les autorités locales. Les gouverneurs, grands habitués des pots-de-vin, prennent la tête de ces cortèges. On leur a recommandé de promettre au peuple une hausse prochaine des allocations sociales et ils s'exécutent, soutenant doctement à leurs administrés qu'ils vivront « bien mieux qu'avant ». Naturellement, ces meetings font l'ouverture de tous les journaux télévisés.

À Toula, le gouverneur a déclaré que tous ceux dont la retraite était inférieure à 1 650 roubles [1] pourront emprunter gracieusement

1 Moins de 50 euros.

le transport municipal... qui est pratiquement inexistant dans cette ville.

Dans le même temps, le prix du ticket dans les lignes de bus privées de Toula (les seules à fonctionner correctement) a augmenté de 16 % depuis le début de l'année 2005.

Comme toujours, les représentants des mouvements libéraux et démocratiques ne font aucun commentaire. Ils doivent estimer que l'enjeu ne mérite pas qu'ils se dérangent.

10 février

C'est à la périphérie de l'empire que le mouvement de protestation est le plus résistant. En Khakassie, dans la ville d'Abakan, malgré un froid polaire (–36 °C), une trentaine de personnes se sont rassemblées devant le bâtiment du gouvernement local pour scander : « Non à la politique antisociale ! » Dans la région de Touva, à Kyzyl, par –45 °C, cinquante-six manifestants se sont réunis sur la place centrale afin de protester contre la politique de Poutine. Enfin, à Khabarovsk, dans l'extrême est du pays, une poignée de gens sont sortis sur l'immense grand-place de la ville. Ils ont tenu plusieurs heures dans un vent glacé et violent, en brandissant une pancarte qui proclamait : « Russie unie est la honte de la Russie ! »

12 février

Dans cette ambiance morose, certains n'ont toujours pas perdu leur humour. À Ioujno-Sakhalinsk, la principale ville de l'île de Sakhaline, le mouvement local « Pour les droits de l'homme » a mis en scène, en pleine rue, un « enterrement de la démocratie ». Au cou d'une belle poupée de taille humaine, qui incarnait la jeune démocratie, les membres du mouvement ont accroché une douzaine de pancartes évoquant la loi 122, la suppression de l'électivité des gouverneurs et ainsi de suite. Sous leur poids, la poupée s'est effondrée. Elle a alors été solennellement couchée dans un cercueil recouvert d'étiquettes « enterrement de la démocratie ». Ensuite, au son d'une marche funèbre, les manifestants ont fermé le cercueil avant de l'embarquer dans un corbillard. Toute cette scène a eu lieu sous les fenêtres de l'administration régionale. Les fonctionnaires n'ont pas manqué une miette du spectacle.

À Toula, les communistes ont organisé une manifestation devant le monument à Lénine. Un millier de personnes y assistent. Parmi elles, des sympathisants de Rodina, l'Union des victimes de Tchernobyl, le mouvement Russie laborieuse, les *natsboly* et, bien sûr, les communistes. Cette alliance hétérogène est très typique de l'année 2005. Les manifestants criaient : « Poutine, gouvernement, douma... Démission ! » À Abakan (Khakassie), il fait un peu moins froid que la semaine dernière. Du coup, le rassemblement d'aujourd'hui est un peu plus important.

Mais il ne faut pas se leurrer : ces deux journées de manifestations, le 10 et le 12 février, n'ont pas eu le succès escompté, loin de là. Leur grand ordonnateur, le « Conseil de solidarité sociale » (SOS) a échoué à mobiliser le pays. Les protestations sont rares, et elles réunissent peu de monde. L'administration de Poutine a vaincu. La population, qui s'était un peu ébrouée, va retourner à son fatalisme morose.

16 février

Gary Kasparov est à Saint-Pétersbourg pour participer à un rassemblement contre la monétisation, organisé par le Front de la résistance citoyenne de Saint-Pétersbourg (une union de divers partis et mouvements démocratiques).

Il en a profité pour prononcer un discours très virulent à l'encontre du pouvoir :

> « Les dirigeants du pays sont motivés exclusivement par l'appât du gain. [...] Notre administration est l'une des plus riches du monde mais nos retraités vivent dans l'indigence. [...] La ville de Saint-Pétersbourg est la capitale des protestations contre ce régime. C'est ici qu'il faut forger une force qui sera capable de le renverser. C'est pour cela que je suis venu ici. »

Ensuite, une partie des manifestants a bloqué une rue située en face de l'Assemblée législative de la ville en réclamant la possibilité de s'exprimer en direct sur la chaîne de télévision locale. Naturellement, ils se sont vu opposer une fin de non-recevoir.

Selon Kasparov, « les mouvements de rue ne sont pas encore devenus brun-rouge ». Pourtant, il semble bien que l'on en prend le chemin. Encore un peu, et il ne restera que les communistes et les ultranationalistes pour dénoncer la politique du gouvernement. Si les démocrates persistent à tergiverser et à se demander s'ils doivent prendre part ou non aux manifestations, ces actions vont se faire sans eux.

[Mais Kasparov n'organisera aucun mouvement politique à Saint-Pétersbourg. Le bloc démocratique continuera de se morceler. Au cours des mois suivants, l'ancien champion d'échecs effectuera de longues tournées à travers le pays : acclamé par la population, il suscitera l'ire grandissante du pouvoir. Finalement, il formera une nouvelle organisation : le Front citoyen uni.]

Les *natsboly* jugés pour l'occupation de l'administration présidentielle ne sont plus accusés de « tentative de prise du pouvoir par la force ». Désormais, ils sont inculpés seulement de « troubles massifs à l'ordre public ». Trente-neuf d'entre eux se trouvent toujours en détention provisoire, à Moscou.

21 février

Le vice-ministre de l'Intérieur, Sergueï Chtchadrine, s'est rendu dans la ville de Blagovechtchensk qui a subi, au mois de décembre, une violente « opération de ratissage » conduite par des soldats revenant de Tchétchénie [1]. Le ministère de l'Intérieur conteste

1. Blagovechtchensk est une ville bachkire de 30 000 habitants. Entre le 10 et le 14 décembre 2004, à la suite d'une rixe au cours de laquelle plusieurs policiers avaient été frappés, le département régional du ministère de l'Intérieur y a lancé une « opération prophylactique visant à combattre la criminalité urbaine ». Pour soutenir la police de la ville, les autorités ont envoyé en renfort quelques dizaines de soldats de l'OMON. Au cours de l'opération, plusieurs centaines d'habitants de Blagovechtchensk et des alentours ont été arrêtés et emmenés dans des commissariats, où de nombreuses personnes ont été battues par les forces de l'ordre. Le parquet du Bachkortostan a lancé une enquête sur les « abus de pouvoir » commis par la police locale. Une dizaine de policiers ont été inculpés. Cependant, le chef du département régional du ministère de l'Intérieur, Rafaïl Divaev, conteste vigoureusement ces accusations et continue d'affirmer que la police a agi dans la plus stricte légalité.

cette dénomination, en parlant de « prétendu ratissage ». Ainsi Chtchadrine a-t-il déclaré que les « actions de la police ont été justifiées, même si certains les trouvent extrêmement violentes ». Quant au terme de « ratissage », il s'agit selon lui d'une « exagération ». Il a également remarqué que « chaque société a la police qu'elle mérite ». En cela, il a parfaitement raison. Aussi longtemps que la société ne se soulèvera pas contre ces « exagérations », des événements semblables à ceux de Blagovechtchensk se reproduiront.

23 février

Par un communiqué publié sur un site Internet, Maskhadov propose de prolonger la trêve unilatérale qu'il a déclarée il y a un mois. Aucune réponse du pouvoir.

Notre administration a trouvé le moyen d'expliquer à l'Occident les particularités du régime. Lors de la conférence de presse qui a précédé sa rencontre avec George Bush à Bratislava, Poutine a déclaré : « Les principes fondateurs de la démocratie et ses institutions doivent être adaptés aux réalités russes, à nos traditions et à notre histoire. Nous nous en occuperons nous-mêmes. »

C'est ainsi que naît la thèse de la « démocratie nationale et souveraine », adaptée aux traditions du pays. Il faut comprendre la phrase de Poutine de la manière suivante : « Notre démocratie sera telle que nous l'entendons et personne n'a à nous donner des conseils ou des indications quant à la marche à suivre. » Et les Occidentaux ne mouftent pas.

Ayant obtenu carte blanche, l'administration présidentielle pose les fondations de sa « démocratie nationale » et crée le mouvement *Nachi* (les Nôtres). *Nachi*, ce sont ceux qui soutiennent « notre » version de la démocratie élaborée au Kremlin. Les autres sont les ennemis, les partisans des valeurs européennes. *Nachi* est une créature de Vladislav Sourkov, l'éminence grise du Kremlin. Igor Iakemenko – qui dirigeait jusqu'ici un mouvement identique mais de moindre envergure, *Idouchtchie vmeste* (Ceux qui marchent ensemble [1]), ce qui lui avait valu le surnom de « Jeune Führer » – est nommé à la tête des *Nachi*. Il porte le titre officiel de « commissaire fédéral » du mouvement. Ses fondateurs ne cachent même pas leurs références historiques : les premiers commissaires de l'histoire de la Russie étaient Dzerjinski, Staline et les autres chefs révolutionnaires bolcheviks...

[Très vite, on commencera à appeler les *Nachi* « nachistes [2] » pour souligner l'aspect militaire et idéologiquement droitier de cette organisation. Les *Nachi* sont agressifs, hargneux et friands de bagarres. Pour consolider le mouvement, l'administration y a inscrit des hooligans des clubs de football CSKA et Spartak, connus pour leur brutalité. Certains d'entre eux sont des repris de justice endurcis. Les têtes pensantes logues du Kremlin ont promis l'immunité à ceux qui adhéreront aux *Nachi* ; ils ont tout simplement acheté ces jeunes voyous pour en faire des forces d'assaut.]

L'une des premières actions d'éclat des *Nachi* a consisté à vandaliser le quartier général des *natsboly* à Moscou. Les « nachistes » ont violemment battu ceux qui se trouvaient à l'intérieur et ont détruit tous les biens matériels. Une enquête a bien été ouverte, mais il semble évident qu'elle sera rapidement classée. Après ce succès initial, les « nachistes » se sont mis à organiser de véritables chasses aux *natsboly* dans les rues de Moscou. Là aussi, plusieurs enquêtes ont été ordonnées, mais aucun procès n'est en vue : en privé, les enquêteurs admettent qu'ils ont reçu « d'en haut » l'instruction de ne pas donner suite à ces affaires.

1. L'organisation de jeunesse *Idouchtchie vmeste* est apparue au lendemain de l'élection de Vladimir Poutine en 2000. En quelques mois, elle a implanté ses bureaux dans les plus grandes villes russes et recruté des dizaines de milliers de membres. Ce mouvement a été créé et soutenu financièrement par les structures du pouvoir. *Idouchtchie vmeste* s'est positionnée comme une organisation œuvrant à la « renaissance de la Russie » et considérant Vladimir Poutine comme la personne idéale pour accomplir cette renaissance. Ce mouvement existe toujours, mais il s'est largement effacé derrière les *Nachi*.

2. « Nachisty » est un terme péjoratif pour désigner les *Nachi* : en russe, sa prononciation se rapproche à la fois de celle de « natsisty » (nazis) et de « fachisty » (fascistes).

24 février

Bush et Poutine se rencontrent à Bratislava ; tout le monde attend avec impatience de savoir ce que le président américain dira à notre leader bien-aimé. On sait que, la veille, à Bruxelles, lors de son entrevue avec les leaders de l'OTAN et de l'Union européenne, Bush a promis – sans doute sous la pression des pays baltes et est-européens – qu'il allait faire part à Poutine de sa préoccupation au sujet de la liberté en Russie.

Sans trop y croire, on espérait donc que le locataire de la Maison-Blanche tiendrait un langage de vérité à celui du Kremlin.

Mais Bush s'est bien gardé d'émettre la moindre critique à l'encontre de son allié. Leur amitié pétrolière importe bien plus que toutes les atteintes à la démocratie. Cet épisode prouve, une nouvelle fois, qu'il ne faut pas s'attendre à ce que l'Occident nous aide à restaurer nos valeurs démocratiques. La reconquête des libertés doit se réaliser de l'intérieur, elle ne peut être que l'œuvre des Russes eux-mêmes.

Rares sont ceux qui comprennent cela. Il ne se passe pas une réunion de nos démocrates sans qu'ils ne décident de « se plaindre aux Européens ». Or les Européens, tout comme les Américains, ne veulent rien savoir de ce que Poutine fait à l'intérieur. Ils préfèrent entretenir le mythe de l'« homme qui remet de l'ordre dans un pays qui en avait bien besoin »...

26 février

L'ultimatum lancé par l'opposition au président du Bachkortostan, Mourtaza Rakhimov, a expiré : il devait soit démissionner, soit rendre à la population ses avantages sociaux. Bien sûr, il est resté en place et il n'est pas question de revenir sur la loi 122. Quant aux leaders de l'opposition qui réclamaient son départ, ils se sont faits très discrets. Selon des rumeurs insistantes, ils auraient été purement et simplement achetés par le président Rakhimov. Il est avéré, en tout cas, que plusieurs « opposants » ont été nommés à des postes relativement importants dans l'industrie pétrolière locale... ce qui explique sans doute en grande partie l'érosion de la contestation. C'est la fin de l'ersatz de révolution bachkire. Tant que les gens seront pauvres, donc achetables pour une poignée de roubles, il n'y aura pas de démocratie dans notre pays. Mais ce que les gens ne comprennent pas, c'est que sans un système démocratique garantissant le respect de leurs droits, ils resteront pauvres à jamais...

27 février

Pendant tout le mois de février, les médias officiels russes se sont échinés à démontrer qu'une révolution démocratique au Kirghizistan était absolument impossible. Impossible, puisque le président Akaev mène son pays vers la démocratie et conduit de sages réformes grâce auxquelles le niveau de vie de son peuple ne cesse d'augmenter. Le seul problème que nos médias admettent, c'est que le peuple est trop timoré pour profiter de toutes les opportunités d'enrichissement que lui offre son bon dirigeant. Bref, si les choses vont mal, c'est de la faute du peuple. Conclusion : si une révolution se produit, elle sera le fait d'éléments criminels qui renverseront Akaev par la force.

Cette version pour le moins biaisée de la réalité kirghize s'explique aisément : Akaev est fidèle au Kremlin, et sa chute serait un coup dur pour l'équipe au pouvoir à Moscou. Par conséquent, nos médias font feu de tout bois afin de présenter les adversaires de l'homme fort de Bichkek comme une coterie de bandits...

[Mais ces cris d'orfraie n'empêcheront pas le Kirghizistan d'organiser, ce 27 février, des élections législatives. Ce scrutin falsifié suscitera la colère de la population et signera la fin du règne d'Akaev : quelques semaines plus tard, il s'enfuira à Moscou, où l'une des datchas du gouvernement lui sera octroyée. En avril, le chef de l'opposition, Kourmanbek Bakiev, sera triomphalement élu président. La « révolution des tulipes » réussira, avec le soutien du monde entier. La Russie sera la seule à maudire le nouveau pouvoir de Bichkek, mais finira par se résigner à le reconnaître.]

8 mars

Aslan Maskhadov est mort. Il a été tué dans le village de Tolstoï-Iourt, en Tchétchénie.

Toute la journée, nos chaînes de télévision infligent au public d'interminables gros plans de son cadavre dénudé. Cette mise en scène macabre a plongé la Tchétchénie entière en état de choc. Même ceux qui n'avaient aucune sympathie pour Maskhadov admettent que, cette fois, le Kremlin s'est surpassé dans l'art d'outrager le peuple tchétchène : personne n'a oublié qu'en 1997 Maskhadov avait été démocratiquement élu président, lors d'un scrutin reconnu par la communauté internationale, y compris par la Russie...

L'époque de Maskhadov a brutalement pris fin. Quelle sera l'époque suivante ? Le doute n'est pas permis : c'est Bassaev qui prendra la tête de la résistance. Il n'y aura donc plus de trêves, plus de négociations. Terrible constat : depuis qu'elle a proclamé son indépendance, en 1991, la Tchétchénie a eu quatre présidents ; trois d'entre eux – Djokhar Doudaev, Akhmad Kadyrov et Aslan Maskhadov – ont connu une mort violente. Et la légitimité du dernier, Alou Alkhanov, est fort douteuse. Après presque six ans de « pacification », la violence est toujours omniprésente sur tout le territoire de la République. Sur la carte de l'Europe, la Tchétchénie représente toujours une tache sanglante.

Maskhadov est mort comme des milliers d'autres Tchétchènes : il a été trahi par ses compatriotes. La fréquence des délations est la résultante directe de la torture employée par l'armée russe. De peur d'être suppliciées, de nombreuses personnes dénoncent leurs amis, leurs parents, leurs chefs... En ce sens, Maskhadov a partagé le sort de son peuple. Il restera donc dans la mémoire de ses compatriotes. Il est même très probable qu'il sera considéré comme un martyr, malgré toutes les violences qu'il a pu commettre.

À qui tout cela profite-t-il ? Aslan Maskhadov a été tué pendant une trêve qu'il avait lui-même proclamée. Même si tous les indépendantistes n'ont pas respecté cette accalmie, il s'agissait tout de même d'un geste unique de bonne volonté. Pour la première fois depuis le début de la deuxième guerre, un leader éminent de la résistance avait tendu la main à Moscou, proposant d'entamer des négociations de paix. Le président de l'Itchkérie souhaitait le cessez-le-feu, la démilitarisation et l'échange de prisonniers de guerre.

Sa liquidation renvoie la pacification de la région aux calendes grecques. D'abord, parce que le Kremlin ne cherche pas la paix. Ensuite, parce que les indépendantistes sont de plus en plus radicaux. Ils estiment à présent que pour frapper la Russie, tous les moyens sont bons, y compris ceux employés à Beslan. Maskhadov était le dernier qui essayait encore de raisonner ses troupes et de conduire une guérilla « propre ».

Désormais, il n'y aura plus personne, à l'intérieur de la résistance, pour s'opposer aux velléités terroristes. En revanche, il se trouvera toujours des volontaires pour donner un coup de fouet à la haine. Quel que soit l'individu que le GKO (le Comité de défense de l'Itchkérie, principal organe politique de la résistance) désignera pour succéder à Maskhadov, une chose est certaine : dans les faits, Chamil Bassaev, un adversaire résolu des méthodes modérées, va devenir le leader incontestable des indépendantistes. En liquidant Maskhadov, le FSB a offert les rênes du pouvoir au chef de guerre le plus dangereux qui soit. À la différence de Maskhadov, Bassaev ne se préoccupe nullement d'apparaître comme un interlocuteur acceptable pour le Kremlin. Il fait la guerre, et il continuera aussi longtemps qu'il sera en vie.

À présent, deux scélérats, pareillement barbares et cruels, se font face en Tchétchénie : Chamil Bassaev et Ramzan Kadyrov. La population civile se retrouve entre le marteau et l'enclume. Cette confrontation engendrera des attentats, des exactions policières, des kamikazes, des islamistes maquisards, des ratissages, des centres de tortures... Et la lutte dépassera les frontières de la Tchétchénie : où que nous habitions, nous serons tous de plus en plus effrayés à l'idée de descendre dans le métro ou de sortir dans la rue.

Derrière Kadyrov se trouve Poutine. Et derrière Bassaev ? D'après le Kremlin, il serait financé par des « Arabes ». En réalité, les mercenaires étrangers ne constituent pas le noyau dur des forces de Bassaev : de nombreux jeunes Tchétchènes se rallient à lui car c'est le seul moyen qui leur est accessible pour venger leurs proches et se soustraire aux humiliations quotidiennes auxquelles les soumettent les fédéraux.

Au-delà même de la Tchétchénie, Bassaev recrute partout dans le Caucase. Dans toute la région, les musulmans sont persécutés par le FSB. Cette traque permanente contribue à la radicalisation des croyants. En réprimant l'indépendantisme tchétchène, le pouvoir central a voulu montrer à la Fédération entière qu'il était très dangereux de se révolter. Il a, sans doute, réussi dans son entreprise. Mais, dans le même temps, la répression a abouti à un effet pervers, contraire à celui recherché : au cours des cinq dernières années, des milliers de jeunes musulmans qui refusent d'être traités en citoyens de deuxième catégorie ont opté pour le fondamentalisme... et ont décidé de combattre la Russie, les armes à la main, sous les ordres de Chamil Bassaev.

La lutte sans merci que Moscou a livrée à Maskhadov – un ancien communiste et colonel de l'armée soviétique, n'ayant adopté l'islam qu'à la fin de sa vie – a montré à la jeune génération tchétchène que la modération ne menait nulle part. Les modérés tentent de parlementer, et se font tuer. Les radicaux, eux, tiennent tête à ce pouvoir assassin : comment s'étonner, dans ces circonstances, que Bassaev soit l'idole de cette génération ? Depuis une dizaine d'années, il rêvait de prendre la place de Maskhadov. Non pas qu'il estime pouvoir obtenir l'indépendance pour la Tchétchénie ; simplement, il sait mieux que quiconque organiser des attentats extrêmement sanglants. L'assassinat du président est du pain bénit pour lui. D'une part, cet événement lui offre le rang de numéro un incontestable au sein de la résistance et, d'autre part, il démontre à ses concitoyens qu'il est absurde d'espérer négocier avec la Russie.

À la fin de la journée, Ramzan Kadyrov est apparu à la télévision pour dire que la mort de Maskhadov était un cadeau à toutes les femmes à l'occasion du 8 mars... Sans commentaire.

15 mars

Le FSB a déclaré avoir versé 10 millions de dollars pour les renseignements concernant la localisation d'Aslan Maskhadov. Il serait intéressant de savoir de quel budget proviennent ces 10 millions...

Le corps de l'ex-président de l'Itchkérie indépendante n'a pas été rendu à sa famille. Il faut sans doute y voir un ordre personnel de

Poutine, qui aurait probablement aimé se faire apporter la tête de son ennemi sur un plateau doré, selon la vieille coutume russe médiévale... En tout cas, le cadavre de Maskhadov a été transporté à Moscou, officiellement pour une expertise complémentaire ; officieusement, on murmure que Poutine a voulu s'assurer de ses propres yeux de la mort du chef rebelle. *O tempora, o mores...*

Dans la région de Tchita, quatre soldats se sont enfuis de leur poste frontière après avoir abattu trois de leurs supérieurs. Les fugitifs ont emporté quatre Kalachnikov et cinq cents cartouches. Il est fréquent que des recrues effectuant leur service aux frontières désertent l'armée : il ne se passe pas un mois sans qu'une défection de ce type ne soit signalée.

La police a bloqué les routes afin d'arrêter les quatre fuyards. Mais le lendemain, ils ont réussi à forcer un barrage sur la route Tchita-Khabarovsk, en tuant trois policiers. Finalement, nos hommes ont été arrêtés, mais il n'en reste que deux en vie : l'un d'entre eux a été tué et un autre s'est suicidé. Trois de ces quatre soldats effectuaient leur deuxième année de service ; ils devaient bientôt rentrer à la maison.

Cette tragédie, comme toutes les précédentes, n'a entraîné aucune mesure visant à améliorer la situation des conscrits dans cette armée qui les traite comme des esclaves.

Au Daghestan, dans la ville de Khasaviourt, proche de la Tchétchénie, et où réside une importante minorité tchétchène, la police a mené une nouvelle rafle à la recherche de *boïeviki*. Les forces de l'ordre ont encerclé une maison où étaient censés se trouver des combattants indépendantistes. Pour ne prendre aucun risque, la maison a été détruite par un tir nourri à l'arme lourde. Mais les *boïeviki*, vraisemblablement prévenus à temps, ont réussi à s'enfuir avec leurs armes. Aussi longtemps que des gens ordinaires éprouveront de la sympathie pour les maquisards et désapprouveront l'action des autorités, on aura beau organiser des rafles, leur nombre ne diminuera pas.

Le ministère de la Défense a officiellement déclaré que les salaires des militaires ne seraient pas indexés en 2005. En 2004, ils n'ont pas été indexés non plus. Or, rien que pour l'année 2005, on prévoit une inflation de 25 %. Ainsi, les militaires vont encore s'appauvrir. Pour le moment, ils ne se révoltent pas. Pour le moment...

16 mars

Dans la ville tchétchène de Chali, voilà déjà trois jours qu'un *sit-in* est organisé devant le bâtiment de l'administration régionale. Les manifestants sont les parents de plusieurs jeunes gens récemment enlevés. Ils réclament le retour de leurs proches ou, au moins, des renseignements sur leur sort.

Parmi eux, la famille de Timour Rachidov, né en 1976 et gravement handicapé, qui a été enlevé le 12 mars par des militaires. Sa mère, Khalipat Rachidova, raconte que des soldats arrivés en véhicule blindé ont fait irruption dans la maison et y ont tout retourné sens dessus dessous, sans donner d'explications. Après avoir déshabillé sa fille, âgée de dix-huit ans, pour « vérifier qu'elle ne cachait pas d'armes », ils sont repartis en direction du quartier général du ministère de l'Intérieur, situé à la périphérie de Chali, en emmenant son fils, Timour.

Les Ousaev, quant à eux, recherchent leur fils Rouslan, né en 1983, étudiant à l'université de Grozny. Depuis que des militaires russes l'ont kidnappé le 13 mars dernier, ses parents n'ont obtenu aucune information sur ce qu'il était advenu de lui.

À Moscou, il ne s'est pas trouvé un seul membre du mouvement démocratique pour exprimer sa solidarité avec les manifestants de Chali. Pas de déclarations, pas d'actions, juste un silence total.

En ce début de 2005, la guerre de Tchétchénie ne peut plus être contenue dans les frontières de la petite république. Elle déferle désormais sur tout le Caucase du Nord. Les régions voisines – Ingouchie, Daghestan, Ossétie du Nord et Kabardino-Balkarie – l'ont déjà constaté à leurs dépens. Cependant, les habitants de chaque république réagissent indépendamment des autres. Partout, de jeunes hommes ont été kidnappés; mais leurs familles ne songent pas à organiser une sorte de front uni à travers la région. La Tchétchénie demeure la plus isolée : personne, pas même les Ingouches, ne vient ici pour se solidariser avec ce peuple, qui est pourtant celui qui souffre le plus. La raison de cet ostracisme est simple : depuis Beslan, les Tchétchènes sont uniformément considérés comme des terroristes fous furieux, même par leurs voisins...

19 mars

Tôt ce matin, à Grozny, des hommes en armes ont enlevé Adam Karnakaev, au moment où il entrait dans une mosquée.

[Le 5 avril, des représentants du parquet appelleront ses parents, sans nouvelles d'Adam depuis l'enlèvement, pour leur dire de venir récupérer son cadavre à la morgue de Mozdok. Une histoire typique de l'année 2005.]

25 mars

Une grande manifestation contre la monétisation se tient dans l'extrême est du pays, à Ioujno-Sakhalinsk. Le plus gros de la vague de protestation s'est déjà calmé : quelques poignées de roubles ont suffi à amadouer le peuple. Mais les gens de Sakhaline refusent de baisser la tête. Voici la résolution qu'ils ont adoptée à l'issue de leur rassemblement :

« Nous, vétérans de guerre, employés de diverses organisations, handicapés, retraités et jeunes, exprimons notre indignation face à l'agression conduite par les autorités contre les droits politiques et sociaux des citoyens russes, en particulier ceux des habitants de l'extrême nord et de l'extrême est. Nous protestons contre le mépris des normes démocratiques garanties par la Constitution, contre la violation de la liberté des médias, contre la fin de l'indépendance des juges et la suppression de l'électivité des gouverneurs. Nous contestons la monétisation des avantages sociaux, qui ne couvre pas les coûts de tous les services désormais payants. Nous exigeons que les entrepreneurs puissent faire des affaires sans avoir à verser de pots-de-vin et que les soldats aient la possibilité d'ajourner leur service militaire. Il faut cesser de spéculer sur l'" antiterrorisme " et de galvauder des notions comme " patrie ", " pouvoir du peuple " et " démocratie ". Le pouvoir doit respecter les intérêts de tous les citoyens, y compris de ceux qui critiquent le régime. Et quand il prend des décisions d'une grande importance pour l'État, il doit tenir compte de l'avis de l'opposition... »

Cette résolution, publiée dans le journal *Sovetskii Sakhalin* (Sakhaline soviétique) était suivie d'un programme détaillé, développé en dix-huit points (suppression de la loi 122, professionnalisation de l'armée, réforme de la justice, etc.).

[Même si elle offrait un vrai programme politique aux autorités, cette résolution n'a eu aucun retentissement. Ce n'est pas que ses auteurs aient fait de mauvaises propositions; au contraire, même. Il est frappant de constater que ces gens qui habitent au fin fond du pays, dans des conditions matérielles très dures, réfléchissent comme de vrais hommes d'État. Mais le Kremlin a fait la sourde oreille et la société civile, comme toujours, a fini par se lasser.]

C'est notre éternel problème : nous savons ce qu'il faut entreprendre, mais nous n'avons pas le courage de le faire. Nous sommes apathiques et mous et, toute la vie, nous attendons qu'un miracle tombe du ciel. Comme en 1991, quand les élites ont fait la révolution et les masses n'ont eu qu'à les soutenir. Mais les élites actuelles n'ont pas envie de révolution; elles préfèrent négocier leurs affaires au mieux de leurs intérêts, dans le confort de leurs bureaux. Et le bien-être du peuple est leur dernier souci.

26 mars

Dans le village tchétchène de Samachki, des individus masqués et armés se sont introduits chez Ibrahim Chichkhanov, âgé de vingt et un ans, et l'ont kidnappé. Comme il voulait mettre des chaussures avant de sortir, ils le lui ont interdit en expliquant que, là où il allait, il n'en aurait plus besoin... Refrain connu : cette opération a été effectuée par une vingtaine de personnes arrivées dans quatre voitures sans plaques d'immatriculation.

Il est rapidement apparu que le jeune homme avait été enlevé par la police régionale. Ce rapt fait partie de la stratégie de « réaction à Beslan » lancée par le procureur général après les événements tragiques de septembre dernier[1]. En effet, les autorités ont arrêté le jeune Ibrahim pour faire pression sur son cousin, Said-Khasan Mousostov, qui a pris le maquis. Il s'agit d'un chantage pur et simple visant à forcer Mousostov à se rendre.

Mais ce dernier ne s'est pas rendu et nul ne sait ce qu'il est advenu d'Ibrahim.

Le samedi est, traditionnellement, la journée des manifestations. À Khabarovsk, les victimes de l'arbitraire des juges se sont rassemblées pour exiger l'indépendance des magistrats. Voici le contenu de la lettre qu'ils ont adressée à Poutine :

« Notre longue expérience montre que les juges de la région de Khabarovsk ne défendent pas les droits des citoyens, comme l'exige la Constitution, mais uniquement les intérêts de l'administration. Les verdicts qu'ils rendent sont souvent en contradiction à la fois avec la loi, avec la logique la plus élémentaire et avec la morale.

– Lors des procès, les juges violent cyniquement les droits fondamentaux des citoyens. Or sans respect de ces droits, il ne saurait y avoir de justice. Les minutes des séances sont falsifiées et les journalistes ne sont pas admis.

– Dans notre région, les verdicts " sur commande " sont devenus la règle. Les décisions prises ne sont pas motivées, les preuves indésirables ne sont pas prises en compte et tout ce qui va à l'encontre des conclusions du juge disparaît des minutes.

– Les plaintes concernant les violations du code de procédure, déposées auprès des instances judiciaires collégiales, sont renvoyées pour étude... aux magistrats qui ont commis ces violations.

– Les instances judiciaires collégiales refusent de traiter les plaintes déposées contre les abus commis par leurs collègues.

Dans la région de Khabarovsk, le contrôle social de l'activité des magistrats, prévu par l'article " Sur les magistrats " de notre Constitution, est tourné en farce. Six des sept " représentants de la société civile " siégeant dans les instances judiciaires collégiales ont été désignés par les autorités politiques ou par les magistrats. La méfiance des citoyens de Khabarovsk à l'égard des tribunaux est totale... Nous sommes tous convaincus que nos magistrats sont injustes et corrompus. La récente spectaculaire augmentation des salaires des juges, qui n'a pas été accompagnée d'une réforme globale, a suscité l'irritation de la société... »

---

1. Voir à la date du 29 octobre 2004.

Faut-il préciser que les autorités n'ont pas réagi à cette lettre ? Le président de la Fédération de Russie, seul dirigeant possédant le pouvoir de renvoyer la direction du tribunal de la région, ne l'a pas fait. Tous les magistrats responsables de la dégradation scandaleuse du système judiciaire de Khabarovsk sont restés à leur poste.

Regain de la contestation bachkire [1] ! Quelques milliers de personnes venues de quatorze villes différentes du Bachkortostan se sont retrouvées dans la capitale de cette république, Oufa, pour exiger la démission du président Rakhimov, accusé d'incompétence et de népotisme (son fils contrôle l'intégralité du complexe énergétique bachkir...).

Les participants demandent la renationalisation des entreprises pétrolières du Bachkortostan et le paiement de dommages et intérêts aux habitants de Blagovechtchensk qui ont souffert du ratissage effectué par l'OMON et la police au mois de décembre. Le rassemblement est organisé par un conseil conjoint des forces de l'opposition : le PC local, Iabloko, le Parti des retraités, l'Alliance des associations tatares et quelques autres organisations de moindre importance.

Les manifestants exigent le retrait de la loi sur la monétisation des avantages sociaux ainsi que les démissions du président Rakhimov et de la direction locale du ministère de l'Intérieur, qui a toléré le ratissage à Blagovechtchensk. Après avoir passé une heure sur la place centrale, la foule a marché neuf kilomètres jusqu'au bâtiment de l'administration de Rakhimov. Mais elle n'a pas réussi à s'approcher du bâtiment : il avait été encerclé par les bus de la police et plusieurs milliers d'agents avaient été déployés alentour. Rakhimov n'est pas sorti pour parler aux manifestants ; il leur a envoyé le chef de son administration et le secrétaire du Conseil de sécurité de la république. Ces derniers se sont vu remettre le texte de la résolution ; sur ce, la manifestation a pris fin.

À Blagovechtchensk même, ce sont des victimes de Tchernobyl qui manifestent. Plus de deux cents personnes ont participé à un rassemblement. Elles demandent que les auteurs du ratissage soient punis, que la réforme du logement social soit suspendue et que les avantages sociaux soient rétablis pour les secouristes qui ont travaillé à Tchernobyl après la catastrophe.

---

1. Voir aux dates du 22 janvier et du 26 février 2005.

À Moscou siège le Comité 2008 : ses membres aspirent à créer un parti démocratique qui unirait toute l'opposition. Leurs tentatives sont de nouveau vouées à l'échec. Ainsi, Kasparov a proposé que les leaders de tous les mouvements régionaux d'opposition se retrouvent à Moscou et choisissent le futur leader du parti. Or aucune de nos « sommités démocratiques » ne veut renoncer à la présidence ; la guerre des ambitions personnelles les empêche de s'unir autour d'une cause commune. Les membres du Comité 2008 ont rejeté la proposition de Kasparov ; ils ne souhaitent pas céder aux régions le droit de prendre cette décision si importante.

Les habitants de Pskov protestent contre la nouvelle législation sur le logement social [1]. Quelque trois cents communistes, ainsi que des sympathisants de Iabloko et des représentants des syndicats, se sont retrouvés sur la place centrale. Comme il fallait s'y attendre, aucune chaîne de télévision locale n'a mentionné cette manifestation.

La résolution signée par les manifestants qualifie le nouveau code du logement, en vigueur depuis le 1er mars, de « criminel » : « Au cours des dix dernières années, l'État n'a pas rempli ses obligations de restaurer et de moderniser les logements sociaux. En revanche, il a tout fait pour satisfaire la demande des acheteurs et des locataires appartenant aux classes favorisées... »

27 mars

Cette journée est consacrée à plusieurs référendums régionaux. À Saratov, les électeurs sont invités à se prononcer sur la procédure de désignation du maire de la ville. La participation est ridicule : à peine 7 %. Le peuple se moque donc de savoir s'il va choisir lui-même son maire ou si l'édile sera nommé par le système.

Au Bachkortostan, le référendum porte sur la nomination des maires et des gouverneurs. Il se tient à l'initiative d'une organisation non gouvernementale, « Pour la réforme des autorités

1. Cette réforme consiste à obliger les régions à faire payer aux habitants l'intégralité des charges communales, ce qui augmenterait significativement les dépenses de chaque foyer. Les plus pauvres n'ont tout simplement pas les moyens de s'acquitter de ce prélèvement supplémentaire.

municipales », qui estime que le système actuel est contraire à la Charte européenne de l'autonomie locale, ratifiée par la Russie en 1998.

Ici, comme à Saratov, même si ce problème concerne tout le monde, la mobilisation est très faible. Cette indifférence s'explique par la certitude quasi absolue que le scrutin sera falsifié. Dès lors, pourquoi se déplacer ?

Bilan de ces référendums : la majorité silencieuse renonce carrément à la vie politique. Parmi les votants, 90 % sont favorables au rétablissement de l'élection directe des maires.

Politiquement, Moscou est encore moins actif que la province. Si une révolution commence un jour, elle viendra de la périphérie. Le rassemblement contre la réforme du code du logement social organisé par Iabloko dans la capitale n'a réuni que deux cents personnes. Iabloko considère que le gouvernement n'a pas le droit de hausser les tarifs et qu'il doit, au contraire, alléger les charges pour les plus démunis.

Ces exigences sont justifiées et raisonnables. Mais elles ne mobilisent que deux cents personnes. Ce qui reflète le taux de popularité extrêmement bas du parti de Iavlinski. Rien d'étonnant : les dirigeants du parti n'essaient pas de gagner l'estime du peuple mais seulement d'obtenir des places au Parlement en négociant avec l'administration présidentielle.

28 mars

À Nazran, capitale de l'Ingouchie, des protestataires essaient d'organiser une manifestation pour exiger la démission du président Mourat Ziazikov. Le principe « là où les dirigeants volent, la révolution est imminente » va-t-il fonctionner ici ? Ou bien un scénario « à la kirghize » est-il résolument impossible en Russie ? C'est la question que tout le monde se pose en ce moment.

Les autorités ont coupé court à toute velléité de manifestation. Les rues du centre-ville ont été bloquées par l'armée et la police. Boris Arsamakov, le président de l'organisation « Akhi-Iourt », qui se trouve à l'origine de cette idée, a été arrêté et retenu par les forces de l'ordre jusqu'à la fin de la journée. Ziazikov lui-même a préféré quitter l'Ingouchie la veille : c'est sa méthode habituelle, il fuit toujours au moindre danger.

Il n'est rentré que lorsqu'il est devenu clair qu'il n'y aurait pas de violences. D'ailleurs, c'est l'opposition elle-même qui a empêché des altercations avec la police. Quand les gens ont appris l'arrestation de Boris Arsamakov, certains ont décidé de prendre d'assaut le commissariat dans lequel il était détenu. Mais le chef de l'opposition ingouche, Moussa Ozdoev, les a retenus. Il est lui-même allé voir les policiers pour négocier avec eux la libération d'Arsamakov. Après avoir appelé tous les manifestants à adopter une résolution exigeant une « démission sans délai » de Ziazikov, il a déclaré :

« Étant donné que le pouvoir a rassemblé un nombre aussi important de militaires, démontrant ainsi l'ampleur de sa couardise, le plus sage est de rentrer chez nous et d'attendre la réaction à notre résolution. »

Son discours a calmé les gens. De plus, il a reçu l'appui de Mourat Oziev, le rédacteur en chef du seul journal d'opposition ingouche, *Angoucht* (interdite par Ziazikov, cette publication paraît tout de même de temps à autre, dans la clandestinité), qui a également demandé à tous les présents de ne pas entreprendre d'actions violentes.

Ensuite, deux députés pro-Ziazikov sont arrivés. Ils ont déclaré être prêts à négocier avec l'opposition, mais à une condition : que la foule se disperse. Pourquoi les autorités insistent-elles tellement pour que la foule se disperse ? C'est bien simple : elles craignent comme la peste une répétition du scénario kirghize. En effet, la république est très pauvre tandis que l'administration baigne dans l'opulence et s'enrichit chaque jour un peu plus aux dépens du budget régional. Les hommes qui sont aujourd'hui en poste sont donc pris de panique chaque fois que leur pouvoir est contesté...

Un récent rapport rédigé par le département du ministère de l'Intérieur responsable du district fédéral du Sud conclut qu'au cours des dix-huit derniers mois des millions de roubles ont été détournés par les dirigeants de la République.

L'Ingouchie est toute petite, plus petite encore que la Tchétchénie. Comment son administration a-t-elle réussi à amasser des millions en un an et demi ?

Cette République souffre de plusieurs maux dont le traitement aspire des sommes importantes du budget fédéral. Le problème le plus grave est celui des réfugiés ; le gouvernement finance l'aménagement de camps de transit et la construction de logements pour ceux qui ont perdu leurs maisons lors de la grande inondation de 2002. Au passage, la clique de Ziazikov se sert copieusement dans ces subsides qu'elle est censée distribuer au mieux... Deuxième source d'enrichissement pour cette véritable bande organisée : le pétrole de la région de Malogbek. Les pontes de l'administration locale s'affrontent pour obtenir le contrôle des gisements, ce qui provoque une corruption endémique dans ce secteur. Enfin, l'argent provient aussi de l'agriculture : la république produit beaucoup et perçoit donc d'importants revenus « agraires »... qui ne laissent pas indifférents les bureaucrates avides.

Le rapport du ministère de l'Intérieur dresse un constat terrible des pratiques en vigueur au royaume de Ziazikov :

> « Sans justification aucune, la société gazière et pétrolière *Ingouchneftegazprom* s'est vu octroyer un crédit de 30 millions de roubles issus du budget de la république. Dans le même temps, sans que le budget ne soit officiellement modifié, les subventions au logement ont été réduites de cette même somme de 30 millions de roubles... »

Ingouchneftegazprom est la première entreprise d'Ingouchie. Mais l'argent qui y est investi est proprement soustrait aux simples citoyens. Comment peut-on couper les subventions au logement étant donné qu'énormément de gens vivent dans la précarité et que la république compte des milliers de réfugiés ? Pourtant, c'est bel et bien ce que Ziazikov et ses amis ont fait...

Le rapport est impitoyable :

> « Le montant des dommages causés à l'État et à l'entreprise par la direction de *Ingouchneftegazprom* s'élève à 25 millions de roubles. Le parquet de la république a ouvert une enquête judiciaire. [...] Par ailleurs, en 2003, 9,5 millions de roubles assignés à la réparation des dégâts causés par l'inondation ont été illégalement versés à des personnes qui n'étaient pas domiciliées dans les quartiers endommagés. »

Évidemment, des enquêtes ont été ouvertes au sujet de ces malversations, mais personne ne semble pressé de les conduire à leur terme.

C'est ainsi que le pouvoir central s'assure la loyauté des administrations locales. Il détient des matériaux compromettants contre les cliques dirigeantes, ce qui incite ces dernières à adhérer à Russie unie et à lui rester fidèles.

Quand j'ai moi-même publié les documents cités plus haut (ce qui est, bien sûr, interdit en Ingouchie), Ziazikov a porté plainte contre moi... non pas parce que je l'aurais calomnié, mais parce que j'aurais « volé des documents officiels ». On m'a traînée au parquet de Nazran pour des interrogatoires interminables... Finalement, ils ont bien dû me laisser tranquille : pourquoi aurais-je volé des documents qui n'avaient rien de secret ?

Mais l'auteur de ce rapport, le général Napalkov, a été tout simplement renvoyé. L'administration présidentielle a fait pression sur le ministère de l'Intérieur pour l'obliger à remercier un homme qui combattait la corruption de façon trop virulente. Une bonne leçon pour ceux qui seraient tentés de l'imiter...

11 avril

Mikhaïl Khodorkovski prononce sa dernière allocution au tribunal qui le juge pour escroquerie et fraude à grande échelle :

> « Je ne suis pas coupable des crimes dont on m'accuse. Par conséquent, je n'ai pas l'intention de demander à mes juges de se montrer indulgents. [...] J'estime qu'il est honteux que le procureur ait pu impunément proférer de nombreux mensonges. Tout le pays comprend bien que le tribunal se trouve sous la houlette du Kremlin et du parquet général. [...] Ce que le tribunal essaye de prouver, c'est que la réussite en affaires est un crime. [...] J'ai perdu tout ce qui m'appartenait. Il ne me reste qu'une chose : la conscience de mon bon droit et la volonté de vivre libre... »

La majorité pensait que Khodorkovski allait s'abaisser à demander la clémence de ses juges. Rares étaient ceux qui croyaient qu'un oligarque était capable de rester digne jusqu'au bout. Les Russes détestent les oligarques, ces hommes qui ont fait fortune au détriment du reste du pays. C'est impardonnable. Mais peut-être se trouvera-t-il quelques âmes compatissantes pour plaindre Khodorkovski si le pouvoir décide de l'écraser complètement en le condamnant à une lourde peine et à des conditions de détention très difficiles...

15 avril

Mikhaïl Trepachkine [1] a vu sa condamnation initiale – quatre ans de colonie pénitentiaire – alourdie d'une année supplémentaire. C'est donc cinq ans qu'il devra passer derrière les barreaux. Le verdict rendu par la cour dépasse les réquisitions du procureur. Avant le procès, Trepachkine a été détenu dans des conditions terribles, à la limite de la torture. Son dossier a été transmis à la Cour européenne des droits de l'homme. Ce qui ne le préserve pas du bagne...

17 avril

Gary Kasparov a été agressé lors de l'une de ses interventions à Moscou. Un homme s'est approché de lui avec un échiquier, comme pour lui demander de le signer – une pratique courante dans le milieu des amateurs du « jeu des rois » –, et lui a assené un grand coup sur la tête avec ce même échiquier. L'ancien champion n'a été que légèrement contusionné. Reprenant assez rapidement ses esprits, il a eu ce mot : « Heureusement que, dans notre pays, on joue aux échecs et pas au base-ball ! » Excellente réaction : chez nous, on apprécie les gens qui ont de l'humour. S'il avait paniqué et exigé de renforcer la garde autour de sa personne, il aurait perdu beaucoup d'admirateurs.

23 avril

Poutine a reçu au Kremlin Mikhaïl Fridman, le propriétaire du puissant conglomérat financier Alfa-Group. À Moscou, on dit souvent de lui que son nom suit celui de Khodorkovski sur la liste

---

1. Voir à la date du 13 janvier 2004. Après la levée de l'accusation de port d'armes illégal, le parquet a fait appel, et cette fois-ci, le tribunal a retenu ce motif de condamnation. C'est ce qui a décidé la justice à porter la peine de Trepachkine à cinq ans au lieu de quatre initialement.

des oligarques à abattre. Cette entrevue est donc à interpréter comme une pure opération de « relations publiques » de la part de Poutine, qui entend montrer son soutien aux projets de la holding TNK-BP, fusion entre le pétrolier russe TNK (propriété d'Alfa) et le Britannique British Petroleum (BP).

Ainsi, Fridman n'est pas encore tombé en disgrâce : on lui donne une chance unique de partager ses biens avec le pouvoir. Il saisira sans doute cette opportunité des deux mains : le Kremlin se laisse « amadouer », il faudrait être idiot pour ne pas en profiter !

En même temps, le président a reçu John Brown (le P-DG de BP) et un autre oligarque, Victor Vekselberg, celui-là même qui a acheté les célèbres œufs de Fabergé aux enchères pour les « rendre à la Russie [1] ». Les observateurs avaient perçu ce geste comme une preuve de la loyauté de Vekselberg à Poutine : il faut croire qu'ils avaient eu raison...

Pendant toute la réception, Fridman et Vekselberg étaient aux anges.

Sergueï Glaziev, député de la fraction Rodina, ancien ministre du Commerce extérieur, aujourd'hui très critique vis-à-vis du régime, a résumé toute cette affaire d'une formule lapidaire : « Fridman est plus acceptable que Khodorkovski pour une seule raison : il ne finance pas les partis d'opposition. »

23-24 avril

Vladimir Ryjkov est entré au conseil politique du Parti républicain (RPR), une petite formation financée par la compagnie pétrolière Loukoil. Il a immédiatement déclaré que les démocrates devaient se rassembler autour d'une base commune avant cet été s'ils souhaitaient avoir une chance d'obtenir un résultat honorable aux législatives de décembre 2007. Mais ce projet, comme d'innombrables autres, est voué à l'échec. Le RPR n'a guère de chances de séduire les électeurs. Ryjkov, son leader, manque de charisme. C'est dommage parce qu'il est loin d'être idiot.

Ce qui aurait pu fonctionner, c'est un attelage Kasparov-Ryjkov. Les deux hommes ont déjà travaillé ensemble l'hiver dernier, ils s'estiment et partagent le même espoir de déboulonner le régime.

---

1. Voir au 4 février 2004.

Mais Kasparov n'a pas rejoint Ryjkov au sein du Parti républicain. C'est d'autant plus regrettable que s'il s'était allié à cet excellent stratège politique, il aurait justement pu jouer ce rôle de leader charismatique dont le RPR et, plus généralement, le mouvement démocratique a tant besoin. Un tel binôme est encore possible : Ryjkov a annoncé que sa porte restait ouverte à Kasparov et à tous les hommes de bonne volonté...

[Mais l'été viendra et l'alliance démocratique souhaitée par Ryjkov n'aura pas avancé d'un pouce...]

25 avril

Aujourd'hui, Poutine a prononcé son adresse annuelle traditionnelle au Parlement : un discours tellement pompeux et déconnecté de la réalité qu'il vaut mieux en rire...

Au début de son allocution, il a demandé de considérer son propos comme la suite logique de son message de l'année précédente. Or il n'y a rien de commun entre les deux ! Il y a un an, l'intonation était martiale : il était question de fermeté et de répression pour les récalcitrants [1]. Cette fois, on a eu droit à un véritable plaidoyer pour le libéralisme : d'après le président, en 2005, les Russes sont totalement libres, ils ont toute latitude pour se réunir, créer, entreprendre, etc. Ainsi, de façon étrange, Poutine lui-même n'aurait pas remarqué à quel point les deux discours, distants d'à peine un an, se contredisent. Cet aveuglement illustre bien le fait que le Kremlin fonctionne selon une logique qui lui est propre, où l'on peut aisément dire une chose et son contraire tout en prétendant être parfaitement cohérent...

Le plus grotesque, c'est qu'il puisse dire sans vergogne que ses administrés sont « libres ». Comment pourrait-on l'être dans un pays où les magistrats ne sont pas indépendants, où les élections sont jouées d'avance et où la société civile est muselée ? À cela, il ne répond pas...

1. Voir au 26 mai 2004.

1er mai

Kasparov refuse toujours de rejoindre le Parti républicain. Les démocrates sont divisés et le peuple en a assez d'entendre parler de leur « alliance prochaine » qui ne survient jamais.

Le 1er mai est, traditionnellement, une journée consacrée aux cortèges, rassemblements et autres manifestations. Cette année n'a pas dérogé à la règle. Et, comme souvent, les partis d'opposition ont manifesté chacun dans leur coin.

À Moscou, les démocrates se sont réunis sur la place Tourgueniev. Ils ont défilé jusqu'à la place de la Loubianka, où un mémorial aux victimes des répressions staliniennes fait face au bâtiment du FSB. Leurs slogans n'avaient rien d'original mais, malheureusement, n'en étaient pas moins d'actualité : « Pour la liberté, la justice et la démocratie ! Contre la violation des droits politiques, civiques et sociaux des citoyens russes ! » Environ mille personnes ont participé au meeting : ce n'était donc pas un échec total. Parmi les orateurs, Ilia Iachine, le chef de la section jeunesse de Iabloko, a été particulièrement applaudi : il avait été libéré, la veille, d'une prison de Minsk, avec treize de ses camarades. Les jeunes gens s'étaient rendus dans la capitale biélorusse pour soutenir l'opposition locale lors d'une manifestation, ce qui leur a valu de faire connaissance avec les prisons de notre « pays-frère ». Iachine a révélé que les opposants venus d'Ukraine ont été battus beaucoup plus violemment que les Russes. Il faut croire que le régime de Loukachenko n'a toujours pas pardonné à ses voisins du sud-est le succès de la révolution orange...

Au même moment, les sympathisants du SPS se sont également réunis sur la place de la Loubianka... mais séparément. Ils n'ont pas pu se mettre d'accord avec Iabloko et les autres formations démocratiques pour un rassemblement commun. Par conséquent, leurs partisans brandissaient leurs propres pancartes, scandaient leurs propres slogans et prenaient bien garde à ne pas se mélanger aux autres manifestants.

Les autorités doivent se frotter les mains de satisfaction : même pendant les fêtes, les démocrates trouvent le moyen de se brouiller.

Évidemment, c'est la gauche qui a réuni le plus de monde : presque neuf mille personnes. Elle a réussi à allier ses différentes forces. Le Parti communiste, les *natsboly*, Rodina, Russie laborieuse, l'Union des officiers soviétiques et quelques autres organisations de moindre importance ont mobilisé leurs sympathisants pour sortir dans la rue en un cortège commun. Pour la première fois au cours de ces quatre dernières années, Édouard Limonov marchait en tête de la colonne des *natsboly* : sa période de liberté conditionnelle est terminée et il peut à nouveau prendre part à des activités publiques.

Dans tout le pays, au total, les cortèges du 1er Mai ont rassemblé des dizaines de milliers de manifestants.

En Ingouchie, la fête a coïncidé avec une nouvelle vague d'arrestations. Les autorités ont enfin arrêté le dernier opposant officiel au régime du président Ziazikov, Moussa Ozdoev. Ce dernier, qui réclame depuis longtemps la démission de Ziazikov, a été interpellé par la police le 30 avril, à la veille des grandes festivités : on l'a appréhendé sur la place centrale de Nazran, la capitale de la République, alors qu'il préparait une manifestation contre le satrape local. Quelques heures plus tard, en pleine nuit, un juge, Ramzan Toutaev, est enfin arrivé au commissariat où il était détenu. Le magistrat a « rendu la justice » directement sur place : une belle illustration de la fusion qui est actuellement à l'œuvre entre les forces de l'ordre et le pouvoir judiciaire. Ozdoev a été condamné à trois jours d'emprisonnement pour « actes de vandalisme ». Non seulement cette peine est absurde mais, en plus, elle est illégale. En sa qualité de député du Parlement de la république, Ozdoev ne peut pas être incarcéré sans l'accord préalable du Parlement. C'est pour cette raison qu'on l'a interpellé le soir : le Parlement n'étant évidemment pas réuni à ce moment-là, la police a eu une excuse toute trouvée pour ne pas suivre la procédure normale...

2 mai

Contre toute attente, Ozdoev a été libéré, un jour plus tôt que prévu. C'est un autre juge qui a pris cette décision. Le prisonnier a estimé que cette libération anticipée était humiliante. Il a déclaré : « Je ne veux pas d'aumône. Maintenant que j'ai été condamné à trois jours, je veux les purger en intégralité. » Mais rien n'y a fait ses geôliers l'ont poussé dehors sans ménagement.

On aurait tort d'attribuer cette libération forcée et anticipée à une soudaine prise de conscience, par les autorités judiciaires, de l'absurdité de l'accusation qui a abouti à l'incarcération de l'opposant. La vérité est tout autre : le pouvoir s'est rendu compte qu'au contact de ses codétenus, il risquait d'apprendre des choses pour le moins confidentielles. Dès lors, il a jugé qu'il valait mieux avoir Ozdoev dehors en train de critiquer Ziazikov que dedans en train de découvrir des secrets dont personne en Ingouchie ne devait rien savoir.

Trop tard. En cellule, le député rebelle avait eu le temps de rencontrer des gens que l'on avait torturés pour les forcer à avouer des crimes qu'ils n'avaient jamais commis, notamment un attentat contre Mourat Ziazikov. Ozdoev a découvert que les tortures pratiquées par les collaborateurs du ministère de l'Intérieur étaient particulièrement brutales, au point que le FSB ossète a dû renoncer à interroger certains détenus : ils étaient dans un tel état qu'ils ne pouvaient même plus prononcer un mot. Au cours de son bref séjour derrière les barreaux, Ozdoev a également fait la connaissance de Bekhan Guireev, un homme que le ministère veut faire passer pour l'organisateur principal de l'attentat. Guireev n'a plus d'ongles sur les mains, on les lui a arrachés lors de ses innombrables interrogatoires. Ses bourreaux lui ont également brisé les rotules.

« J'ai appris des choses auxquelles je n'aurais jamais pu croire, m'a dit Moussa le soir de sa libération. Quand on voit ce qu'ils font aux gens, on comprend que leurs familles rejoignent des cellules islamistes clandestines... »

3 mai

Leonid Nevzline, un ex-partenaire d'affaires de Khodorkovski, a téléphoné d'Israël pour proposer de vendre les actions de Ioukos appartenant à sa société, Menatep, en échange de la libération de Khodorkovski et de Lebedev. C'est l'administration présidentielle qui lui a suggéré de proposer ce marché.

Khodorkovski a répondu depuis sa prison, par l'intermédiaire de ses avocats, qu'il refusait catégoriquement cette offre. Il a déclaré qu'il ne se considérait pas coupable, qu'il ne voulait pas acheter sa liberté mais qu'il avait au contraire l'intention de la défendre devant les juges.

Nevzline est devenu l'actionnaire principal de Menatep après que Khodorkovski lui a cédé 59,5 % des parts de la compagnie afin de « se consacrer à la construction de la société civile en Russie ». C'est à ce moment-là qu'ont commencé les problèmes de Khodorkovski et que le Kremlin en a fait un homme à abattre. S'il était resté un businessman uniquement soucieux de s'enrichir et s'il avait accepté de payer comme les autres son tribut au pouvoir, il ne se serait jamais retrouvé au tribunal.

Pendant ce temps-là, les actionnaires de Ioukos ont annoncé qu'ils estimaient inutile de continuer de se battre pour la sauvegarde de la société.

Nos dirigeants mènent une vraie campagne de réhabilitation de Staline ! Sous prétexte de rendre hommage au « vainqueur de la Seconde Guerre mondiale », on inaugure, un peu partout dans le pays, des monuments à sa gloire...

Le mouvement « Pour les droits de l'homme » a appelé la société à faire barrage à ce renouveau du culte de la personnalité du « petit père des peuples ». Voici le texte de son communiqué officiel :

> « Les admirateurs de Staline profitent de la proximité du soixantième anniversaire de la grande victoire sur le nazisme pour relancer son culte. C'est ainsi qu'une véritable campagne a été menée à Krasnoïarsk pour l'installation dans cette ville d'une statue du dictateur et que le gouverneur de la région de Volgograd a proposé de rendre à cette ville le nom de Stalingrad qu'elle a porté à l'époque de la terreur. Il est évident qu'après la fête toute cette hystérie va retomber. C'est pour cette raison que les partisans les plus fervents de Staline essayent de profiter de ce moment pour réinstaller le tyran au panthéon des héros nationaux.
>
> Il est essentiel de comprendre la portée symbolique de ce processus. Une éventuelle restalinisation signifierait très clairement que la Russie en aurait fini avec la démocratie. Historiquement, ce serait le triomphe de la réaction la plus obscurantiste, à laquelle on ne pourrait comparer qu'une éventuelle vénération d'Hitler dans l'Allemagne des années 1950-1960. Après tout ce que nous avons appris sur les crimes de Staline, sa réhabilitation indiquerait que notre pays est prêt à justifier les pires crimes, dès lors que ceux-ci s'inscrivent dans un projet qui frappe l'imagination par son ampleur. N'oublions

jamais que c'est le peuple russe qui a été la première victime du stalinisme !

Un monument à Staline en Russie serait comparable à un monument à Hitler à Berlin ou à Eichmann à Jérusalem. Aucune nation qui se respecte n'honore un dirigeant qui s'est appliqué à humilier et à exterminer son propre peuple.

La restalinisation serait une insulte grave à la mémoire des dizaines de millions de victimes de la dictature communiste. Elle justifierait n'importe quelle politique russophobe, que ce soit chez nous ou chez nos voisins. Elle délégitimerait la Fédération de Russie en tant que telle, car ses habitants n'ont pas oublié que le Généralissime s'est livré contre eux à un génocide comparable seulement à la politique raciste des nazis.

Il est du devoir de l'intelligentsia russe d'expliquer aux masses le rôle que Staline a joué dans l'Histoire. Quant aux autorités, elles aussi devraient enfin prendre position face au culte de la personnalité et à ses conséquences... »

Et le pouvoir a pris position : d'un point de vue idéologique au moins, la restalinisation est en très bonne voie.

4 mai

À Moscou, au tribunal de Zamoskvoretchie, on attend le verdict de la juge Irina Vasina à la suite d'une plainte déposée par Svetlana Goubareva, une ex-otage de *Nord-Ost* qui y a perdu sa fille Alexandra, âgée de treize ans, et son fiancé, un Américain du nom de Sandy Booker. Svetlana demande trois choses : que la Cour déclare illégal le refus du parquet de Moscou de lui communiquer les informations qu'il a recueillies sur les circonstances exactes de la mort de ses proches ; que la Cour stipule que l'enquête menée par le parquet de Moscou sur le comportement des médecins et des infirmiers présents autour du théâtre – ils ont été entièrement blanchis de toute responsabilité dans la mort des otages – a été bâclée et doit être reprise à zéro ; et que la Cour revienne sur la décision du parquet de Moscou de ne pas ouvrir d'enquête sur les agissements des membres des forces de l'ordre qui ont pris le bâtiment d'assaut.

À neuf heures trente, l'heure annoncée du début de l'audience, la juge n'était pas arrivée. Elle est apparue au détour d'un couloir à seulement dix heures trente, pour lancer : « Vous n'êtes pas au courant ? J'ai ordonné de remettre l'audience à quatorze heures. » L'avocate de Svetlana, Karina Moskalenko, l'a suivie en tâchant de lui faire comprendre qu'elle avait, à cette heure-là, une autre audience à laquelle elle devait impérativement être présente. Peine perdue. La juge est partie sans rien vouloir entendre.

À quatorze heures, un huissier a ouvert la porte de la salle où la séance devait avoir lieu... pour annoncer qu'en l'absence de Moskalenko l'audience allait être reportée. Finalement, à quatorze heures vingt, la juge Vasina a tout de même accepté de commencer. D'une voix tremblante, Svetlana Goubareva a alors prononcé un discours bouleversant, dans lequel elle a rappelé que les coupables de la mort de toutes les victimes de *Nord-Ost*, y compris de ses proches, avaient été décorés par le gouvernement et qu'ils n'allaient sans doute jamais répondre de leurs actes, alors qu'ils ont transformé la salle où étaient retenus les otages en chambre à gaz.

Svetlana voulait créer un précédent : forcer le pouvoir à revenir sur ses propres conclusions, l'obliger à rouvrir des dossiers enterrés, le contraindre à admettre sa responsabilité... mais cinq minutes après son discours, la juge a clôturé l'audience, estimant qu'aucun élément ne permettait de donner suite aux demandes de la plaignante.

9 mai

La Russie célèbre le soixantième anniversaire de la fin de la Seconde Guerre mondiale [1].

La plupart des grands leaders mondiaux se sont rassemblés à Moscou pour commémorer l'événement. Mais on a l'impression qu'ils sont là non pas pour rendre hommage au peuple russe, mais exclusivement pour rencontrer Poutine. On assiste à une grande opération de relations publiques lancée par notre président. Les cérémonies célébrant le jour le plus important de l'histoire du pays passent au second plan. Il n'y en a que pour le numéro un.

---

1. Les Russes fêtent la victoire sur le nazisme le 9 mai et non pas le 8 mai parce que la capitulation du Reich a été signée le 8 mai 1945 à 22 h 45, heure de Berlin... donc le lendemain à 0 h 45, heure de Moscou.

Ce triomphe de Poutine, nous autres contribuables l'avons payé de nos poches. Tous les entrepreneurs, mais aussi tous les fonctionnaires et les simples employés ont été obligés de verser un peu d'argent au « fonds de la Victoire » pour que le président puisse se permettre de briller devant ses invités de marque.

J'ai reçu une lettre du vieux Pavel Smolianinov, dont la femme travaille comme facteur de village. Même elle, qui touche 2 000 roubles par mois, a été forcée de contribuer à cette « cause commune ». Selon Pavel, elle n'a pas pu se soustraire à cette véritable extorsion légale, car il ne lui reste que trois mois avant la retraite et elle ne voulait surtout pas faire un esclandre.

« À l'heure où le pays entier est plongé dans la misère, m'écrit-il, il est scandaleux que ce genre de festivités soit financé par les citoyens les plus pauvres. »

12 mai

Au quartier général du Parti national-bolchevik (NBP), quatre jeunes gens – trois garçons et une fille – effectuent depuis le début du mois une grève de la faim pour réclamer la libération de tous les prisonniers politiques, au premier rang desquels leurs camarades emprisonnés pour « troubles à l'ordre public ».

À Novossibirsk, le FSB a arrêté deux autres membres du parti, Nikolaï Balouev et Viatcheslav Rousakov. Ils ont été immédiatement écroués pour « détention d'armes » et « activités terroristes ». En guise d'armes, les policiers n'ont trouvé à leurs domiciles respectifs rien de plus que quelques désherbants ; quant à la seconde accusation, elle repose uniquement sur la découverte d'exemplaires du journal du parti, *Generalnaïa Linia* (La Ligne générale)...

14 mai

Les survivants de *Nord-Ost* ont organisé un festival baptisé « Non à la terreur ». C'est ainsi que les victimes des attentats essaient de lutter contre le terrorisme. Ils ne sont pas soutenus par grand monde. La salle de l'hôtel Kosmos où se tient le festival est à moitié vide...

Aux premiers rangs, on reconnaît les familles des victimes de *Nord-Ost* et plusieurs anciens otages. Il y a aussi une petite délégation venue de Beslan. Le festival est ouvert par Tatiana Karpova, la mère d'Alexandre Karpov, mort au théâtre de la Doubrovka. Après la tragédie, Tatiana a créé une organisation d'aide aux victimes de *Nord-Ost*. Cette organisation lutte pour attirer l'attention de l'État sur les victimes ; elle ne craint pas de dénoncer la manière dont le pouvoir a enterré l'enquête et interpelle nommément le président Poutine, auquel elle reproche de ne rien faire pour inciter le parquet à établir toute la vérité sur les événements.

Dans les couloirs, on fait circuler une lettre ouverte à Poutine. Elle est signée par Oleg Jirov, un citoyen néerlandais d'origine russe, qui a perdu sa femme à la Doubrovka.

> « Je vous écris cette lettre pour attirer votre attention sur la croissance incessante, en Russie, du nombre de victimes des attentats terroristes. L'administration et les tribunaux, y compris la Cour suprême et la Cour constitutionnelle, se montrent extrêmement négligents à leur égard. Si l'on étudie les décisions prises par ces instances, on a l'impression que tout ce qui se fait au nom de la lutte contre le terrorisme est normal et légitime tandis que toutes les poursuites judiciaires entamées par les victimes de cette lutte sont absurdes et injustifiées. Il semble qu'il ne reste que deux sortes d'acteurs dans cette guerre : les forces spéciales héroïques et les terroristes séparatistes. Les civils ne comptent plus... »

L'action des victimes des attentats est soutenue par les rares personnalités qui ont toujours été du côté des martyrs de cette guerre : Irina Khakamada, Gary Kasparov ou encore l'avocate Lioudmila Aïvar qui, depuis presque trois ans déjà, représente les victimes de *Nord-Ost* aux procès. Parmi les sympathisants présents, il n'y a pas beaucoup de nouveaux visages. Bien que le comité d'organisation ait invité toute notre élite politique, ce sont toujours les mêmes qui viennent. Ainsi, Alexandre Torchine, le chef de la commission d'enquête parlementaire sur Beslan, s'est fait porter pâle. C'est pourtant pour l'écouter que des habitants de Beslan ont traversé tout le pays. Selon des rumeurs insistantes, Torchine connaîtrait toute la vérité sur la prise d'otages et serait prêt à la révéler un jour ou l'autre... Ce festival aurait été pour lui une excellente occasion de se présenter aux familles des victimes et de leur dire où en est son enquête. Mais Torchine n'est pas venu.

Le festival « Non à la terreur » a démontré, encore une fois, que le fossé qui sépare le pouvoir et les masses est énorme et que personne ne veut l'enjamber. Poutine est incapable de faire du peuple son allié dans sa lutte contre le terrorisme. Et ses subordonnés calquent leur attitude sur la sienne...

16 mai

La brutalité déployée par l'OMON à l'encontre des manifestants qui se sont réunis à côté du tribunal où se termine le procès des patrons de Ioukos est un bon indicateur du rapport que les autorités entretiennent avec la démocratie : les policiers ont dispersé sans ménagement les partisans de Khodorkovski et de Lebedev, mais ils n'ont pas touché à ceux qui brandissaient des pancartes hostiles à Ioukos...

En tout, l'OMON a arrêté vingt-huit personnes. Des gens ont été attrapés au hasard et poussés dans des bus, puis amenés dans un commissariat de police où ils ont été détenus pendant sept heures. Parmi eux se trouvait Gary Kasparov. Ce débutant en politique accumule vite de l'expérience.

21 mai

Le pouvoir a annulé les festivités prévues à l'occasion de l'anniversaire d'Andreï Sakharov. Depuis 1990, la Fondation Sakharov, conjointement avec la Philharmonie de la ville, organisait ce jour-là des soirées musicales dans la grande salle du Conservatoire de Moscou. En quatorze ans, le programme de cette journée est devenu une vraie tradition : un concert de musique classique suivi de quelques brèves interventions des proches du grand homme, consacrées de manière générale aux problèmes des droits de l'homme dans notre pays.

Ce sont sans doute ces discours qui ont effrayé l'administration. En tout cas, sans donner la moindre explication, la

Philharmonie a refusé, cette fois, de prêter une salle aux amis de Sakharov.

Pour ne pas interrompre la tradition, les habitués ont alors organisé un petit concert en plein air, dans un square situé devant les locaux du Centre social Andreï Sakharov. Et finalement, la soirée a été très réussie. Aux chansons reprises en chœur par toute l'assistance ont succédé des poèmes poignants et des discours engagés. Il y avait là, entre autres, Sergueï Kovalev, Grigori Iavlinski et Vladimir Loukine *, le conseiller du président pour les droits de l'homme. Les festivités ont été animées avec talent par la poétesse et cantatrice Natella Boltianskaïa, par ailleurs animatrice à la radio « Écho de Moscou », la seule station vraiment indépendante.

Mais l'affaire ne se termine pas là; jamais à court d'idées, les autorités ont trouvé une réplique. Apprenant que les défenseurs des droits de l'homme allaient se réunir de leur côté, le pouvoir est revenu à l'idée initiale : l'organisation de festivités dans la grande salle du Conservatoire. Ainsi, un concert également « dédié à Sakharov » a eu lieu parallèlement à celui des démocrates dans leur square. Sauf qu'à cette soirée-là, aucun proche du physicien n'a été invité : ni ses amis, ni des anciens prisonniers du goulag, ni des défenseurs des droits de l'homme...

Ils « privatisent » absolument tout, même la mémoire de Sakharov. Le but de la manœuvre est élémentaire : il s'agit de berner l'Occident en lui montrant que le Kremlin respecte Sakharov, et donc la démocratie...

22 mai

Manifestation à Moscou, ce dimanche, sous le mot d'ordre : « Pour la liberté d'expression, contre la censure, la violence et le mensonge dans les médias ». J'y suis allée en pensant que ce serait avant tout un rassemblement de journalistes. Grosse déception : comme journalistes, il n'y avait que Evgenia Albats (qui, d'ailleurs, a quitté le journalisme pour l'enseignement) et moi-même.

De nombreux partis et organisations sociales avaient envoyé des représentants à ce rassemblement : Iabloko, Notre choix, le Parti communiste, le SPS, l'Union des journalistes, le groupe Helsinki, le Comité 2008, les *natsboly* et beaucoup d'autres.

Mais les drapeaux rouges étaient prédominants ; comme toujours, les forces démocratiques sont minoritaires parmi les protestataires, tandis que l'extrême gauche est omniprésente.

23 mai

Les filles du NBP emprisonnées pour l'affaire du « 14 décembre » ont entamé une grève de la faim.

[Description de l'affaire : le 14 décembre 2004, un groupe d'étudiants et de lycéens appartenant au Parti national-bolchevik – parti qui sera interdit le 29 juin 2005 et rétabli le 16 août – ont pénétré dans la réception de l'administration présidentielle, se sont enfermés dans un cabinet situé au rez-de-chaussée et se sont mis à crier par la fenêtre : « Poutine va-t-en ! », « Poutine, tu vas couler comme le *Koursk* », et ainsi de suite. Quarante-cinq minutes plus tard, ils ont tous été arrêtés, de manière extrêmement brutale. Lira Gouskova, vingt-deux ans, a souffert d'une grave commotion cérébrale ; Evguenia Taranenko, vingt-trois ans, a eu le nez cassé par les hommes de l'OMON ; Vladimir Lindou a été violemment passé à tabac.

Initialement, ils ont été inculpés de « tentative de coup d'État » (article 278) ; mais, rapidement, l'accusation est revenue à plus de mesure et s'est contentée de l'article 212 : « Troubles massifs à l'ordre public », pour lequel les peines varient de trois à huit ans de prison. Placée sous le contrôle du procureur général Vladimir Oustinov, l'affaire a été dirigée par une brigade d'enquêteurs du parquet de Moscou (le chef de cette brigade, Evgueni Alimov, sera limogé en juillet pour corruption). Les trente-neuf *natsboly* ont passé les six mois qui ont précédé le procès en détention préventive. Ils y ont organisé deux grèves de la faim – l'une par les garçons, l'autre par les filles – en demandant la libération de tous les prisonniers politiques, y compris eux-mêmes et leurs cinq camarades arrêtés pour avoir pris d'assaut, le 2 août 2004, le cabinet du ministre de la Santé et du Développement social, Mikhaïl Zourabov.]

24 mai

Ioukos n'existe plus. La compagnie a été purement et simplement liquidée. Son actif principal, Iouganskneftegaz, lui a été arraché par l'entreprise d'État Rosneft.

28 mai

À Moscou, sur la place de la Révolution, se tient un rassemblement de l'opposition en soutien aux prisonniers politiques. Cette fois-ci, l'opposition a réussi à s'unir : les membres du Parti communiste, de Iabloko, de Rodina et du NBP manifestent tous ensemble. C'est un geste de solidarité envers les activistes *natsboly*, spécialement envers les jeunes filles qui ont entamé une grève de la faim dans la prison de Petchatniki. Ces filles exigent du pouvoir qu'il les libère, qu'il cesse de poursuivre les opposants pour des motifs purement politiques et qu'il amnistie tous les détenus accusés de crimes mineurs.

Mais que des gens manifestent ou non, le pouvoir s'en moque éperdument.

Le SPS tient congrès pour désigner son chef. C'est un homme du pouvoir, Nikita Belykh *, le vice-gouverneur de la région de Perm, qui a été élu. L'administration a fait main basse sur le parti. [La preuve : depuis cette nomination, le SPS a abandonné l'un de ses chevaux de bataille, la protestation contre la nomination directe des gouverneurs par le centre.]

Pendant toute la session de printemps, la douma, pressée par l'administration présidentielle, a soigneusement nettoyé la Constitution de ses derniers articles démocratiques. Les députés ont adopté des amendements qui permettent aux hommes en place de filtrer les candidats à l'accession au pouvoir d'une façon si efficace que l'avis des électeurs n'aura, à l'avenir, plus la moindre espèce d'importance.

Voici la liste des principales innovations :

1. Le montant de la « caution électorale » que doivent verser les partis désireux de participer à un scrutin a été porté à deux millions de dollars [1].

2. Il n'existe plus de taux de participation minimal pour la validation des élections. Jusqu'à présent, au moins 20 % des électeurs devaient prendre part à un scrutin pour que son résultat soit entériné; désormais, aux élections municipales, ce seuil est supprimé. Cela signifie que si, par exemple, seuls 2 % des habitants d'une ville votent pour choisir leur maire, il sera élu quand même.

3. Le nombre d'urnes « extériorisées » par bureau de vote sera dorénavant illimité. Il s'agit de ces urnes que l'on apporte à domicile aux personnes qui se disent incapables de se déplacer. Naturellement, ce système est propice à toutes les fraudes : dans les bureaux de vote, il y a des observateurs; mais ils ne peuvent pas vérifier ce qui se passe à l'extérieur... Chacun sait que ces urnes ont été largement bourrées par le pouvoir lors des élections législatives et présidentielles. Et à présent, on peut théoriquement avoir 100 % des inscrits qui voteraient chez eux! On a déjà constaté les effets de cette réforme lors des dernières municipales à Saint-Pétersbourg : il y a eu plus de votants dans les urnes « extériorisées » que de personnes qui se sont rendues dans les bureaux de vote...

4. La suppression de l'option « contre tous » sur les bulletins de vote. À l'occasion des derniers scrutins, il est arrivé que 20 % des électeurs choisissent de cocher cette case pour indiquer qu'ils n'étaient pas dupes de ce simulacre de démocratie que le pouvoir présentait comme des « élections libres ». On comprend que cette possibilité laissée aux citoyens de faire part de leur dégoût énervait prodigieusement l'administration présidentielle. Un problème de moins pour elle...

5. Les observateurs des organisations non gouvernementales et les observateurs indépendants ne seront plus autorisés à surveiller le dépouillement. Seuls les observateurs mandatés par les partis en auront le droit. En ce qui concerne les instances internationales

---

1. La loi électorale considère qu'un parti qui se présente à un scrutin doit assumer les risques de sa participation. Pour empêcher la floraison de candidatures folkloriques, il a été décidé d'exiger de tout parti se lançant dans la course électorale une caution, qui ne lui est rendue que s'il obtient plus de 4 % des suffrages exprimés.

qui supervisent les élections, elles seront sélectionnées par les autorités...

Ainsi, l'administration présidentielle craint toujours les élections, même ces scrutins contrôlés et manipulés qu'elle a l'habitude d'organiser. Peut-être est-elle fatiguée de consacrer tant d'efforts à tromper le peuple et à s'inquiéter du résultat, et essaye-t-elle seulement de se simplifier la vie ?

Même après l'adoption de ces amendements, Dimitri Medvedev, le chef de l'administration présidentielle, s'est permis de remarquer, devant les présidents des Commissions électorales régionales, que les élections étaient une « menace à la stabilité » de la Russie.

Poutine n'a pas jugé bon de réprimander Medvedev.

30 mai

Le matin, à dix heures, trois des *natsboly* en grève de la faim depuis le 1er mai sont sortis sur la place Rouge et ont bloqué l'entrée sur la place du côté du Musée historique : à cet endroit, il y a une grille qu'ils ont réussi à refermer de l'intérieur. Ils portaient des t-shirts barrés de l'inscription « En grève de la faim depuis 29 jours » et brandissaient des portraits de leurs camarades emprisonnés.

Les trois manifestants lançaient à travers la grille des tracts contenant le texte suivant :

> « LA LIBERTÉ OU LA MORT ! Depuis quatre semaines, nous faisons la grève de la faim au quartier général du Parti national-bolchevik. À cette occasion, nous avons pu constater, une nouvelle fois, à quel point les autorités russes sont indifférentes à la vie et à la sécurité de leurs citoyens. Elles n'ont pas réagi à notre action. Mais qu'attendre d'autre de la part de gens capables, sans sourciller, d'exterminer leurs propres administrés avec du gaz mortel, de tirer sur les enfants pris en otages à Beslan, de priver des vieillards de leurs avantages sociaux, d'emprisonner des innocents, de copiner avec le dictateur sanguinaire Islam Karimov [1] et qui n'amnistient que deux cents personnes le jour de la Grande Victoire ? Nous disons non à cette

1. Inamovible président de l'Ouzbékistan depuis l'indépendance obtenue en 1991

bureaucratie arrogante et aux bourreaux du Kremlin ! Vive la Russie libre ! »

Leur action n'a pas pu durer plus de trente minutes. À dix heures trente-cinq, ils ont été arrêtés par les services de sécurité. Le jour même, ils ont été condamnés à une amende pour « manifestation non autorisée organisée à proximité de la résidence du président ».

7 juin

En Ossétie du Nord, le pouvoir change de mains. Alexandre Dzasokhov, l'un des grands responsables de la tragédie de Beslan, s'en va enfin – pas au tribunal, comme il le mériterait, mais au Conseil de Fédération, où il représentera sa république. Ce poste de sénateur récompense sa loyauté sans bornes à Poutine.

Le nouveau chef suprême, désigné par le Kremlin conformément à sa nouvelle législation antiterroriste, est Teïmouraz Mamsourov [1]. Jusqu'ici, Mamsourov présidait le Parlement de l'Ossétie du Nord. Ses deux enfants ont été parmi les otages de Beslan ; ils ont tous deux survécu. Tout au long de la tragédie, Mamsourov a entièrement soutenu l'action des autorités.

Dans son discours d'investiture, il a dit sans équivoque : « J'essaierai de justifier la confiance du président. » La confiance du peuple n'est plus un sujet de préoccupation pour les gouverneurs nommés par le centre.

16 juin

Réunis à Iaroslavl, les représentants de l'opposition ont signé une charte de lutte commune contre les dérives du pouvoir. À cette occasion, Iavlinski a fait une apparition ; il avait l'air fatigué, déprimé et pessimiste. Voici ce qu'il a déclaré aux journalistes

1. La loi sur le renforcement de la verticale du pouvoir votée par la douma au lendemain de l'attaque de Beslan permet au président de la Fédération de nommer personnellement, s'il le souhaite, les chefs des organes exécutifs des divers sujets de la Fédération.

présents sur place : « On m'invite à la télévision quelques fois par an pour montrer au peuple que je ne suis pas mort. Les gens s'en réjouissent, mais cela n'a aucune influence sur nos résultats. Aujourd'hui, tout ce que nous pouvons faire, c'est négocier avec les autorités pour qu'elles nous laissent obtenir quelques voix aux élections. C'est un match dont les résultats sont connus d'avance. »

Ce fatalisme n'est pas feint. Iavlinski s'éloigne de plus en plus de la vie politique ; il donne des cours à l'École supérieure d'économie de Moscou, dirige des thèses et publie quelques livres.

Quant au nouveau leader du SPS, Nikita Belykh, il est occupé à donner des gages de respectabilité au Kremlin. Le SPS se présente comme une « opposition constructive » qui peut être utile au pouvoir... Cette approche manque complètement de vitalité ! Cela vaut-il la peine de se battre pour réanimer à tout prix l'ancien mouvement démocratique ? À quoi bon ? Ses leaders méritent-ils notre confiance ? Sont-ils capables de faire quelque chose de bien pour le pays ? Ou peut-être faut-il simplement suivre le cours de la vie et accepter l'apparition d'une nouvelle opposition ?

Quand les adultes délaissent la politique, les jeunes s'y engagent de plus en plus. Nos jeunes démocrates ne cherchent pas le soutien de Iavlinski ou de quiconque parmi les anciens. Je parie qu'ils ne savent même pas qui est Nikita Belykh.

20 juin

Six mois après le ratissage de Blagovechtchensk et deux mois après que les ordres secrets du ministère de l'Intérieur concernant cette affaire ont été rendus publics, la Commission des droits de l'homme a enfin réuni à Moscou un conseil d'experts pour discuter de ces événements révoltants.

Cette réunion a été la seule réaction des autorités à la série de ratissages survenus dans le pays. Plusieurs villes et villages en ont été les théâtres depuis Blagovechtchensk. En six mois, l'arbitraire des forces de l'ordre n'a suscité aucune mesure concrète. Poutine n'a jamais présenté les excuses de l'État aux centaines de victimes. Il ne lui est jamais venu à l'esprit que le devoir d'un président consistait justement à prévenir ce genre de drame. Le Parlement est au diapason : il n'a pas consacré une seule session aux ratissages. Enfin, le procureur général ne s'est jamais manifesté non plus.

C'est dans ce contexte-là que s'est tenue la rencontre du 20 juin. Vladimir Loukine, le conseiller du président chargé des droits de l'homme, a prononcé un discours d'ouverture lénifiant et très convenu. Mais Lev Ponomarev, leader du mouvement « Pour les droits de l'homme » et membre de la commission publique d'enquête sur les événements de Blagovechtchensk, est immédiatement entré dans le vif du sujet : « À quel stade se trouve aujourd'hui l'enquête pénale ? » Réponse embarrassée de Sergueï Guerassimov, l'adjoint du procureur général pour le district fédéral de Privoljskoe : « L'affaire est presque close. Tous les accusés ont pris connaissance de l'acte d'accusation, à part le chef des forces de l'ordre de la ville, Ramazanov. Au rythme où il lit, il lui faudra encore un mois pour arriver au bout des cinquante tomes que nous avons amassés ; ensuite, le dossier sera transféré au tribunal. »

Or plus le temps passe et plus cette affaire s'efface des mémoires. C'est exactement le calcul que fait le parquet... ce qui explique pourquoi personne n'essaie d'inciter Ramazanov à lire un peu plus vite.

Ponomarev : Après le ratissage, plusieurs collaborateurs du ministère de l'Intérieur du Bachkortostan ont été limogés. Depuis, ils ont tous été rétablis dans leurs fonctions. Comment l'expliquez-vous ?

Guerassimov : Ils ont porté plainte pour licenciement abusif. Un tribunal local a étudié leurs cas et estimé qu'ils avaient été limogés injustement. Personnellement, je regrette qu'ils aient été réintégrés.

Vladimir Loukine : Cette affaire a une grande résonance sociale. Pis : des événements analogues se reproduisent ailleurs en Russie. Que devons-nous faire pour rompre ce cercle vicieux ? N'est-ce pas justement à cause de l'impunité dont bénéficient les coupables que les ratissages continuent ?

Guerassimov : Le ministère de l'Intérieur n'arrive pas à faire le ménage chez soi. C'est le ministre qui devrait se charger de cela. Il doit taper du poing sur la table ! Il est là pour faire régner l'ordre, oui ou non ? Si la police ne veille pas à écarter ses brebis galeuses, le parquet aura bien du mal à faire tout le travail tout seul.

Lioudmila Alexeïeva : Quand cette affaire a éclaté, nous avons d'abord pensé que le ministère de l'Intérieur du Bachkortostan avait agi de sa propre initiative. Mais, depuis, nous avons appris l'existence de l'ordre 870. En fait, la police ne faisait qu'exécuter cet ordre ! Aujourd'hui, nous exigeons l'annulation de ce texte, qui est toujours en vigueur malgré ce qui s'est passé. De plus, nous voulons savoir si le ministère a émis d'autres ordres comparables sur les « postes de filtration ».

[Pour information, les ordres 174 et 870, datés du 10 septembre 2002 et signés du ministre de l'Intérieur de l'époque, Boris Gryzlov (devenu depuis président de la douma) régissent le comportement des collaborateurs du ministère dans des « circonstances exceptionnelles » et en cas d'« état d'urgence ». Ces textes introduisent la notion de « poste de filtration » (ce genre de « postes » sert à déterminer l'identité des suspects). Grâce à ces décrets, la police peut appliquer la force chaque fois qu'elle le juge utile, mais aussi envoyer au « poste de filtration » toute personne qui lui paraît suspecte et « liquider les criminels qui montrent de la résistance ». C'est la police elle-même qui décide qui est criminel. Ces ordres qui, de fait, annulent la présomption d'innocence, ont été distribués à tous les commissariats de police.]

Guerassimov, l'homme chargé de l'enquête sur les événements de Blagovechtchensk, a déclaré qu'il n'avait toujours pas pris connaissance de ces ordres. C'est extrêmement étrange : non seulement leur texte complet a été envoyé sous forme de circulaires dans tous les services du ministère de l'Intérieur mais, en plus, il est accessible sur les sites de nombreuses organisations de défense des droits de l'homme. Il est même déjà traduit en anglais et connu de militants étrangers... mais pas du procureur général adjoint !

Mara Poliakova, directeur du Conseil d'expertise juridique indépendante, qui a effectué plusieurs analyses juridiques de l'ordre 870 : Le parquet a-t-il l'intention de contester la légalité de l'ordre 870 ?

Guennadi Blinov, chef adjoint du département des inspections du ministère de l'Intérieur : L'ordre 870 a été lu et approuvé par le ministère de la Justice. Il est légal.

Sergueï Chimovolos, défenseur des droits de l'homme, Nijni Novgorod : Pendant leurs ratissages, les hommes de l'OMON utilisent des masques, ce qui empêche l'identification de ceux d'entre eux qui se rendent coupables d'exactions. À Blagovechtchensk, seuls ceux qui ont agi tête nue ont été inquiétés ; les autres ont échappé à la justice. Qu'allez-vous faire pour remédier à ce problème ?

Guennadi Blinov : Il est impossible de renoncer aux masques. Ils sont indispensables aux agents chargés de convoyer des criminels dangereux, d'arrêter des bandits armés ou de combattre les *boïeviki*. Mais j'admets qu'une réglementation stricte s'impose. En principe, un policier qui porte un masque doit avoir sur lui un jeton spécial qui permet de l'identifier. Mais il se trouve qu'en Bachkirie la milice ne possède pas de tels jetons... Du coup, les membres de l'OMON qui ont agi à Blagovechtchensk sont restés impunis.

Sergueï Kovalev : Le problème de fond dépasse largement le cas de ces policiers bachkirs ou la personne du ministre de l'Intérieur du Bachkortostan. La racine du mal, c'est le concept même de « poste de filtration ». Ce concept vient de Tchétchénie ; les postes de filtration y sont en usage depuis dix ans. Là-bas, les citoyens vivent dans un état d'urgence permanent, même s'il n'est pas déclaré. L'arbitraire est omniprésent. C'est aux responsables de très haut rang que nous devons demander des comptes. Car la politique qu'ils mènent débouche mécaniquement sur des événements comme ceux de Blagovechtchensk.

Il a raison. L'ordre 870 a été enregistré et approuvé par le ministère de la Justice ; l'État appuie donc ces mesures anti-constitutionnelles. Le centre fédéral aurait dû durcir les lois régissant les interventions des forces de l'ordre, produire autant de jetons que nécessaire, interdire le port de masques hormis dans des circonstances exceptionnelles... Or il n'a rien fait de tel. Quant au parquet, il est trop faible pour imposer quoi que ce soit au ministère de l'Intérieur. Conclusion : personne dans le pays n'est à l'abri de notre propre police.

[Cette réunion d'experts, la première du genre, était ouverte aux défenseurs des droits de l'homme, aux journalistes, ainsi qu'aux victimes de ratissages. Le pays a donc pu être informé sur le degré d'avancement de l'enquête, au grand dam de Vladimir Loukine. Conséquence immédiate : aucune « personne extérieure à l'enquête » n'a été admise aux réunions ultérieures. Ce principe a été étendu à toutes les affaires comparables. Dorénavant, Loukine ne conviera à ces réunions que des « personnes autorisées ». C'est-à-dire que le chargé des droits de l'homme auprès du président trouve préférable de discuter exclusivement avec des fonctionnaires du ministère de la Justice que de convier à sa table les représentants de la société civile. Le pouvoir s'enfonce chaque jour un peu plus dans l'autisme.]

29 juin

Le président du Comité islamique de Moscou, Gueïdar Djemal – un penseur musulman très respecté –, a été arrêté au Daghestan. Djemal est arrivé à Makhatchkala, la capitale de cette petite république proche de la Tchétchénie, à l'invitation de la Direction spirituelle des musulmans, une structure tout à fait officielle. Il a été arrêté – ainsi que douze personnes venues le rencontrer pour discuter des moyens de préserver la paix dans la région – par des agents du FSB. Comme toujours, ces derniers ont agi avec la plus grande brutalité. Après avoir frappé et insulté ces citoyens désarmés, ils les ont envoyés au Centre daghestanais de lutte contre le terrorisme. Ils ont tous été rapidement relâchés; mais ce genre de provocation laissera des traces. Djemal a trop d'autorité dans le monde musulman pour qu'on puisse le traiter de cette manière.

Officiellement, le but de l'opération était de vérifier si ces hommes étaient d'obédience wahhabite. Les autorités auraient pu savoir que Djemal n'a jamais rien eu à voir avec ce mouvement politico-religieux ou avec sa mouture russe, le « bassaevisme ».

Le traitement auquel les musulmans sont soumis contribue largement à les faire plonger dans la clandestinité, loin des vexations quotidiennes. Loin, aussi, des mosquées officielles, de plus en plus contrôlées par l'État.

30 juin

Le procès des *natsboly* s'est ouvert au tribunal Nikoulinski de Moscou. C'est la fameuse affaire du « 14 décembre [1] ». Les accusés ont été amenés à la salle d'audience enchaînés comme des esclaves.

1. Voir au 23 mai 2005.

Ce procès est sans précédent. Tout d'abord, parce qu'il y a trente-neuf prévenus ! Trente-neuf personnes qu'il faudra entasser dans des cages car, depuis quelque temps, c'est une règle absolue : les accusés doivent assister à leur jugement dans des cages. Ensuite, parce que c'est un procès ouvertement politique ; d'ailleurs, le pouvoir ne s'en défend même pas.

À midi, heure du début de l'audience, le bâtiment du tribunal est déjà entouré de plusieurs cordons de police ; partout, on voit des uniformes de l'OMON, des maîtres-chiens et des agents en civil qui filment ouvertement les familles et les sympathisants des accusés. Certains n'hésitent pas à se pencher par-dessus l'épaule des journalistes pour essayer de filmer les notes qu'ils sont en train de prendre ! À la différence de Khodorkovski, les *natsboly* ne sont pas amenés au tribunal dans des jeeps élégantes, mais dans des camions sans fenêtres ; ils sont poussés à l'intérieur du bâtiment si vite que leurs parents n'arrivent même pas à les distinguer. La police est omniprésente, comme si Poutine lui-même était attendu d'un instant à l'autre.

En fait, une seule personnalité politique s'est rendue au procès : Limonov, le chef du Parti national-bolchevik. Mais il n'a pas été autorisé à s'approcher du bâtiment, tout comme les proches des *natsboly*.

« Nous comprenons vos sentiments, mais telle est la décision du juge », leur explique – fort aimablement, d'ailleurs – un haut gradé de la police.

Le juge s'appelle Alexandre Chikhanov. Normalement, il officie au tribunal de l'arrondissement Tverski, où le procès devait initialement avoir lieu. Mais finalement, on a décidé d'organiser les audiences ici : la salle est plus grande et, surtout, plus éloignée du centre-ville... Les autorités essaient, en effet, d'éviter toute médiatisation. De plus, elles prennent des mesures de précaution pour le moins exagérées, comme celle d'enchaîner les prisonniers. Même les terroristes et les violeurs récidivistes ne portent pas de chaînes... mais les « politiques » sont tous traités comme des esclaves. Preuve, s'il en était besoin, que ce que le pouvoir craint le plus aujourd'hui, c'est le non-conformisme politique.

Les soldats de l'OMON commencent à rassembler la foule derrière des barrages en métal.

« Nos " observateurs " du FSB sont là, eux aussi », disent les *natsboly* venus soutenir leurs camarades.

« Le type là-bas, c'est le " Tchétchène ", m'indique Kirill Ananiev. C'est lui qui est chargé, au FSB, de suivre de près l'actualité de notre parti. Notre bête noire. Il a arrêté et tabassé bon nombre des nôtres après nos actions coup-de-poing du 2 août et du 14 décembre.

– Pourquoi a-t-il battu vos amis ?

– Pour leur soutirer des informations sur le parti. C'est le seul moyen qu'ils aient trouvé pour découvrir ce qui se passe à l'intérieur de notre organisation. Oh, ils ont bien essayé d'infiltrer des agents. Mais nous les avons tous très vite démasqués...

– Pourquoi l'appelez-vous le " Tchétchène " ?

– C'est lui-même qui s'est présenté de cette manière. Il déteste tous les Tchétchènes. Son vrai prénom, c'est Andreï. »

Le « Tchétchène » passe justement à côté de nous.

« *Salam Aleikoum* », lance-t-il à Pavel Jerebine, un étudiant en chimie à l'université de Moscou. Pavel est un *natsbol* qui s'est converti à l'islam l'année dernière, tout comme Evgueni Korolev, l'un des accusés dont le procès débute aujourd'hui. J'interroge Pavel :

« Le " Tchétchène " est-il au courant de votre conversion ?

– Bien sûr. Ce qui se passe en Tchétchénie m'a fait réfléchir. Là-bas, les gens arrivent à vaincre des ennemis mieux armés grâce à leur force spirituelle, à leur foi. Ils sont guidés par l'islam. J'ai été attiré par l'amour tout particulier des musulmans pour la liberté. Et j'aime beaucoup la rigueur de leur culte.

– Y a-t-il beaucoup de *natsboly* qui adoptent l'islam ?

– Oui, pas mal.

– Pourquoi ?

– C'est aussi un moyen de protester. »

L'avocat Dimitri Agranovski sort à grandes enjambées du bâtiment : « Je suis choqué par ce spectacle... C'est la première fois que je les vois tous ensemble, dans des cages... »

En ce premier jour du procès, les avocats ont essayé de convaincre le juge d'annuler la détention provisoire des prévenus, au moins pour trois mineurs et les neuf jeunes filles du groupe.

Cette demande est largement justifiée d'un point de vue strictement juridique. En effet, au cours des « troubles à l'ordre public » dont ils se sont rendus coupables, les accusés n'ont pas fait beaucoup de dégâts, c'est le moins que l'on puisse dire : un canapé abîmé, un coffre-fort brisé et une porte détériorée, c'est tout. Le procureur peut aussi les accuser de « manifestation non autorisée » ; mais il s'agit d'un délit administratif et non d'une violation du code pénal. Bref, de quelque côté que l'on étudie cette affaire, la détention provisoire n'est pas justifiée... Or voilà six mois que les trente-neuf accusés sont en prison !

Mais le juge Chikhanov n'est apparemment pas de cet avis. Il estime que la situation est extrêmement tendue et qu'il faut craindre le pire. Il décide donc qu'il annoncera sa décision concernant la détention provisoire ce soir, à dix-neuf heures. La raison de cette heure si tardive est claire : il sait déjà qu'il va rejeter la demande de mise en liberté des prévenus, et redoute sans doute la réaction des *natsboly* réunis devant le tribunal.

Le soir venu, seuls les parents des accusés font encore le pied de grue devant le bâtiment du tribunal, sous une pluie battante. Les camarades du parti, Limonov en tête, sont déjà rentrés chez eux.

La décision est annoncée : comme on pouvait s'y attendre, tout le monde, y compris les mineurs et les filles, doit rester en prison.

Le pouvoir est en train de fabriquer un procès politique. Pourtant, il ne faut pas croire qu'il redoute réellement le vandalisme à petite échelle des *natsboly*. Ils n'ont tué personne, n'ont rien fait sauter et n'ont pas agressé la police. Au contraire, même, ils se sont fait tabasser par l'OMON.

Mais le Kremlin redoute par-dessus tout la diffusion du virus de la protestation que ses adversaires idéologiques, des antipoutiniens convaincus, essaient tant bien que mal d'inoculer à une société passive.

Après l'affaire Ioukos, il a besoin d'un autre procès exemplaire pour montrer ce qui arrive à tous les non-conformistes. Les *natsboly* ne sont pas des voyous sans foi ni loi (comme on essaye de les présenter) ; ce sont des opposants au régime qui exigent l'arrêt de la guerre en Tchétchénie et le renvoi de Poutine et de son gouvernement antisocial. En tant que tels, ils représentent un grave danger pour l'administration, d'autant qu'ils refusent de se laisser briser. Malgré les menaces et les violences qu'ils ont subies en prison, pas un seul d'entre eux n'a demandé à être gracié.

Si le Kremlin avait ne serait-ce qu'un petit peu de bon sens, il saurait à quel point il est dangereux de pousser la jeunesse à bout. Rien de bon ne peut sortir d'une marmite en ébullition sur laquelle on a posé un couvercle de plomb. Un jour ou l'autre, la pression se fait trop forte et le couvercle finit par sauter.

Pendant ce temps, Gary Kasparov continue son voyage dans le sud de la Russie. Il est désormais le leader du Front démocratique uni ; derrière ce nom ronflant se cache un nombre limité de sympathisants qui viennent, pour la plupart, des forces démocratiques traditionnelles. C'est peu dire que sa tournée n'est pas une partie de plaisir. Où qu'il aille, on refuse de le loger, lui et son équipe, de les nourrir dans les restaurants, de leur louer des salles pour leurs réunions, etc. Pour une raison évidente : tout établissement qui accueillerait Kasparov risquerait fort d'être définitivement fermé peu de temps après...

Pourquoi le pouvoir craint-il tellement l'ancien champion d'échecs ? Qu'a-t-il fait de si terrible ?

Son crime est d'être allé à la rencontre de ses concitoyens et de les avoir incités à remettre en question le régime poutinien. Or les gens sont vraiment reconnaissants à ceux qui viennent leur parler et les écouter. C'est ce qui explique, par exemple, la bonne réputation de Dimitri Kozak, le représentant de Poutine dans cette région. Son principal talent réside dans le fait qu'il ne redoute pas le peuple. Il n'hésite pas à discuter avec les habitants de la région et d'essayer de les convaincre de la justesse des positions du pouvoir. On pourrait penser qu'il s'agit là d'une qualité nécessaire à tout homme politique ; mais dans notre pays, c'est tellement rare, surtout chez les dirigeants, que Kozak est devenu très populaire non seulement dans le sud, mais partout en Russie. Il n'empêche que son vrai visage est celui d'un poutinien fidèle. Il l'a d'ailleurs révélé en refusant de rencontrer personnellement Kasparov et en lui mettant des bâtons dans les roues autant qu'il le pouvait...

6 juillet

À Moscou, des Héros de la Russie ont entamé une grève de la faim.

C'est un événement sans précédent, d'autant plus surprenant que cette catégorie de la population est traditionnellement favorable au Kremlin, quelle que soit l'équipe en place. Choyés par les autorités, symboles de la grandeur du pays, les vétérans décorés sont censés soutenir le système. Et voilà qu'ils lui déclarent la guerre !

Deux cent quatre Héros de la Russie, de l'URSS ou du Labeur socialiste [1] ont désigné cinq de leurs camarades pour mener une grève de la faim en leur nom. Ces derniers se sont installés dans un bâtiment abandonné de la périphérie de Moscou, rue Smolnaïa.

Chez nous, les grèves de la faim n'ont rien d'exceptionnel. Écoliers et retraités, détenus et hommes libres, ouvriers et mineurs emploient cette terrible méthode pour forcer l'État à leur verser leurs salaires ou leurs pensions, pour s'opposer à la fermeture des usines ou des centrales nucléaires qui les emploient, pour exiger la hausse des allocations sociales ou pour obtenir un traitement plus humain dans les prisons... Voilà longtemps qu'une telle action ne choque plus personne. C'est devenu un moyen comme un autre d'atteindre des objectifs politiques ou économiques.

Mais c'est la première fois que des Héros en viennent à cette extrémité. Le plus impressionnant, c'est que ce mouvement est vraiment représentatif : chacun des grévistes est là au nom d'un groupe donné. Il y a là un Héros deux fois décoré de l'ordre du Labeur soviétique, un cosmonaute de la Cité des Étoiles, un Héros du Labeur socialiste, un Héros de guerre de l'URSS et de la Russie...

Jamais encore le pays n'avait connu pareille honte. Le gratin de ses citoyens est réduit à se laisser mourir de faim pour attirer l'attention des autorités ! Comment a-t-on pu en arriver là ?

C'est bien simple : la patience des Héros a été poussée à bout. Le 30 juin, la douma a adopté en première lecture de nouveaux amendements à la loi sur la suppression des avantages sociaux. Cette

1. Les titres de « Héros du Labeur socialiste » et de « Héros de l'URSS » ont été créés à l'époque soviétique. Ils ont été décernés respectivement aux travailleurs émérites et aux militaires s'étant distingués au combat. Ces deux titres, très prestigieux, conféraient à leurs détenteurs un droit à de nombreux privilèges. Après la fin du régime soviétique, le titre de « Héros de la Russie » a remplacé celui de « Héros de l'URSS » ; quant au titre de « Héros du Labeur socialiste », on a cessé de l'attribuer. En 2005, il ne restait en Russie qu'environ 3 000 « Héros » en vie.

fois, ce sont les modestes privilèges des Héros qui ont été abrogés à leur tour. Il ne s'agit pas d'argent. Nos députés ont simplement aboli les marques de respect de l'État à l'égard des plus éminents de ses sujets. Par exemple, les Héros n'auront plus droit aux honneurs militaires lors de leurs funérailles : le législateur a estimé que faire venir quelques soldats pour tirer une salve d'adieu revenait trop cher.

C'est proprement absurde. Poutine ne cesse de se féliciter d'avoir accumulé un gigantesque fonds de stabilisation [1], mais le pays ne serait plus suffisamment riche pour offrir à ses meilleurs fils des obsèques dignes d'eux !

Naturellement, ces hommes auxquels l'État a toujours répété qu'il tenait à eux plus qu'à quiconque se sont sentis insultés. En avril, alors que les amendements étaient discutés à la douma, les Héros ont écrit plusieurs lettres à Poutine, Fradkov et Gryzlov. Deux cent quatre d'entre eux ont demandé à être reçus par les plus hauts dirigeants du régime pour leur expliquer à quel point ces amendements étaient outrageants.

Mais il n'y a eu aucune réponse. Les hauts fonctionnaires (aussi bien ceux de l'administration présidentielle que ceux de la douma et du gouvernement) ont totalement ignoré la requête des Héros. Ces derniers ont alors pris la mesure du mépris de l'élite à l'égard de la population : si même eux, les Héros, ne sont pas écoutés, cela signifie que les simples citoyens n'ont absolument aucune chance de faire valoir leurs droits ! C'est pourquoi ils ont décidé de se livrer à une grève de la faim. L'objectif officiel de leur action a été formulé ainsi : « Attirer l'attention sur les problèmes du dialogue entre le pouvoir et la société. »

Le 6 juillet, les plus robustes d'entre eux – les Héros sont souvent vieux et malades, voire invalides ; la plupart ne peuvent pas soumettre leur organisme à une si rude épreuve – se sont donc installés dans ce bâtiment abandonné pour y protester, au nom de tous leurs camarades, contre l'attitude dédaigneuse et obscène des autorités.

---

1. Le fonds de stabilisation est un fonds d'État créé pour soutenir l'économie nationale en cas de crise. Grâce à plusieurs facteurs, notamment la hausse permanente des prix du pétrole, le montant de ce fonds a cru au cours de ces dernières années et a atteint environ 1 500 milliards de roubles (47 milliards d'euros) en mars 2006, selon l'agence de presse officielle *RIA-Novosti*. Le gouvernement russe est souvent critiqué pour son refus de consacrer une partie de cette manne aux aides sociales.

Evgueni Kiriouchine est parmi les grévistes. À cinquante-cinq ans, il n'est pas retraité mais invalide pensionné. Il a longtemps travaillé dans un centre d'essais spatiaux. Ce bon vivant sympathique m'explique en quoi consistait son travail.

« Je devais tester les diverses situations auxquelles les cosmonautes pouvaient être confrontés. Par exemple, j'ai piloté des simulateurs pour calculer le surpoids maximal possible pour un vaisseau rentrant dans l'orbite terrestre. Ces missions avaient pour but de découvrir de quelle marge de manœuvre disposait chaque cosmonaute donné. C'est un peu grâce à moi qu'ils sont tous revenus vivants ! Par ailleurs, j'ai aussi été plusieurs fois parachuté dans la taïga, dans les mêmes conditions qu'un cosmonaute qui n'aurait pas atterri à l'endroit convenu. Je devais me débrouiller pour survivre et retourner à la civilisation. Mon invalidité, c'est le résultat de toutes ces missions. Je me suis très souvent retrouvé dans des situations très dures...

– Et vous avez appris à ignorer la faim...

– Exactement !

– D'un certain point de vue, vous avez été un cobaye de la science soviétique...

– À l'époque, moi et mes collègues ne voyions pas les choses ainsi. Nous savions que ce que nous faisions était important pour le pays. Nous travaillions pour la gloire de notre patrie et je peux vous dire que nous étions très heureux d'être employés au centre d'essais spatiaux. Si vous voulez voir des cobayes, regardez donc toute la population d'aujourd'hui ! À part disons un million, un million et demi de personnes, tous les habitants du pays sont des cobayes entre les mains du pouvoir. Mais je ne pense pas que les autorités soient les seules en cause : les cobayes sont eux aussi responsables, responsables de leur passivité.

– Pourquoi avez-vous décidé de participer à cette grève de la faim ? Vous êtes un invalide...

– Parce qu'il est impossible de vivre dans ce merdier ! Regardez comment le pouvoir traite le peuple. Le Kremlin a ses règles, le reste du pays a les siennes. Le mépris de nos gouvernants, je l'ai éprouvé personnellement. Ils n'ont même pas accepté de nous rencontrer, nous, les Héros de ce pays !

– Jusqu'où irez-vous ? Que faudrait-il pour que vous mettiez fin à votre action ?

– Moi, en tout cas, j'irai jusqu'au bout. Je suis persuadé que, quelle que soit la durée de notre grève de la faim, le pouvoir continuera de faire la sourde oreille à nos revendications. À la fin, nous jetterons toutes nos médailles et nos décorations, comme pour dire à nos chers leaders : si vous n'en tenez pas compte, alors nous n'en voulons plus. »

Evgueni est très énervé. Et comment pourrait-il en être autrement ? L'un des six grévistes de la faim initialement prévus n'a pas pu se joindre à l'opération. Les raisons pour lesquelles il a dû se désister sont très parlantes. Valeri Bourkov, président de la Fondation des Héros de la patrie, un homme qui a fait la guerre d'Afghanistan, où il a perdu ses deux jambes et obtenu le titre de Héros, explique :

« Nous devrons nous passer de Grigori Kiritchenko, de Samara. Sa belle-mère a eu une attaque. Elle habite en Ouzbékistan. Grigori et son épouse veulent aller la voir, mais lui seul, en tant que Héros, a droit à une réduction sur le billet. Pas elle. Du coup, ils n'ont pas les moyens d'y aller tous les deux, et c'est donc lui qui y va. Ce n'est pas un cas isolé. La plupart des Héros sont pauvres. »

Cela aussi, c'est l'une des raisons qui les a poussés à faire la grève de la faim. Il n'est pas normal qu'un Héros n'ait même pas de quoi payer un billet de train à sa femme. Mais c'est ainsi.

Bourkov espère que son mouvement ne restera pas sans lendemain.

« Nous aimerions être l'étincelle qui mettra le feu aux poudres. Il faut que la société civile nous suive pour forcer la douma à adopter une loi qui permettra aux citoyens de participer à l'élaboration des décisions prises par le pouvoir. Aussi longtemps qu'une telle loi n'aura pas été adoptée, la Constitution russe restera un outil au service exclusif des gouvernants. Nous ne nous contentons pas de défendre nos propres intérêts : nous souhaitons contribuer à une prise de conscience générale. Le peuple doit pouvoir s'exprimer sur la manière dont le pays est dirigé. Où est l'intelligentsia ? Où sont les écrivains, les journalistes, les membres du conseil présidentiel [1] ? Nous voulons connaître leur avis sur les problèmes qui nous ont incités à entamer cette action.

– Y a-t-il à la douma des députés qui vous soutiennent ?

– En vérité, ils comprennent tous nos préoccupations. Mais la douma ne veut pas infliger un camouflet au gouvernement. C'est pour cela que nous devons absolument tenir, et vaincre. Si nous obtenons gain de cause, d'autres catégories de la population suivront notre exemple. »

7 juillet

Londres est frappée par des attentats, tandis que le G8 se réunit à Glasgow. La télévision montre en boucle les images de la capitale britannique. Mais on chercherait en vain la moindre compassion dans les commentaires de nos journalistes. Au contraire, même : ils semblent se réjouir à demi-mot de voir qu'une métropole occidentale peut subir le même sort que les villes russes. Nos experts spéculent longuement sur la possibilité de voir à présent la Grande-Bretagne livrer le Tchétchène Akhmed Zakaev [2] à la Russie... alors que les Britanniques n'ont rien promis de tel.

À Moscou, les Héros continuent leur grève de la faim, mais il ne se trouve aucune chaîne pour en parler.

Le parquet général a demandé aux avocats de Khodorkovski et de Lebedev de se rendre à la prison de la « Matrosskaïa Tichina », où les deux hommes sont détenus, pour prendre connaissance d'une nouvelle accusation portée à leur égard. Mais arrivés à la prison, les avocats ont eu une surprise : aucun nouveau motif ne leur a été communiqué. Faut-il y voir le signe d'un retour à la normale ? Poutine serait-il revenu à de meilleurs sentiments ?

---

1. Le Conseil présidentiel est une instance de « sages », présidée par Vladimir Poutine en personne, chargée de planifier le volume et la distribution des dépenses budgétaires pour les projets « de priorité nationale » dans des domaines comme la santé, l'enseignement, l'agriculture ou encore le logement.
2. Akhmed Zakaev, né en 1959, est commandant des forces rebelles tchétchènes depuis 1994 et membre du gouvernement de l'Itchkérie indépendante ; en 2001, Aslan Maskhadov le nomme représentant de la République en Occident. Depuis 2002, il vit à Londres en tant que réfugié politique. Malgré de fréquentes demandes de Moscou, le Royaume-Uni refuse de l'extrader vers la Russie.

Marina Khodorkovskaïa, la mère de Mikhaïl, a publié dans le journal où je travaille, *Novaïa Gazeta*, une lettre ouverte adressée au cosmonaute Grigori Gretchko. Ce dernier est l'un des signataires de la déjà fameuse « Lettre des cinquante » – un texte dans lequel cinquante célébrités du pays (acteurs, écrivains, réalisateurs, cosmonautes, etc.) ont fait part de leur hostilité envers Khodorkovski et de leur souhait de le voir lourdement condamné. Ce document avait été rédigé dans un style parfaitement stalinien : impossible, en le lisant, de ne pas penser aux milliers de pétitions comparables publiées dans les années 1930-1950 et appelant le Guide suprême à se montrer inflexible envers les ennemis du peuple.

« J'ai honte pour vous, écrit Marina Khodorkovskaïa. Il est de notoriété publique que mon fils et son entreprise ont investi des sommes très importantes dans de nombreux programmes d'enseignement et de formation, aux quatre coins de la Russie. Si vous le saviez, comment avez-vous pu signer ce texte calomnieux ? Si vous l'ignoriez, alors vous ne connaissez pas la réalité de l'action de mon fils, et vous participez cependant à un lynchage collectif sur commande. Où sont, alors, votre courage et votre honneur ?

« Je ne vous appelle pas à défendre Khodorkovski et à vous en prendre à notre parodie de système judiciaire. Chacun a droit à sa propre opinion. Mais admettez qu'il est inique d'éreinter un accusé dans la presse alors que l'on maîtrise mal les données de l'affaire. »

Le cosmonaute n'a pas jugé bon de répondre. À propos, il est également opposé à la grève de la faim entamée par ses collègues Héros de la Russie. Marina Khodorkovskaïa a raison : chacun fait son choix.

8 juillet

Suite du procès des trente-neuf *natsboly* qui se sont introduits, le 14 décembre dernier, dans les locaux de l'administration présidentielle pour y scander des slogans anti-Poutine. Voici sept mois qu'ils sont en détention préventive.

Les accusés sont installés dans des cages. Deux cages pour les garçons, une pour les filles. Les trois sont pleines à craquer. Les inculpés – très pâles suite à leur séjour sous les verrous – s'y entassent, épaule contre épaule, en tendant le cou pour essayer d'apercevoir leurs proches dans le public. Quand ils reconnaissent leurs parents ou leurs amis, ils leur font discrètement signe de la main. Discrètement, car ils sont soumis à une surveillance extrêmement stricte. À regarder les policiers leur aboyer dessus, on a l'impression que c'est un groupe de gangsters aguerris qui passe en jugement aujourd'hui. En début de séance, on a même interdit aux prévenus de communiquer avec leurs avocats, alors que la loi ne s'y oppose pas. Et quand l'avocat Tarasov a souhaité transmettre des documents à son client, il a d'abord dû les donner au plus excité des matons, lequel a pris soin de les mélanger dans tous les sens sous le prétexte de vérifier que tout était « bien en règle »...

La salle réagit aux brimades policières par des cris et des sifflets. « On se croirait au zoo », me glisse à l'oreille Lev Ponomarev, du mouvement « Pour les droits de l'homme ». À ses côtés, Ivan Melnikov, un député communiste en vue, membre de l'Assemblée parlementaire du Conseil de l'Europe, n'en croit pas ses yeux. Habitué à l'ambiance feutrée de la douma, il est abasourdi de voir la sévérité avec laquelle le pouvoir poursuit ses vrais adversaires politiques. Par ailleurs, Melnikov enseigne à l'université d'État de Moscou. Parmi ses étudiants, il y a plusieurs des *natsboly* jugés aujourd'hui. Il souhaite être leur défenseur public [1].

Naturellement, le juge ne veut pas en entendre parler. Toutes les requêtes des avocats des prévenus visant à donner la parole aux défenseurs publics sont systématiquement rejetées, alors même que la loi autorise expressément leur participation aux débats.

Le juge Alexeï Chikhanov est jeune, il semble avoir à peine dépassé la trentaine. Comme la plupart des juges russes, il parle d'une manière particulièrement indistincte. Il mâche ses mots, marmonne dans sa barbe et ne semble guère préoccupé de savoir si les accusés l'entendent ou non. Cette attitude très répandue parmi nos magistrats est un symptôme de plus de l'incurie de notre système judiciaire : le procès n'est qu'une formalité qu'il faut expédier au

1. Dans le droit pénal russe, le défenseur public est un représentant d'une organisation sociale, chargé par cette organisation de participer à un procès aux côtés des avocats de la défense. S'il est agréé par le tribunal, il prend part aux travaux au même titre que les avocats : il a accès aux pièces du dossier et peut demander la parole pour défendre les accusés.

plus vite sans se préoccuper le moins du monde de la clarté des débats.

Il fait chaud, la salle étouffe. Les policiers passent leur temps à se rafraîchir. Les parents des prévenus demandent l'autorisation de faire passer de l'eau à leurs enfants comprimés dans leurs cages et dégoulinants de sueur : réponse négative. Comme si les *natsboly* avaient déjà été condamnés au supplice de la soif... Les parents s'insurgent : « Vous n'avez pas honte ? Vous buvez de l'eau à grandes gorgées sous leurs yeux, mais ne les laissez pas se désaltérer à leur tour ! » Rien à faire, les policiers ont réponse à tout : « Et si vous leur passez de l'eau empoisonnée ? »

Quelle logique ! Ces gens seraient donc venus exprès au tribunal pour empoisonner leurs propres enfants !

Hormis les cages des *natsboly* et les bancs du public, il y a aussi dans la salle plusieurs rangées de tables disposées perpendiculairement par rapport au bureau du juge. Comme à l'école. Ce sont les places des avocats. Ils sont une vingtaine. L'une des tables est réservée aux défenseurs des victimes. Les « victimes », en l'occurrence, ne sont que des personnes morales : malgré tous ses efforts, le parquet n'a pas réussi à faire accuser les *natsboly* de coups et blessures.

Première « personne morale » : le Service fédéral de sécurité (FSO). D'après l'acte d'accusation, les *natsboly* auraient fracassé un détecteur de métaux, propriété du FSO, d'une valeur de 320 000 roubles [1].

Deuxième « personne morale » : le service de gestion de la propriété immobilière de l'administration présidentielle. Pour les dégâts commis dans les locaux dont il a la charge – les accusés auraient endommagé un jambage de porte, une table de bureau, sept chaises, une armoire, un coffre-fort et un tapis rouge –, il exige d'être remboursé à hauteur de 472 000 roubles [2]. Si l'on divise cette dernière somme par trente-neuf, on s'aperçoit que chacun des *natsboly* se serait rendu coupable d'actes de vandalisme estimés à 12 000 roubles [3]. Et pourtant, ils risquent d'être condamnés à huit années de prison ! La disproportion entre l'ampleur de leur délit et la peine qu'ils encourent saute aux yeux... mais qui s'en soucie ?

1. Soit environ 10 000 euros.
2. Soit environ 13 800 euros.
3. Soit environ 350 euros.

Dans l'antichambre publique du président – c'est-à-dire un endroit où les citoyens sont justement censés exprimer leur opinion à l'égard de leurs dirigeants –, les *natsboly* avaient scandé des slogans hostiles à Poutine. Et les voilà en cage, dans l'attente de condamnations qui seront sans doute très lourdes...

Leurs regards sont fixes et déterminés. En les voyant, on comprend à quel point cette vieille évidence est vraie : on ne peut pas vaincre des convictions par la répression. En détention préventive, l'un d'entre eux s'est rasé la tête et s'est laissé pousser une longue barbe noire; on a peine à croire qu'il s'agit du même homme que sur la photo de son dossier. Son voisin est encore bien trop jeune pour rêver à une telle barbe : c'est un adolescent exténué, couvert de furoncles qui ne doivent rien à l'acné et tout aux morsures des blattes qui prospèrent dans nos cachots. Un troisième ne cesse de se gratter, il a sans doute attrapé la gale en prison. S'ils sont « dangereux pour la société » comme le prétend l'acte d'accusation, c'est à cause de leurs opinions politiques. Et ce n'est sans doute pas leur future condamnation qui les fera changer d'avis sur notre régime...

À un moment donné, les filles du groupe demandent à aller aux toilettes. On leur passe des chaînes avant de les y conduire – étrangement, cette tâche est confiée à des policiers hommes. En passant à côté de leurs parents et amis, les jeunes filles sourient crânement, mais l'impression de malaise ne se dissipe pas pour autant : elles peuvent bien sourire, elles sont tout de même enchaînées, comme des bagnards.

Les deux accusateurs publics, M. Smirnov et Mme Goudim, sont ordinairement chargés des affaires de grand banditisme et des crimes de sang au parquet de Moscou. Même si les *natsboly* ne correspondent vraiment pas à leurs « clients » habituels, ils se démènent pour les faire condamner, comme s'ils avaient affaire à des assassins particulièrement dangereux. Mme Goudim a déjà une certaine expérience en matière de procès politiques : il y a peu, elle a pris part à celui de Iouri Samodourov, le directeur du Centre Andreï Sakharov. Samodourov et ses deux coaccusés avaient été condamnés avec sursis pour « extrémisme ». Leur crime : avoir organisé une exposition intitulée : « Danger, religion ! » qui n'a pas eu l'heur de plaire à l'Église orthodoxe russe...

Revoilà donc Mme Goudim sur une affaire qui n'a rien à voir avec son grand banditisme de prédilection. Aujourd'hui, elle a eu maille à partir avec les avocats de la défense qui ont exigé que l'accusation ne soit représentée que par un seul magistrat, étant donné que les inculpés n'ont pas eu droit à l'aide des défenseurs publics. Naturellement, le juge a refusé tout net. Puis il a suspendu le procès pour le week-end.

Il est intéressant de noter que si les personnalités démocrates se sont succédé sans discontinuer au procès de Khodorkovski et de Lebedev, elles évitent soigneusement celui des *natsboly*. Aucune manifestation de soutien, aucun geste de solidarité, aucune déclaration outrée... C'est pour le moins étrange. Il est absolument évident que ce procès est tout autant symbolique que celui de Ioukos. Seulement, celui-ci est destiné à l'édification d'une autre classe sociale, d'une autre classe d'âge. L'affaire Khodorkovski devait calmer les ardeurs des riches désireux de prendre leurs distances avec le régime ; l'affaire des *natsboly* doit apprendre aux jeunes à ne pas se révolter.

La question de l'autonomie des juges est un sujet à part. S'ils étaient réellement indépendants, nul doute que des milliers de citoyens iraient devant les tribunaux avec confiance. Malheureusement, c'est loin d'être le cas. Le procès Ioukos en a apporté la preuve la plus éclatante qui soit.

On a longtemps espéré que l'introduction de la cour d'assises dans notre système judiciaire allait rendre les procès plus équitables. Le Kremlin avait accepté à son corps défendant cette évolution : le Conseil de l'Europe l'exigeait pour admettre la Russie en son sein. Les résultats ne se sont pas fait attendre, et ils sont parlants : alors que des tribunaux traditionnels n'acquittent les inculpés que dans 1 % des cas, les jurés, eux, ont prononcé 15 % d'acquittements ! Problème : les personnes acquittées par les jurés étaient soit des parrains mafieux, soit des soldats ayant commis des atrocités en Tchétchénie (généralement, des assassinats avec circonstances aggravantes). Après qu'un jury d'assises eut acquitté Iapontchik, un célèbre ponte de la mafia, tout le pays a compris que cette innovation n'avait rien réglé du tout...

12 juillet

Mauvaises nouvelles en provenance de Blagovechtchensk, au Bachkortostan. Le dernier policier qui avait été arrêté à la suite de l'« opération de nettoyage » des 10-14 décembre 2004 vient d'être libéré de prison. Pendant ces quatre terribles journées, la petite ville a subi un déchaînement sans précédent de nos « forces de l'ordre ». Des centaines de personnes ont été blessées lors d'une véritable expédition punitive conduite par la police locale. Ce genre d'épisode ne doit rien au hasard : il s'agit de l'application directe des circulaires anticonstitutionnelles rédigées et diffusées l'hiver dernier par le ministère de l'Intérieur. Évidemment, le ministère s'est bien gardé de révéler la teneur de ces documents, qui supprimaient *de facto* la présomption d'innocence. Depuis, le pouvoir a fait semblant de comprendre qu'il était allé trop loin. Alexandre Chataline, le vice-ministre de l'Intérieur, a assuré Vladimir Loukine, le conseiller du président chargé des droits de l'homme, qu'une « modification » de ces ordres inhumains était en cours d'élaboration...

Il n'empêche que l'îlotier Guilvanov, l'un des participants les plus violents de cette razzia, vient d'être relâché. Il était le dernier bourreau encore en détention. Le tribunal d'Oufa (la capitale du Bachkortostan) qui l'a jugé a estimé qu'il ne représentait « aucun danger pour la société ». Rappel : Guilvanov a été condamné pour avoir tabassé un jeune homme incapable de se défendre car il avait une jambe dans le plâtre.

Le pire, c'est que les autorités locales ont immédiatement rétabli cette brute dans ses fonctions ! Dès demain, le policier Guilvanov patrouillera à nouveau dans les rues de sa ville...

Comme il fallait s'y attendre, personne n'a protesté contre cette clémence exceptionnelle de notre justice, habituellement si sévère.

Mais le pouvoir ne veut pas en rester là. Des plaintes pour « arrestations illégales » déposées contre les policiers ont miraculeusement disparu des locaux, pourtant bien gardés, du parquet local. Heureuse coïncidence : cette accusation est beaucoup plus grave que celle d'« abus de pouvoir » et entraîne des peines de prison beaucoup plus lourdes.

Dans le même temps, les autorités soumettent les victimes du pogrom à une pression intolérable. Plusieurs personnes ont perdu leur emploi pour avoir refusé de retirer leur plainte. On rapporte même des cas où des parents de plaignants ont été licenciés afin d'inciter leurs enfants à « réfléchir »...

La situation n'est guère plus brillante pour les avocats ayant accepté de défendre les victimes. Quelques jours après les faits,

S. Markelov, de Moscou, et V. Syzganov, de Vladimir, sont arrivés à Blagovechtchensk à la demande de plusieurs défenseurs des droits de l'homme moscovites, alertés par les habitants. Le premier soir, alors que les avocats faisaient connaissance avec les plaignants, un homme ivre armé d'un couteau a fait irruption dans l'appartement où ils se trouvaient et s'est attaqué à eux. Ils n'ont dû leur salut qu'à l'interposition du maître des lieux, Vitali Kozakov, mais le malheureux l'a payé cher : il a été poignardé à plusieurs reprises. Finalement, l'agresseur a été maîtrisé et les avocats ont appelé la police. Celle-ci est arrivée, a constaté que Kozakov avait été blessé... et a fait demi-tour sans arrêter l'auteur de l'agression ! Ce n'est qu'alors que l'homme s'est mis à parler. Il a avoué que des policiers lui avaient demandé de provoquer une bagarre générale, ce qui leur aurait permis d'interpeller ces avocats gênants sous le grief de « troubles à l'ordre public ».

Un peu plus tard, les victimes ont fondé une « Association des victimes de l'arbitraire policier ». Cette association a publié un communiqué à l'attention « de tous les citoyens de Russie qui ont connu le même sort que nous ».

> « Tout comme vous, nous n'avons aucun droit. Lors de ces sombres journées de décembre, nous avons compris ce que ressentaient les civils de Tchétchénie, car ce que nous avons vécu, ils le vivent eux aussi régulièrement. La manifestation de l'arbitraire policier dont notre ville a été le théâtre n'est pas un acte isolé. Ce n'est que la première d'une longue série d'actions comparables qui vont sans doute être conduites à travers tout le pays. Cela commence par les petites villes, mais le tour des mégapoles est proche. Nous ne fondons aucun espoir sur le pouvoir ou sur la justice. Nous ne pouvons compter que sur nous-mêmes et le soutien mutuel de tous ceux qui ont partagé la même expérience. Qui que vous soyez, quelle que soit la région où vous habitez, entrez en contact avec nous. Nous devons arrêter ce processus immédiatement, sinon nous serons tous balayés... »

La grève de la faim des Héros entamée le 6 juillet continue. Quelle honte. Les représentants de la fine fleur du pays sont allongés sur des matelas douteux dans un bâtiment de Moscou. Leur but attirer l'attention sur les problèmes du dialogue entre le pouvoir et la société, obliger les autorités à prendre en compte l'opinion du peuple et, enfin, faire adopter une loi établissant clairement le cadre des relations entre le pouvoir et les citoyens.

Les autorités ont fini par se manifester au septième jour, en la personne du conseiller du président pour les droits de l'homme, Vladimir Loukine. Cet ancien leader démocrate (il a été l'un des fondateurs de Iabloko) a immédiatement demandé aux journalistes de s'éloigner. Nous sommes sortis. Bientôt, derrière la porte close, nous avons entendu des femmes pleurer. La visite de Loukine – qui était accompagné de Lioudmila Alexeïeva, la présidente du Groupe Helsinki de Moscou – est tombée au moment où des veuves de Héros étaient venues assurer les grévistes de la faim de leur soutien.

Les récits de ces femmes sont autant de pierres dans le jardin de ceux qui prétendent que nous serions redevenus une grande puissance.

Écoutons Larissa Goloubeva, dont le défunt époux, Dimitri, était le capitaine du deuxième sous-marin atomique construit par l'URSS :

> « Alors qu'il était en train de mourir, il n'arrêtait pas de me répéter : “ Ne pleure pas. Tout ira bien pour toi. L'État ne te laissera pas tomber. Tu es la femme d'un Héros, quand même ! ” S'il avait pu deviner le sort qui allait être le mien après sa disparition... »

Larissa avait passé toute sa vie à suivre Dimitri dans ses divers ports d'attache : du Kamtchatka (à l'extrême est du pays) à Severomorsk (au-delà du cercle polaire) en passant par Sébastopol (en Crimée), partout elle l'a accompagné, espérant qu'il reviendrait sain et sauf de ses sorties en mer.

À présent qu'il n'est plus, que reste-t-il à Larissa, qui a dévoué son existence à son héroïque époux ? Sa propre retraite, et c'est tout. Englué dans la corruption de ses hauts fonctionnaires, notre État a trouvé ce moyen d'économiser un peu de ses dépenses budgétaires. La situation est absurde : Larissa a dû choisir entre sa retraite personnelle et la minuscule pension allouée aux veuves des Héros du pays. Il était impossible de cumuler les deux. Elle survit donc avec sa retraite de 3 200 roubles [1] par mois. Voilà comment

1. Un peu moins de 100 euros.

l'État rend hommage aux plus valeureux des siens et à celles qui ont partagé leur vie.

Faïna Djando, veuve du colonel Vladimir Rochtchenko, décoré de la médaille du Courage pour son comportement exemplaire lors de la bataille de Stalingrad, en 1943, précise : « En tant que veuves de Héros, nous avons droit à une pension de 923 roubles par mois. Mais ceux qui acceptent cette pension doivent renoncer à leur retraite. Ma retraite est petite, mais elle dépasse quand même les 923 roubles. J'ai donc renoncé à ma pension de veuve de Héros. »

« Moi aussi, moi aussi », lui répondent comme en écho les autres femmes présentes. L'un des grévistes de la faim, Valéri Bourkov, secoue la tête de dépit.

« C'est scandaleux ! J'ai honte de mon pays ! Comment pourrais-je rester à ne rien faire quand ces malheureuses vivent dans ces conditions ? C'est pourquoi je proteste, de la seule manière qu'il me reste... »

Parmi toutes les femmes qui se sont réunies ici, une seule vit de sa pension de veuve de Héros, une somme pourtant largement inférieure au seuil de pauvreté officiel. Elle n'avait pas travaillé du vivant de son mari ; du coup, elle n'a pas droit à autre chose qu'à ces pauvres 923 roubles... Tamara Ouchakova, c'est son nom, fait peine à voir. Elle est maigre comme une tuberculeuse. Son mari, Alexandre, avait été distingué pour sa participation à la libération de la ville de Kamenets-Podolsk pendant la Seconde Guerre mondiale. Je lui demande si elle mange souvent de la viande ou du poisson : elle ne me répond même pas. Elle baisse les yeux et secoue la tête de gauche à droite. Elle a honte de son dénuement : voilà sans doute des semaines, si ce n'est des mois, qu'elle n'a pas consommé autre chose que des pommes de terre ou des pâtes... J'insiste : « Combien dépensez-vous pour vos médicaments, en moyenne, chaque mois ? » Soudain, son visage s'illumine, elle plisse les yeux avec malice et répond, très fière : « Je ne paie pas cher pour les médicaments : je les achète au marché ! »

Cette fois, c'est à mon tour d'avoir honte. Je sais bien qu'il ne faut surtout pas acheter les médicaments qui sont en vente sur les marchés. S'ils ne coûtent pas cher, c'est parce qu'ils sont périmés, voire fabriqués à domicile par des apprentis pharmaciens. Dans le meilleur de cas, il s'agit de pastilles sans effet, qui peuvent éventuellement servir de placebo... C'est un miracle si cette pauvre babouchka est encore en vie : l'empoisonnement aux médicaments est l'une des causes de mortalité les plus élevées chez nos vieux, surtout parmi les indigents.

À côté d'elle pleure en silence une femme beaucoup plus jeune que les autres. Tamara Skripnikova est restée seule avec deux enfants adolescents quand son époux, Ilia, un pilote d'hélicoptère vétéran des guerres d'Afghanistan et du Tadjikistan, a péri en Tchétchénie, lors d'une terrible bataille dans les gorges de l'Argoun.

Après la mort du père, l'un des fils a intégré l'école militaire Souvorov, l'établissement militaire le plus prestigieux de Russie, qui a pour obligation d'ouvrir ses portes aux enfants des officiers morts au champ d'honneur. Mais comme, désormais, le jeune homme est logé à l'école militaire aux frais de l'État, sa part de la pension pour son père a été supprimée : toujours ces fameuses économies budgétaires...

L'autre fils du major Skripnikov est resté dans son école de quartier. Aujourd'hui, le revenu de la famille s'élève à 7 000 roubles [1] pour trois, addition du salaire de Tamara pour son emploi à la Haute École d'économie, de la pension qu'elle et son fils perçoivent pour Ilia, et d'une aide spéciale versée par la mairie de Moscou.

« Avec cette somme, je peux nourrir mes deux enfants, mais je n'ai pas assez pour leur acheter des vêtements, explique Tamara. Ils ne portent que ce que les gens veulent bien leur donner. Je réussissais cependant à m'en sortir, parce que beaucoup de services étaient gratuits pour nous (le transport, les frais de santé, etc.). Mais depuis qu'il a été décidé de " monétiser " ces avantages, c'est terrible. Je reçois 150 roubles supplémentaires, mais je dois dépenser bien plus qu'avant ! J'ai donc écrit une lettre à Poutine. Naturellement, c'est la mairie de mon arrondissement qui m'a répondu. Le courrier que j'ai reçu était ouvertement menaçant : " Ne faites pas trop la

1. Un peu plus de 200 euros.

maligne, sinon nous pourrions débarquer chez vous et vérifier ce que vous avez dans votre réfrigérateur... "

– Comment avez-vous réagi ?

– Je leur ai dit qu'ils n'avaient qu'à venir. Je n'ai rien à cacher. Je suppose que je devrais réunir tous les reçus pour l'argent qui m'est versé et pour mes dépenses et me débrouiller pour les faire parvenir jusqu'au bureau de Poutine. Sinon, il ne me croira pas. D'ailleurs, il y a énormément de gens qui ne me croient pas. Ils sont tellement abrutis par la propagande qu'ils ne peuvent pas penser une seule seconde que l'État puisse traiter de cette manière les familles de ceux qui sont morts pour lui. »

Tamara fond en larmes. Comment pourrait-elle accepter cette contradiction terrible : tu es la veuve d'un Héros, mais tu vis dans la misère la plus totale...

Les veuves se tournent ensuite vers Bourkov et les autres : « Merci pour ce que vous faites pour nous. Nous sommes avec vous. D'ailleurs, tous les gens normaux sont avec vous. »

Elles discutent un peu avec l'un des grévistes, Guennadi Koutchkine, âgé de cinquante et un ans, de Kinel, près de Samara (il y préside l'association régionale des Héros). Ce lieutenant des forces armées soviétiques, tankiste, a été décoré en 1983, pour avoir pris part à cent quarante-sept (!) combats en Afghanistan. Il n'est arrivé qu'hier, mais il a déjà l'air en mauvaise forme. Il semble plus fatigué que certains de ses camarades qui jeûnent depuis plus longtemps que lui.

« Selon moi, le but de cette grève est clair : nous voulons forcer le pouvoir à devenir honnête. » Cent quarante-sept combats, et encore tellement de naïveté... Mais peut-être est-ce nécessaire pour continuer à se considérer comme un enfant chéri d'un pays qui vous crache dessus. Après avoir reçu sa médaille de Héros, Guennadi a attendu dix ans avant d'enfin se voir attribuer un appartement, vivant à droite et à gauche avec sa famille. Et deux ans de plus pour obtenir le téléphone...

« Du mensonge naît le cynisme, continue-t-il. Il m'arrive d'être invité dans les écoles pour raconter mon expérience aux élèves. Vous savez ce que ces enfants me demandent ? Ils veulent savoir combien de gens j'ai tués, et combien je gagne. Après leur avoir répondu, je ne suis plus du tout un héros à leurs yeux. C'est tout. À mon sens, c'est logique. Il suffit de regarder à quoi ressemblent nos élites...

– Justement, qui sont nos élites ? Vous-même, êtes-vous un membre de l'élite de votre ville de Kinel ?

– Non. À Kinel, je ne suis personne. Nous sommes deux Héros dans la ville. Une paysanne, Héros du Labeur socialiste, et moi, Héros de l'Afghanistan. Depuis treize ans que j'ai quitté l'armée, l'administration ne nous a jamais ne serait-ce qu'envoyé une carte de vœux pour nos anniversaires, ni à elle ni à moi. L'élite, dans notre pays, ce sont les gens qui ont de l'argent, ceux qui sont proches du pouvoir. Du petit chef local jusqu'au chef de l'État.

– Est-ce que vous montrez régulièrement votre attestation de Héros ?

– Avant, je la montrais pour passer gratuitement dans le métro, mais maintenant, cela ne suffit plus... »

Nina Koriaguina, chevalier de l'ordre du Labeur, se mêle à la conversation : « Eh bien moi, je laisse mon attestation à la maison. Elle ne me sert à rien. Je me contente de ma carte de retraitée. »

Cette femme venue soutenir les grévistes a travaillé pendant trente ans à la fonderie Likhatchev de Moscou, une usine gigantesque qui produisait des camions Zil. Elle porte des chaussures usées et des vêtements qui datent du siècle dernier.

« Toute votre vie durant, vous vous êtes démenée à un emploi très pénible et néfaste pour votre santé. Et à présent, vous vous retrouvez dans la misère...

– Oui, mais je ne regrette rien. J'appartenais à un collectif de travail très soudé. Nous savions pourquoi nous étions là : il fallait offrir au pays d'excellents camions. »

Les Héros partagent son attitude. Tous ces gens n'ont pas de regrets par rapport à leur passé. En revanche, ils déplorent leur présent. Et redoutent leur avenir.

[Encore une chose : aucun leader démocrate n'est venu rencontrer les Héros dans leur bâtiment de la rue Smolny. Ni

Nemtsov, ni Khakamada, ni Ryjkov, ni Kasparov... Ni pendant les premiers jours de leur grève de la faim, ni au bout d'une semaine, ni plus tard.]

Notre société n'est plus vraiment une société. Ce n'est qu'un agglomérat de cellules étanches n'ayant aucun rapport entre elles. Les Héros ont leur cellule; les partisans de Iabloko ont la leur; les communistes également; et ainsi de suite. Il existe mille cellules qui, si elles s'unissaient, formeraient le peuple. Mais il ne faut pas y compter : les parois de ces cellules sont parfaitement hermétiques. Les membres de l'une ne viendront pas au secours des membres de l'autre. Chacun pour soi, telle est la règle.

13 juillet

Les Héros grévistes de la faim ont été soudain invités au Conseil de la Fédération (les parlementaires n'ont pas pris la peine de se déplacer pour les voir; ils doivent estimer que ce serait indigne de leur fonction). On leur a proposé d'assister à la session consacrée à l'élaboration d'une loi sur leur futur statut. Les Héros étaient heureux comme des enfants qui viennent enfin de recevoir un cadeau longtemps attendu. Bourkov, très remonté, haranguait ses amis : « Je vous disais bien que le pouvoir allait nous entendre! Et ce n'est que le début! »

Hélas, la réalité n'a pas vraiment été conforme à leurs espérances. La délégation des Héros a passé plusieurs heures au Conseil de la Fédération, sans interrompre sa grève de la faim pour autant. Les débats, interminables, ont duré plusieurs heures. À la fin de la journée, les sénateurs ont décidé de voter sur un projet de loi... sans que les Héros aient été consultés! Bourkov a crié : « Et nous? Nous n'avons rien dit! »

Le président du Conseil de la Fédération, Sergueï Mironov, lui donna la parole à contrecœur. Les parlementaires estimaient avoir fait un beau geste en invitant les Héros; mais les laisser parler, ce n'était pas prévu au programme! L'idée était de les calmer par cette aumône afin qu'ils cessent leur grève de la faim, certainement pas d'écouter leurs complaintes!

Bourkov s'est mis à parler, mais il a été brutalement interrompu. Mironov a soumis la loi au vote. Évidemment, le texte a été adopté. Mironov a ensuite invité les Héros dans son bureau. Il les a assurés que lui les comprenait mais que, « là-haut », on ne voyait pas les choses de la même manière... et que, de toute façon, il était impératif qu'ils mettent fin à leur grève de la faim pour pouvoir « entamer un dialogue avec l'administration ». Les Héros sont repartis du Conseil de la Fédération dépités et humiliés. De retour rue Smolny, ils ont repris leurs places sur leurs matelas. La grève de la faim continue.

14 juillet

Le procès des *natsboly* se poursuit. Aujourd'hui, les procureurs leur ont lu leur acte d'accusation. Un texte de huit cent cinquante pages que maître Smirnov a réussi à résumer en un petit quart d'heure. Résultat, la procédure de l'entrée des accusés au tribunal – mise des menottes et des chaînes, bousculade pour pénétrer dans la cage, menaces et insultes de la part des policiers... – aura duré plus longtemps que la lecture de l'acte d'accusation.

Si Smirnov a pu s'en sortir rapidement, c'est parce que l'État a choisi d'adopter, dans ce procès, une approche globale. Tous les accusés sont logés à la même enseigne. Le procès ne va pas chercher à déterminer les responsabilités de chaque individu : c'est le groupe entier qui sera puni. Voilà longtemps que notre justice n'a plus rien vu de tel. Depuis Staline, en fait. Après la mort du petit père des peuples, les juges soviétiques puis russes ont toujours cherché à « individualiser » les peines, afin de souligner que la pratique judiciaire n'avait plus rien à voir avec l'époque de la terreur. Et voilà qu'en 2005 on revient aux mêmes méthodes.

Maître Smirnov a lu les noms de tous les *natsboly* à la suite, avant de les accuser de s'être « livrés à des actes de vandalisme et des troubles à l'ordre public... », d'avoir « élaboré un plan criminel pour pénétrer dans les locaux de l'administration présidentielle », « résisté aux employés du FSO », « manifesté leur manque de respect envers la société entière en distribuant des tracts au contenu diffamatoire pour le président », « scandé des slogans illégaux appelant à démettre le président », etc.

Concrètement, qui a commis des actes de vandalisme, qui a scandé des slogans illégaux, qui a résisté au FSO ? Le tribunal ne se soucie guère de le savoir. La justice russe ne fait pas dans le détail.

Naturellement, les trente-neuf *natsboly* ont plaidé non coupable. Certains d'entre eux ont déclaré qu'ils ne comprenaient même pas pourquoi ils étaient jugés. Et il est vrai que c'est assez incompréhensible...

Leur avocat Dimitri Agranovski est catégorique :

« J'ai participé à de très nombreux procès et les accusations sont toujours individualisées. Ce qui est en préparation ici, c'est une condamnation exemplaire d'un groupe politique coupable de " mal penser ". Il est évident que la décision de traiter ces trente-neuf personnes " en bloc " vient d'en haut. »

Après le procureur Smirnov, la parole a été donnée à un témoin présenté par l'accusation, Alexeï Soukhov, un officier du FSO (le service chargé du maintien de l'ordre auprès de l'administration présidentielle). Les avocats de la défense lui ont demandé de citer les slogans scandés par les accusés. Eh bien, le pauvre homme n'a pas trouvé le courage de répéter ce terrible blasphème : « Poutine, va-t'en. » Mais pour le reste, il s'est montré catégorique.

« Le 14 décembre, ce groupe de personnes a pénétré de force dans le vestibule de l'administration.

– Reconnaissez-vous certains des accusés ? (Question de l'accusation.)

– Non. Nous avons dû casser à la hache la porte du bureau dans lequel ils s'étaient enfermés.

– Vous êtes arrivés immédiatement avec des haches ? (Question de la défense.)

– Non. On les a apportées plus tard.

– Qui avait fermé la porte que vous avez cassée ?

– Je l'ignore.

– Êtes-vous certain que cette porte était fermée à clé de l'intérieur ?

– Non, je n'en suis pas certain.

– Qui a donné l'ordre de l'ouvrir à coups de hache ?

– Mes supérieurs hiérarchiques. Je ne peux pas relever leurs noms, c'est une information confidentielle.

– Certains des prévenus ont-ils tenté de résister ?

– Non. La plupart d'entre eux étaient accroupis, quelques-uns étaient allongés, les mains sur la tête.

– Saviez-vous à qui vous aviez affaire ?

– Quand ils sont arrivés, nous avons compris que c'étaient des *natsboly*. Ils portaient leurs tee-shirts habituels. Ils appelaient à renverser le gouvernement et insultaient le président.

– Avez-vous vu des pancartes ?

– Non. Je les ai seulement entendus crier. Je ne me souviens plus exactement du contenu de leurs slogans, je peux seulement dire que la teneur générale était hostile au gouvernement.

– Avez-vous vu des tracts hostiles au président ? (Question de l'accusation.)

– Non.

– Étiez-vous armé ? (Question de la défense.)

– Oui, j'avais un Makarov [1]. Mais on nous avait donné l'ordre de ne pas sortir nos armes.

– Ce qui signifie que les prévenus ne représentaient pas une menace physique pour vous ? »

Toute cette discussion est étrange. L'accusation semble avoir oublié que son devoir était d'établir la réalité du délit, et non de s'inquiéter du contenu des slogans des fautifs. Quant au juge, il ne paraît pas obnubilé par la volonté de tirer l'affaire au clair, c'est le moins que l'on puisse dire...

Les *natsboly* dans leur cage ont l'air plutôt indifférents à toute cette mascarade. Alexeï Soloviev, dix-sept ans, de Novgorod, dort tout le temps, appuyé sur l'épaule de Julian Riabtsev, un citoyen américain qui faisait ses études en Russie, dans un séminaire orthodoxe, dont il a été exclu à l'instant où les responsables de cette vénérable institution ont appris qu'il avait pris part à l'assaut contre le vestibule de Poutine.

Plusieurs autres « gamins » suivent l'exemple de Soloviev et s'assoupissent en se recroquevillant sur leur banc. Rien d'étonnant, quand on sait que les détenus de nos prisons souffrent d'un manque chronique de sommeil : les cellules étant surchargées, ils doivent se relayer sur les couchettes. La privation de sommeil est une torture vieille comme le monde...

1. Type de pistolet très répandu parmi les forces de l'ordre russes.

Autre observation : les *natsboly* n'ont pas le droit de recevoir les livres que leurs parents et amis leur ont apportés. L'ordre vient du ministère de la Justice. Seuls les ouvrages religieux sont autorisés. On nage en plein délire.

Les étrangers disent souvent de la Russie qu'elle compte des millions d'esclaves et une poignée de seigneurs. Ce serait la fatalité, et il serait impossible d'y faire quoi que ce soit. Dès lors, il serait parfaitement logique et inévitable que la « Russie libre » évolue petit à petit vers un système esclavagiste. Les Russes eux-mêmes sont nombreux à partager cet avis. Mais je ne veux pas m'y résoudre.

L'héroïsme des dissidents soviétiques a contribué à l'effondrement du système communiste. Aujourd'hui aussi, même si la foule martèle : « Nous aimons Poutine ! », il se trouve des gens qui ont encore la tête sur les épaules et qui saisissent toutes les occasions pour exprimer leur opinion sur le chemin qu'emprunte le pays, même quand ils savent qu'ils n'ont pratiquement aucune chance d'influer sur le cours des choses.

15 juillet

Une seule chose est capable de réveiller les gens : que l'on touche à leur salaire. Les citoyens prennent alors conscience de l'arbitraire du pouvoir et se mettent à protester. À Riazan, le syndicat de l'usine Fibres chimiques de Riazan a organisé une manifestation devant le bâtiment du gouvernement régional. Les syndicalistes s'opposent à la fermeture de leur entreprise. Ils affirment que les dirigeants locaux essaient de mettre la compagnie en faillite pour la revendre moins cher à leurs comparses. Récemment, il a été décidé d'interrompre la production ; officiellement, l'usine ne serait pas rentable.

Les ouvriers se sont rapidement mobilisés. Dans cette ville, les emplois manquent. La réponse de la direction ne s'est pas fait attendre : vingt-cinq protestataires ont vu leurs salaires réduits au minimum légal, à savoir 800 roubles (à peine de quoi s'acheter huit miches de pain). La plupart de ces vingt-cinq insoumis appartiennent au syndicat. Parmi eux, on compte plusieurs mères célibataires...

Mais personne ne les a soutenus, que ce soit à Riazan même ou à l'extérieur. Pour une raison élémentaire : ces ouvriers n'avaient soutenu personne auparavant. La société est parfaitement cloisonnée et nul ne s'intéresse à ce qui se passe chez le voisin. Les manifestants ont donc fait le pied de grue pendant quelques heures sans susciter l'intérêt de quiconque.

Oulianovsk est une ville plus combative. Des affichettes ont éclos sur tous les murs, proclamant : « Assez de bureaucratie ! Assez de poutinisme ! » Les initiateurs de ce collage sauvage sont les membres de l'association Oborona (la Défense), alliés pour la circonstance à des organisations écologistes et à des mouvements de jeunesse locaux. Les activistes d'Oborona ont accroché partout des tracts aux slogans brefs et directs : « Assez de mensonges ! » ou « Il est temps de dire non ! » Ils appellent les citoyens à se rebeller contre cette bureaucratie qui mène la région et le pays à leur perte.

Ce à quoi l'on assiste ici, ce n'est plus une révolte conjoncturelle de personnes qui craignent de perdre leurs revenus. Il s'agit ni plus ni moins des signes avant-coureurs d'une révolution.

Pourquoi est-ce ici que ce mouvement a pris naissance ? Sans doute parce que la région d'Oulianovsk, l'une des plus pauvres de Russie, est pompée de ses matières premières par les grandes compagnies du reste du pays. De plus, elle a été transformée en une véritable décharge nationale. Cette situation résulte directement de l'action de l'ancien gouverneur, Vladimir Chamanov, un général qui a longtemps guerroyé en Tchétchénie avant d'être parachuté à ce poste par l'administration présidentielle. Dès son arrivée aux affaires, le crime organisé d'Oulianovsk est sorti de l'ombre. Durant sa courte mandature, Chamanov s'est ouvertement appuyé sur les parrains de la ville. Son entourage était composé d'anciens militaires reconvertis dans le gangstérisme depuis leur départ de l'armée (une évolution classique chez nous). Chamanov lui-même est un homme très limité, complètement incapable de gérer une administration civile.

C'est ainsi que, sous le couvert de quelques slogans creux et en affichant un soutien sans faille à Poutine, une bande de malfrats a dévalisé la région. Et ils continuent de le faire, malgré la mutation de Chamanov, qui sévit désormais au sein de l'administration présidentielle, à Moscou.

Le mouvement Oborona d'Oulianovsk est une sorte de version locale, et en modèle réduit, des Ukrainiens de Pora [1]. Ses membres désirent protester de toutes les manières légales possibles – meetings, défilés, distributions et collages de tracts... – contre la politique des autorités. Les sections locales des mouvements de jeunes du SPS, de Iabloko et des écologistes les ont rejoints dans ce combat.

Mais il ne faut pas se leurrer. Le cas d'Oulianovsk est rarissime. C'est l'exception, et non la règle. Combien d'années encore faudra-t-il pour que cet exemple soit massivement suivi ?

Oleg Chtchepetkov, cinquante et un ans, pilote d'essai toujours en activité et Héros de la Russie, est épuisé. De retour d'une mission exténuante, il a immédiatement rejoint ses camarades grévistes de la faim... mais les premiers jours sont très difficiles pour lui. Il parle à grand-peine. Il prononce difficilement une phrase et s'endort immédiatement.

Comment se fait-il que le pays ne les soutient pas ? Eh bien, c'est parce qu'il n'y a pas de pays, mais seulement des cellules isolées qui ne communiquent pas entre elles.

La grève de la faim des Héros illustre de manière éclatante la tendance politique actuelle. Certains dignitaires hauts placés, au premier rang desquels le président du Conseil de la Fédération, Sergueï Mironov, troisième personnage de l'État selon la Constitution, semblent comprendre les motivations de cette opération désespérée. Le problème, c'est qu'ils se gardent bien de l'admettre publiquement. S'ils compatissent, c'est en tant qu'hommes, pas en tant que dirigeants. En privé, ils assurent les Héros de leur sollicitude et promettent de s'occuper de leur cas... Mais lorsqu'il s'agit de parler devant les caméras ou, pis, devant le président, ils oublient instantanément leurs engagements. À quoi tient ce double langage chez nos leaders ? La réponse est on ne peut plus triviale. Ces hommes

1. Le mot *Pora* signifie « Il est temps » en ukrainien. C'est le nom que s'est choisi, le 18 avril 2004, le mouvement étudiant qui allait jouer un rôle essentiel, quelques mois plus tard, dans la « révolution orange ». Pora s'est largement inspiré des mouvements de jeunesse serbe (Otpor) et géorgien (Kmara) qui avaient, respectivement en 2000 et 2003, contribué à renverser les régimes de Slobodan Milosevic à Belgrade et d'Édouard Chevardnadze à Tbilissi. D'ailleurs, à l'hiver 2004, les « faiseurs de révolutions » serbes et géorgiens ont fait le déplacement de Kiev pour soutenir et guider leurs homologues ukrainiens.

redoutent par-dessus tout de perdre leurs postes, synonymes de pouvoir et d'argent. Accoutumés aux honneurs et au luxe, ils préfèrent mettre leur conscience en sourdine qu'abandonner des fonctions si lucratives. Or ils savent bien que le régime de Poutine ne tolère pas que ses serviteurs ne suivent pas la ligne officielle. Par conséquent, ils obéissent sans état d'âme à toutes les directives venues d'en haut. Telle est notre élite. Il n'y a rien à en espérer.

18 juillet

La grève des Héros est dans l'impasse. À toutes leurs propositions, le pouvoir répond par un silence méprisant. En désespoir de cause, ils ont donc pris une décision sans précédent : ils ont envoyé une lettre officielle au docteur Rochal, qui a joué les intermédiaires entre les autorités et les terroristes lors des prises d'otages de *Nord-Ost* et de Beslan, pour lui demander d'endosser à nouveau son costume de médiateur, cette fois pour permettre aux Héros de négocier avec leur propre gouvernement. Le symbole est très fort. Pour que des citoyens – et quels citoyens ! – puissent communiquer avec leurs dirigeants, ils doivent recourir à un entremetteur spécialisé dans les tractations avec des commandos de tueurs.

Mais le docteur Rochal est en voyage d'affaires, a-t-on appris par sa secrétaire. Les Héros devront attendre son retour... En vérité, chacun sait bien que ce « voyage d'affaires » n'est qu'une excuse diplomatique. Rochal rêve de diriger la Chambre civile [1] et ne veut donc surtout pas déplaire à l'administration présidentielle...

Nous sommes tout près de cet instant tragique – et même mortel pour la prétendue « puissance russe » – où des dizaines de Héros se réuniront sur la place Rouge pour jeter leurs médailles au pied de la muraille du Kremlin. Tout cela parce que ces hommes hautains et déconnectés du pays réel qui nous gouvernent n'ont pas souhaité écouter des revendications aussi légitimes que modestes.

---

1. La Chambre civile (*Obchtchestvennaïa palata)* est une institution consultative censée assurer le contrôle par la société civile des pouvoirs exécutif, législatif et judiciaire du pays. Entrée en activité le 1er juillet 2005, elle compte cent vingt-six membres (dont quarante-deux ont été nommés directement par le président). Ces membres sont essentiellement des personnalités de la science, de l'art, du sport, etc. De nombreux experts estiment que cette structure – qui comporte treize commissions thématiques chargées d'élaborer des recommandations à l'attention du gouvernement – est purement décorative.

Après-demain, Poutine doit recevoir la Commission des droits de l'homme auprès du président (la fameuse instance dirigée par Ella Pamfilova). Svetlana Gannouchkina, membre de cette Commission, a accepté de profiter de l'occasion pour transmettre au maître du Kremlin une lettre des Héros. L'espoir que « le roi est bon » meurt en dernier...

19 juillet

Un terrible attentat a été commis dans le village de Znamenskoïe, en Tchétchénie. L'attention de plusieurs passants a été attirée par une voiture suspecte stationnée à un carrefour. Un cadavre était installé à la place du passager. On a appelé la police. Au moment où celle-ci est arrivée sur les lieux, le véhicule a explosé. Quatorze policiers ont été tués sur le coup. Il y a de nombreux blessés. Un enfant qui se trouvait à proximité est mort.

[Plus tard, l'enquête a réussi à faire la lumière sur les événements.

Le 13 juillet au soir, Alexeï Semenenko, un jeune homme âgé de vingt-trois ans, a été enlevé à son domicile du bourg de Novochtchedrinsk, sous les yeux de ses deux petites sœurs. Il avait consacré les derniers mois à préparer son départ de Tchétchénie. Il venait de se marier et désirait absolument partir loin d'ici, avec sa jeune épouse. Il économisait soigneusement en vue de ce grand projet. Les Semenenko habitent à Novochtchedrinsk depuis plus de cent ans. C'est une famille unie, travailleuse et attachée à cet endroit. Mais que faire ? Plus Kadyrov prend de l'assurance, plus l'arbitraire s'installe et plus les chances que la situation finisse par s'arranger s'amenuisent. C'est ce qui avait décidé Alexeï à abandonner son village natal.

Pour gagner rapidement un peu d'argent, il s'était inscrit sur les listes des travailleurs saisonniers. Au moment de la récolte, il y a du boulot pour tout le monde. Le 13 au soir, il rentrait des champs après une longue journée. En bas de chez lui l'attendaient quatre hommes armés en tenue de camouflage, venus avec deux jeeps argentées. Des Tchétchènes. Tout le monde à Novochtchedrinsk est persuadé qu'il s'agissait de « kadyroviens ». Ils ont échangé quelques mots avec Alexeï avant de l'embarquer dans l'une de leurs voitures. Les témoins de l'incident ont bien pris soin de noter les numéros d'immatriculation de leurs véhicules, mais en vain : les plaques étaient fausses.

Le lendemain matin, la famille a déclaré la disparition du jeune homme. Des policiers tchétchènes locaux, amis d'enfance d'Alexeï, l'ont cherché partout pendant deux jours. Ils ont écumé les locaux des innombrables services de sécurité du coin, sans succès. Comme toujours, le parquet local n'a pas insisté : il vaut mieux ne pas trop creuser ces affaires-là, trop de zèle peut être mortel...

Le 19 juillet a eu lieu l'attentat de Znamenskoïe. Quelques minutes avant la déflagration, l'un des policiers s'était approché de la voiture pour ouvrir la portière côté passager. Il a immédiatement senti une violente odeur de cadavre en décomposition. Examinant le corps, il a remarqué que l'homme avait été abattu d'une balle en pleine tête. Naturellement, il a convoqué des renforts. C'est seulement quand ceux-ci sont parvenus sur les lieux qu'un guetteur invisible a actionné la charge explosive située dans la voiture. Bien entendu, il aurait pu faire exploser la voiture au moment de l'arrivée du premier policier ; mais il voulait faire le plus de victimes possible. Ironie du destin : ce policier qui avait appelé ses collègues s'est écarté de quelques pas au moment où ceux-ci ont déboulé. Il a été l'un des rares à survivre à l'attentat...

Le Premier ministre de la Tchétchénie, Sergueï Abramov, n'a pas jugé utile de se déplacer sur les lieux. Il s'est contenté d'attribuer l'attentat à Bassaev et Oumarov, et de décréter un deuil général dans la République. Pendant ce temps, la famille Semenenko continuait de rechercher Alexeï à travers la Tchétchénie entière. Le 21 au soir, des policiers ont frappé à leur porte pour leur demander de venir procéder à une reconnaissance de corps à Mozdok, dans l'Ossétie du Nord voisine (c'est là-bas qu'on évacue les corps non identifiés de Tchétchénie, laquelle, bizarrement, ne possède pas les structures nécessaires).

Tatiana Semenenko, la mère d'Alexeï, est donc allée à Mozdok. À l'institut médico-légal local, elle a assisté à une scène d'horreur. Les victimes de l'attentat de Znamenskoïe étaient disposées dans des caissons réfrigérés. Mais ce n'était pas pour cela qu'on l'avait fait venir. Les policiers lui ont montré un sac contenant des restes humains, laissé sans surveillance dans un simple seau d'eau posé par terre. L'un de ses accompagnateurs désigna le seau du pied : « Tenez, c'est votre fils. Le terroriste. »

Ensuite, quelqu'un a ouvert le sac. Tatiana est parvenue à identifier son fils. Son visage avait été soufflé dans l'explosion, mais un tatouage sur le bras ne laissait aucun doute. C'était bien Alexeï. La famille a récupéré sa tête et son bras pour les enterrer.

Le policier qui avait ouvert la portière avait remarqué que l'homme mort qu'il y avait vu – Alexeï, donc –, portait un treillis. Ce qui signifie que ses assassins lui avaient passé un uniforme de camouflage avant de l'installer dans la voiture piégée.

On devine la suite. La famille Semenenko ne sait pas à qui s'adresser. Personne ne s'intéresse à son cas. Quant aux autorités, elles se moquent bien de son sort. Ni Kadyrov, ni Alkhanov, ni Kozak ne présenteront leurs condoléances aux parents du jeune supplicié. Aucune compensation financière, aucune pension ne leur sera versée. L'affaire de sa disparition a été classée par la justice. Et personne n'a songé à enquêter sur sa mort : officiellement, Alexeï Semenenko était un terroriste, une bombe humaine. Alors que c'est exactement le contraire : il a été kidnappé et assassiné par les terroristes.

Quelles conclusions peut-on en tirer ? Il y en a deux. Ou plutôt, il existe deux suppositions sur ce qui s'est réellement passé. Rappelons d'abord que l'immense majorité des habitants de Novochtchedrinsk est persuadée qu'Alexeï a été enlevé par les hommes de Ramzan Kadyrov. Les Tchétchènes sont passés maîtres dans l'art de reconnaître les divers groupes armés les uns des autres. De plus, les kadyroviens ne se cachent pas spécialement et arborent généralement divers signes distinctifs qui rendent toute confusion impossible. Il n'y a donc aucune raison de penser que les témoins se trompent. Dès lors, de deux choses l'une.

Soit les kadyroviens ont eux-mêmes commis l'attentat de Znamenskoïe – ce qui n'aurait rien d'étonnant : ces bandits savent parfaitement que seuls la guerre et l'état d'urgence justifient la tolérance dont ils bénéficient. En temps de paix, ils seraient sans doute tous en prison. Quant à Semenenko, ils l'auraient enlevé pour rançonner sa famille, avant de le tuer, peut-être par erreur. Et ils s'en seraient débarrassés en le plaçant au volant de la voiture piégée, en tant qu'appât. D'une pierre deux coups, en quelque sorte.

Soit ils l'ont tué et vendu son corps aux *boïeviki*. Cette thèse est particulièrement crédible. Les observateurs attentifs de la région savent bien que, malgré les rodomontades de Ramzan, qui promet à tout bout de champ qu'il finira par abattre Bassaev, les kadyroviens font régulièrement affaire avec les maquisards.

C'est ainsi que va la vie ici. Les hommes les plus proches du pouvoir sont aussi les plus criminels.

Aujourd'hui, la famille Semenenko vit dans la terreur de voir revenir les hommes de Kadyrov : les deux petites sœurs d'Alexeï ont vu ses ravisseurs et pourraient les identifier. Les Semenenko se sont donc murés dans le silence, espérant que plus jamais des jeeps ne viendront emmener leurs enfants.

Tout cela est la conséquence directe de la manière dont Vladimir Poutine gère la Tchétchénie. La République est submergée de terreur, et le reste du pays commence à suivre. Partout dans le Caucase du Nord, et plus seulement en Tchétchénie, on trouve des familles semblables aux Semenenko, qui portent dans le mutisme et la peur le deuil de leurs fils.]

La grève de la faim des Héros dure depuis deux semaines maintenant. Les grévistes sont à bout de forces. Mais les autorités n'en ont cure. Quand elles daignent s'exprimer sur ce sujet, c'est pour souligner leur inflexibilité, comme s'il y avait de quoi être fier. Vladislav Sourkov, le principal idéologue du régime, a seulement lâché entre les dents : « Ils veulent nous faire chanter, mais nous ne nous laisserons pas faire. »

Valeri Bourkov, héros de la campagne d'Afghanistan, a perdu beaucoup de poids. Ses jambes artificielles sont entreposées à quelques mètres de sa couche. Nous essayons de dresser le bilan de ces quatorze jours d'action. Qu'ont-ils apporté ?

« Premièrement, nous avons été invités à la session du Conseil de la Fédération qui discutait de la loi sur le statut des Héros. Nous avons pu y envoyer une délégation de douze personnes.

– Mais on ne vous a pas donné la parole.

– Nous l'avons prise quand même !

– Il n'empêche que la loi a bel et bien été adoptée...

– C'est vrai, mais après le vote, Mironov nous a invités dans son bureau, et nous avons eu une conversation très constructive.

– À quel sujet ? La loi venait d'être votée à l'unanimité moins une voix...

– Mironov nous a demandé de mettre fin à notre grève de la faim. Ce qui veut dire que nous faisons peur au pouvoir. De plus, nous avons remporté une vraie victoire : la Commission chargée des organisations sociales de la douma a promis que, lors de la session d'automne, les députés commenceront à rédiger un projet de loi consacré aux requêtes des citoyens. Cette décision va dans notre sens.

– Vous savez bien que la douma distribue ce genre de promesses sans compter...

– Nous ne les laisserons pas nous embobiner. Nous exigerons qu'ils accomplissent tous leurs engagements. Il est essentiel que tous ceux qui, aujourd'hui, observent notre grève de la faim, comprennent qu'il est possible de se battre contre ce pouvoir. Qu'ils sortent de leurs cuisines ! Qu'ils aillent défendre leurs droits ! »

Pendant leur grève de la faim, les Héros ont écrit beaucoup de lettres, qu'ils ont envoyées par fax, par e-mail et même par coursier, à divers responsables. Ils ont donné de multiples interviews, dont la plupart ne sont jamais arrivées jusqu'aux médias. Pendant tout ce temps, ils sont sagement restés allongés rue Smolnaïa, sans jamais aller manifester dans le centre-ville. Ils auraient bien du mal, d'ailleurs. Il suffit de regarder Iouri Rakhmanov, soixante-sept ans, décoré pour avoir découvert de nombreuses houillères dans l'extrême est du pays. Il se lève difficilement de sa couche pour aller chercher, à l'autre bout de la pièce, une bouteille d'eau minérale. Terribles maîtres chanteurs que cet homme et ses camarades !

20 juillet

Une histoire typique de la Russie actuelle. Il y a quelques jours, un beau matin, une jeune musulmane âgée de dix-neuf ans, Elena Gasieva, habitante de Naltchik, capitale de la Kabardino-Balkarie, est allée faire des courses. Comme toujours, elle portait son hijab. À peine avait-elle fait quelques pas qu'un policier en civil l'a interpellée et a exigé qu'elle présente ses papiers. Elena n'avait pas pris sa carte d'identité : la boutique où elle se rendait se trouvait à deux minutes à pied de chez elle. Plusieurs autres policiers sont aussitôt apparus comme par enchantement. Ils ont poussé la jeune fille dans une voiture et l'ont emmenée au commissariat n° 1 de la ville. Une fois sur place, un autre policier l'a fait entrer dans un bureau et lui a ordonné de signer une déclaration... sans l'autoriser à en lire le texte au préalable. Naturellement, Elena a refusé. Alors il s'est mis à la frapper. Elle a crié : « Je suis enceinte ! » ce à quoi le représentant de l'ordre a répondu : « Plus pour longtemps. » Ce jour même, elle a été admise à l'hôpital. Le risque d'une fausse couche était très élevé. Son mari et sa mère ont immédiatement adressé une plainte au parquet. Mais le procureur local, M. Kagazejev, a refusé d'ouvrir une enquête pour arrestation illégale et coups et blessures, comme la famille le demandait.

Les histoires de ce genre sont monnaie courante en Kabardino-Balkarie. Les musulmans y sont très souvent victimes de vexations, voire de tortures. Nos forces de l'ordre sont persuadées qu'en s'en prenant ainsi aux civils elles « éradiquent l'islam ». Le résultat est tout autre : dans cette république aussi, de plus en plus de jeunes prennent le maquis...

Poutine a reçu plusieurs représentants d'ONG ainsi que les membres de sa fantomatique Commission des droits de l'homme auprès du président. Svetlana Gannouchkina n'a pas eu la parole, mais elle a réussi à transmettre au grand homme la déclaration des Héros grévistes de la faim. Mieux : l'un des militants présents, Alexandre Aouzan, s'est directement adressé à Poutine pour lui demander ce qu'il avait l'intention de faire pour ces malheureux. Le numéro un n'a pas apprécié la question. Il s'est contenté de grommeler : « D'après mes informations, ce problème a été réglé. »

Aouzan ne l'a pas entendu ainsi. Il s'est mis à expliquer la réalité de la situation des Héros. Son insistance a provoqué l'indignation d'Ella Pamfilova, la présidente de la Commission des droits de l'homme : pourquoi, a-t-elle demandé, perdre du temps à discuter de cette histoire insignifiante ?

La discussion a bifurqué sur un autre sujet. Et s'est envolé l'espoir que certains fondaient encore sur une intervention personnelle de Poutine...

21 juillet

À Astrakhan, comme dans le reste du pays, la guerre fait rage. Les belligérants : le pouvoir et le peuple. L'enjeu : la propriété immobilière. L'arme la plus employée : le « coq rouge », autrement dit, l'incendie criminel. Dans cette guerre, comme dans toute guerre, il y a des morts, des maraudeurs et des personnes déplacées. Astrakhan est à l'image de tout le sud du pays. On trouve tout ici, sauf la vie.

L'immeuble des Ostrooumov est l'un des derniers du quartier à ne pas encore avoir brûlé. Svetlana, une jeune mère de famille, ouvre précautionneusement quand on frappe à sa porte. Le bâtiment où vivent les Ostrooumov se trouve en face d'un grand chantier. En fait, c'est comme si ce bâtiment était l'une des palissades du chantier ! Le bruit est infernal. Ici, une grue tournoie ; là, on coule du béton ; plus loin, un marteau-piqueur pilonne le sol. Nous sommes dans le centre historique de la ville, rue Maksakova. Ces ouvriers sont en train de construire un immeuble de luxe pour l'élite locale.

Des chantiers, il y en a partout dans le pays. Normalement, quand les autorités attribuent un permis de construire à un promoteur, ce dernier doit s'arranger avec les personnes qui vivent sur le terrain donné ou à proximité : il leur propose de l'argent pour s'installer ailleurs, et ce n'est qu'une fois ces gens partis que les travaux commencent.

Mais à Astrakhan, on est loin d'un tel scénario. Une mystérieuse entreprise dénommée « Astsyrprom » a obtenu un permis de construire pour la rue Maksakova... sauf que le terrain en question était couvert d'habitations. Les occupants de ces immeubles sont les propriétaires de leurs logements : ils les ont achetés au moment de la privatisation des années 1990. Astsyrprom a chargé une autre compagnie, Nourstroï, de construire le nouvel édifice et de trouver un arrangement avec les occupants du quartier. Nourstroï a effectivement commencé par passer des accords avec certains d'entre eux, en leur achetant des appartements dans des quartiers situés un peu plus loin. Mais quelqu'un, en haut, a dû se dire qu'il était possible d'économiser de l'argent... et tout a changé. Nourstroï s'est alors mis à proposer aux habitants d'échanger leurs maisons et appartements contre des logements absolument inadaptés. Par exemple, on a offert aux Ostrooumov, une famille de cinq personnes... un studio !

Naturellement, la plupart des riverains ont refusé. La réponse n'a pas tardé : d'abord, un ultimatum, puis une véritable attaque militaire. Le directeur de Nourstroï, un certain Timofeev, a ouvertement menacé l'un des habitants mécontents, Alexandre Merjouev : « Je vais vous cramer. » Quelques jours plus tard, la maison de Merjouev était réduite en cendres. Les pompiers ont conclu à un « incendie criminel ». C'est ainsi que tout le côté gauche du chantier a été libéré. Un problème de moins pour Nourstroï.

Les Ostrooumov vivent dans l'un des immeubles situés à la droite du chantier. Évidemment, ils ont refusé le troc inique qu'on leur avait proposé : « À cinq dans un studio, non merci ! » s'exclame Svetlana. Nous sommes dans son salon. Derrière la fenêtre, la grue fait rouler des briques. Nous devons crier pour nous entendre. Il est proprement impossible de mener une vie normale dans ces conditions, surtout pour le bébé de Svetlana, âgé d'à peine quelques mois, et pour sa belle-mère, qui a des ennuis de santé et se déplace à grand-peine avec une canne. Mais les autorités s'en moquent.

« La mairie ne nous aide pas, au contraire, explique Svetlana. On nous a coupé l'eau et le gaz ! À présent, nous ne sortons plus de chez nous. Nous savons bien que s'ils nous voient sortir, ils mettront immédiatement le feu. Et alors, nous ne pourrons jamais retrouver un appartement, car nous sommes enregistrés à cette adresse... qui n'existera plus !

– Qu'est-ce qui vous rend tellement certaine qu'il vous suffit de sortir quelques instants pour que votre appartement soit brûlé ?

– C'est ce qui est arrivé aux autres. À nos voisins ici, rue Maksakova, bien sûr. Mais aussi dans d'autres rues du centre-ville. On les a brûlés, sans pitié, comme de la mauvaise herbe. Le pouvoir distribue les terres à des gens utiles ; or nous, nous ne sommes pas utiles. Tout se vend, tout s'achète... et il n'y a plus aucune loi qui protège les simples citoyens. »

Je traverse la ville, en passant à proximité du célèbre Kremlin d'Astrakhan, où notre président s'est récemment rendu en pèlerinage pour estimer la valeur culturelle et historique du bâtiment avant de l'offrir à l'Église orthodoxe.

Un peu plus loin, je découvre le petit quartier de Kosa, sur la Volga. Il y a là de nombreux pavillons de marchands construits au XIXe siècle, des maisons superbes quoiqu'un peu décaties qui ont attiré l'appétit des promoteurs immobiliers. Le problème, c'est que ces pavillons étaient habités, souvent par des vétérans de la Seconde Guerre mondiale, des vieillards qui, dans un premier temps, ont catégoriquement refusé de partir. Qu'importe. Aux grands maux les grands remèdes. Plusieurs d'entre eux ont brûlé vifs dans leur sommeil. Le message est passé, et de nombreuses maisons ont été « libérées » de leurs occupants. Ainsi va la vie dans la Russie actuelle. La société a été criminalisée en profondeur, et seule la loi du plus fort régit les rapports entre les riches et les pauvres, les forts et les faibles, les dirigeants et le peuple.

Au 53, rue Maxime Gorki, il y a précisément l'un de ces pavillons. Le balcon à l'étage est soutenu par de superbes colonnes en fonte. Même aujourd'hui, après l'incendie de mars dernier, la maison reste très esthétique.

La situation, ici, est très proche de celle de la rue Maksakova. À la droite du pavillon, on a entamé la construction d'un immeuble de luxe. D'ailleurs, la société qui effectue les travaux s'appelle « Elit-stroem » (« Construction d'élite »). Le nouvel immeuble devra comporter un grand garage au rez-de-chaussée. C'est de là que vient le problème. Le pavillon voisin bloque partiellement l'entrée du garage. La décision a été rapidement prise : ce qui gêne doit disparaître.

L'hiver dernier, les habitants du pavillon ont reçu la visite d'« investisseurs » qui leur ont promis de les reloger à proximité, dans des maisons tout aussi agréables. Les gens n'étaient pas contre, à condition de rester dans le quartier. La suite, c'est le retraité Alexeï Glazounov, de l'appartement n° 7 du 53, rue Gorki – un appartement qui n'existe plus – qui la raconte.

« Le 20 mars, ces “ investisseurs ” sont venus pour la dernière fois négocier avec Lioudmila Rozina, une grand-mère de soixante-dix-huit ans qui vivait au rez-de-chaussée de notre pavillon. Sans le savoir, elle nous a tous condamnés. Elle leur a répondu qu'elle n'accepterait de partir qu'à condition d'être relogée dans cet immeuble de luxe qu'ils étaient en train de construire à côté. »

Cette même nuit, le pavillon prit feu, suite à quatre départs d'incendie simultanés. Les malfrats connaissaient les lieux : ils ont enflammé les escaliers de bois des entrées du bâtiment. Deux minutes plus tard, c'était la panique générale. Des vieillards sautaient par les fenêtres, certains se sont brisé les os. D'autres n'ont même pas eu le temps d'arriver à la fenêtre. C'est ainsi que Lioudmila Rozina a brûlé vive dans son lit. L'enquête montrera que les murs de son appartement avaient été aspergés d'essence avec un soin particulier...

Ses voisins sont formels : « Ils se sont vengés d'elle, ils lui ont fait payer son intransigeance. Pauvre femme. Elle était si fière d'avoir traversé toute la guerre sans la moindre écorchure, comme si elle était protégée par une force supérieure... »

Son fils, Alexandre Rozine, cinquante-cinq ans, a survécu. Souffrant de terribles brûlures, il a été emmené à l'hôpital. Mais trois jours plus tard, un inconnu lui a rendu visite, prétendument pour lui témoigner le soutien de la mairie. Il lui a offert des produits empoisonnés (comme le montrera l'autopsie). Alexandre est mort le 12 avril, intoxiqué. Quelques jours après lui, une troisième habitante de l'immeuble est morte : Anna Kourianova, âgée de quatre-vingt-six ans. Les voisins avaient réussi à la sortir de son appartement en flammes, en la transportant sur des draps. Mais la malheureuse avait avalé trop de fumée.

Le bilan de la « guerre de l'immobilier » d'Astrakhan est effrayant. En quelques mois, six personnes ont péri dans les flammes. Quarante-trois immeubles sont partis en fumée : pour dix-sept d'entre eux, les analyses ont déjà conclu à l'incendie criminel. Il est extrêmement difficile d'obtenir une expertise honnête, et encore plus d'obliger la police à ouvrir une enquête pénale. Et, de toute façon, la plupart des enquêtes sont rapidement classées, « faute de preuves », ou prennent la poussière dans des tiroirs que personne n'ouvrira jamais.

Pendant ce temps, la construction de buildings de luxe, de casinos, de restaurants et de centres commerciaux continue... parfois sur les emplacements mêmes des maisons brûlées.

Les survivants de ces incendies essaient cependant de faire valoir leurs droits. Leurs journées ne commencent pas par une douche et un petit déjeuner, mais par des manifestations matinales. Cette fois, ils se réunissent rue Kirov, sur une placette où est située l'antenne locale du ministère de l'Intérieur. Ils ont amené des banderoles et scandent des slogans appelant le pouvoir à les protéger et à faire la lumière sur ce qui leur est arrivé. Les manifestants sont tous membres de l'« Union des victimes des incendies d'Astrakhan », créée le 5 juin dernier. Cette association était nécessaire. C'est le seul moyen pour ces pauvres gens de faire entendre leur voix, de s'opposer à la politique de la terre brûlée conduite par les autorités, d'attirer l'attention sur l'épidémie d'incendies criminels qui s'est répandue dans la ville et, naturellement, d'obtenir enfin des logements corrects.

Comme il fallait s'y attendre, le pouvoir traite les victimes par le mépris. Le maire, Sergueï Bojenov, refuse de les rencontrer. Et ceux qui se sont aventurés directement dans le bâtiment de la mairie ont été refoulés sans ménagement par ses gros bras. Un seul homme politique a offert son soutien aux « incendiés » : Oleg Cheine, député de la région d'Astrakhan à la douma. Les autres se moquent complètement de leur sort. Ou alors, au contraire, ils ne s'en moquent pas du tout, puisqu'ils sont engagés dans divers projets fonciers et n'espèrent qu'une chose : que ces nuisibles décampent au plus vite et ne gênent pas le processus « modernisateur » qu'ils sont en train de mettre en place.

Cette fois, après une demi-heure de rassemblement, les manifestants ont été invités à entrer à l'intérieur du bâtiment et à rencontrer la police. Trois heures durant, les fonctionnaires leur ont seriné que tout allait rapidement rentrer en ordre, mais qu'il fallait absolument qu'ils cessent de manifester tous les jours, car cela ne faisait que desservir leur cause... Boris Lidjigoriaev, le chef adjoint de cette section du ministère de l'Intérieur, insiste particulièrement sur la nécessité de mettre fin à ces actions contre-productives. Sa conduite est étrange, il semble plaisanter sans cesse, mais laisse de temps en temps comprendre à ses interlocuteurs qu'il pourrait bien leur faire une proposition financière... Lasse de ces atermoiements, Elena

Kassianova, la présidente de l'Union des victimes des incendies, propriétaire d'un appartement parti en fumée au 53, rue Maxime Gorki, lui pose une question directe : « Pouvez-vous prendre sous votre protection les habitants de la rue Chaoumian ? »

Cette rue est sans doute l'endroit le plus dangereux de la ville. Chaque nuit ou presque, plusieurs petits incendies s'y déclarent. Quelques hangars ont déjà brûlé. Selon les habitants, il faut interpréter ces destructions comme autant d'avertissements. Les « investisseurs » font le pied de grue dans cette rue pour forcer les gens à partir, mais ceux-ci résistent. Et leur refus de quitter leurs logements pour laisser la place à des promoteurs mafieux les met clairement en danger... C'est pourquoi Elena Kassianova demande à la police de les protéger avant qu'il ne soit trop tard. Mais Lidjigoriaev a une réponse toute prête :

« Je ne peux pas promettre à chaque habitant de la ville une protection particulière ! Ce genre de choses n'entre pas dans mes fonctions. Ils n'ont qu'à se payer des vigiles...

– Mais ils n'en ont pas les moyens ! Ce sont des quartiers pauvres, la plupart des habitants sont âgés... Est-il déjà arrivé que vos supérieurs hiérarchiques vous donnent l'ordre de protéger des immeubles ?

– Oui... mais seulement des immeubles d'élite. Car leurs occupants sont prêts à y mettre le prix... »

Un autre policier essaie de calmer les « incendiés ». Il s'appelle Viktor Chmedkov et dirige le commissariat de l'arrondissement Kirov. La plupart des « incendies commerciaux », comme on les appelle à Astrakhan, se produisent précisément dans cette zone ainsi que dans l'arrondissement Lénine adjacent. Chmedkov vient à la rescousse de Lidjigoriaev.

« Il serait erroné de dire que ce problème se pose avec une acuité particulière en ce moment », dit-il en regardant droit dans les yeux les malheureuses petites vieilles obligées de loger chez des amis depuis que leur immeuble a brûlé.

Le député Cheine, venu soutenir les manifestants, lui répond du tac au tac :

« Évidemment, puisque vous avez classé toutes les enquêtes !

– C'est faux. En ce moment même, mes services enquêtent sur cinq incendies. Vous ne pouvez pas prétendre que la police ne fait rien. Nous avançons. Laissez-nous du temps. Nous n'écartons aucune version... y compris les plus audacieuses. »

Chacun sait à quoi il fait référence quand il parle de « version audacieuse ». Il s'agit de la version qui accuse l'entourage proche du maire. Selon des rumeurs insistantes, des chefs d'entreprise alliés à plusieurs adjoints au maire auraient décidé d'incendier quelques immeubles afin de récupérer ces terres bien placées. Ces businessmen auraient financé la campagne électorale de Bojenov ; à présent, ce dernier leur renverrait l'ascenseur en les soutenant dans leurs projets illégaux.

Mais après avoir évoqué sa propre « audace », Chmedkov passe rapidement à une autre version, la version officielle. C'est une histoire à dormir debout que les représentants du pouvoir d'Astrakhan – qu'il s'agisse des policiers, du FSB, de la mairie ou encore du parquet – racontent avec tant de passion qu'on pourrait presque penser qu'ils y croient eux-mêmes. Pourtant, il faut énormément de candeur pour prêter foi à ce récit...

Le personnage central en est un certain Kazimirov, un repris de justice ayant effectué, par le passé, deux séjours en prison pour vol. Une nuit, il est sorti de chez lui, dans le ferme dessein de voler quelque chose. Il a longtemps marché, près de vingt kilomètres, jusqu'à un immeuble que rien ne distinguait des autres... Mais c'est précisément ici qu'il a décidé de commettre son forfait, pour une raison qui reste à élucider. Il s'agissait du 18, rue Poliakov. Dans l'entrée, le bandit a découvert un bidon d'essence que quelqu'un avait laissé là par inadvertance. Pris d'un soudain accès de rage, il a aspergé d'essence les escaliers, les murs, le sol... Ensuite, il est ressorti afin de fabriquer une torche de fortune avec du tissu qu'il avait également trouvé par terre. Puis il est retourné à l'intérieur en courant et a mis le feu, prenant bien soin de lancer des départs d'incendie de plusieurs côtés, de façon à ce que les flammes se répandent partout. Sa besogne accomplie, Kazimirov est tranquillement reparti. Il a marché vingt kilomètres dans l'autre sens, est rentré chez lui et s'est couché. Toute cette histoire aberrante, il l'a racontée lui-même à la police le 15 juin. Il se trouvait alors en détention préventive depuis deux semaines, pour une autre affaire il avait pris part à une rixe de bar au cours de laquelle un homme avait trouvé la mort. Ainsi, d'après la version officielle, Kazimirov, soupçonné de meurtre sans préméditation, aurait brusquement décidé de révéler aux enquêteurs qu'il avait également un incendie criminel sur la conscience...

Très crédible, n'est-ce pas ?

Lioudmila Nikiforova, l'une des habitantes de l'immeuble de la rue Poliakov, est plus que sceptique :

« J'étais là quand ils ont amené Kazimirov pour la reconstitution. Il ne savait même pas où était la cour et où était l'entrée. Il était évident qu'il ne connaissait pas les lieux. En fait, il semblait complètement perdu, et c'est un enquêteur qui lui indiquait ce qu'il devait dire... »

Si absurde que soit l'histoire de Kazimirov, les policiers font mine de la croire. Quant à leur prétendue « audace »... En vérité, ils ne sont audacieux et inflexibles qu'avec les démunis, mais ils se montrent toujours timides et obéissants quand ils ont affaire aux puissants. Ils l'admettent d'ailleurs à demi-mot. Ils ne peuvent rien contre les dirigeants de la ville, lesquels sont complices de divers chefs mafieux. Les autorités sont complètement criminalisées et la police n'a ni les moyens ni la volonté d'y mettre bon ordre. Avant, les bandits étaient hors-la-loi et devaient être arrêtés. Maintenant, les « garants » de la loi sont eux-mêmes des gredins... du coup, ceux qui sont censés les pourchasser se retrouvent pieds et poings liés. Voilà six mois que l'épidémie d'incendies a commencé et la police n'a toujours pas mis en place un groupe d'enquête unifié. Chaque commissariat mène sa propre investigation, alors qu'il est clair que toutes ces affaires sont liées. Personne n'ose faire un tableau global de ces « incendies commerciaux », car personne ne veut s'attirer des ennuis. Même quand deux incendies criminels surviennent la même nuit, à une demi-heure d'intervalle, dans deux immeubles situés à quelques mètres l'un de l'autre, la police n'y voit qu'une curieuse coïncidence !

C'est pour cela que, malgré toutes les promesses que leur font les policiers, les manifestants de la place Kirov refusent de quitter les lieux. En Russie, si tu n'as pas d'argent, tu dois défendre tes droits avec obstination, sinon tu seras impitoyablement broyé.

Finalement, le chef adjoint de la police de la région vient parlementer à son tour. Il s'appelle Iouri Bondar, et ne se trouve en poste que depuis le 18 juin dernier. Il est arrivé d'une autre région et ne semble pas encore très au fait des spécificités locales. C'est sans doute pourquoi il se montre si catégorique.

« Nous ne vous laisserons pas tomber. Nous allons vérifier tous les documents en notre possession. La première question à laquelle il faudra répondre, c'est : qui s'intéresse aux terrains sur lesquels vos immeubles sont situés ? Je vous promets que ceux qui se trouvent derrière ces incendies répondront de leurs actes.

– Heu, oui, le mobile financier est la première piste que nous suivons dans cette affaire », articule difficilement Olga Melekhina, qui représente la Direction des enquêtes de la région d'Astrakhan.

Melekhina est jeune mais, à la différence de Bondar, elle est originaire d'Astrakhan. Elle est très nerveuse, comme si elle craignait qu'il lui arrive quelque chose. En attendant, Bondar a donné aux « incendiés » une once d'espoir. Ils commencent à se disperser. Mais où peuvent-ils donc aller ?

Ont-ils seulement été relogés ? Non. Ils se sont retrouvés dans des taudis infâmes. Non content de les avoir privés de leur toit, le pouvoir humilie ces malheureux jusqu'au bout en refusant de les reloger décemment.

Alexeï Glazounov, membre de l'« Union des victimes des incendies d'Astrakhan », raconte sa descente aux enfers.

« Notre immeuble, situé au 53, rue Maxime Gorki, s'est mis à brûler en pleine nuit, à trois heures et demie du matin. Vers neuf heures, des types sont arrivés avec des espèces de haches et ont commencé à tout casser. Sous les yeux des policiers, ils ont fini de démolir tout ce que le feu n'avait pas détruit. Ce jour même, tous les habitants qui n'étaient pas à l'hôpital sont allés voir Svetlana Koudriavtseva, Madame Logement dans notre ville – elle est l'adjointe au maire chargée du bâtiment et de l'architecture. Elle a immédiatement mis les points sur les " i " : l'immeuble avait brûlé ? Tant pis, ou tant mieux ! La ville a pour politique de raser les bâtiments vétustes. Quant aux habitants, la mairie les enverrait à l'hôtel... »

Les survivants de l'incendie se sont donc retrouvés à l'ancien hôtel Novomoskovskaïa. Problème : l'immeuble est en pleine réfection. Iraïda Zabolotnaïa, âgée de quatre-vingt-un ans, s'est vu attribuer une chambre qu'elle décrit ainsi : « Des rats sortent de trous dans le mur. Pas de toilettes, pas de douche. Une odeur de pourriture. Une hygiène déplorable. »

Chambre 207. Zina Tsaplina, soixante-seize ans, est assise sur un matelas crasseux. « Mon rêve ? Mourir. C'est la seule chose dont j'ai envie. »

Alexeï Glazounov est resté quelques jours à Novomoskovskaïa... et puis il est revenu dans son immeuble carbonisé. Le hangar situé dans la cour – à l'origine, une écurie – a résisté aux flammes. Glazounov l'a un peu retapé. Maintenant, il y habite. Même s'il n'a ni fenêtres, ni eau, ni gaz, ni lumière, il estime que les conditions y sont meilleures qu'à l'hôtel.

Et il a raison. Mais le pire, c'est que certains rescapés n'ont même pas eu la possibilité de s'installer à Novomoskovskaïa. Ceux du 18, rue Poliakov ont été laissés sur place. Tout simplement.

Cette ancienne résidence n'est plus qu'une ruine de deux étages. Un petit garçon en surgit. Un homme maigre émerge des ruines à sa suite. Il s'appelle Iouri Pankov. Il m'invite « à l'intérieur ». Le décor est digne de la bataille de Stalingrad. La seule lumière provient des immenses trous dans le toit.

« Où habitez-vous ?
– Ici.
– Mais c'est impossible !
– Je n'ai pas le choix. Je n'ai nulle part où aller. »

Iouri a soixante-dix ans. La résidence où il continue d'habiter est une propriété municipale. Avant l'incendie, c'était déjà un taudis, un enchevêtrement de constructions de bois et de tôle. Le drame, qui s'est produit le 30 mars dernier, a évidemment eu un motif commercial. Nous sommes dans le centre, un quartier qui devient à la mode. Une fois que les bulldozers auront fait place nette, il sera temps de se demander si les futurs propriétaires auxquels la mairie vendra le terrain y construiront un restaurant, une boutique ou un casino... De l'autre côté de la rue se trouve un café dans lequel le chef de l'administration de l'arrondissement Lénine, M. Hodjiev, possède des parts.

Personne ne doute un instant que les hauts fonctionnaires commerçants ont commandité ces incendies afin d'obtenir rapidement ce terrain très convoité. Seulement, la maison n'a pas entièrement brûlé et des gens ont dû y rester, avec leurs enfants, dans des conditions tellement affreuses qu'elles évoquent irrésistiblement les images d'actualités sur les souffrances du Darfour...

Cette histoire montre ce qu'il se produit quand le pouvoir se déconnecte complètement de sa population et ne pense plus qu'à lui-même. Ceux qui nous dirigent sont obnubilés par l'argent. Pouvoir signifie argent, argent signifie pouvoir ; quant aux simples citoyens, ils ne sont que des détails fâcheux. Et s'ils entravent les aspirations des puissants, eh bien, ils seront éliminés, sans état d'âme. Si leurs maisons gênent, elles seront brûlées. S'ils survivent à l'incendie, on les mettra à la décharge. Et s'ils se retrouvent à la décharge, ils n'en auront plus pour longtemps, car personne ne survit indéfiniment dans ces conditions. Tant pis pour eux, ils n'avaient qu'à ne pas se trouver au mauvais endroit au mauvais moment.

Notre pays est engoncé dans une crise morale tellement profonde que ces agissements paraissent normaux. Ce qui s'est passé à Astrakhan n'en est qu'une manifestation parmi d'autres.

27 juillet

Nouvelle audience de l'affaire des *natsboly* au tribunal de l'arrondissement de Nikouline à Moscou. Le juge Alexeï Chikhanov, qui dirige les débats, possède des dons d'acteur évidents : il semble vraiment persuadé que le procès est conduit dans le plus strict respect des règles judiciaires. Pourtant, il faut vraiment être aveugle pour ne pas se rendre compte que tout cela est cousu de fil blanc...

La défense fait remarquer au juge que trente-trois des trente-neuf accusés n'ont pas été officiellement placés en détention préventive, mais se trouvent tout de même dans les cages des prévenus, ce que notre code pénal interdit formellement. Si le tribunal veut respecter la procédure, il doit permettre à ces trente-trois personnes de comparaître libres. Dans le cas contraire, le verdict prononcé ne vaudra rien. Mais Chikhanov hausse les épaules. Il préfère écouter la représentante de l'accusation, Mme le procureur Goudim, qui affirme que les *natsboly* ont commis des « crimes particulièrement graves » qui justifient leur maintien en détention, ainsi que les chaînes qui entravent leurs mouvements et les font furieusement ressembler à des esclaves.

Chikhanov se plie de bonne grâce à ces « arguments ». Il sait très bien qu'il vaut mieux ne pas risquer de provoquer l'ire de l'administration présidentielle. Cette dernière a le pouvoir de nommer et de révoquer les juges. S'il veut garder son poste, il a intérêt à se montrer aussi ferme que possible envers les *natsboly*. De toute façon, ils n'ont que ce qu'ils méritent. Ils ont osé élever la voix contre ce qu'il y a de plus sacré dans le pays : notre chef bien-aimé. Peu importent leurs droits. Ils doivent être punis, et ils le seront.

On s'attelle donc à l'audition des témoins. Le juge invite à la barre Natalia Kouznetsova. Elle travaille au centre commercial Kitaï-Gorod qui partage le vestibule de l'administration présidentielle. Le 14 décembre, elle était censée veiller au maintien de l'ordre dans ce fameux vestibule. C'est une femme simple et honnête. Dès la première question, elle déclare qu'elle n'a vu l'assaut des *natsboly* qu'à la télévision. Quant au détecteur de métaux qu'ils auraient complètement détruit (en tout cas, c'est l'un des arguments essentiels de l'accusation), il aurait été réparé le soir même. Le lendemain, il fonctionnait de nouveau parfaitement et, depuis, il n'a pas connu la moindre panne.

Que s'est-il passé ensuite ? Le juge a-t-il tenu compte de ce témoignage ? Si ce pauvre détecteur de métaux n'a été endommagé que superficiellement – alors que d'après l'accusation, il avait été entièrement démoli –, peut-être faut-il, au moins, modifier certaines des charges retenues ? Mais non. On continue comme si de rien n'était. En Russie, quelle que soit l'époque, la jeunesse a un droit inaliénable : celui de tâter de la prison dès lors qu'elle ose remettre en cause l'infaillibilité du pouvoir.

28 juillet

Aujourd'hui, le procès a carrément sombré dans la confusion la plus totale. En ce vendredi écrasé de chaleur, personne n'avait envie de travailler. La séance somnolait quand, à la surprise générale, Mme le procureur Goudim, de la « section banditisme » du parquet de Moscou, a réveillé la salle par une déclaration pour le moins surprenante. Elle s'est soudain aperçue que l'accusé Soloviev, qui était en train de ruisseler de sueur dans sa cage, était mineur et qu'il avait droit à un traitement particulier eu égard à son âge. Par conséquent, a-t-elle conclu, il fallait immédiatement suspendre l'audience jusqu'à lundi et renvoyer Soloviev en prison pour le week-end... pour son propre bien.

L'idée a paru excellente au juge. Il a ordonné d'apporter les chaînes, et les accusés ont été évacués. Le procès reprendra lundi.

La section banditisme a également fait parler d'elle pour une autre affaire au cours de ces derniers jours. Il faut savoir que la dénomination officielle de ce groupe d'enquêteurs n'est pas « section banditisme », comme on l'appelle généralement, mais « Direction chargée des enquêtes sur le banditisme et les assassinats ». C'est ce service qui s'est occupé de la prise d'otages de *Nord-Ost* en octobre 2002 et qui a « démontré » que le gaz employé par les troupes d'assaut était inoffensif, dédouanant ainsi ceux qui avaient pris la décision d'utiliser l'arme chimique dans une salle pleine de civils innocents.

Le supérieur hiérarchique direct du juge d'instruction Alimov (qui a dirigé l'enquête sur l'affaire des *natsboly*) est un certain Ioudine, procureur adjoint de Moscou. C'est cet homme qui a signé l'acte d'accusation complètement absurde à l'encontre des *natsboly*, qui exige leur maintien en détention pendant toute la durée de l'enquête et du procès, ainsi que l'emploi à leur égard de mesures spéciales, comme ces chaînes sorties tout droit du XIXe siècle.

Il y a quelques jours, la police a enfin arrêté Sergueï Melnikov, un membre éminent de la mafia de la ville de Togliatti. Melnikov était en fuite depuis déjà un an, sous le coup d'un mandat d'arrêt pour sa participation à plusieurs affaires de racket.

Nous avons tous beaucoup de critiques à formuler à l'encontre de nos policiers. Raison de plus pour les féliciter quand ils mettent un dangereux criminel hors d'état de nuire. Tout heureux de leur prise, ils sont allés demander à Ioudine un mandat de dépôt... que celui-ci a refusé, estimant que Melnikov ne représentait « pas un danger pour la société » et qu'il n'existait pas de « preuves définitives de sa culpabilité ».

Le truand a donc été remis en liberté. Illustration éclatante du décalage qui existe entre la doctrine officielle sur la sécurité des citoyens et la réalité. Pendant que l'on libère les malfaiteurs, les ennemis politiques ont droit aux chaînes et aux cachots. Le pouvoir est impitoyable envers ceux qui le remettent en question, mais se montre tout à fait laxiste à l'égard des criminels de droit commun. Ces derniers deviennent *de facto* les soutiens objectifs de nos dirigeants. Dans ce contexte, les mots ne veulent rien dire. Poutine a beau citer la Constitution à tout bout de champ, il ne se soucie guère de protéger ses administrés de tous les Melnikov que son système relâche dans la nature.

Un nouveau mouvement monte en puissance dans le pays. Oh non, il ne s'agit pas de ce grand parti démocratique auquel personne ne croit plus depuis longtemps. Loin de là. Il s'agit de cette création de l'administration présidentielle appelée *Nachi* [1]. Cette organisation, fondée en février, n'est pas née par hasard. Le pouvoir a besoin de son propre mouvement de masse, capable de défiler dans la rue et de défendre ses intérêts. Ces jeunes gens, souvent de grands costauds, ne seront pas de trop en cas de troubles.

Les *Nachi* sont particulièrement dangereux car on y a admis des supporters de football armés de chaînes et de coups-de-poing américains. Ce sont leurs forces d'assaut. Pour l'instant, ils ne s'attaquent qu'aux *natsboly*, avec le soutien tacite des autorités qui interdisent aux instances judiciaires de poursuivre les agresseurs. On considère généralement que les *Nachi* comptent deux sections d'assaut : les fans du CSKA et ceux du Spartak. Tous ces jeunes gens sont déjà aguerris aux combats de rue. Pour les encadrer a été mis en place un service de sécurité privé nommé « Bouclier blanc », dirigé par deux supporters du Spartak connus sous des pseudonymes charmants : Vassia le Killer et Roma le Couteau. Le Killer est l'un des hooligans les plus furieux qui soient. Ce sont ses hommes qui s'attaquent aux adversaires politiques du président, spécialement aux *natsboly*. Ils ont déjà pris d'assaut deux locaux du Parti national-bolchevik (PNB). Et le Killer n'a pas hésité à donner une conférence depuis l'un de ces endroits conquis de haute lutte.

Vassia le Killer (Vassili Stepanov de son vrai nom) et Roma le Couteau ont déjà été inculpés à plusieurs reprises pour diverses

1. Voir au 23 février 2005.

affaires de droit commun, mais leurs protecteurs leur ont toujours permis d'éviter la prison.

Le Couteau a même été invité à une rencontre dont les images ont fait le tour du pays : Poutine avait rassemblé les membres les plus éminents des *Nachi* autour d'un barbecue pour leur expliquer qu'ils incarnaient la société civile du pays. C'est pendant que la télévision montrait complaisamment cette conversation amicale imaginée par Sourkov qu'un jeune *natsbol,* qui avait récemment été passé à tabac par des « inconnus », a eu la surprise de voir l'un de ses agresseurs discuter tranquillement avec le président : Roma le Couteau, Roman Verbitski dans le civil.

Encore une fois, le système s'appuie sur les criminels. Pourquoi Khodorkovski a-t-il été embastillé ? Bien sûr, comme les autres oligarques, il avait amassé une fortune fantastique en très peu de temps, profitant de son accès direct au Kremlin à l'époque de la privatisation sauvage. Mais ensuite, une fois devenu milliardaire, il a rompu avec ses anciennes pratiques et a décidé que sa compagnie, Ioukos, allait devenir l'entreprise la plus transparente du pays, une société qui n'aurait rien à voir avec les réseaux de la pègre, bref, une entreprise normale, à l'occidentale. Et il s'est mis à bâtir cette nouvelle Ioukos. Mais autour de lui, énormément de gens n'avaient surtout pas envie de transparence et préféraient agir discrètement, dans l'économie de l'ombre, comme on l'appelle chez nous, plutôt que d'évoluer en pleine lumière. Ioukos a donc été dévorée. Au royaume de l'obscurité, il n'y a guère de place pour la lumière.

3 août

À quatre heures du matin, à Syktyvkar (république des Komis, dans le nord du pays), un incendie a détruit les locaux d'un journal démocratique d'opposition, *Kourier plus*. Le même bâtiment abritait aussi les studios de deux émissions de télévision, *Télé-Kourier* et *Zolotaïa Seredina* (Plein centre). Elles étaient présentées par Nikolaï Moiseev, un membre de la section locale du parti Iabloko, député au Conseil législatif de la ville. Moiseev n'a jamais épargné ses critiques à l'égard du maire, Sergueï Katounine ; en juillet, avec un groupe de députés, il avait essayé d'obtenir la démission de l'édile, mais celui-ci avait tenu bon.

Au parquet de la République, personne ne doute du caractère criminel de l'incendie. Ces dernières semaines, la voiture de Moiseev, ainsi que la porte de son appartement, avaient déjà été brûlées. Cet épisode en rappelle un autre. En août 2002, les locaux d'un autre journal démocratique de Syktyvkar, *Stefanovski Boulvar*, prédécesseur de *Kourier plus*, avaient également été incendiés. Il avait cessé de paraître au lendemain du sinistre.

4 août

Un nouveau djihad a été proclamé en Russie. Début septembre, cela fera six ans qu'a démarré l'« opération antiterroriste » en Tchétchénie. D'après la propagande du Kremlin, la paix est revenue dans les villes et les villages de la république. Tous les fauteurs de trouble auraient été éliminés depuis longtemps. Et voilà qu'on reparle de djihad. Oh, ce n'est pas la première fois que ce mot terrible est prononcé en Tchétchénie. Au cours des onze dernières années, il y en a eu plusieurs, toujours lancés par des muftis de la résistance à l'encontre des troupes russes.

Cette fois, c'est différent. Le nouveau grand mufti, Sultan Mirzaev, a lancé un djihad qui prend pour cibles « les terroristes et les wahhabites ». Mirzaev a réuni les mollahs de toutes les régions de la république, ainsi que les chefs de toutes les bandes armées prorusses (Kadyrov, Iamadaev, le ministre de l'Intérieur Rouslan Alkhanov, etc.), pour leur annoncer que, désormais, leurs hommes auront le droit de tuer d'autres Tchétchènes, et à plus forte raison des non-Tchétchènes, s'ils les soupçonnent d'être « des terroristes ou des wahhabites ». Le chef religieux leur a promis qu'ils ne seraient pas inquiétés par la justice... ni dans ce monde ni dans l'autre. Dorénavant, ils pourront accomplir leurs forfaits et être certains qu'ils agissent en bons musulmans.

Étant donné qu'officiellement tous les soldats et commandants en question sont des militaires des forces armées fédérales, et donc soumis à la loi russe, laquelle, évidemment, ne reconnaît pas le djihad, on peut considérer qu'avec cette proclamation la guerre civile en Tchétchénie a franchi une nouvelle étape.

Mais pourquoi décréter le djihad maintenant?

Pour répondre à cette question, il faut revenir au violent ratissage effectué le 4 juin dernier dans le village de Borozdinovskaïa, à la frontière du Daghestan. Ce jour-là, les hommes de Iamadaev, non contents de se livrer à des pillages de masse, avaient également tué plusieurs habitants, enlevé onze personnes et mis le feu à la plupart des maisons. Des centaines de villageois ont dû fuir en catastrophe au Daghestan. Les jours suivants, des dissensions se sont fait jour dans la communauté des « gangsters d'État » tchétchènes. En effet, ce ratissage ayant dépassé les frontières de la république, les forces russes ont dû conduire un simulacre d'enquête. Et même si, au final, cette enquête s'est achevée en eau de boudin – seul un misérable lampiste a été sanctionné, alors que le commandant du groupe, Soulim Iamadaev, qui a le grade d'officier du GRU, n'a pas été inquiété –, les hommes de main qui sèment la terreur au nom de l'État se sont alarmés : fallait-il voir dans cette investigation un signe avant-coureur de la fin prochaine de la liberté totale qui leur était accordée ? Cette grogne est remontée jusqu'à leurs chefs, notamment Ramzan Kadyrov et les Iamadaev (Khalid, le frère de Soulim, est député à la douma au sein de la fraction Russie unie). Les fantassins craignaient de voir remis en question ce système si commode auquel ils s'étaient habitués : les chefs commandent, la base tue, les chefs la protègent de toute poursuite, la base tue à nouveau, etc. Leurs leaders se sont empressés de les rassurer. C'est ainsi que Ramzan Kadyrov a obtenu du grand mufti cet appel au djihad qui exonère les exécutants de toute responsabilité.

Personne ne s'y est opposé. Tous les mollahs sans exception ont voté en faveur du djihad. La guerre sainte ne vise pas ceux qui se livrent à des assassinats de masse et qui plongent le pays dans une terrible guerre civile. Non, elle ne fait que sanctifier la distinction entre les « bons » et les « mauvais » Tchétchènes. Désormais, les premiers sauront qu'en assassinant les seconds, ils agissent en accord avec la volonté divine.

On aurait tort de prendre cette proclamation à la légère et de se dire qu'un djihad, cela se décrète et cela s'annule, comme l'a fait par exemple feu Akhmad Kadyrov en son temps [1]. Pour une grande partie des assassins stipendiés par notre État, la nouvelle est d'importance. Ils se sentent beaucoup mieux en abattant leurs

---

1. Pendant la première guerre de Tchétchénie, Akhmad Kadyrov, alors grand mufti de la république, avait lancé un djihad contre les Russes, avant de revenir sur sa décision et, finalement, de se ranger aux côtés du Kremlin, qui en fera le premier président de la Tchétchénie pacifiée. Élu en octobre 2003, il a été assassiné le 9 mai 2004.

compatriotes dès lors qu'ils savent qu'Allah leur a donné sa bénédiction. Et quand on parle de ces gens-là, « se sentir mieux » équivaut à « agir avec encore plus de sauvagerie ».

[Les effets de cette innovation spirituelle ne se sont pas fait attendre. Le djihad a été promulgué le 4 août. Cette même nuit, la nouvelle a été « célébrée » par un assassinat particulièrement odieux commis au village de Chelkovskaïa, dans la zone contrôlée par les hommes des Iamadaev.

Tard le soir, vers vingt-deux heures, plusieurs 4x4 argentés de la marque Niva – les véhicules préférés des « Iamadaviens » – se sont arrêtés près de la maison de Vakhambi Satikhanov. Ce père d'une famille nombreuse, âgé de quarante ans, enseignait l'arabe et les bases du catéchisme musulman à l'école locale. Des hommes armés en tenue de camouflage et parlant entre eux en tchétchène se sont emparés du maître des lieux et l'ont emmené à une centaine de mètres de là. Ils ont disposé leurs voitures en rond et forcé l'instituteur à se tenir au centre du cercle ainsi formé. Plusieurs personnes ont essayé de s'interposer, mais les « Rambos » les ont repoussés en menaçant de faire usage de leurs armes. Toute la nuit, les voisins ont assisté, impuissants, à un interminable ballet de voitures qui allaient et venaient, sans qu'il soit possible d'apercevoir Satikhanov. On entendait seulement des cris, des bruits de coups et des détonations. Au matin, les agresseurs ont enfin levé le camp. Ce n'est qu'alors que les villageois ont découvert le corps de Vakhambi. Il avait été lynché, c'est le seul mot qui convient pour décrire son calvaire. Il avait reçu des dizaines de coups de couteau, ses doigts avaient été cassés, ses ongles arrachés...

Les gens de Chelkovskaïa sont persuadés que cet assassinat a été commis par le bataillon « Vostok », qui dépend du GRU. Son commandant, Soulim Iamadaev, a été décoré de la médaille de « Héros de la Russie » par Poutine. Cette distinction est arrivée après les événements de Borozdinovskaïa, manière implicite pour les dirigeants du pays de laisser entendre que le ratissage était justifié. Quant à l'instituteur Satikhanov, il avait déjà eu maille à partir avec les hommes de « Vostok », qui lui reprochaient de ne pas enseigner l'arabe de la bonne façon. Comme si eux connaissaient l'arabe ! Ils ne perçoivent cette langue qu'en tant que langue du Coran ; et comme ils ont une notion très primitive de la bonne manière de prier – ce qui ne les empêche pas d'être convaincus qu'il s'agit de la seule façon possible de communiquer avec Allah –, ils souhaitent que tout le monde, y compris des gens bien plus cultivés qu'eux, partage leur approche grossière de la religion. Et maintenant qu'ils ne sont plus des criminels en maraude mais des soldats du djihad, c'est tout naturellement qu'ils éliminent ceux qu'ils considèrent comme apostats...

J'insiste : le djihad en Tchétchénie a été édicté avec l'accord tacite de Moscou. La preuve, c'est qu'il ne s'est trouvé aucune institution d'État pour dire clairement qu'il était absolument illégal de déclarer la guerre sainte sur le territoire du pays. Que ce soit le parquet général, le ministère de l'Intérieur ou la Cour suprême, tous les organismes chargés de l'application de la loi en Russie ont observé un silence total en réaction à cette nouvelle qui n'avait pourtant rien de secret. Le ministre de l'Intérieur de la Tchétchénie, Rouslan Alkhanov, qui était personnellement présent lors de la promulgation du djihad, n'a pas été relevé de ses fonctions. Pas plus que ne l'a été Ramzan Kadyrov, le grand ordonnateur de cette opération. Personne n'a jugé bon d'expliquer ce qu'allaient bien pouvoir faire, désormais, les organes d'État présents en Tchétchénie : puisque la république sera dorénavant régie par le djihad, tous ces organes vont-ils perdre leurs prérogatives ? Ou bien les enquêteurs vont-ils se contenter de n'arrêter que les criminels de religion orthodoxe ?

Ce mutisme des autorités démontre indubitablement que le président lui-même ne trouve rien à redire à la nouvelle donne. Pourquoi consent-il à cette étape supplémentaire dans l'horreur ? Tout simplement parce qu'elle correspond pleinement à sa stratégie de « tchétchénisation » du conflit. Laissons les locaux se massacrer entre eux, cela fera autant de problèmes en moins pour la Russie. L'Histoire retiendra également que les instances religieuses tchétchènes se sont honteusement compromises dans la destruction de leur propre peuple, comme l'avaient fait en leur temps les instances orthodoxes officielles d'URSS qui avaient donné leur bénédiction aux crimes de Staline et de Khrouchtchev.

La proclamation du djihad est une phase supplémentaire de la chute du pays dans l'abîme de l'arbitraire souhaité par le Kremlin. Nous sombrons dans une sauvagerie encore plus grande que celle de l'époque soviétique.

Mais le peuple semble trouver tout cela normal. Il ne s'est même pas trouvé une seule organisation de défense des droits de l'homme pour exiger l'interdiction du djihad !]

9 août

La litanie des morts étranges dans le premier cercle du pouvoir continue. À Sotchi – une station balnéaire située sur la mer Noire et très prisée de l'entourage présidentiel –, l'entrepreneur Piotr Semenenko, qui dirigeait depuis dix-huit ans la plus grande usine de machines-outils du pays, le Kirovski Zavod, un consortium regroupant quinze entreprises, est tombé de la fenêtre de la suite qu'il louait au quinzième étage de l'hôtel Nuits blanches. Le Kirovski Zavod produit des équipements pour toute l'industrie russe, des sanitaires aux sous-marins atomiques.

Les circonstances de cet « accident » sont pour le moins troublantes. C'était la dernière nuit que Semenenko devait passer à Sotchi. Le lendemain, il était censé rentrer à Saint-Pétersbourg pour reprendre le travail. Les Nuits blanches appartiennent au Kirovski Zavod, mais même dans sa suite, Semenenko était protégé vingt-quatre heures sur vingt-quatre par plusieurs gardes. Vers une heure du matin, ces derniers ont entendu du bruit dans la rue, comme si, en bas, quelqu'un était en train de casser des bouteilles. Pour une raison inconnue, ils ont tous (!) décidé de descendre voir de quoi il en retournait. Un comportement bien étrange, en vérité. Premièrement, ils n'avaient tout simplement pas le droit de laisser leur chef sans surveillance. Et deuxièmement, ils n'auraient certainement pas dû se préoccuper de savoir si quelqu'un était en train de casser des bouteilles dans la rue... En tout cas, à peine étaient-ils sortis que Semenenko a fait le grand saut.

L'homme était bien connu dans les milieux de l'industrie russe. Comme Poutine et la plus grande partie de ses proches, Semenenko était originaire de Saint-Pétersbourg. D'après de nombreux observateurs, il avait suscité l'ire de nombreuses personnalités haut placées en s'opposant à la redistribution des actifs industriels du pays à laquelle Poutine s'est attelé depuis son arrivée aux affaires.

Et s'il y a bien une chose dont tout le monde est certain, c'est qu'on l'a « aidé » à tomber du quinzième étage.

Pendant ce temps, Mikhaïl Khodorkovski a été transféré dans une autre cellule, toujours à la prison de la Matrosskaïa Tichina où il attend son verdict. Les conditions de sa réclusion ont été durcies : il partagera désormais un cachot avec dix autres détenus, et il n'a plus le droit de recevoir des journaux et de regarder la télévision.

Ce transfert s'explique sans doute par la publication, dans le journal *Vedomosti*, d'un article qu'il a écrit en prison, intitulé « Le virage à gauche », dont voici les extraits principaux :

> « Toutes les manœuvres du pouvoir n'empêcheront pas les forces de gauche de l'emporter. Et elles l'emporteront démocratiquement, grâce au soutien de la majorité des citoyens. Le virage à gauche finira par se produire. Et alors, la cohorte des suiveurs du pouvoir actuel sera balayée...
>
> « Il ne faut pas négliger le fait que nos compatriotes se sont considérablement endurcis au cours des dix dernières années. Après avoir été trompés plus souvent qu'à leur tour, les gens se sont aguerris. Ils ne sont plus aussi naïfs qu'avant, ils ne " mordront " plus à un nouveau coup de bluff, si sophistiqué soit-il. À cet égard, l'opération " Successeur-2008 " est loin d'être une affaire réglée d'office. Le projet autoritaire postsoviétique a d'ores et déjà épuisé toutes ses ressources. »

Je ne suis pas entièrement d'accord : à mon avis, le pouvoir a encore plus d'un tour dans son sac.

Khodorkovski a également répondu aux questions que les lecteurs de mon journal, *Novaïa Gazeta*, lui ont fait parvenir par e-mail (c'était avant sa mise à l'isolement).

Sergueï Panteleev, étudiant à Moscou, lui a demandé : « Il me semble que la destruction de Ioukos s'explique par le fait que les hauts fonctionnaires ont décidé de ne plus servir l'État, mais d'en devenir les propriétaires. Partagez-vous ce point de vue ? »

Réponse : « Cher Sergueï ! Ce qu'ils veulent posséder, ce n'est pas l'État en tant que tel, mais des biens très concrets, à commencer par l'entreprise la plus florissante du pays : Ioukos. Ou, plus exactement, les revenus de Ioukos. Vous avez raison en cela que ceux qui se livrent en ce moment même au démembrement de Ioukos prétendent servir l'intérêt national. En réalité, ils se moquent bien de l'État. Ne serait-ce que parce que la destruction de Ioukos aura des conséquences terribles pour l'économie de la Russie. Ces hauts fonctionnaires trompent sciemment la société en faisant passer leur propre intérêt pour celui de l'État. »

Autre question, posée par un lecteur préférant écrire sous le pseudonyme de « Goblin » : « N'avez-vous pas été déçu par vos amis qui se sont réfugiés à l'étranger au lieu de voler à votre secours, et à celui de votre associé Platon Lebedev, malgré les risques qu'une telle attitude aurait supposés ? »

Réponse : « Cher Goblin ! Je ne souhaiterais pas à mon pire ennemi d'être emprisonné. À plus forte raison, je ne le souhaiterais pas à mes amis ! C'est pourquoi je me réjouis à l'idée que la plupart d'entre eux ont réussi à éviter l'arrestation. Et toutes mes pensées vont à mes camarades et collègues qui ont été emprisonnés dans le cadre de l'affaire Ioukos – je pense en particulier à Svetlana Bakhmina, qui est mère de deux enfants en bas âge. »

Question de Vera, de Tomsk : « On vous oblige à recommencer votre vie à zéro. Trouverez-vous la force de tout reprendre ? Ou bien la grande affaire de votre vie est-elle restée dans le passé ? »

Réponse : « Chère Vera ! En prison, j'ai compris une chose fondamentale. Être est plus important qu'avoir. L'individu compte bien plus que les circonstances dans lesquelles il peut se retrouver. Pour répondre plus concrètement, je dirai que le business, pour moi, appartient au passé. Mais je n'entame pas une nouvelle existence en partant de zéro pour autant, car j'ai accumulé une grande expérience au cours de ma première vie. Et je suis même reconnaissant au destin de m'avoir permis de vivre deux vies, en dépit du fait que j'aie dû passer par des moments très difficiles. »

Ce même jour, le 9 août, les avocats de Khodorkovski et de Lebedev ont appris qu'ils auraient beaucoup moins de temps que prévu pour étudier les éléments du dossier. Ce n'est qu'un nouvel épisode des diverses tracasseries infligées à la défense. Les avocats ont eu accès à ces documents pour la première fois le 27 juillet dernier. Ils devaient les consulter dans le bâtiment du tribunal de l'arrondissement de Mechtchanski. Très rapidement, le pouvoir a commencé à leur mettre des bâtons dans les roues. Le 28 juillet, l'avocat Krasnov n'a pas pu examiner les pièces qu'il souhaitait pour des raisons prétendument « techniques ». Quant à l'avocat Liptser, il a dû patienter parce que l'accusation était en train d'éplucher les documents qui l'intéressaient...

Entre le 29 juillet et le 8 août, les défenseurs de Khodorkovski et de Lebedev n'ont pu lire que les pièces se rapportant à l'année 2004. Pendant tout ce temps, l'accusation a gardé celles concernant 2005. Le 5 août, les avocats ont reçu par courrier un avis leur indiquant qu'ils pouvaient venir au tribunal, ce même jour, pour se voir remettre une « copie des minutes du premier procès ». Si ce courrier était arrivé le lendemain, nul doute qu'ils se seraient vu refuser la remise de ce document... Arrivés au tribunal, ils ont eu la surprise de découvrir que cette « copie » ne correspondait ni à l'original ni aux enregistrements audio qu'ils avaient effectués. De plus, cette copie n'avait pas été officiellement certifiée ; les tomes du dossier et leurs pages n'étaient pas numérotés ; et contre tout usage, le contenu du dossier n'était pas inventorié. Naturellement, les avocats se sont indignés. Ils ont refusé de recevoir ces documents, sachant qu'ils perdraient un temps précieux à les remettre en ordre, et rédigé une lettre officielle expliquant leur décision. En réponse, le tribunal les a forcés à accepter ces documents, en passant par les cabinets d'avocats auxquels ils appartiennent.

Enfin, le 9 août, les avocats se sont carrément vu interdire l'accès aux originaux des minutes du procès. Le but de la manœuvre est limpide : il s'agit de ne pas leur donner d'arguments pour pouvoir porter plainte devant la Cour européenne des droits de l'homme de Strasbourg. Le président par intérim du tribunal de Mechtchanski, un certain Kourdioukov, leur a expliqué que, d'ici au procès, les avocats de la défense ne verront plus les originaux et devront se contenter des copies qu'on leur a fournies. Quant à leurs éventuels commentaires au sujet de ces documents, ils n'auront que jusqu'au 25 août pour les faire valoir. Mais Kourdioukov a refusé de confirmer ces propos par un courrier officiel.

Pour quel motif Svetlana Bakhmina, que Khodorkovski a évoqué en réponse à l'une des questions citées plus haut, est-elle sous les verrous ? Elle n'était pas une dirigeante de Ioukos, seulement l'une des innombrables collaboratrices de la compagnie. Ses collègues ont interprété son arrestation comme un message qui leur était envoyé à tous, le signe que le parquet n'hésiterait pas à s'en prendre à tous les employés de Ioukos, peu importe le niveau des responsabilités qu'ils ont exercées dans l'entreprise. Mais c'est encore bien pire que cela. Si les accusations portées à l'encontre de Khodorkovski pouvaient être appliquées à n'importe quel homme d'affaires du pays, celles formulées contre Bakhmina font peser une menace réelle sur tous les citoyens, quelle que soit leur catégorie sociale.

Que lui reproche-t-on, au juste ?

Tout au long des sept années au cours desquelles elle a travaillé au sein de Ioukos, Svetlana a perçu un salaire. Jusque-là, rien de répréhensible. Seulement, à en croire le parquet général, pendant tout ce temps, elle a commis un délit que l'article 198, alinéa 2, du code pénal définit comme « non-paiement des impôts par une personne privée dans des proportions particulièrement importantes ». La loi prévoit que les personnes coupables de ce forfait sont passibles de trois ans de prison ferme. En vérité, elle n'a violé aucune loi, pas plus que Ioukos qui payait ses fournisseurs en employant ce que l'on appelle des « schémas d'assurances ». Le salaire de Bakhmina lui était versé par l'entremise de ce même système complexe.

Ce procédé est apparu en Russie à une époque de taxation intense, quand 35 % du salaire des contribuables devaient partir en impôts, et que les charges sociales qui pesaient sur les entreprises étaient particulièrement lourdes. Les employeurs et les employés ont donc trouvé un moyen – tout à fait légal – de contourner la législation : l'employé prenait une assurance-vie, que lui payait son entreprise, et il empochait les dividendes en guise de salaire. Étant donné que les dividendes des assurances-vie n'étaient pas soumis à l'impôt sur le revenu, tout en correspondant à la législation fiscale en vigueur, tout le monde y trouvait son compte. De nombreuses entreprises privées recouraient à ce procédé. Le paradoxe, c'est qu'il était également utilisé par diverses compagnies d'État, par des institutions nationales... et même par le ministère des Impôts et des Taxes !

Et maintenant, on apprend que ceux qui ont bénéficié de cette astuce sont passibles de prison. Le parquet se rend-il compte qu'une bonne partie de la population a agi exactement de la même manière que Bakhmina ? Si elle est déclarée coupable, ce sera un précédent juridique qui pourra, à l'avenir, être appliqué à toutes les personnes les plus actives de la société. Les employés seront pénalement responsables de la politique fiscale de leur entreprise ; et les autorités auront tout loisir d'incarcérer pratiquement n'importe qui. Il leur suffira de vérifier la manière dont leur « cible » a perçu son salaire. Bref, même les citoyens les plus respectueux de la loi peuvent désormais se retrouver derrière les barreaux à cause des techniques fiscales de leurs entreprises – et cela, même s'ils ne connaissent rien de ces procédés !

11 août

À Moscou, pour la troisième fois en quelques jours, des inconnus ont agressé des ressortissants polonais. Après des employés de l'ambassade, c'est un journaliste en vue qui a été passé à tabac hier. Il serait bien naïf d'y voir le fruit du hasard. Il s'agit en fait d'une « réponse » aux événements du 31 juillet à Varsovie. Ce jour-là, des enfants de diplomates russes en poste dans la capitale polonaise ont reçu quelques coups de poing à la sortie d'une nuit agitée en discothèque.

La réaction ne s'est pas fait attendre : trois Polonais tabassés ici en « compensation » aux trois Russes brutalisés là-bas. Ces épisodes lamentables se sont produits dans le contexte d'une montée rapide de la xénophobie, que notre président n'est pas le dernier à attiser par ses discours enflammés sur la « puissance russe ». D'ailleurs, les autorités de Moscou n'ont condamné cette escalade qu'à contrecœur et très mollement, ce qui prouve de manière criante qu'elles se réjouissent de la tournure que prennent les événements.

Pour une fois, Iabloko est sorti de sa léthargie : le parti de Iavlinski a exigé que Poutine intervienne personnellement et que l'ambassade polonaise soit placée sous la protection des forces de l'ordre. C'est tout ce que les démocrates peuvent faire : espérer que Poutine suivra leurs recommandations. Mais n'est-il pas grotesque de demander aujourd'hui au président de prendre telle ou telle mesure... et, demain, d'exiger sa démission, avant de lui lancer un nouvel appel le jour suivant, et ainsi de suite ?

Nos libéraux sont complètement perdus. Nikita Belykh, le nouveau patron du SPS, estime que, « avant toute chose, les forces démocratiques doivent apprendre à parler un langage que le peuple comprend ». C'est très juste. Le problème, c'est que Belykh lui-même ne maîtrise pas du tout ce langage-là... Il prend ses rêves pour des réalités.

Et si le seul problème des démocrates consistait dans leur incapacité à se faire comprendre ! Le pire, c'est qu'ils n'ont absolument rien à dire. Leurs idées sont aussi vides que leur rhétorique.

Par exemple, ce même Belykh a récemment déclaré sans ciller : « Dans le caractère de chaque Russe, il y a le désir de s'améliorer. Notre objectif, c'est de leur expliquer comment y parvenir. »

Toujours la même rengaine, qui a déjà été chantée tant de fois par Iavlinski, Nemtsov, etc. Les démocrates se prennent pour des messies qui, dans leur infinie bonté, font au peuple l'aumône de tout lui expliquer... et si le peuple – par ingratitude, par stupidité, ou les deux – ne les suit pas, alors ils s'irritent et décident que, décidément, leurs concitoyens ne les méritent pas. C'est une erreur stratégique majeure : les politiciens ne peuvent pas être des prêcheurs.

Dans le caractère de chaque Russe, bien plus qu'un hypothétique désir de s'améliorer, il y a le souhait de passer aussi inaperçu que possible. Chacun veut rester dans l'ombre pour ne pas tomber par hasard dans le champ de vision des forces de l'ordre. Après tout ce qui est arrivé à notre pays au XXe siècle, c'est tout à fait naturel.

Hélas, d'après le rapport annuel du Programme des Nations unies pour le développement (PNUD), la Russie se classe au soixante-dixième rang mondial selon l'indice de « potentiel humain », qui mesure la participation sociale et politique des citoyens...

La Cour suprême a pris une décision extraordinaire : elle a annulé l'interdiction du Parti national-bolchevik (PNB) décrétée par le tribunal régional de Moscou. Mais le parquet général ne l'a pas entendu de cette oreille : il a immédiatement annoncé son intention de contester cette décision auprès du praesidium de la Cour suprême. Les *natsboly* ont cependant fêté la nouvelle à leur manière. Plusieurs d'entre eux ont réussi, Dieu sait comment, à s'introduire dans le bâtiment où se tient ces jours-ci une manifestation très chère à notre président : le Salon moscovite de l'industrie spatiale (MAKS). Les mesures de sécurité étaient draconiennes : Poutine devait y prendre la parole en présence de nombreux invités de marque, parmi lesquels le roi Abdallah II de Jordanie, des représentants du complexe militaro-industriel indien et divers cheiks arabes. Au moment où il commençait son discours d'ouverture du Salon, des *natsboly* se trouvant à seulement une trentaine de mètres de son auguste personne se sont mis à scander : « Poutine, démission ! » Naturellement, ils ont été arrêtés en moins de temps qu'il n'en faut pour le dire et conduits sans ménagement au commissariat le plus proche, celui de Joukovski, une petite ville située à quelques encablures de Moscou.

Trois heures plus tard, à leur grande surprise, ils ont été libérés, sans même se voir infliger une amende. Eux qui s'apprêtaient à être incarcérés n'en revenaient pas. La seule explication possible, c'est qu'ils sont tombés sur des policiers antipoutiniens. C'est rare, mais pas introuvable...

Pendant ce temps, le président, lui, s'est installé dans un bombardier qui l'attendait sur la piste d'envol du MAKS et s'est envolé pour une base militaire de la région de Mourmansk, dans le Grand Nord. Les gradés de l'armée de l'air chargés de l'escorter ont grincé des dents : pendant que le politicien fait son show, c'est à eux qu'il incombe d'assurer sa sécurité. Au début, ils rechignaient à embarquer le chef de l'État, mais ils ont fini par se plier à sa volonté, à contrecœur. Il a triomphalement pris place dans le cockpit, sous les flashs des photographes. Les médias officiels étaient aux anges : le président inspecte personnellement l'aviation militaire ! Mais à quoi toute cette opération peut-elle servir, si ce n'est à asseoir encore davantage l'image d'homme de poigne de notre cher dirigeant ? Comme s'il en avait besoin...

Ce même soir, des *natsboly* ont été passés à tabac par un groupe de « nachistes ».

Il est intéressant de remarquer à quel point ces deux groupes diffèrent. Il est absolument inutile d'essayer de discuter avec les « nachistes ». Quand on leur demande pourquoi ils ont rejoint les rangs de ce mouvement, ils se contentent de hausser les épaules. En revanche, les *natsboly* et les autres groupes de gauche, eux, sont hypermotivés.

Les pauvres de gauche forment la catégorie de la population dont le potentiel révolutionnaire est le plus élevé. En comparaison, la classe moyenne n'est absolument pas portée sur la rébellion. Au contraire, même. Alors qu'elle ne cesse de s'appauvrir, cette classe ne rêve que d'un mode de vie bourgeois et confortable.

Rien de surprenant, dès lors, à ce que les jeunes démunis de gauche soient les citoyens les plus politiquement actifs du pays. La section de jeunesse de Iabloko est la base du mouvement Oborona, une organisation qui essaie de s'inspirer des Ukrainiens de Pora [1]. Oborona compte également parmi ses adhérents les jeunes du SPS, « Ceux qui marchent sans Poutine », « L'action collective » et « Notre choix ». Le bloc est coordonné par Ilia Iachine, le leader des jeunes de Iabloko (un mouvement qui compte deux mille membres à travers le pays). Si les divers participants à Oborona ne partagent pas, initialement, les mêmes convictions sur tous les points, on assiste cependant, ces derniers temps, à un ancrage à gauche du mouvement. Leurs actions coup-de-poing ressemblent de plus en plus à celles des *natsboly*. Dans le même temps, ces derniers se rapprochent eux aussi des slogans démocratiques propres aux groupes plus « centristes » qui forment Oborona.

Les *natsboly* sont sans doute les plus actifs de tous, mais leur noyau dur s'est réduit depuis qu'un grand nombre d'entre eux a été arrêté et emprisonné. Ils sont suivis de près par AKM (Avant-garde rouge) et SKM (Union des jeunes communistes). Ces derniers viennent de se menotter aux grilles du bâtiment du parquet général pour exiger de rencontrer le procureur, Vladimir Oustinov. Naturellement, personne ne les a reçus et ils ont été chassés *manu militari*.

Les *Nachi* ont donc été créés pour s'opposer à tout cet essaim de groupuscules qui contestent la politique du Kremlin. Si ce mouvement a été pensé par Vladislav Sourkov, leur idéologie a été élaborée en détail par des spécialistes en technologie politique au service du pouvoir, à commencer par Sergueï Markov. Voici comment ce dernier justifie la création des *Nachi* : « Une organisation de jeunesse qui défend la souveraineté de la Russie, c'est le meilleur traitement possible contre la peste orange [2]. »

---

1. Voir note 1, p. 347.
2. L'orange était la couleur de ralliement des partisans du candidat démocrate Viktor Iouchtchenko en Ukraine, au premier rang desquels les jeunes du mouvement Pora.

18 août

Qu'est-ce qui pourrait faire chuter le régime? L'opposition? Non, elle est trop faible, trop passive, trop morcelée. Une révolte populaire? Non plus. Le peuple oscille entre peur et indifférence.

Il existe malgré tout un scénario envisageable. Si Poutine persiste dans sa volonté de bâtir un système néosoviétique, alors ce système pourrait, comme l'URSS en son temps, finir par s'effondrer économiquement. Le Kremlin est en train de mettre en place un capitalisme d'État au service d'une nouvelle oligarchie : les hauts fonctionnaires, issus de l'entourage proche du président. C'est pour cette raison, et pour aucune autre, que le pouvoir actuel fait tout pour rétablir le contrôle de l'État sur les grandes entreprises les plus rentables, qui avaient été privatisées dans les années 1990.

Ce processus est en cours en ce moment même. Des groupes financiers étatiques ou semi-étatiques – la Banque économique extérieure (Vnechekonombank), la Banque commerciale extérieure (Vnechtorgbank), la Banque industrielle internationale (Mejprombank) – avalent goulûment les fleurons de l'industrie. Pour ces banques, le bénéfice est évident. Les compagnies en question, exsangues au moment de l'effondrement de l'URSS, ont été modernisées et renforcées par les oligarques qui les ont récupérées pour une bouchée de pain il y a dix ans. Maintenant que ces entreprises fonctionnent correctement, il ne reste plus aux nouveaux maîtres du pays qu'à en prendre le contrôle. Pour cela, ils peuvent utiliser toutes les ressources de l'administration...

Mais ces banques étatiques risquent d'avoir les yeux plus gros que le ventre. Certes, elles avalent les compagnies privées; mais sauront-elles les digérer? Sauront-elles les manager correctement? C'est tout à fait improbable. Les hauts fonctionnaires actuels ne possèdent tout simplement pas les compétences nécessaires pour gérer ces géants industriels.

Ce qui s'est passé le 18 août illustre parfaitement l'époque actuelle. Ce jour-là, Oleg Chouliakovski, l'un des meilleurs managers du pays, qui dirigeait depuis 1991 Baltiïski Zavod (BZ) – une immense compagnie de chantiers navals, la plus grande du nord-ouest de la Russie –, a donné sa démission. Il s'était montré tellement efficace que tous les propriétaires successifs de BZ l'avaient maintenu à son poste, depuis la privatisation survenue au début de la décennie 1990 jusqu'à ce jour. Mais la « déprivatisation » de 2005 l'a forcé à partir. BZ a été racheté par la Corporation industrielle unifiée, une organisation commerciale qui appartient à la Mejprombank. Ensuite, la société a été fusionnée avec trois compagnies de construction et plusieurs entreprises sous-traitantes. Résultat : la productivité s'est effondrée. À présent, l'administration présidentielle (car, bien sûr, c'est elle qui se trouve derrière toute cette affaire) devra se passer de Chouliakovski et de la plupart de ses collaborateurs qui ont démissionné avec lui. Voilà qui n'augure rien de bon pour la compagnie et, par extension, pour l'économie de la région et même du pays...

Le pouvoir est en train de créer autour de BZ l'une de ces holdings d'État qui formeront la base du système qu'il veut bâtir. Le grand ordonnateur de la manœuvre est la banque Mejprombank, contrôlée par Sergueï Pougatchev. Ce dernier, surnommé l'« oligarque orthodoxe », est l'un des soutiens les plus affirmés de Poutine. Récemment élu sénateur, il n'a plus le droit de diriger sa banque. Il a donc installé un homme de paille à sa tête et continue de tirer les ficelles dans l'ombre. Pougatchev souhaite voir émerger en Russie des groupes financiers et industriels « orthodoxes », par opposition aux groupes musulmans ou juifs. C'est dans cette optique que deux conglomérats militaires « orthodoxes » ont vu le jour il y a peu : Almaz-Anteï et Hélicoptères Milia.

Ce genre de système finit toujours par s'effondrer. Personne n'en doute vraiment, d'ailleurs. Mais cela peut prendre des décennies. Pendant ce temps, l'élite qui a fait main basse sur l'État s'arrangera pour conserver le pouvoir en le transmettant d'un héritier désigné à un autre, par le biais d'élections calquées sur le glorieux modèle soviétique. Dirigée par des chefs incompétents nommés uniquement en raison de leur dévotion aux leaders, privée des capitaux et du savoir-faire étrangers, l'économie s'affaissera lentement, jusqu'au jour où elle plongera tellement que le régime entier sombrera. C'est inévitable. Le krach va finir par arriver. La seule question, c'est de savoir si nous serons là pour le voir. Je l'espère, en tout cas.

19 août

Aujourd'hui se tient, au tribunal Nikoulinski, une nouvelle audition du procès des *natsboly*. C'est la première séance depuis la réhabilitation du Parti national-bolchevik par la Cour suprême ; le 16 août, l'arrêt liquidant la formation de Limonov a été annulé. Cette décision a suscité un espoir un peu fou : et si, désormais, le tribunal, s'inspirant de l'exemple donné par la Cour suprême, allait s'attacher à vraiment faire la lumière sur cette affaire, en toute impartialité ? Mais aucun changement ne s'est produit. Le procès est resté une farce et a même carrément viré au grotesque à l'occasion du témoignage d'Evgueni Posadnev, un employé de l'administration présidentielle.

« Le 14 décembre, j'ai entendu du bruit. Je me trouvais à côté du bureau 14 et j'ai tout vu et tout entendu. [Selon la version officielle, c'est dans ce cabinet que les *natsboly* se sont barricadés.] Voilà ce que j'ai vu : le cadre du détecteur de métaux se trouvait en position horizontale. »

Le travail de Posadnev est en quelque sorte celui d'un médiateur entre le président et le peuple. Il accueille à la réception ceux qui désirent faire connaître à Poutine leurs griefs... ou leur admiration. C'est précisément là que les *natsboly* ont choisi d'exprimer leur colère contre le régime. Posadnev a le visage grave d'un patriote vigilant qui dénonce les agissements des ennemis de la nation.

« Pardon, pouvez-vous répéter dans quel état se trouvait le cadre du détecteur ? » redemande l'un des procureurs. Il semble un peu gêné par cette histoire risible ; ce cadre est le dégât principal causé par les *natsboly*.

« En fait, il était courbé parce que nos vigiles ont utilisé le détecteur pour repousser ces jeunes et ne pas les laisser se disperser dans le bâtiment. C'est pourquoi ils se sont tous retrouvés bloqués dans le bureau 14. »

Les magistrats sont pétrifiés, ils lèvent les yeux au ciel : mais qu'est-ce qu'il raconte, ce témoin ?

« Ce sont donc les gardiens qui ont forcé les jeunes à entrer dans le bureau 14 ? réagit immédiatement la défense. Ils n'ont donc pas occupé le cabinet à dessein ? »

C'est ubuesque : l'accusation a appelé Posadnev à témoigner pour attester que les *natsboly* ont fait du grabuge et occupé de force le bureau 14. C'est pour ce crime terrible qu'ils croupissent en prison depuis neuf mois. Et voilà que le témoin explique que ce sont les vigiles qui ont endommagé le détecteur de métaux et que si les accusés se sont retrouvés dans ce fameux bureau, c'est également dû à l'action des vigiles !

« Non, ils ne l'ont pas occupé à dessein, déclare Posadnev, l'air triomphant comme s'il était en train d'aggraver la culpabilité des accusés. Ils voulaient occuper tout le bâtiment. Mais les gardiens les ont poussés dans le bureau 14 avec le détecteur de métaux.

– Les portes du bureau étaient-elles verrouillées ? » demande la défense.

– Non, elles étaient ouvertes.

– Les gardiens les ont-ils verrouillées pour enfermer les accusés à l'intérieur ?

– Non, la porte extérieure est restée ouverte.

– Alors pourquoi l'avoir cassée ? [La porte cassée est le deuxième dégât attribué aux *natsboly*.]

– J'ai vu qu'ils avaient bloqué la porte intérieure avec un coffre-fort. Ils se sont barricadés dans le bureau.

– Mais la porte extérieure n'était pas bloquée. Alors, pourquoi l'avoir cassée ? Où se trouve-t-elle maintenant ?

– Elle a été réparée parce qu'elle avait été abîmée. »

La question qui s'impose est : par qui avait-elle été abîmée ? Les procureurs le comprennent bien. On voit qu'ils maudissent leur témoin à voix basse. Il faut dire qu'en règle générale le niveau intellectuel des témoins de l'accusation laisse à désirer ; ils sont carrément ridicules. Celui-ci ne fait pas exception à la règle... Et lorsque l'on rit, on n'est plus effrayé. La défense décide d'en profiter.

« Est-ce que quelqu'un a mené des négociations avec eux pour les convaincre de sortir du bureau ?

– Oui, les agents du Service fédéral de sécurité.
– Vous-même, avez-vous essayé de parlementer avec ces jeunes ? Comme vous vous trouviez juste à côté, ne leur avez-vous pas demandé ce qu'ils voulaient ?
– Non, cela ne me regardait pas.
– Qu'est-ce que les vigiles leur proposaient ?
– Je n'ai pas entendu, il y avait beaucoup de bruit.
– Étiez-vous loin ?
– Non, j'étais tout près. Je peux tout vous raconter ! Les jeunes criaient des choses sur Poutine.
– Quel genre de choses ?
– Des choses très négatives ! »

Ce n'est pas un procès sérieux, mais un show grotesque. Tout le monde rit : le juge, les procureurs, les avocats, les accusés, le public... L'ambiance est celle d'un cirque. Comment peut-on garder une apparence de procès politique sérieux dans une telle atmosphère ? Mais le juge ne peut pas reculer : c'est le pouvoir qui a commandité le procès. Il doit donc bien continuer à tirer au canon sur des moineaux.

Les avocats se reconcentrent enfin :

« Vous personnellement, pouvez-vous affirmer que les accusés se sont rendus coupables d'actes de vandalisme ?
– Non », admet le témoin. Il baisse la tête. « Je n'ai rien vu de tel. »

En effet, à un moment donné, il faut cesser d'inventer n'importe quoi et commencer à dire la vérité...

Est-ce vraiment de ce genre de mascarade que notre État a besoin ? Qui sort gagnant de cette affaire ridicule ? La question n'est pas rhétorique, mais essentielle.

À l'origine de ce procès se trouve un homme : Vladislav Sourkov, l'idéologue du régime. Voilà des années qu'il s'échine à diviser les citoyens en deux catégories bien distinctes : les « nôtres » et les « autres ». Il a appliqué ce schéma à la Tchétchénie, avant de l'étendre au reste de la Russie. Les « nôtres » ont tout : le pouvoir, l'argent, les médias, l'impunité totale. Les

« autres » n'ont pas voix au chapitre et quand ils se rebellent, ils encourent les foudres du pouvoir.

Le procès des *natsboly*, s'il ne veut rien dire du point de vue juridique, est primordial du point de vue idéologique ; il sert à approfondir la séparation entre les « nôtres » et les « autres ». Le Kremlin exige que les *natsboly* soient « butés jusque dans les chiottes » (pardon pour la formule, mais je ne fais qu'employer des termes qu'affectionne notre président), qu'ils soient pénalement coupables ou non. Leur écrasement sera un exemple pour tous ceux qui pourraient être tentés d'endosser le destin des « autres ».

Le procès est évidemment complètement tiré par les cheveux. Mais qui en a conscience ? Rien que la maigre assistance, qui rit jusqu'aux larmes. Le reste du pays voit que le pouvoir ne plaisante pas et punit sévèrement les têtes qui dépassent. C'est bien le seul but de toute cette clownerie.

Je croise dans les couloirs du tribunal Iouri Samodourov, l'un des rares défenseurs des droits de l'homme à avoir fait le déplacement. Nous attendons le début de la séance quand nous apercevons Kira Goudim, qui joue le rôle peu enviable de procureur dans cette affaire. Le nom de cette femme est indissociable des récents procès politiques organisés par le parquet de Moscou et clairement commandités d'« en haut ». C'est en effet Goudim qui représentait l'accusation lors du procès de Samodourov, tenu il y a quelques mois. Il avait été jugé pour avoir osé organiser, au musée Sakharov qu'il dirige, une exposition non conforme aux goûts politiques du jour, intitulée : « Attention, religion ! » Les autorités ont fait mine de croire qu'il s'agissait d'une attaque en règle contre la foi orthodoxe. En réalité, le but de l'exposition était simplement d'attirer l'attention du public sur l'alliance exubérante de l'Église orthodoxe et de l'État. C'est d'ailleurs cette union du sacré et du séculier qui pousse beaucoup de jeunes orthodoxes à abandonner la religion ou, tout au moins, les éloigne des églises moscovites, entièrement contrôlées par l'État. Ils préfèrent se recueillir dans de petits temples de banlieue ou de province, dont les popes chantent les louanges du Seigneur, et non du président. Mais ce n'est pas la seule conséquence de la désaffection des églises : de plus en plus de jeunes adoptent le catholicisme et, encore plus, l'islam. Ainsi, comme je l'ai évoqué plus haut, un certain nombre de *natsboly* se sont convertis à l'islam. On peut voir au procès plusieurs jeunes filles portant le hijab. L'un des accusés, Evgueni Korolev, est devenu musulman il y a longtemps. Avant de se retrouver en prison, il était étudiant à la faculté de chimie de la plus prestigieuse université de Moscou, le MGU. Il en a été renvoyé au lendemain des événements du 14 décembre. Lors des auditions, il se montre imperméable à tout ce qui se passe autour de lui ; il est plongé dans la lecture du Coran.

L'exposition organisée au musée Sakharov était donc vraiment d'actualité. Ce qui n'a pas empêché Iouri Samodourov d'être condamné – heureusement, avec sursis. Il a été reconnu coupable d'« incitation à la discorde interethnique ». Désormais, il n'a plus le droit de participer à des manifestations. Sinon, son sursis sera commué en prison ferme...

Revenons dans le couloir de Nikoulinski ; Goudim s'étonne de voir Samodourov :

« Mais que faites-vous ici ?
– Je suis venu écouter. C'est une affaire politique, tout à fait comme la mienne. »

Elle ne conteste pas. Elle sourit même, et entre dans la salle. Ce cynisme est tout à fait typique de cette classe de fonctionnaires qui ont choisi de servir le régime en toutes circonstances. Goudim sait parfaitement que les procès où elle officie sont injustes, mais elle accepte cependant d'y prendre part. Théoriquement, le procureur – comme tout autre magistrat – est censé se trouver au-dessus des contingences politiques. Seule la recherche de la vérité doit le guider. Mais, en Russie, tout est différent ; il existe une double morale qui permet aux gens de justifier des décisions qu'ils savent iniques. Ce manque de probité est l'un des principaux piliers sur lesquels repose le pouvoir de Poutine.

Samodourov suit Kira Goudim du regard. « Je ne vois pas de nouvelles étoiles sur ses épaulettes. Apparemment, on ne l'a pas récompensée pour mon affaire. Ah, mais si ! Regardez, elle a un ordinateur portable. Elle a donc quand même obtenu une petite prime pour avoir été si brillante lors de mon procès... »

En effet, il s'agit sans doute d'une prime pour services rendus : les procureurs russes qui possèdent un ordinateur portable sont des privilégiés. D'habitude, ils écrivent tout à la main...

Pendant que l'État distribue des gratifications aux procureurs serviles, il prive les détenus de leurs derniers droits. Après que la Cour suprême eut décidé de lever l'interdiction qui frappait le parti de Limonov, les *natsboly* emprisonnés ont vu leurs conditions de détention se durcir. Désormais, il leur est défendu de lire les journaux, de peur qu'ils n'y trouvent mention d'un quelconque soutien à leur cause.

Pourquoi ai-je décidé d'assister à ce procès ? Soyons clairs : je ne partage pas l'idéologie nationale-bolchevique ; les idéaux de Limonov me sont complètement étrangers. Mais je pense qu'il faut les combattre dans une discussion ouverte et non par le biais d'un procès monté de toutes pièces. Si les mots ne suffisent pas à convaincre ton adversaire, cela signifie que tu n'as pas su défendre ta cause et que tu dois mieux te préparer pour le prochain round. Mais cet affrontement ne peut être que verbal. Du moins, si l'on prétend vivre en démocratie.

Ce qui m'indigne le plus, c'est le fait que le pouvoir traque les *natsboly* de crainte de discuter avec eux. Il les envoie en prison en espérant les remettre sur le « droit chemin » du conformisme politique, mais il ne fait que les raffermir dans leurs certitudes. J'écoute attentivement toutes leurs réponses au juge : il est frappant de constater qu'ils ne remettent jamais en doute leurs convictions. Bien au contraire, ils semblent de plus en plus idéologisés. S'ils récoltent de lourdes peines, ces jeunes gens deviendront de dangereux extrémistes une fois sortis de prison.

La deuxième raison qui m'incite à suivre ce procès avec une grande attention, c'est le fait qu'il s'agisse de l'un des premiers procès où l'on accuse un groupe en bloc, au lieu de juger des individus au cas par cas. Auparavant, le pays n'avait connu de tels procès collectifs que sous Staline. À présent, nous avons assisté, en un court laps de temps, à l'affaire du « groupe criminel » Ioukos et à celle du « parti ennemi » national-bolchevik. On condamne des collectivités entières sans vouloir faire la distinction entre les individus qui les composent. C'est une pente extrêmement dangereuse.

Platon Lebedev, l'ami et le coaccusé de Khodorkovski, jugé avec lui, a été envoyé au mitard pour avoir refusé d'effectuer sa promenade quotidienne. S'il a eu cette audace, c'est parce que son état de santé a considérablement empiré depuis qu'on l'a transféré de l'hôpital de la prison où il soignait sa cirrhose du foie dans une cellule commune. Son refus lui a coûté cher : le mitard, dans nos pénitenciers, équivaut à une torture particulièrement sophistiquée. Il n'est pas chauffé, il n'y a pas de linge de lit, et les détenus ne reçoivent que du pain et de l'eau. Il est probable que la vraie raison de ce transfert est à chercher ailleurs que dans l'incapacité de Lebedev de sortir dans le préau de la prison. Le tribunal qui le juge a donné aux accusés jusqu'au 25 août pour lire les procès-verbaux des auditions. Or Lebedev restera au mitard jusqu'au 26 août... et le règlement lui interdit de lire quoi que ce soit pendant tout ce temps. Cela signifie que Lebedev ne pourra présenter aucune remarque pour contester le verdict. Bien sûr, il reste Khodorkovski. Ce dernier fera probablement les mêmes commentaires que ceux qu'aurait faits Lebedev, car le verdict sera sans doute le même pour les deux hommes. Il reste, aussi, les brillants avocats que les prévenus ont engagés. Il n'en demeure pas moins que le sadisme du pouvoir envers un individu dont la faute consiste uniquement à ne pas vouloir se reconnaître coupable est proprement terrifiant.

Un tel État inspire la crainte. C'est sans doute ce qui explique que les dirigeants du monde entier préfèrent embrasser Poutine au lieu de le remettre à sa place...

21 août

On fête l'anniversaire de la victoire sur les putschistes de 1991 [1]. Environ huit cents personnes se sont rendues au meeting organisé pour célébrer le triomphe de la « Russie libre ». Passant non loin de là en voiture, je n'ai eu aucune envie de m'arrêter; il n'y a pas de liberté dans ce pays, donc pas de raison de faire la fête. L'ancien

1. Du 19 au 21 août 1991, un putsch conduit par les dirigeants des ministères de force a failli renverser le président de l'URSS Mikhaïl Gorbatchev et mettre fin à la *perestroïka*. Les manifestations de masse à Moscou et à Saint-Pétersbourg, le courage de Boris Eltsine, récemment élu président de la République de Russie, la défection de nombreux bataillons et le manque de résolution des putschistes ont signé l'échec de cette tentative de restauration d'une URSS brejnevienne. Boris Eltsine est sorti renforcé de cette épreuve. Il en a profité pour interdire le Parti communiste et accélérer le processus de désintégration de l'URSS, dont la dissolution fut signée le 8 décembre de la même année.

régime est en passe d'être restauré, dans une mouture encore plus détestable qu'à l'époque...

Voici des données statistiques qui en disent long sur l'état d'esprit de la société russe actuelle. 58 % des citoyens adhèrent au slogan : « La Russie aux Russes ! » Paradoxalement, pratiquement autant des interrogés se sont déclarés prêts à partir vivre à l'étranger si la chance leur en était donnée. Ces chiffres signent l'arrêt de mort de la « Russie libre ». Et ils expliquent très bien pourquoi les Russes ne se révoltent pas. Ils préfèrent s'enfuir et attendre que quelqu'un d'autre fasse la révolution à leur place.

23 août

Les « mères de Beslan », ces femmes qui ont perdu leurs enfants dans l'attentat de septembre dernier, refusent de quitter le tribunal où se tient le procès de Nourpacha Koulaev *, seul terroriste resté en vie après l'assaut de l'école, selon la version officielle, du moins.

Les femmes veulent parler avec Nikolaï Chepel, l'adjoint du procureur général et représentant de l'accusation au procès. En outre, elles clament haut et fort qu'elles se sentent responsables de la mort de leurs enfants car elles ont voté pour Poutine et lui ont fait confiance pour diligenter une enquête censée aboutir à la punition des coupables. Aujourd'hui, presque un an après la tragédie, les enquêteurs ont blanchi tous les dirigeants politiques et les responsables des forces de l'ordre qui ont ordonné l'assaut meurtrier. Les « mères de Beslan » ne font plus confiance à personne.

Ce même jour, on apprend que Khodorkovski a entamé une grève de la faim, en signe de solidarité avec son ami gravement malade, Platon Lebedev, condamné au cachot pour avoir renoncé à sa « promenade obligatoire ». Par l'intermédiaire de son avocat, l'ancien patron de Ioukos a annoncé que la punition de Lebedev n'était qu'une vengeance le visant lui, Khodorkovski, pour les articles qu'il a publiés après le verdict.

Sa détermination est impressionnante. On ne s'attendait pas à ce qu'il tienne aussi bien le coup. Il s'est entouré d'une équipe d'avocats de haute volée, et l'on aurait pu en conclure qu'il allait disparaître derrière ses défenseurs. Mais non. En lançant une grève de la faim, l'oligarque emprisonné se rapproche du peuple affamé. Cette arme dramatique est devenue, au cours de ces derniers mois, l'unique moyen pour les Russes d'user de leur droit à la liberté d'expression. On ne peut plus parler librement, mais on peut encore faire la grève de la faim et attirer ainsi l'attention. Crier dans des meetings est devenu inutile : on n'est entendu que par ses propres camarades. Organiser des rassemblements ne sert qu'à se donner bonne conscience : « Je ne dors pas, je fais quelque chose. » Écrire des livres contre le régime est une occupation stérile, car ils ne seront pas publiés ici et il n'y aura que les étrangers pour les lire...

La grève de la faim est donc devenue une méthode universelle de protestation. Elle est accessible à tous et, à la différence des rassemblements et des manifestations, elle ne demande pas une autorisation spéciale des autorités.

Voilà le bilan de l'été :

– Pendant trois semaines en juillet, les Héros de la Russie, de l'Union soviétique et du Travail ont été en grève de la faim. Il peut sembler que leur protestation a été vaine : Poutine n'y a accordé aucune attention et préférait organiser des barbecues avec les « nachistes ». Mais le résultat n'est pas si négatif : malgré l'*omerta* des médias d'État, l'information s'est diffusée dans le pays. Et certains citoyens – pas tous, bien sûr – ont été touchés par le sort des Héros.

– Les détenus de la colonie de Lgov ont également organisé une grève de la faim pour dénoncer les tortures qu'ils subissaient. Même si les conséquences de cette privation volontaire de nourriture ont été lourdes pour la santé déjà vacillante des détenus, les exactions se sont faites plus rares. De plus, cette affaire a suscité un scandale international ; sous la pression de la Cour européenne, le gouvernement russe a dû aller voir de plus près ce qui se passait dans ses prisons. On peut espérer qu'à l'avenir, les administrateurs d'autres pénitenciers se montreront un peu plus rigoureux dans la gestion du personnel...

– Les victimes des forces de l'ordre de la petite ville de Rasskazovo, dans le centre du pays, ont eux aussi eu recours au jeûne public. Régulièrement battus et humiliés par la police, ils ont ainsi fait savoir qu'ils ne voulaient plus supporter de vexations et de violences. Résultat, les pandores se sont un peu calmés. Faudra-t-il une autre grève de la faim pour que les tortionnaires soient envoyés derrière les barreaux ?

– Dans les cachots de Moscou, les *natsboly* accusés dans le cadre de l'affaire du « 14 décembre » ont refusé de se nourrir pendant plusieurs jours. Ils exigeaient la libération de tous les détenus politiques du pays. Aujourd'hui, tout le monde a compris que les *natsboly* sont, en effet, des prisonniers politiques, et non ces vandales sans cervelle que l'accusation essaie de dépeindre [1].

Le pouvoir n'a pas pu ne pas remarquer ces grèves. Il en a tiré les enseignements mais, comme toujours, d'une façon tout à fait inappropriée : aujourd'hui, en visite à Sotchi, Poutine a déclaré que « l'administration doit être plus proche du peuple ». Le problème, c'est que les gens qui recourent à des moyens de protestation aussi désespérés ne veulent plus négocier avec ce régime complètement discrédité. La grève de la faim, ce n'est pas un dialogue avec le pouvoir, mais un appel à la société.

24 août

Les « mères de Beslan » qui se sont enfermées dans le bâtiment de la Cour suprême de l'Ossétie du Nord, à Vladikavkaz, y sont restées jusqu'au matin. L'adjoint du procureur, Chepel, a dit dans une interview qu'il n'allait pas se déplacer : si elles désirent le voir, « elles n'ont qu'à venir ».

Apprenant cela, les femmes ont déclaré qu'elles ne souhaitaient plus parler à Chepel car ce n'était pas « un homme ». Elles sont reparties à Beslan en continuant de se maudire pour avoir fait confiance à Poutine et avoir, ainsi, condamné leurs propres enfants.

« Nous, les “ mères de Beslan ”, sommes coupables de la mort de nos enfants, dit Marina Pak, qui a perdu à l'école sa fille Svetlana. Nous sommes coupables car nous les avons condamnés à vivre dans un pays où personne ne se soucie de leurs vies. Nous sommes coupables parce que nous avons voté pour un président qui

---

1. Le verdict du procès des *natsboly* a été rendu public le 8 décembre 2005. Trente et un des trente-neuf accusés ont été condamnés avec sursis. Les huit autres, considérés par le tribunal comme les meneurs du groupe, ont récolté des peines allant d'un an et demi à trois ans et demi de prison ferme. Les *natsboly* ont fait appel du jugement auprès de la Cour de cassation. Cet appel est toujours étudié à l'heure actuelle.

les a fait tuer. Nous sommes coupables de nous être tues pendant toutes ces années où la guerre a ravagé la Tchétchénie, ce qui a abouti à l'apparition de *boïeviki* comme Koulaev. »

« Le coupable numéro un, c'est Vladimir Poutine, l'interrompt une autre mère orpheline, Ella Kesaeva. Il se cache derrière son statut. Il n'a pas voulu nous rencontrer et nous demander pardon. C'est une vraie tragédie pour le pays d'avoir un président si irresponsable. »

On vient d'apprendre que, le 2 septembre prochain, Poutine invite à Moscou les représentantes des « mères de Beslan ». Les femmes sont indignées : le 2 septembre est le premier anniversaire de la tragédie. C'est jour de deuil. Comment peut-on leur demander de ne pas être sur la tombe de leurs enfants en cette date symbolique ? Mais l'administration présidentielle a déclaré que la rencontre avec les habitants de Beslan aura lieu en tout état de cause. Ce qui signifie que si les mères ne veulent pas venir, il y aura quelqu'un d'autre ; il existe suffisamment de gens qui seraient heureux de voir le président pour lui faire part de leur dévotion. Du coup, « les mères » hésitent.

Immédiatement après l'attentat, Poutine avait promis de rendre publics tous les renseignements obtenus au cours de l'enquête. Une commission parlementaire placée sous le haut patronage du président a été créée. Le chef de cette commission, Alexandre Torchine, a promis de préparer un rapport complet pour mars 2005.

On attend toujours. L'enquête s'est résumée au procès de Koulaev, un petit bandit sans envergure, rien de plus. De nombreux anciens otages ont refusé de participer à cette mascarade en témoignant, et même d'y assister.

« Nous voyons qu'il n'y a pas de coupables parmi les forces de l'ordre qui ont donné l'assaut ; seulement des décorés », ironise très justement Marina Pak. Il est vrai qu'un an après les faits, on n'est pas beaucoup plus avancés...

Si, au début, « les mères » ont fait confiance à Poutine, et à lui seul, aujourd'hui elles le haïssent. Car l'enquête menée « sous son haut patronage » a disculpé les hauts fonctionnaires et les gradés de la police et de l'armée. Les habitants de Beslan sont livrés à leur douleur ; les journalistes qui se rendent dans la ville martyre les filment comme au zoo et s'en vont sans les aider. Or ces gens ne demandent ni argent ni attention, seulement la vérité.

29 août

Ce soir, devant le siège du Parti communiste à Moscou, quelques inconnus masqués et camouflés ont violemment battu à coups de batte de base-ball des jeunes *natsboly* qui s'étaient retrouvés dans la cour pour leur réunion hebdomadaire. Voilà un moment qu'ils sont « hébergés » par les communistes ; le front de la gauche est beaucoup plus solidaire que celui des démocrates.

Après le passage à tabac, les agresseurs ont regagné le bus qui les attendait et sont tranquillement repartis. La police a retrouvé le bus, mais n'a pas arrêté ses occupants car... « à l'intérieur, il y avait des gars à nous ».

Qu'est-ce que cela veut dire ? C'est très simple : les « nôtres » s'en prennent aux « autres » et la police ne fait rien car les « nôtres » sont protégés par l'administration présidentielle. Depuis fin janvier, des « nachistes » armés de battes de base-ball organisent régulièrement des descentes contre les *natsboly*. Le 29 janvier et le 5 mars, les « forces d'assaut » des « nôtres » se sont attaquées au siège du Parti national-bolchevik. Il a été vandalisé et pillé par le même genre d'individus, arrivés avec le même bus et équipés de tous les instruments nécessaires pour tout casser et même pour démonter la porte.

La police a gentiment sermonné les vandales et les a laissés partir. Les procès-verbaux dressés à cette occasion n'ont suscité aucune enquête, les gardiens de la paix reconnaissant ouvertement que c'était une « affaire politique ».

Mais de quelle « affaire politique » parlent-ils ? Ce ne sont pas les commissaires fédéraux des *Nachi* qui y sont mêlés, mais de vrais voyous comme Stepanov et Verbitski [1], des hooligans de football extrêmement agressifs aux casiers judiciaires bien remplis. Mais ce même Verbitski se trouvait cet été en compagnie de Poutine, qui a invité les *Nachi* à un barbecue au cours duquel il les a abreuvés de conseils concernant la construction de la société civile en Russie. Le pouvoir demande à ces « gladiateurs » d'intégrer son

1. Voir au 28 juillet 2005.

mouvement de jeunesse afin de l'aider à prévenir toute sorte de « révolution colorée [1] ». Chacun de ces nervis devrait, à l'heure actuelle, se trouver en prison; c'est pourquoi les autorités leur proposent le contrat suivant : nous vous couvrons si vous nous aidez.

Les stratèges du Kremlin ont recours aux mêmes techniques qu'en Tchétchénie : ils prennent sous leur aile des criminels en partant du principe que « tant qu'ils sont avec nous, ils ne nous nuiront pas ». Ces criminels doivent servir le pouvoir : c'est-à-dire frapper, voire tuer ceux qu'on leur désigne. De tels rapports sont très vicieux et lourds de conséquences : les petits voyous dociles se transforment très vite en monstres incontrôlables et il faut leur donner de plus en plus pour les tenir en laisse. D'ailleurs, il ne serait pas étonnant qu'un jour, après avoir décoré Ramzan Kadyrov, le pouvoir donne des médailles à des Verbitski et des Stepanov...

Une autre particularité de notre régime est sa volonté de dresser les mouvements de jeunes les uns contre les autres et d'accroître ainsi le degré de la haine et de la violence dans la société. Chercher le consensus social n'est pas le fort du Kremlin; il préfère surfer sur des conflits pour imposer sa « main de fer » aussi longtemps que possible. Pendant que les bandits à sa solde bastonnent ses adversaires, le pouvoir conserve les flux financiers sous son contrôle.

30 août

La Cour suprême, qui a été chargée d'étudier les conditions de l'acquittement de plusieurs membres des forces spéciales du GRU accusés d'avoir assassiné six personnes en Tchétchénie, a jugé cet acquittement « infondé » et a requis un nouveau procès.

C'est sensationnel : jamais une telle chose n'était arrivée jusque-là. Le tribunal a constaté des vices de procédure flagrants et la partialité du juge, lequel avait essayé d'influencer les jurés pendant tout le procès.

---

1. L'expression « révolutions colorées » désigne les événements qui ont vu chuter les régimes autoritaires de plusieurs pays de l'ancien bloc communiste au cours des six dernières années : la révolution démocratique en Serbie en 2000; la révolution de la rose en Géorgie fin 2003; la révolution orange en Ukraine fin 2004; la révolution des tulipes au Kirghizistan au printemps 2005.

Rapide rappel des faits. Le verdict initial, énoncé par le tribunal militaire du Caucase du Nord en janvier 2002, avait reconnu que les combattants des forces spéciales avaient tué six civils, mais estimé qu'ils ne pouvaient pas être condamnés car ils n'avaient fait qu'exécuter les ordres qu'ils avaient reçus. Mais les « ordres » en question étaient extrêmement flous : aucune confirmation écrite n'a été apportée ; le procès n'a pas su établir qui était concrètement responsable de l'opération ; l'acquittement était fondé sur les affirmations des accusés, qui assuraient avoir reçu des « instructions » par talkie-walkie...

À présent, les familles des victimes éprouvent une maigre satisfaction. Mais cela ne durera pas longtemps ; il faut s'attendre à ce que le nouveau procès soit aussi pénible et injuste que le premier. Il se tiendra également à Rostov-sur-le-Don, dont le tribunal rend toujours des sentences favorables aux forces de l'ordre. Les habitants de cette ville – parmi lesquels sont sélectionnés les jurés – sont du côté des fédéraux, même lorsqu'ils tuent : pour les gens de Rostov, les Tchétchènes sont coupables par définition. Dans le sud de la Russie, la population est extrêmement antitchétchène ; c'est un fait.

Mais alors, pourquoi le verdict a-t-il été annulé, sachant que la Cour suprême est connue pour sa capacité à fermer les yeux sur les crimes qu'elle préfère ignorer ?

En réalité, cet arrêt sert la tactique de Poutine. Lors d'une rencontre avec les défenseurs des droits de l'homme, au début de l'été, le président, soucieux de soigner son image d'« homme juste », s'est dit « choqué » par l'acquittement de ce groupe de tueurs. Par conséquent, la Cour suprême a décidé de lui faire plaisir. C'est d'autant plus facile que la décision d'organiser un second procès ne présage en rien de son issue : les assassins peuvent très bien être une nouvelle fois acquittés, mais ce sera dans quelques mois, voire quelques années, et il est probable que, d'ici là, tout le monde les aura oubliés...

Il est cependant possible que le GRU soit un peu refroidi par cet épisode. Les détachements de cette sinistre organisation font régner la terreur partout en Tchétchénie. Si l'on n'en entend guère parler, c'est que leurs agissements sont soigneusement cachés au grand public. Mais je peux citer au moins deux affaires auxquelles le GRU est mêlé : le ratissage du village Borozdinovskaïa [1] et

1. Voir au 4 août 2005.

l'assassinat du chef de l'administration du village Zoumsoï, Abdoul-Azim Iangoulbaev.

Voici l'histoire de la deuxième affaire.

La voiture de Iangoulbaev a été arrêtée sur une route de montagne par trois inconnus masqués. Ils lui ont ordonné de descendre du véhicule et de présenter ses papiers. Quand il a ouvert le coffre comme on le lui demandait, les inconnus l'ont abattu dans le dos. Cette exécution est venue couronner six mois de rapports conflictuels entre Iangoulbaev et le GRU. Au mois de janvier, un groupe de militaires arrivés en hélicoptère a enlevé quatre habitants de Zoumsoï. Les ravisseurs en ont profité pour piller les maisons de leurs victimes et voler les 250 000 roubles (7 300 euros) reçus par l'une des familles en guise de dédommagement pour la destruction de son ancien logement. Abdoul-Azim Iangoulbaev a essayé de retrouver ses voisins ; il s'est adressé aux organisations de défense des droits de l'homme et n'a cessé de protester ouvertement contre l'arbitraire de l'armée. Un comportement rare dans la Tchétchénie d'aujourd'hui...

Au printemps, il a transmis à l'organisation de défense des droits de l'homme Mémorial et au parquet général un document qu'il avait réussi à se procurer grâce à son opiniâtreté : le brouillon du rapport rédigé par l'un des combattants du GRU ayant participé au pillage de janvier. Ce rapport, qui contenait les noms des chefs du groupe en question, décrivait les tirs effectués sur les maisons et, surtout, le meurtre de l'un des habitants. Quelques mois plus tard, Iangoulbaev a été froidement assassiné.

31 août

Les « mères de Beslan » sont déchirées : faut-il ou non accepter l'invitation de Poutine et se rendre à Moscou le 2 septembre ?

Le président semble vraiment y tenir ; il envoie un avion spécial pour emmener ses invitées à la capitale. C'est du jamais vu. Cela dit, Beslan aussi était du « jamais vu »...

La plupart de ces femmes ont néanmoins refusé de partir. Du coup, ce ne sont pas des mères ayant perdu leurs enfants et désireuses depuis longtemps de dire à Poutine leur façon de penser qui seront reçues au Kremlin, mais une délégation tout ce qu'il y a de plus officiel, conduite par Teïmouraz Mamsourov, l'ancien président de la douma de l'Ossétie du Nord, dont les enfants étaient à l'école, mais ont survécu à l'assaut.

Aujourd'hui, Mamsourov se trouve à la tête de l'administration de l'Ossétie du Nord. Il y a été nommé par Poutine en personne. Autant dire qu'il ne va certainement pas sacrifier sa carrière au nom de la vérité.

Autre membre de la délégation : Maierbek Touaev, le chef de la commission chargée de la distribution de l'aide humanitaire. Il a perdu une fille dans l'attentat, mais depuis qu'il gère les flux financiers, il semble être plus intéressé par l'argent qu'il peut soutirer au Kremlin que par la recherche de la vérité sur la tragédie.

On envoie également à Moscou Azamat Sabanov, le fils de l'ancien directeur de l'école numéro un, Tatarkan Sabanov. Ce dernier est mort lors de la prise d'otages. Bien sûr, Azamat a vécu un drame. Il a perdu son vieux père. Mais ce n'est tout de même pas la même chose que de perdre un enfant. De plus, lui aussi s'occupe, avec Maierbek Touaev, de cette maudite aide humanitaire ; j'ai l'impression que l'aide fait oublier aux gens qu'ils vivent dans une morgue et que les vrais coupables n'ont pas été sanctionnés.

J'appelle Marina Pak, l'un des membres les plus actifs du Comité, dont la fille Svetlana a été littéralement déchiquetée lors de l'assaut. Marina est au cimetière, avec les autres mères. Elles ne souhaitent pas aller au Kremlin. « À quoi cela sert-il de faire mille kilomètres ? À recueillir les condoléances de Poutine ? Il ne nous reçoit pas pour faire avancer l'enquête, mais seulement pour se faire filmer en notre compagnie. C'est plutôt lui qui devrait venir nous voir. »

Alexandre Goumetsov, le mari de Rimma Torchinova (ils ont perdu leur fille Aza [1]) ne veut pas, lui non plus, parler au président. Je le connais depuis presque un an ; il est toujours plongé dans une profonde dépression. Aza était l'unique enfant du couple. Au début, Alexandre voulait rencontrer Poutine et lui faire savoir ce que sa femme et lui ont enduré pour retrouver les restes de leur fille. Mais à présent, il a perdu tout espoir. Même si Poutine passe une journée entière avec les gens de Beslan à demander pardon et à se justifier devant les parents orphelins, même s'il promet d'arracher la vérité aux ministères de force, ce sera trop tard.

---

1. Voir au 11 décembre 2004.

Finalement, deux ou trois mères acceptent tout de même de se rendre à Moscou, alors qu'une vingtaine a été invitée. Parmi ces mères, il y a Rimma Torchinova, la mère d'Aza. Elle y va pour regarder Poutine en face et lui poser quelques questions. Elle ne se fait guère d'illusions. Mais elle pense que, de cette manière, elle accomplit son devoir vis-à-vis de la mémoire de sa fille.

Il faudrait que la société soutienne ces malheureuses, qu'elles sentent que le pays est de leur côté. D'ailleurs, si elles n'étaient pas si solitaires dans leur deuil, le président n'oserait peut-être pas ignorer leurs légitimes revendications.

Mais le pays regarde froidement à la télévision les « mères de Beslan » pleurer dans le bâtiment du tribunal où l'on juge Koulaev en demandant à rencontrer Chepel, l'accusateur public. Les gens pensent qu'elles sont devenues folles de douleur et qu'avec le temps elles finiront par se calmer. Très rares sont ceux qui sont prêts à leur tendre la main.

Si nous vivions en Espagne (qui a son propre comité de mères des victimes des attentats de Madrid), les citoyens auraient formé une chaîne humaine sur tout le trajet de l'aéroport jusqu'au Kremlin et seraient restés là des heures, simplement en signe de solidarité, pour montrer à ces femmes qu'ils sont à leurs côtés.

Si nous vivions aux États-Unis (où il existe un comité des parents des victimes du 11 septembre), tous les syndicats de journalistes auraient manifesté la veille en exigeant que la rencontre entre le président et les femmes soit retransmise en direct. Pour que le pays entier sache ce que demandent les mères et ce que leur promet le président.

Mais nous vivons en Russie et, ici, tout le monde s'en moque. Les parents de Beslan resteront seuls avec leur douleur.

Demain, c'est le 1er septembre. Un an après les faits, aucun fonctionnaire et aucun militaire n'est passé en justice pour ce qui s'est produit à Beslan. Le pays ne le réclame même pas. Pour moi, cela signifie que notre nation s'est complètement désintégrée.

Il est clair, par ailleurs, que le mouvement démocratique est à l'agonie. Il semble impossible qu'un noyau commun se forme. Le Comité 2008 n'existe plus. Le Congrès civique est dans le coma. L'intelligentsia russe n'est représentée par aucune structure politique. Par conséquent, elle est étrangère à la gestion du pays.

Kasparov a quitté le Comité et fondé son propre parti, le Front civique uni. C'est très bien... mais combien d'adhérents cette formation pourra-t-elle bien attirer ? L'objectif déclaré du Front est le suivant :

« Bientôt, le régime de Poutine, déjà en stagnation, sombrera dans une crise profonde, venue de l'intérieur du système. Avant cela, il est indispensable de créer une organisation capable de réunir tous les citoyens de bonne volonté désireux de résister aux derniers soubresauts du régime. »

Ces mots sont justes. Mais le problème, c'est que tous les membres de ce mouvement, à l'exception de Kasparov lui-même, sont des « démocrates » de longue date, discrédités depuis l'époque Eltsine. C'est leur incurie qui a rendu possible l'avènement de Poutine. Bref, je ne crois pas que ce soient des démocrates sincères. Hormis Kasparov, bien sûr... Mais que peut-il faire seul ? Le pays a perdu toute confiance dans les mouvements démocratiques.

Vladimir Ryjkov essaie de ne pas laisser sombrer le Parti républicain de Russie (RPR), une formation que les gens fuient encore plus que le Front de Kasparov. Le RPR est un très vieux parti, à notre échelle : il est né de la « plate-forme démocratique du PCUS », constituée par les réformateurs du communisme à la toute fin des années 1980... Autant dire, un dinosaure de la scène politique !

Iavlinski s'est brouillé avec le SPS, à un tel point qu'il ne veut pas entendre parler de son nouveau leader, Nikita Belykh. Le vieux projet d'une alliance avec le SPS est bel et bien enterré. Iabloko surnage uniquement grâce à son mouvement de jeunesse dirigé par Ilia Iachine, mais les jeunes démocrates se radicalisent à vue d'œil et se rapprochent des *natsboly*... Ils ne vont pas rester longtemps au côté de Iavlinski.

Le SPS, lui, désire apparaître aux yeux de Poutine comme une « opposition loyale ». Cet été, Belykh a visité quarante-cinq régions de Russie en essayant de convaincre les habitants d'adhérer aux idéaux de la droite modérée. Un fiasco total.

Le véritable activisme politique se concentre sur le flanc gauche Khodorkovski a raison de dire, depuis sa prison, que la révolution viendra de l'extrême gauche. Une révolution orange n'est pas envisageable chez nous, pas plus que celle de la rose ou des tulipes.

Notre révolution à nous sera rouge. De la couleur des communistes ; de la couleur du sang.

Conclusion. Ai-je peur ?

On me dit souvent que je suis trop pessimiste, que j'ai tort de ne pas croire dans le peuple, que je m'enferme dans une opposition absolue à Poutine et que je refuse de tenir compte de ce qu'il fait de positif. Mais ce reproche est injuste : je vois tout, que ce soit le bien ou le mal. Je vois que les gens veulent améliorer leurs conditions de vie, qu'ils n'y arrivent pas et que, du coup, ils se murent dans le déni en essayant d'ignorer ce qui ne va pas dans le pays. Mais l'homme ne peut pas éternellement jouer les autruches. Je ne peux pas accepter sans colère les prévisions élaborées par le Comité national de statistique à l'horizon 2016. Peut-être ne serai-je plus de ce monde, mais il ne m'est pas indifférent de savoir comment vivront mes enfants et mes petits-enfants : si la politique et l'économie de notre pays ne changent pas radicalement, la population de la Russie va se réduire de 5,3 millions de personnes d'ici à 2016. Et encore s'agit-il d'une projection optimiste.

D'après le scénario « pessimiste », la Russie va perdre presque 12 millions d'habitants. Des millions de pauvres mourront par manque d'aide médicale, l'armée emportera les vies de nombreux jeunes ; l'État liquidera ou emprisonnera tous ceux qui ne sont pas les « nôtres ». Ces estimations me préoccupent énormément et me font réfléchir sur les mesures à prendre. Je refuse de me cacher et d'attendre dans ma cuisine des jours meilleurs, comme le font les autres.

Si la misère, l'alcoolisme, la guerre, le mépris pour l'environnement et le manque de protection sociale persistent, les Russes ne pourront pas profiter de la vie ; ils se contenteront de survivre.

Pour le moment, rien ne change. Le pouvoir est sourd et n'entend pas les signaux d'alarme. Enfermé dans sa tour d'ivoire, il ne pense qu'à son profit. Ceux qui nous gouvernent voient dans leurs fonctions un excellent moyen de gagner de l'argent, rien de plus. S'il y a des gens capables de se réjouir du « scénario optimiste », tant mieux pour eux. Pour ma part, j'y vois l'arrêt de mort de nos petits-enfants.

Annexe 1
Les partis politiques russes

Soiuz Pravykh Sil (Alliance des forces de droite, SPS)

Le SPS a été créé en 1999 sur la base du parti Demokratitcheskii Vybor Rossii (Choix démocratique de la Russie), fondé en 1994 par Egor Gaïdar et Anatoli Tchoubaïs. Il s'est alors doté d'une présidence collégiale assumée par Irina Khakamada, Boris Nemtsov, Sergueï Kirienko, Egor Gaïdar et Anatoli Tchoubaïs.

Le SPS prône les valeurs libérales en matière politique et économique; il se donne pour objectif l'instauration en Russie de l'État de droit ainsi que le renforcement de la société civile et des principes du fédéralisme. Il compte aujourd'hui plus de cinquante mille membres.

Aux élections législatives de 2003, le SPS n'a pas franchi la barre des 5 % : il n'est donc pas représenté à la douma. En 2005, les statuts du parti ont changé. Il est désormais présidé par Nikita Belykh, jeune entrepreneur et vice-gouverneur de la région de Perm.

Iabloko

Iabloko a été créé au tout début des années 1990 par trois hommes : Grigori Iavlinski, Iouri Boldyrev et Vladimir Loukine – d'où son nom de Iabloko (la pomme, en russe), formé à partir des premières lettres de leurs noms de famille. Le leader incontestable du parti est Grigori Iavlinski, un économiste qui s'est fait connaître dès l'époque soviétique en tant qu'auteur d'un programme de transition vers l'économie de marché intitulé « Cinq cents jours ».

Depuis sa fondation, Iabloko se positionne comme un parti démocratique d'opposition. Il se montrait critique vis-à-vis du régime eltsinien, comme il l'est aujourd'hui vis-à-vis du régime poutinien. Le parti exige une liberté totale des médias, la liquidation des monopoles d'État, le développement des PME et une réforme agraire. Iabloko est une formation social-démocrate qui défend les intérêts des petites entreprises et des employés. Elle puise essentiellement son électorat dans l'intelligentsia des grandes villes. Présent à la douma de 1993 à 2003, Iabloko n'a pas réussi à franchir la barre des 5 % aux élections parlementaires de 2003.

Edinaïa Rossia (Russie unie)

Ce parti apparaît le 1er décembre 2001. Il s'agit, en fait, de la fusion de deux formations centristes : Edinstvo (Unité), un parti créé en 1999 par les soins de l'administration présidentielle et dirigé par Serguei Choïgou ; et Otetchestvo – vsia Rossia (Patrie – Toute la Russie), fondé par le maire de Moscou, Iouri Loujkov, et l'ex-Premier ministre, Evgueni Primakov.

Russie unie a obtenu 38 % des suffrages aux élections législatives de 2003. Le parti est présidé par Boris Gryzlov, qui occupe en même temps le poste de président de la douma. Les vice-présidents sont : Sergueï Choïgou, Mintimir Chaïmiev (président de la république du Tatarstan) et Iouri Loujkov (maire de Moscou). De nombreux hommes politiques et entrepreneurs sont membres de Russie unie, « parti du pouvoir » à l'idéologie floue, qui soutient entièrement le président Vladimir Poutine.

LDPR (Parti libéral-démocrate de Russie)

Ce parti – qui est tout sauf libéral et démocrate – est présidé par Vladimir Jirinovski, un tribun populiste et xénophobe, généralement considéré comme une marionnette du Kremlin.

Le LDPR a été créé en 1992. Il a obtenu son premier grand succès aux élections législatives de 1993 en remportant 23 % des voix. Depuis, le LDPR a vu son électorat se réduire, mais il a toujours réussi à entrer à la douma. Il a ainsi obtenu 11,6 % des voix aux élections législatives de 2003.

Le LDPR se définit comme un « parti de centre droit, patriotique et nationaliste ». Son objectif affiché est le rétablissement d'un grand Empire russe dans ses frontières du début du XXe siècle.

Parti national-bolchevik (NBP)

Fondé par l'écrivain Édouard Limonov en 1992, le NBP est le parti des extrémistes patriotes et nostalgiques du grand Empire russe et soviétique, qui définissent leur formation comme « l'alliance des formes extrêmes de la lutte sociale et des formes extrêmes de la lutte nationale ». Il s'agit, en fait, d'une fusion originale du traditionalisme et du gauchisme, avec un fond de mysticisme conçu par Limonov lui-même et par le penseur « eurasiste » Alexandre Douguine.

Le NBP est populaire parmi les jeunes, séduits par le côté mystique et sectaire du parti, ainsi que parmi les marginaux d'extrême droite.

Rodina (Patrie)

Ce bloc a été fondé en 2002. En 2003, Sergueï Glaziev et Dimitri Rogozine en prennent la direction. Aux élections législatives de la même année, Rodina obtient 9,1 % des voix. De nombreux observateurs estiment que ce parti a été créé par le Kremlin afin de rogner l'électorat du Parti communiste.

À l'élection présidentielle de 2004, Rodina a officiellement soutenu la candidature de Vladimir Poutine, ce qui n'a fait que renforcer la suspicion à son égard. Mais, suite à des dissensions internes, Sergueï Glaziev a brigué le mandat suprême, recueillant un peu plus de 4 % des suffrages. Depuis, Dimitri Rogozine est le chef unique du bloc. Rodina est une formation nationaliste et patriotique qui joue sur des slogans populistes et la nostalgie impériale. Depuis le début de l'année 2005, elle semble vouloir prendre ses distances avec le Kremlin.

Parti communiste de la Fédération de Russie (KPRF)

Successeur du Parti communiste d'Union soviétique (PCUS), interdit en 1991, le KPRF, dirigé depuis sa fondation en 1992 par Guennadi Ziouganov, peut compter sur le soutien des nostalgiques de l'URSS, spécialement de la population la plus âgée.

Mais il perd du terrain depuis quelques années, à la fois à cause de la concurrence exercée par les nouveaux partis de gauche et d'extrême gauche, et parce que Russie unie lui a coupé l'herbe sous le pied en reprenant à son compte certains slogans étatistes et en réhabilitant quelques-uns des symboles soviétiques (notamment la musique de l'hymne national). Le KPRF est présent à la douma depuis 1993.

Annexe 2
Glossaire des noms propres

Abramkine, Valeri (1947) : dissident et prisonnier politique en Union soviétique; défenseur des droits de l'homme spécialisé dans les droits des détenus.

Aksentiev-Kikalichvili, Anzori (1948) : entrepreneur d'origine géorgienne, apparemment lié à diverses personnalités mafieuses. Il fait ses débuts en politique dans les années 1990 avec un discours populiste, à la fois nationaliste et nostalgique de l'URSS. Il s'est porté candidat à l'élection présidentielle de 2004 avant de se retirer de la course à quelques semaines du scrutin.

Alexeïeva, Lioudmila (1927) : ancienne dissidente; présidente du Groupe Helsinki de Moscou (organisation fondée en 1976 afin de veiller au respect par l'URSS des accords d'Helsinki de 1975 et devenue, depuis 1991, une ONG de défense des droits de l'homme).

Anpilov, Viktor (1945) : leader du mouvement marxiste-léniniste *Troudovaia Rossia* (Russie laborieuse), qui exige le rétablissement de l'URSS. Troudovaia Rossia a participé aux élections législatives en 1995, 1999 et 2003 sans jamais réussir à dépasser la barre des 5 % qui permet de constituer un groupe parlementaire à la douma.

Aouchev, Rouslan (1954) : premier président de la république d'Ingouchie; il est resté au pouvoir de 1993 à 2001. Membre du Conseil de la Fédération (Chambre haute du Parlement russe).

Bassaev, Chamil (1965) : chef de guerre tchétchène, il est impliqué dans des activités terroristes dès le début des années 1990 et se fait connaître dans le monde entier en organisant la prise d'otages de Boudennovsk en 1994. Membre du gouvernement indépendantiste d'Aslan Maskhadov (1996-1999), il déclenche en août 1999 la deuxième guerre de Tchétchénie en envahissant le Daghestan voisin pour y instaurer la charia. Depuis le début de la deuxième guerre, il demeure introuvable. Il aurait perdu une jambe en sautant sur une mine.

Berezovski, Boris (1946) : l'oligarque le plus célèbre de Russie. Il devient milliardaire au début des années 1990 en rachetant à bas prix quelques fleurons de l'industrie russe. Homme clé du clan Eltsine, Berezovski influence pratiquement toutes les décisions politiques à cette époque. Il finance la réélection d'Eltsine en 1996 et l'élection de Vladimir Poutine en 2000, avant d'être poursuivi en justice par ce dernier. En exil à Londres depuis 2003, Berezovski a conservé d'importants intérêts financiers et donc un certain pouvoir en Russie.

Bonner, Elena (1923) : dissidente à l'époque soviétique, épouse d'Andreï Sakharov de 1970 au décès du Prix Nobel de la paix en 1989, elle est l'une des grandes figures des défenseurs des droits de l'homme de Russie. Après la mort de Sakharov, elle s'est efforcée de perpétuer ses idéaux de démocratie et de tolérance dans la Russie des années 1990-2000.

Borovoï, Konstantin (1948) : entrepreneur qui a fait fortune à l'époque de la perestroïka. Il se lance en politique dans les années 1990. Entre 1992 et 1999, il est le leader du petit parti libéral et anticommuniste *Partia ekonomitcheskoi svobody* (Parti de la liberté économique). Ce parti a été dissous en 1999.

Bounine, Igor (1946) : politologue. Directeur de la fondation Centre des technologies politiques depuis 1991.

Bryntsalov, Vladimir (1946) : homme d'affaires, président du géant pharmaceutique Ferein. Célèbre pour sa richesse proverbiale, ses ambitions politiques et son mode de vie fastueux, il a été candidat à la présidentielle en 1996 (obtenant 0,16 % des suffrages) ; il a été élu député en 1995 au scrutin uninominal, réélu en 1999 et battu en 2003.

Chenderovitch, Viktor (1958) : journaliste de télévision et de radio, auteur de nombreux programmes satiriques dont les célèbres *Koukly* (Les Marionnettes, équivalent russe des Guignols français).

Choïgou, Serguei (1955) : ministre des Situations d'urgence depuis 2000. Coprésident de Russie unie depuis 2001.

Chouster, Savik (1952) : émigré d'URSS au Canada en 1971, il travaille dans les années 1980 pour les médias occidentaux. En 1996, il revient à Moscou en tant que directeur du bureau russe de radio Liberty. Limogé en 2001, il devient journaliste sur NTV (2001-2005). Il anime aujourd'hui un talk-show politique sur la chaîne de télévision ukrainienne ICTV.

Deripaska, Oleg (1968) : « Magnat de l'aluminium », président du groupe Aluminium russe (RUSAL) qui produit plus de 10 % de l'aluminium mondial. Membre du comité de direction de l'Union russe des industriels et des entrepreneurs (sorte de MEDEF russe).

Dzasokhov, Alexandre (1934) : président de la république d'Ossétie du Nord depuis 1998, Dzasokhov a été accusé par l'opinion publique d'être responsable de la tragédie de Beslan ; il a donné sa démission en juin 2005, avant la fin de son deuxième mandat.

Fridman, Mikhaïl (1964) : diplômé de l'Institut de l'acier et des métaux, à la fin des années 1980, il fonde successivement plusieurs petites entreprises. En 1990, il constitue la holding Alfa-Capital, qui donnera son nom à une banque et à un consortium créés un peu plus tard. Depuis 1996, il dirige Alfa-Group, l'une des holdings les plus puissantes de Russie. Il est considéré comme l'une des premières fortunes russes et mondiales. Depuis 2001, il est membre du comité de direction de l'Union russe des industriels et des entrepreneurs.

Glaziev, Sergueï (1961) : économiste, ministre du Commerce extérieur (1992-1993) ; député (1994-1995 et depuis 1999). Depuis 2003, il dirige avec Dimitri Rogozine le bloc Rodina (Patrie), une coalition de plusieurs partis nationalistes. Candidat à la présidentielle en 2004, il a obtenu 4,1 % des voix. Suite à ses ambitions présidentielles, Glaziev a été évincé de la direction de Rodina ; actuellement, il préside sa propre organisation, « Pour une vie digne », qui demeure, malgré quelques contentieux, au sein du bloc.

Goussinski, Vladimir (1952) : l'un des oligarques russes les plus riches, il bâtit dans les années 1990 un véritable empire financier et acquiert de nombreux médias, dont la chaîne NTV. En 2000, il est accusé de fraudes massives et de blanchiment de sommes considérables. L'Espagne, où il se trouve au moment où un mandat d'arrêt est édicté à son encontre, refuse de l'extrader vers la Russie. Détenteur de la nationalité israélienne, Goussinski s'installe alors dans l'État hébreu où il continue d'habiter à ce jour. Son empire a été largement récupéré par des hommes d'affaires proches de l'administration Poutine.

Gratchev, Pavel (1948) : ministre de la Défense sous Boris Eltsine de 1992 à 1996, il a été l'un des initiateurs de la première guerre tchétchène (1994-1996). Il est soupçonné d'avoir commandité l'assassinat du journaliste Dimitri Kholodov qui avait publié des articles l'accusant de corruption.

Gryzlov, Boris (1950) : ministre de l'Intérieur (2001-2003). Président du parti Russie unie depuis 2003, et président de la douma depuis décembre 2003, il est considéré comme l'un des plus fidèles soutiens de Vladimir Poutine.

Iakovlev, Alexandre (1923-2005) : membre du Comité central du PCUS sous Gorbatchev, il a été l'« architecte de la *perestroïka* » et le « père de la glasnost ». De 1992 à sa mort, il a présidé la Commission de réhabilitation des victimes des répressions politiques auprès du président de la Fédération de Russie.

Iassine, Evgueni (1934) : directeur de la fondation Mission libérale, ministre de l'Économie (1994-1997); aujourd'hui directeur de la prestigieuse École supérieure d'études économiques de Moscou.

Iavlinski, Grigori (1952) : économiste, cofondateur et président du parti démocrate Iabloko, créé en 1993. Candidat aux élections présidentielles de 1996 (7,4 % des voix) et de 2000 (5,8 %). Député de 1993 à 2003.

Jirinovski, Vladimir (1946) : chef du parti ultranationaliste LDPR (Parti libéral-démocrate de Russie). Candidat aux élections présidentielles de 1991 (7,8 %), 1996 (5,7 %) et 2000 (2,7 %). Député depuis 1993.

Joukov, Alexandre (1956) : premier vice-Premier ministre de Russie depuis le 9 mars 2004. Économiste de formation, il a été député de 1994 à 2003. Membre de Russie unie depuis 2001, il a intégré le Conseil politique central (l'instance dirigeante) de ce parti en 2003.

Kadyrov, Akhmad (1951-2004) : grand mufti de la Tchétchénie (1993-1999), il a pris part aux opérations contre les troupes fédérales lors de la première guerre tchétchène (1994-1996) et a appelé au djihad contre les Russes. À partir de 1999, il change son fusil d'épaule et se met à coopérer avec Moscou. En 2000, Vladimir Poutine le nomme chef de l'administration locale. En 2003, il est élu président de la Tchétchénie. Il trouve la mort dans un attentat le 9 mai 2004.

Kadyrov, Ramzan (1976) : fils cadet d'Akhmad Kadyrov et chef de son service de sécurité, il devient, à la mort de son père, vice-Premier ministre de Tchétchénie. Il a été accusé à plusieurs reprises par les médias d'enlèvements et de tortures. En mars 2006, il a gravi une marche supplémentaire en accédant au poste de Premier ministre à la place de Sergueï Abramov.

Kalouguine, Oleg (1934) : ancien officier du KGB, congédié en 1990 pour « trahison ». Député (1990-1992). Il a émigré aux États-Unis en 1995. Depuis, il publie des romans sur l'espionnage et le KGB.

Kara-Mourza, Vladimir (1959) : journaliste, politologue, membre du SPS.

Kasparov, Gary (1963) : champion du monde d'échecs de 1985 à 2000, il a mis fin à sa carrière au début des années 2000. Fondateur du Comité 2008 pour un choix libre et du Front civique uni.

Kassianov, Mikhaïl (1957) : vice-ministre des Finances (1995-1999); ministre des Finances (1999-2000); Premier ministre (2000-2004). Limogé en 2004, Kassianov a évoqué la possibilité de sa participation aux élections présidentielles de 2008. Immédiatement après cette déclaration, il a été accusé d'abus de pouvoir et de corruption.

Kerimov, Suleyman (1966) : député du parti LDPR depuis 1999, réélu en 2003; propriétaire de plusieurs compagnies d'immobilier et de diverses entreprises dans le secteur pétrolier, il est connu comme le député le plus riche de la douma.

Khakamada, Irina (1955) : économiste et femme d'affaires. Participe en 1992 à la création du Parti de la liberté économique avec Konstantin Borovoï; députée de la douma de 1993 à 2003. En 1999, elle est l'une des créatrices du parti SPS. Candidate à l'élection présidentielle en 2004 (3,85 % des voix).

Khodorkovski, Mikhaïl (1963) : fondateur et propriétaire de la banque Menatep (1991), président de la plus grande compagnie pétrolière russe, Ioukos (1995-2003), il a été l'homme le plus riche de Russie. Arrêté en octobre 2003 pour fraude fiscale, il a été déchu de la plus grande partie de ses avoirs et condamné, en 2005, à neuf ans de prison, peine réduite à huit ans en appel. Il purge actuellement sa peine dans un pénitencier de Sibérie.

Koulaev, Nourpachi (1981) : selon la version officielle, unique survivant du commando qui a occupé l'école de Beslan en septembre 2004. Il est également le seul accusé au « procès de Beslan » mené par la Cour suprême de l'Ossétie du Nord. En février 2006, le procureur général a demandé d'appliquer à Koulaev la peine de mort (même si celle-ci est interdite en Russie). Les « mères de Beslan », tout en soutenant cette demande, exigent que d'autres responsables soient jugés. En février 2006, elles ont entamé une grève de la faim pour protester contre la façon dont le procès est conduit.

Kovalev, Sergueï (1930) : dissident et prisonnier politique en Union soviétique, défenseur des droits de l'homme. Député (1993-1995). Président du Comité des droits de l'homme auprès du président de la Fédération de Russie (1990-1996); coprésident de l'organisation de défense des droits de l'homme Mémorial.

Kozak, Dimitri (1958) : chef adjoint de l'administration présidentielle (2000-2003), chef de la campagne électorale de Vladimir Poutine pour l'élection présidentielle de 2004. Depuis 2004, représentant spécial du président dans la Région fédérale du Sud.

Lebedev, Platon (1956) : cofondateur de la banque Menatep avec Mikhaïl Khodorkovski (1991); vice-président de Ioukos (1996-1999); président du groupe Menatep et gérant des actions de Ioukos (1999-2003). Arrêté en juin 2003, jugé avec son patron Mikhaïl Khodorkovski, il a été condamné à cinq ans de prison ferme pour fraude fiscale. Il purge sa peine dans une prison du Grand Nord du pays.

Limonov, Édouard (1943) : écrivain et homme politique. Expulsé d'URSS en 1974, il passe dix-sept ans en France et aux États-Unis. De retour en Russie en 1992, il fonde le Parti national-bolchevik qui se réclame simultanément des idéaux de l'extrême gauche et de ceux de l'extrême droite.

Loukine, Vladimir (1937) : l'un des fondateurs du parti Iabloko, député des trois premières doumas; en 1992-1993, ambassadeur de la Russie aux États-Unis; en 2004, il est nommé conseiller du président Poutine pour les droits de l'homme.

Melnikova, Valentina (1946) : cofondatrice et présidente du Centre de recherches sur les droits de l'homme en Russie. À la tête de l'Union des comités des mères de soldats, elle milite depuis le milieu des années 1990 pour une réforme de l'armée russe.

Mironov, Sergueï (1953) : depuis 2001, président du Conseil de la Fédération (Chambre haute du Parlement russe). Depuis 2003, leader du Parti de la vie (créé en 2002), une formation pro-Poutine qui a recueilli moins de 2 % des suffrages aux élections législatives de décembre 2003. Candidat à la présidentielle en 2004 (0,76 % des suffrages).

Mordachev, Alexeï (1965) : l'un des oligarques les plus riches de Russie, propriétaire de la holding Severstal.

Mouratov, Dimitri (1961) : journaliste, cofondateur (en 1993) et rédacteur en chef de *Novaïa Gazeta*, journal bihebdomadaire – très critique vis-à-vis du régime de Poutine – où travaille Anna Politkovskaïa.

Nemtsov, Boris (1959) : économiste, l'un des jeunes réformateurs de l'époque Eltsine. Vice-Premier ministre (1997-1998). Cofondateur en 1999 du parti SPS, dont il a été l'un des dirigeants jusqu'en 2004. De février 2004 à décembre 2005, il a présidé la compagnie pétrolière Neftianoï, poste dont il a démissionné le 19 décembre 2005 pour « se consacrer à l'union des forces démocratiques de Russie ».

Noukhaev, Khodj-Akhmed (1954) : vice-Premier ministre tchétchène sous Djokhar Doudaev, il a longtemps été l'un des porte-parole de l'« Itchkérie indépendante ». En 2003, le journaliste Paul Khlebnikov a publié un livre intitulé *Dialogue avec un barbare* fondé sur des entretiens qu'il a eus avec Noukhaev. Khlebnikov a été assassiné en juillet 2004 et l'enquête officielle a désigné Noukhaev comme le commanditaire de ce meurtre.

Novodvorskaïa, Valéria (1950) : ancienne dissidente, arrêtée et emprisonnée à plusieurs reprises pour « activités antisoviétiques ». Elle a fondé en 1988 le petit parti d'opposition Union démocratique, qu'elle dirige à ce jour.

Oumarov, Dokou (1964) : *boïevik* actif depuis le début des années 1990, secrétaire du Conseil de sécurité de la Tchétchénie depuis 1997, militaire très influent et participant à de nombreuses opérations contre les forces fédérales, Oumarov a été grièvement blessé à plusieurs reprises. En juin 2006, il succède à Abdul Khalim Saïdoulaev, abattu par les troupes russes, à la tête de la république d'Itchkérie (nom que les séparatistes tchétchènes donnent à la Tchétchénie).

Pamfilova, Ella (1953) : députée, ministre des Affaires sociales (1991-1993), membre de nombreuses commissions parlementaires sur les droits sociaux et candidate à la présidentielle en 2000 (1 % des voix), elle a été désignée, en 2002, présidente de la Commission des droits de l'homme auprès du président.

Patrouchev, Nikolaï (1951) : directeur du FSB (Service fédéral de sécurité, ex-KGB) depuis 1999. Considéré comme un homme de confiance de Vladimir Poutine.

Pavlovski, Gleb (1951) : directeur de la Fondation pour une politique efficace. L'« expert en technologies politiques » le plus célèbre de Russie, conseiller influent du Kremlin.

Potanine, Vladimir (1961) : l'un des oligarques les plus riches de Russie, fondateur de plusieurs grandes banques dans les années 1990. Il a brièvement travaillé au gouvernement en tant que coordinateur des activités du ministère de l'Économie (1996-1997). Il est actuellement président de la holding Interros, actionnaire majoritaire de nombreuses compagnies d'extraction de matières premières (dont le géant du nickel, Norilskiï Nickel).

Pougatchev, Sergueï (1963) : oligarque, banquier, président (1992-2001) de Mejprombank (Banque industrielle internationale), la banque de la « famille » Eltsine et de plusieurs structures d'État. Accusé par la presse d'opposition de fraude massive et de blanchiment d'argent, Pougatchev n'a jamais été poursuivi en justice (la rumeur dit qu'il bénéficie de la protection de Vladimir Poutine). Sa proximité avec le patriarcat de l'Église orthodoxe russe lui a valu le surnom d'« oligarque orthodoxe ».

Primakov, Evgueni (1929) : après une longue carrière au ministère soviétique (puis russe) des Affaires étrangères, il a été le chef de la diplomatie russe de 1996 à 1998. Nommé Premier ministre au lendemain du krach économique d'août 1998, il a été destitué huit mois plus tard par un Boris Eltsine inquiet de sa popularité croissante. Il a été le cofondateur et le coprésident, avec le maire de Moscou, Youri Loujkov, du parti *Otetchestvo – vsia Rossia* qui, par la suite, s'est fondu dans Russie unie. Il est actuellement président de la Chambre d'industrie et de commerce de Russie.

Rogozine, Dimitri (1963) : fondateur, en 1993, du Congrès des communautés russes, une organisation censée défendre les droits de la population russe des anciennes Républiques soviétiques devenues indépendantes en 1991. Député depuis 1997, il est, depuis 2003, le chef du bloc Rodina (Patrie).

Rybkine, Ivan (1946) : député au Parlement, d'abord soviétique (1990-1991), puis russe (1991-2000). Chef du Conseil de sécurité de la Fédération de Russie (1996-1998). Soutenu par l'oligarque en exil Boris Berezovski, Rybkine a été candidat à la présidentielle de 2004 avant de retirer sa candidature quelques semaines avant le scrutin.

Ryjkov, Vladimir (1966) : député depuis 1993, il est, sous Boris Eltsine, l'un des leaders du parti proprésidentiel *Nach dom Rossia* (Notre maison la Russie), qui s'est fondu dans le bloc *Edinstvo* (Unité) en 2000. Rapidement, Ryjkov a été exclu de *Edinstvo* pour désaccords avec la position du parti ; depuis, il se trouve dans l'opposition. Il a rejoint le Parti républicain de Russie (RPR).

Sakharov, Andreï (1921-1989) : physicien, père de la bombe H soviétique. Chef de file des dissidents à partir des années 1960, lauréat du prix Nobel de la paix en 1975, il est exilé dans la ville de Gorki de 1981 à 1986. Il rentre à Moscou pendant la *perestroïka*, à laquelle il participe activement. Élu membre du Congrès des députés du peuple en 1989, il meurt le 14 décembre de la même année. Il demeure, aujourd'hui encore, la figure de référence pour tous les démocrates russes.

Satarov, Gueorgui (1947) : politologue, directeur de la campagne électorale d'Eltsine en 1996, fondateur et président de la fondation analytique INDEM, il reste proche d'Eltsine et des valeurs politiques de l'époque eltsinienne.

Sobtchak, Anatoli (1937-2000) : maire de Leningrad (1991-1995), c'est lui qui a rendu à la ville son nom historique de Saint-Pétersbourg. Membre fondateur des premiers mouvements démocratiques de Russie au tout début des années 1990 ; il a été le confident de Vladimir Poutine, qui a travaillé sous ses ordres à la mairie de Saint-Pétersbourg.

Sourkov, Vladislav (1964) : chef adjoint de l'administration présidentielle depuis 1999, il est surnommé l'« éminence grise » et le « grand manipulateur » du Kremlin. L'un des rouages essentiels de la mainmise de l'entourage de Vladimir Poutine sur tous les rouages de la vie politique russe.

Starovoïtova, Galina (1946-1998) : dissidente à l'époque soviétique, députée à partir de 1989, militante inlassable pour les droits de l'homme, elle a été abattue en 1998 dans l'entrée de son immeuble par un tueur à gages. Son assassinat n'a pas été élucidé à ce jour.

Syssouev, Oleg (1953) : vice-Premier ministre (1997) puis chef adjoint de l'administration du président Eltsine (1998-1999), il est aujourd'hui le vice-président de la banque Alfa.

Tchapline, Vsevolod (1968) : archiprêtre, numéro deux du département des relations extérieures de l'Église orthodoxe russe, il présente régulièrement la position de l'Église dans les médias.

Tchoubaïs, Anatoli (1955) : chef des « jeunes réformateurs » libéraux de l'époque Eltsine, architecte de la privatisation russe, il a été l'un des dirigeants du parti SPS jusqu'en janvier 2004 ; il préside aujourd'hui RAO EES (Systèmes énergétiques unis de Russie), la plus importante compagnie d'énergie du pays, contrôlée à plus de 50 % par l'État.

Table

CET OUVRAGE
A ÉTÉ TRANSCODÉ
ET ACHEVÉ D'IMPRIMER
PAR L'IMPRIMERIE FIRMIN-DIDOT
AU MESNIL-SUR-L'ESTRÉE EN AOÛT 2006

Dépôt légal : septembre 2006
N° d'impression : 80070

Imprimé en France